Schmidt, Johann Fri

Charte der Gebirge des Mondes

Schmidt, Johann Friedrich Julius

Charte der Gebirge des Mondes

Inktank publishing, 2018

www.inktank-publishing.com

ISBN/EAN: 9783750143524

CHARTE

DER

GEBIRGE DES MONDES

NACH EIGENEN BEOBACHTUNGEN IN DEN JAHREN 1840–1874

ENTWORFEN VON

DR. J. F. JULIUS SCHMIDT,

DIRECTOR DER STERNWARTE ZU ATHEN.

HERAUSGEGEBEN AUF VERANLASSUNG UND KOSTEN DES

KÖNIGLICH PREUSSISCHEN MINISTERIUMS DER GEISTLICHEN, UNTERRICHTS- UND
MEDICINAL-ANGELEGENHEITEN.

ERLÄUTERUNGSBAND.

BERLIN.
IN COMMISSION BEI DIETRICH REIMER.
1878.

VORBERICHT.

Wenn der Beobachter am Anfange seiner Thätigkeit im Besitze auch nur eines mässigen Theiles derjenigen Erfahrungen und Kenntnisse sich befände, die er bei grösseren Unternehmungen erst im Laufe vieler Jahre erlangt, so würde in den meisten Fällen das Resultat seiner Arbeit mehr oder besser den eigenen und fremden Erwartungen entsprechen, als dasjenige, was er wirklich darzubieten vermag. Aber selbst die Erfahrungen Anderer, die vor ihm ähnliche Wege verfolgten, sind sehr oft unbekannt, und wenn ganz oder theilweis bekannt, auf neue Verhältnisse entweder gar nicht, oder nur unvollständig anwendbar.

Die Mondcharte, welche ich nun der Oeffentlichkeit übergebe, hat ihre besondere Geschichte; sie ward vollendet, ohne dass ich sie ursprünglich in solcher Gestalt beabsichtigte. Die Summe einer sehr grossen Menge von Beobachtungen drängte endlich dazu, ein Ganzes zu liefern, und das Bedenken, Unvollkommenes zu geben, ward überstimmt durch die Einsicht, dass es überhaupt keine vollkommene Arbeit gebe, dass sie stets durch eine spätere und bessere ersetzt werden müsse; dass ferner Jeder dazu berechtigt sei, das Ergebniss eigener Forschung in irgend einer Form darzulegen, die ihm selbst, und (in diesem Falle) einer sehr geringen Zahl von Kennern, zweckmässig und ausführbar erschien, vorausgesetzt, dass Mängel und wirkliche Fehler in der Arbeit von dem Nutzen des Ganzen erheblich aufgewogen werden. In solcher Lage befand sich mich, als ich zu Anfang 1865 den Entschluss fasste, meine topographischen Beobachtungen des Mondes für eine grosse Uebersichtscharte zusammenzustellen.

Ich glaube nun, dass eine kurze Erzählung der allmäligen Entwickelung dieser Arbeit auf einleuchtende Weise darlegen wird, weshalb das Werk so und nicht anders ausgefallen ist, und ich will daher in wenigen Zügen mittheilen, wie ungeachtet des fragmentarischen Charakters der nie ernstlich unterbrochenen Beobachtungen, die mehr als ein mittleres Menschenalter umfassen, zuletzt doch ein Ganzes erwachsen konnte. Ich werde ebenso wenig die erste Anregung und die frühesten Versuche verschweigen, als es unterlassen, auf Schwierigkeiten und Mängel des Werkes, die erst im Laufe der Jahre erkannt wurden, gelegentlich hinzuweisen. Hat man so die Entwickelung des Ganzen verfolgt, so wird man zugeben dürfen, dass der Unmuth über die theilweise Nichterfüllung von Anforderungen, die man an sich selbst richtete, gemildert werde durch das Bewusstsein, dass eine reiche, vielumfassende Urkunde über den Zustand der Oberfläche eines Himmelskörpers, nicht entstellt durch Meinungen, Hypothesen und Theorien, noch für die späte Zukunft einen selbstständigen Werth habe, dass

A*

5

einst die thatsächlichen Ergebnisse, nach ihrem Gesammtgewichte betrachtet, Ausstellungen geringfügig erscheinen lassen, zu denen grössere oder geringere Mängel in den Einzelnheiten solcher Urkunde eine wohlbegründete Veranlassung bieten.

Anstatt mit der Zeit zu beginnen, da ich die grosse Charte zu bearbeiten anfing, will ich den ganzen Weg andeuten, der zurückgelegt werden musste, um nach und nach ein deutlicher hervortretendes Ziel zu erkennen und zu erreichen.

Es war im Herbste 1839, als ich in meiner Heimath Eutin, bei Gelegenheit einer Auction im Hellwag'schen Hause, das Schröter'sche Werk über den Mond in die Hände bekam. Der Anblick zahlreicher Abbildungen von schattenwerfenden Bergen und Kratern war von so starkem und nachhaltigem Eindrucke, dass er maassgebend für die Hauptrichtung meines spätern Lebens geblieben ist. Damals, erst 14 Jahre alt, und seither schon lange ernstlich mit Botanik und Zoologie beschäftigt, und vermuthlich bereits mit manchen astronomischen Thatsachen bekannt, konnte von einem bestimmten Entschlusse keine Rede sein; ich ruhte aber nicht eher, als bis ich mich selbst davon überzeugen konnte, welchen Anblick der Mond am Fernrohre gewähren möchte.

Dieser Wunsch ward bald erfüllt, denn ein kleines, sehr gutes Fernrohr, von meinem Vater selbst geschliffen, zeigte mir die zahlreichen Flecken des Mondes, und, das Fernrohr an einen Laternenpfahl der Strasse anlehnend, erkannte ich die Streifen des Tycho, und machte sogleich den ersten Versuch einer Zeichnung.

Die Lesung des Werkes von Schröter, und die Fortsetzung der Mondzeichnungen, ward nun meine Hauptbeschäftigung, und es dauerte nicht lange, als ich ein Stativ mit doppelter Drehung ausdachte, dessen rohe Ausführung in Holz bald zur grossen Erleichterung der Beobachtungen zu Stande kam. Ich zeichnete nun ganze Phasen, in welche ich, ohne die Libration zu berücksichtigen, die Oerter nach der Mayer'schen Charte orientirte, und das Detail der Beobachtung hinzufügte, alle Schatten mit darstellend. So ward, je nach dem Stande des Mondes, bald der Hofplatz, bald der Dachboden oder der Schornstein des Hauses als Station gewählt, um zeichnen zu können. In dieser Weise beobachtete ich im Jahre 1840, und vernachlässigte darüber nicht wenig die Schule. Als inzwischen der Regierungsrath Hellwag, ein hochgebildeter, auch in der Astronomie wohlerfahrener Mann, meine Bemühungen bemerkte und dann Ursache fand, bedingungsweise dieselben zu begünstigen, veranlasste er den Hofrath Voss (einen Sohn des berühmten L. Voss, der von 1782—1802 Rector der Eutiner Schule war), mir ein 4füssiges sehr scharfes Dollond'sches Fernrohr von 15- oder 20maliger Vergrösserung anzuvertrauen. Dies geschah im Frühling 1841. Das Fernrohr ruhte auf 3 hölzernen Füssen, und durch eine hölzerne Klemmschraube konnte es für die verschiedenen Höhenwinkel festgestellt werden. Mit diesem Instrumente beobachtete ich von nun an im Hellwag'schen Hause. Ich konnte damit einige Streifen des Jupiter, den Ring des Saturn, die Sichelgestalt der Venus erkennen. Bei jeder günstigen Gelegenheit wurden nun ganze Phasen gezeichnet, und gewöhnlich am Tage nach der Beobachtung genauer ausgearbeitet. Im Juli 1841 sah ich zum ersten Male den Mond an einem grössern Fernrohre, und zwar auf der Sternwarte zu Altona, wo mir Petersen die Krater Gassendi und Bullialdus zeigte. Ich lernte nun erst den Reichthum der Mondformen kennen, und mehr noch, als ich zu jener Zeit Mädler's Charte vor Augen hatte. Im April 1842 kam ich nach Hamburg, und erlangte seit dem Juli Zutritt zur dortigen Sternwarte. Dem Wohlwollen des Directors, C. Rümker, verdankte ich die häufige Benutzung verschiedener Telescope in den Jahren 1842 bis 1845. Im Juni 1842 erlaubte mir Herr J. P. L. Bartels auf Hohenfelde bei Hamburg, wo ich damals wohnte, sein Fernrohr von Banks, welches bei 90maliger Vergrösserung gute Bilder zeigte, nach Belieben zu meinen Beobachtungen zu verwenden, und erst von dieser Zeit an erhielt ich Abbildungen, die theilweis für die grosse Charte benutzt werden konnten. Ich beschränkte mich nun darauf, nach Schröters Methode einzelne Landschaften darzustellen, und die Zeichnung ganzer Phasen ward für immer aufgegeben. Gelegentlich beobachtete ich auf der Sternwarte an Refractoren von 4 und 6 Fuss Brennweite. Im April 1843 kam ich an die Sternwarte zu Bilk, erlangte aber für den Mond nur sehr wenige Beobachtungen, da ein nicht starkes, mir zur Verfügung gestelltes Fernrohr wegen seines prismatischen Oculares stets eine Umstellung der Zeichnung erforderte, und weil Benzenberg das grössere Instrument sorgfältig unter Verschluss hielt, damit es durch Berührung nicht am äussern Glanze Schaden leide. Von 1845 bis 1853 konnte ich auf der Sternwarte zu Bonn wegen der eigentlichen Berufsgeschäfte die Beobachtungen des Mondes nicht in früherer Weise fortsetzen. Aber dennoch erlangte ich zahlreiche und werthvolle Zeichnungen, und selbst in den Jahren, wo solche fehlen, ward der Mond sehr häufig beobachtet, und das Gesehene handschriftlich aufbewahrt. Im April 1849 und Mai 1853 zeichnete ich am grossen Refractor der Berliner Sternwarte, wozu Galle und Bruhns mir freundlich die Gelegenheit boten. Von 1853 bis 1858 ward an der Sternwarte zu Olmütz nur wenig gezeichnet. Aber in grossem Umfange unternahm ich mikrometrische Messungen, um die Kenntniss von den Höhen- und Neigungswinkeln der Mondgebirge zu vermehren. Im März 1855 erhielt ich Zeichnungen am grossen Refractor zu Rom, und fand im April desselben Jahres auf der Sternwarte zu Neapel Veranlassung zu Notirungen über verschiedene Landschaften des Mondes. Am 2. December 1858 kam ich nach Athen. Der Zustand der Sternwarte erlaubte ein Jahr lang keine Beobachtung, und erst im November 1859 konnten wenigstens schriftliche Bemerkungen über den Mond beginnen, nachdem ich den 6 füssigen Refractor von Plössl hatte wiederherstellen lassen. Seit dem Februar 1860 habe ich bis Anfang 1865 den Mond zwar häufig beobachtet und gezeichnet, aber nur mehr gelegentlich, weil Arbeiten anderer Art die meiste Zeit in Anspruch nahmen. Ich unterliess nun die Ausarbeitung der am Fernrohre erlangten Zeichnungen und bewahrte die Originale, über die ein besonderer Catalog angelegt ward.

Als aber das Material sehr anwuchs, und die Uebersicht des Ganzen verloren ging, beschloss ich, aus allen brauchbaren Fragmenten eine grosse Charte von 6 Par. Fuss zusammenzustellen, um zu erkennen, welche Gegenden von mir bis dahin vernachlässigt oder ganz übersehen waren, denn ich wusste wohl, dass die Vorliebe für einzelne Landschaften des Mondes mich stets daran gehindert hatte, mancher schwierigen oder unerfreulichen Gegend die nöthige Aufmerksamkeit zuzuwenden. Noch dachte ich nicht daran, eine Generalcharte zu bearbeiten, weil ich es nicht für möglich hielt, sie mit dem schon zu starken Plössl'schen Refractor zu Ende zu führen. Im Januar 1865 begann ich den Entwurf auf 4 Blättern von je einem Meter Durchmesser. Die Hauptpunkte waren bald nach Mädler's Charte eingetragen, denen sich das Detail der eigenen Beobachtungen anreihte. In kurzer Zeit konnte ich wahrnehmen, wie wenig ich besass und wie viel noch fehlte. Dadurch ward ich genöthigt, die Beobachtungen in solchem Maasse zu vermehren, dass die früheren dagegen nunmehr wenig in Betracht kommen konnten. Neun Jahre sind dieser Arbeit gewidmet worden, bis ich im Juli 1874 mich dahin entschied, das Werk abzuschliessen, weil, auch bei gleichbleibenden äusseren und günstigen Bedingungen, sich auf unzweifelhafte Weise herausstellte, dass eine erschöpfende Darstellung aller Details, welche ein sechsfüssiger Refractor erkennen lässt, eine längere Lebensdauer und eine viel grössere Arbeitskraft erfordert, als dem Menschen verliehen ist. In dem angegebenen Zeitraume ward 1862 October bis 1863 August und 1869 August bis 1870 April in Athen nicht beobachtet, und ich erhielt in diesen Intervallen nur wenige Daten an der Sternwarte zu Wien.

Im Uebrigen gab es keine andern Unterbrechungen, als solche, die durch Wolken oder unruhige Luft verursacht wurden.

Zwei Jahre und etliche Monate hatte ich an dem ersten Entwurfe der grossen Uebersichtscharte gearbeitet, und nach und nach Alles eingetragen, was die neuern Athener Beobachtungen geliefert hatten, als ich erkannte, dass die Fortsetzung dieses Unternehmens nicht zum guten Ende führen würde. Das Maass der 4 Blätter war viel zu gross, um die Unzahl kleiner Gegenstände mit der nöthigen Feinheit bequem verzeichnen zu können. Die mehr und mehr zunehmende Uebung in der Federzeichnung der Berge nach Lehmann's Methode hatte ein ungleichförmiges Aussehen zur Folge, und erhebliche Fehler in der Darstellung gewisser Randlandschaften konnten durch Radiren nicht mehr beseitigt werden. Endlich musste ich anerkennen, dass so grosse Tafeln, sollten sie lithographirt, oder in Kupfer gestochen werden, der technischen Ausführung sehr ernste Schwierigkeiten in den Weg stellen müssten. Im April 1867 verwarf ich das begonnene Werk und fing sogleich mit dem neuen an. Ich wählte nun die Theilung einer 6 Fuss im Durchmesser haltenden Charte in 25 Sectionen, nach dem Vorgange Lohrmann's, indem ich dessen Tafeln, und zwar im doppelten Maassstabe copirte, und die Gradtheilung eintrug. Es zeigte sich später, dass es besser gewesen wäre, unabhängig von Lohrmann's Tafeln, das Gradnetz im Besondern zu construiren, aber dafür mangelte es sowohl an Raum, als auch an Hülfsmitteln. War schon die erwähnte Copie ungenau, weil Lohrmann's Tafeln im Drucke ungleiche Dimensionen erlangt hatten, so ward der Fehler bei meinen Tafeln noch etwas grösser, weil die Sectionen meiner Charte sich wegen der ungleichen Papiersorten im Laufe der Zeit ungleichförmig ausdehnten. Aber dadurch liess ich mich nicht beirren; mochten auch die Ränder der Blätter nicht so gut aneinanderschliessen, wie ich es wünschte; die Darstellung der Einzelnheiten gelang in der Hauptsache so, wie ich es beabsichtigte, und grössere Fehler wurden glücklich vermieden. Hieran war viel gelegen. Wer z. B. Sect. VIII. oder Sect. XXIII. betrachtet, wird einsehen, dass man nach acht- oder zehnmonatlicher beschwerlichster Arbeit nicht leicht sich entschliesst, eines Fehlers wegen solches Blatt von Neuem zu zeichnen. Dies wird nur Derjenige nicht glauben, der von solcher Arbeit keine Vorstellung hat.

Die Zeichnung dieser zweiten Charte ward nur unterbrochen 1869 August bis 1870 April, und dann in jedem Jahre in den Monaten Juli und August, während inzwischen für die Beobachtungen jede günstige Zeit benutzt wurde. 1873 und 1874 ward der nicht topographische Theil, also das Colorit, gezeichnet, soweit es überhaupt bei einer Charte dieser Art in Frage kommen konnte.

Während der Ausarbeitung der 25 Sectionen ging im Verlaufe von 8 bis 9 Jahren die Graduirung vollständig verloren, und ein Versuch im Jahre 1874, diese auf den fertigen Tafeln wiederherzustellen, erwies sich als unausführbar, weil inzwischen die Oberfläche des Papieres zu rauh geworden war. Jede Tafel hat aber am Rande ihre Gradtheilung, so dass man genäherte Positionen bestimmen kann. Schon bei der Eintragung der Schrift, was Buchstaben und Ziffern anlangt, zeigten sich Schwierigkeiten, so dass ich, abgesehen von andern Gründen, mich entschloss, keinerlei Namen auf die Charte zu bringen, sondern diese, mehr als 500, dem Texte einzuverleiben.

Im December 1874 brachte ich die Charte auf der Berliner Sternwarte zur Aufstellung. Das Interesse, welches sie dort erregte, führte dann zu glücklichen Combinationen, so dass die Herausgabe des Werkes unter Protection des Staates bald als gesichert angesehen werden konnte. Auf gnädige Anregung Sr. Kais. Hoheit des Kronprinzen, hatte der Feldmarschall Graf v. Moltke die Güte, die 25 Tafeln im Atelier des Grossen Generalstabes photographiren zu lassen, und mir im April 1875 zwei Abzüge zu übergeben, so dass ich, da das Original in Berlin blieb, mit Hülfe jener beiden Photographien, die Bearbeitung der Beschreibung zu Ende führen konnte. Der Entwurf des Textes und die Zusammenstellung des grossen Details aller vorhandenen Höhenmessungen und handschriftlichen Notizen hatte zu Anfang des Jahres 1873 begonnen.

Der Inhalt der Charte umfasst sonach die eigenen Beobachtungen von Juni 1842 bis Juli 1874, indem ich alle Zeichnungen von 1840—1842 April ihrer Unvollkommenheit wegen ausschliessen musste. Im Text dagegen wird auf die schriftlichen Notirungen, und theilweis selbst auf die Abbildungen seit Anfang 1841 Rücksicht genommen.

Indem ich, ähnlich wie Lohrmann und Mädler, Lehmann's Methode der Bergzeichnung anwandte, und zwar mit derjenigen Aenderung, welche, sehr mit Recht, Lohrmann für seine Charte in Anwendung brachte, hätte ich wegen zahlreicher Beobachtungen, die ich dafür anstellte, auch die Neigungswinkel genauer behandeln können, als wirklich geschehen ist. Doch war die Zahl der bekannten Neigungen verschwindend klein im Vergleiche mit der der unbekannten, und in der Ausarbeitung meiner Charte war ich doch nur darauf bedacht, die Charaktere der Formen wiederzugeben, und überall eine sehr grosse Schärfe des Dargestellten zu erreichen. Mir war bekannt, dass meine Handzeichnung im Laufe der Zeit bleicher werden würde, und da ich seit 1868 entschlossen war, die Tafeln durch die Photographie zu vervielfältigen, so musste ich darauf Rücksicht nehmen, dass alle Details in gleicher Deutlichkeit auftreten könnten, und aus diesem Grunde habe ich absichtlich die an sich so schwachen Höhenzüge und Adern in den Maren viel stärker schraffirt, als es zufolge ihrer Neigungswinkel hätte sein dürfen. Demnach giebt also meine Charte nicht den richtigen Eindruck von den Unterschieden, welche thatsächlich auf dem Monde stattfinden, und Mädler's Charte ist in solcher Rücksicht getreuer. Hätte ich die Absicht gehabt, meine Arbeit lithographiren zu lassen, so wäre es ein Leichtes gewesen, mich der Wahrheit mehr zu nähern, als geschehen ist. Aber mir lag in der Hauptsache am meisten daran, jede Form sehr scharf darzustellen, und ich hatte dabei nur auf die wirklichen Kenner des Mondes Rücksicht zu nehmen, die, meine Gründe und Absichten kennend, das Aeusserliche der angenommenen Technik von den Thatsachen hinlänglich zu unterscheiden wissen.

Diese Wiedergabe des Individuellen an den Bergformen des Mondes ist schon eine höhere Aufgabe der Kunst, und konnte bis jetzt nur in wenigen Fällen erreicht werden. Bei aller Sorgfalt hat Lohrmann doch den Hauptcharakter der Kratergebilde verfehlt, indem er die Gipfelränder zu breit zeichnete, und fast überall den wirklichen Bestand des Zusammenhanges und der Regelmässigkeit der Kraterwälle durch die Manier seiner Darstellung aufgehoben hat. Mädler war darin glücklicher, und seine Charte enthält ausgezeichnete Beispiele, indem es ihm gelang, besondere Eigenthümlichkeiten zur Anschauung zu bringen. In meiner Charte herrscht grosse Einförmigkeit in der Behandlung, und viel Charakteristisches musste andern Zwecken geopfert werden. Hätte ich nur einige wenige Landschaften bearbeitet, so wäre es leicht gewesen, nach verschiedenen Versuchen das Richtige zu treffen. In meinem Werke konnte von derartigen Versuchen und dem damit verbundenen Aufwande von Zeit nicht die Rede sein.

Das Colorit, die sogenannte Mondfarbe, also das Aussehen des Vollmondes, in einer topographischen Charte genau darzustellen, ist unmöglich, und demnach beschränkte ich mich, wie meine Vorgänger, darauf, das Nöthige hervorzuheben, nämlich die graue Färbung der Ebenen, und verschiedene dunkle Flecken. Lichtstreifen zeichnete ich nur in den Maren, Lichtflecken nur dort, wo die dunkle Umgebung es zuliess. Für den Vollmond wird einst die

Photographie das Beste leisten. Das unendliche Detail der Abstufungen des Lichtes im Vollmonde wird man niemals auf dem Wege der gewöhnlichen Zeichnung bewältigen. Noch
weniger konnte ich daran denken, die geringen Farbenunterschiede, die auf dem Monde vorkommen, zur Anschauung zu bringen.

Die Rand-Profilberge habe ich im Speciellen nicht dargestellt. In diesen am meisten
verkürzten Regionen ist meine Charte zwar vollständiger, aber wahrscheinlich gerade so man-
gelhaft, wie die Charten von Lohrmann und Mädler. Sind einst die selenographischen Positionen der Randgebirge genau bekannt, so mögen diese auch mit grösserem Rechte als jetzt
in späteren Generalcharten verzeichnet werden.

Meine Charte beruht hinsichtlich der selenographischen Positionen durchaus auf den
Oertern der Lohrmann'schen Arbeit. Ich habe dessen Positionen erster und zweiter Ordnung
einfach copirt, habe dann aber das gesammte übrige Detail selbstständig orientirt und gezeichnet. Da ich die Schrift von der Charte ausschloss, und nur Buchstaben oder Ziffern anbrachte,
so war ich genöthigt, der ältern und neuern Nomenclatur besondere Aufmerksamkeit im Text
zu widmen. Im Folgenden findet man einen eigenen Abschnitt hierüber, und in der Beschreibung der 25 Sectionen jedesmal den zugehörigen Nachweis über die Namen.

Alle elementaren Erläuterungen, wie man sie im Eingange der Werke von Schröter,
Lohrmann und Mädler findet, übergehe ich vollständig, und betrachte den Inhalt des Textes
gewissermaassen nur als ein Inhaltsverzeichniss über das sehr umfangreiche Material, dessen
Beurtheilung und spätere Benutzung ohnehin nur wenigen Kennern zusteht. Dem ungeachtet
habe ich in einzelnen Capiteln mich über Alles näher geäussert, was einer genaueren Erklärung bedürftig schien. Diese Erklärungen stelle ich der Beschreibung der Sectionen voran,
und darf glauben, dass nun das Verständniss der Tafeln genügend gesichert sei.

Athen, 7. November 1875.

J. F. Julius Schmidt.

VERZEICHNISS DER BENUTZTEN INSTRUMENTE.

Wenn auch in vielen Fällen in der Erklärung der Tafeln das Instrument genannt wird, mit welchem ich beobachtete, so würde es doch schwierig sein, dies in jedem einzelnen Falle ausnahmslos zu wiederholen. Ich gebe daher eine Uebersicht, welche erkennen lässt, welcher Fernröhre ich mich zu verschiedenen Zeiten gewöhnlich bedient habe.

1839 bis 1841. Zu Eutin, ein Zugfernrohr von etwa 10maliger Vergrösserung, die Gläser nach Dollond's Princip, von C. F. Schmidt geschliffen.

1841 April bis 1842 April, zu Eutin. Ein Fernrohr von Dollond, 4 Fuss lang, etwa 20 Mal vergrössernd.

1842 Juni bis 1845 April, zu Hohenfelde bei Hamburg, ein 3füssiges Fernrohr von Banks, bis 90 Mal vergrössernd, im Besitze von J. P. I.. Bartels. Mit diesem Fernrohre ward besonders häufig beobachtet.

1842 Juli bis 1845 April, auf der Sternwarte zu Hamburg zeichnete ich gewöhnlich an einem 3füssigen Fraunhofer, in seltenen Fällen am 6füssigen Refractor, und einige Male an einem ältern 6½füssigen Fernrohre.

1843 August. Wenige Beobachtungen an einem 4füssigen Fraunhofer der Sternwarte zu Altona.

1845 April bis 1845 October. Es ward wenig am 3füssigen prismatischen Fernrohre der Benzenbergischen Sternwarte zu Bilk gezeichnet.

1846 Februar bis 1853 Mai. An der Sternwarte zu Bonn erhielt ich die meisten Beobachtungen mit dem 5füssigen Fraunhofer im östlichen Thurme; sehr selten ward das 8füssige Heliometer auf den Mond angewandt, und ebenso selten kleinere Fernröhre von 2 bis 3 Fuss Brennweite.

1849 April 5. Einige Beobachtungen am 14füssigen Fraunhofer'schen Refractor der Berliner Sternwarte.

1853 Mai. Verschiedene Zeichnungen am 14füssigen Refractor zu Berlin.

1853 Juni bis 1858 Aug. Beobachtungen am 5füssigen Fraunhofer, an der Sternwarte des Prälaten E. v. Unkrechtsberg zu Olmütz.

1855 März. Einige Beobachtungen am 14füssigen Refractor der Sternwarte der Jesuiten zu Rom.

1855 April. Verschiedene Revisionen auf der Sternwarte zu Capo di Monte in Neapel; ein 7 füssiger Refractor.

1853 bis 1858. Wenige Zeichnungen am 4 füssigen Refractor der Sternwarte zu Wien.

1859 bis 1874. Beobachtungen am 6 füssigen Refractor der Sternwarte zu Athen. Ich zeichnete bei guter Luft meist an einem Oculare von 300 maliger Vergrösserung. In ganz seltenen Fällen ward ein Ocular von 500- bis 600 maliger Vergrösserung benutzt.

1862 im Herbste und 1869 im Winter ward einige Male am 4 füssigen und 6 füssigen Refractor der Wiener Sternwarte gezeichnet.

Sehr starke Vergrösserungen von 600 bis 1000 Mal sind so gut wie niemals mit Vortheil zu gebrauchen; auch würde man sich in solchem Falle auf die Zeichnung einer sehr kleinen Landschaft beschränken müssen. Für die gewöhnlichen kleinen Refractoren von 4 bis 6 Fuss Brennweite sind Vergrösserungen von 200 bis 300 Mal am dienlichsten. Will man das Colorit des Mondes darstellen, so ist es vortheilhaft, sich schwacher Oculare oder kleiner Fernröhre zu bedienen.

BERICHTIGUNGEN UND ZUSÄTZE.

Pag. V Zeile 17 von oben, ist nach dem Worte: „Höhen" der Trennungsstrich zu tilgen.
- „ 5 „ 16 „ „ lese man: sonach statt so noch.
- „ 25 zu No. 36, Columne b, lese man 1249 statt 1347.
- „ 40 zu No. 504, Columne φ, „ „ 23 statt 22.
- „ 57 zu No. 1237 „ φ. „ „ 11° 34' statt 4° 34'.
- „ 76 zu No. 2095 „ φ. „ „ 3° 37' statt 4° 37'.
- „ 77 zu No. 2133 lese man z statt d.
- „ 108 zu No. 81. Man lese: Centralberg ist schwach umglänzt, und erscheint ringvom faserig, bei hoher Beleuchtung.
- „ 223 Zeile 9 von unten, lese man: „wirft seinen Schatten".
- „ 241 Col. 1, Zeile 6 von oben, lese man das erste Mittel 3° 31',0 statt 3° 31',7.
- „ 254 In der Anmerkung bei den Namen, ist Harbinger statt Harlinger zu lesen.

INHALTS-VERZEICHNISS.

ERKLÄRUNGEN

ZUM

VERSTÄNDNISSE DER BESCHREIBUNG DER TAFELN.

ÜBER DIE NAMEN UND BEZEICHNUNGEN DER MONDCHARTE.

Nachdem Riccioli sich bei Herausgabe seiner Charte für Personen-Namen entschieden hatte, die er den Mondgebirgen beilegte, sind die spätern Beobachter diesem Verfahren treu geblieben. Schröter, Lohrmann und Mädler haben die Nomenclatur ansehnlich erweitert, und in der Hauptsache Namen von Astronomen, Mathematikern und Physikern gewählt, ohne andere mit Strenge auszuschliessen. Dieselbe Methode habe ich seit 1851 befolgt, und die Mitglieder der Mondgesellschaft zu London sind von dem herkömmlichen Wege ebenfalls nicht abgewichen. Die Zahl der Namen auf dem Monde beträgt gegen 500; sie ist nicht zu gross, und darf bei spätern und mehr ausgedehnten topographischen Arbeiten ohne Bedenken erhöht werden, denn immer wird es bequemer und kürzer sein, einen Gegenstand mit einem Worte zu bezeichnen, oder ihm wenigstens einen Buchstaben zu geben, als ihn topographisch zu beschreiben, oder die Ortsbestimmung nach Länge und Breite auszudrücken. Den Grundsatz, dass nur die wirklichen Beobachter des Mondes das Recht haben, neue Namen einzuführen, muss ich im Ganzen als billig anerkennen, und demnach habe ich auf Vorschläge nicht Rücksicht genommen, die seit Jahren von Personen ausgingen, deren Stellung in der Wissenschaft nicht genügend erschien, um ihre Ansprüche zu begünstigen. So kam es denn, dass Namen wie z. B. „Mädler" und „Leverrier" auf dem Wege derartiger Vorschläge lange Wanderungen machten, bevor ihnen definitiv ein Platz angewiesen werden konnte.

Die Zahl der von mir eingeführten Namen ist nur gering. Ich bestimmte solche (seit 1851), zunächst für Lohrmann's Charte, deren Redaction und Herausgabe mir damals von Ambr. Barth übertragen ward, zu einer Zeit, als ich noch nicht daran dachte, meine eigenen Beobachtungen für eine besondere Charte zu verwerthen. Als ich diese aber im Jahre 1865 begonnen hatte, zeigte es sich wünschenswerth, manche noch namenlose Punkte auf dem Monde zu benennen, und ebenso ist es den Mitgliedern der Mondgesellschaft ergangen.

Es sind nun mancherlei Umstände wirksam gewesen, zu verhindern, dass in meiner Charte die Namengebung in ganz gleichförmiger Weise durchgeführt wurde. Dass die Namen in der Charte selbst nicht auftreten, hatte gute Gründe. Ich wollte das Bild nicht durch zahlreiche Schriftzüge entstellen, und hätte auch schliesslich wegen technischer Bedenken die Schrift nicht mehr anbringen können, wenn ich doch dazu mich noch entschlossen hätte. Aber selbst die Catalogisirung aller Namen, die durch hinweisende Ziffern und Buchstaben

1*

beabsichtigte Nachweisung und damit verbundene Vergleichung der 3 Charten von Lohrmann, Mädler und mir ist nicht ganz in erwünschter Weise zu Stande gekommen. Als ich im Juli 1874 meine Arbeit vorläufig abschloss, schrieb ich in jeder Section den Gegenständen Ziffern bei, welche bis dahin Namen erhalten hatten; der jeder Section beigegebene vergleichende Catalog sollte dazu dienen, mit Leichtigkeit die Benennungen in meiner Charte aufzufinden. Die von mir damals in Anwendung gebrachte Nomenclatur umfasste: 1) alle Namen der Mädler'schen Charte; 2) die neueren Namen der 4 ersten Sectionen der Charte Lohrmann's; 3) diejenigen Namen, für welche ich mich seit 1851 entschieden hatte.

Die Letzteren waren es, die ich vornehmlich und zuerst für Lohrmann's Charte bestimmt hatte; sie wurden theilweis ungefähr seit 1855 an Opelt in Dresden mitgetheilt, der damals und später bis 1862 die Redaction der Tafeln besorgte. Indem ich nun im Laufe der Jahre nicht in allen Fällen genau mehr wusste, welche Benennungen ich einst gewählt hatte, wurden einige Auslassungen unvermeidlich, und ich brachte Namen in Anwendung, welche früher nicht für gedachten Zweck ausersehen waren. Endlich kam noch der ungünstige Umstand hinzu, dass ich die neuere englische Nomenclatur nicht kannte, und dass meine Bemühungen, solche zu erlangen, erst zu Anfang 1875 zum Ziele führten, zu einer Zeit, als die Photographie meiner Charte bereits begonnen hatte.

Indem es nun von Interesse erschien, ein genau geprüftes Namensverzeichniss in übersichtlicher Form vor Augen zu haben, so entschloss ich mich zu der folgenden Anordnung:

1) Dem Texte zu dem Werke Lohrmann's (dessen Herausgabe für 1876 bestimmt ist), gab ich keinen Catalog der Namen bei, weil alle Bezeichnungen, soweit sie von Lohrmann selbst (1822—1836) und später von mir und Opelt (1851—1874) angesetzt wurden, in den 25 Sectionen enthalten sind.

2) Dem Texte zu meiner Charte ward ein Catalog in 25 Abtheilungen beigegeben, angemessen den 25 Sectionen. Dieser Catalog hat 2 Hauptcolumnen, überschrieben „bei Lohrmann" und „bei Mädler". Die erste Reihe enthält die Bezeichnungen der Lohrmann'schen Charte, nämlich Namen, Buchstaben und Ziffern. Jede Ziffer, welche von einem Sternchen * begleitet ist, giebt den Hinweis auf Lohrmann's kleine Generalcharte, welche Werner lithographirt hat. In eben dieser Columne, und zwar jedes Mal an der rechten Seite derselben, findet man die von mir seit 1851 gewählten Namen, und diese jedes Mal durch ein eingeklammertes Sternchen (*), von den andern Namen unterschieden.

Die zweite Columne, überschrieben „bei Mädler", enthält die meisten Bezeichnungen der Mädler'schen Charte (Ausgabe von 1874), in unmittelbarer Nebenstellung und Vergleichung mit den Benennungen der Charte Lohrmann's. Damit aber auch die seit 1865 vom Lunar Committee eingeführten Namen zur Anschauung und Vergleichung gelangen, habe ich solche der zweiten Columne an gehörigen Orte beigefügt, und ihnen in Parenthese: (engl. Beob.) beigesetzt. Hierdurch ward also bewirkt, dass alle Namen vereinigt wurden, und das Zusammengehörige stets auf derselben horizontalen Linie zu finden ist. Die folgende Zusammenstellung mag als Beispiel dienen (aus Sect. II.):

bei Lohrmann:	bei Mädler:
B. 317 * = Carrington (*).	B
C. 320 * = Ross.	Ross.
D. 321 *.	A = Maclear (engl. Beob.).
Y. = d'Arrest (*).	unbezeichnet.
99.	b = Whewell (engl. Beob.).

In der ersten Zeile ist B. 317 * die Bezeichnung bei Lohrmann, durch * hinweisend auf die kleine Uebersichtscharte. Diesem Krater habe ich den Namen Carrington gegeben, und ihn durch ein (*) von den andern Namen unterschieden; er ist identisch mit B bei Mädler. In der zweiten Zeile handelt es sich um einen älteren Namen; in der dritten ist D. 321 * bei Lohrmann ohne Namen; der Krater ward von den englischen Beobachtern „Maclear" genannt. Hiernach ist die Anordnung des vergleichenden Cataloges verständlich.

Bis soweit ist nun die vorhandene Nomenclatur geordnet und zur übersichtlichen Darstellung gebracht, aber frei von Mängeln ist sie noch nicht. Die Mitglieder der Mondgesellschaft, als sie neue Namen vorschlugen, wussten weder, welche Namen von mir 15 Jahre früher gewählt wurden, noch wussten sie, dass ein Theil solcher Namen schon in Lohrmann's Tafeln fixirt war, lange bevor noch dies Werk zur Herausgabe gelangte; mir selbst war hinsichtlich des letzteren Umstandes das Meiste unbekannt, da ich erst im August 1874 Kunde von dem technischen Fortschritte der Lohrmann'schen Charte erhielt. So war es denn nicht zu vermeiden, dass sich unliebsame Collisionen herausstellten. Indessen hatte ich kein Bedenken, in gewissen Fällen diejenigen von mir gewählten Namen beizubehalten, die schon im Kupferstiche der Tafeln Lohrmann's angegeben waren, und so noch Bezeichnungen der englischen Beobachter, die mit den meinigen hinsichtlich des Ortes zusammentrafen, entweder nicht aufzunehmen, oder anderswohin zu verlegen. Der Nachtheil kann nicht erheblich sein, da von Seiten des Lunar Committee wohl einzelne selenographische Blätter vorliegen, ein grösseres, die allgemeine Topographie des Mondes betreffendes Werk aber noch nicht erschienen ist. Wo es indessen noch möglich war, habe ich auf den Lohrmann'schen Kupferplatten einige meiner Bezeichnungen wegradiren lassen, zu Gunsten von Namen, die in England den betreffenden Punkten ertheilt waren. So hatte ich vor Jahren dem Krater Picard A den Namen „Hind" gegeben, und dieser stand seit Langem in Sect. XII. Lohrmann's. Da ich aber denselben Namen auf einem der Blätter des Lunar Committee fand, so liess ich ihn auf der Kupferplatte tilgen. Die ganze englische neuere Nomenclatur mit aufzunehmen, war nicht mehr möglich. Indem ein von dem Lunar Committee herausgegebenes Uebersichtsbild in Betreff der vermehrten Nomenclatur nicht in allen Fällen erkennen lässt, welche Punkte gemeint seien, auch die letzten Nummern des dortigen Catalogs gar keine Namen enthalten, so blieb mir nur übrig, gelegentlich mit einiger Willkür zu verfahren. Die Namen des Lunar Committee „Peters" und „Secchi" konnte ich nach dem erwähnten Uebersichtsblatte topographisch nicht feststellen. Da ich aber selbst eben diese Namen schon früher gewählt hatte, so setzte ich „Peters" (für meine Charte) dahin, wo ich einst den Ort dafür bestimmt hatte; den Namen „Secchi" aber an den Punkt, wo ich ihn nach der englischen Angabe vermuthen durfte. Nach Allem glaube ich annehmen zu können, dass ich die bis jetzt in Anwendung gekommene Nomenclatur im Ganzen richtig zur Uebersicht gebracht habe, und dass man mit Hülfe des vergleichenden Cataloges, den ich dem Texte zu meiner Charte beifüge, nicht leicht grösseren Zweifeln begegnen wird. Nicht unerwähnt soll bleiben, dass der feine Stich der Schrift in Lohrmann's Tafeln, und ebenso die oft sehr feine Schrift in Mädler's Charte, besonders auf einem viel benutzten Exemplare, in manchen Fällen die Lesung nicht mit erwünschter Sicherheit zuliess, doch trifft dieser Umstand nur Buchstaben und Ziffern, nicht die Namen. Ich habe endlich noch, um die zweifelhaften Fälle einzuschränken, für die meisten neuen Namen noch die selenographischen Positionen angegeben.

In Hinsicht auf die Ziffern und Buchstaben bei Lohrmann habe ich zu bemerken, dass von Sect. V. bis XXV. die ganze Redaction allein von den beiden Herren Opelt besorgt ward, und dass nicht alle mit * versehenen Ziffern Lohrmann's Namen erhalten haben.

Für meine Charte gelten nun im Ganzen 516 Namen oder Benennungen, unter denen sich 501 Personen-Namen befinden, die alle durch den vergleichenden Catalog und durch dessen Anmerkungen nachgewiesen sind, und demnach in den 25 Sectionen aufgefunden werden können. Lohrmann's Charte in ihrer 1874 erlangten Herstellung enthält 442 Namen, darunter 22 von mir eingeführte. Mädler's Charte zählt 416 Namen. Die Summe aller seit 1851 von mir neu in Anwendung gebrachten Namen ist 71; die der Mondgesellschaft = 59, soweit ich letztere für meine Charte benutzt habe.

MAASSTAB DER CHARTE.

Der Durchmesser des Mondes wird zu 468,4 geogr. Meilen, oder 1783200 Toisen angenommen. Da nun der Durchmesser der Charte 6 Pariser Fuss oder eine Toise beträgt, so verhält sich ihr Durchmesser zu dem des Mondes wie 1 zu 1783200. Für die Charten von Lohrmann und Mädler ist dies Verhältniss wie 1 zu 3566400.

VERZEICHNISS DER SELENOGRAPHISCHEN POSITIONEN
ERSTER ORDNUNG.

Seit zuerst Tobias Mayer in Göttingen die Grundbedingungen der Selenographie, die genaueren Ortsbestimmungen in Anwendung brachte, sind nun 125 Jahre verflossen. In dieser langen Zeit haben wir nur wenige Männer zu verzeichnen, die sich ernstlich mit diesem keineswegs leichten Probleme beschäftigt haben. In der Absicht, die physische Libration des Mondes durch Beobachtungen zu finden, haben Bouvard und Nicollet durch viele Messungen den Ort des Kraters Manilius bestimmt, und aus gleichem Grunde ermittelte Wichmann am Königsberger Heliometer den Ort des kleinen Kraters Möstlin A mit der grössten bis jetzt erreichten Genauigkeit. Lohrmann seit 1822, Mädler seit 1831, und ganz neuerdings (1874 und 1875) F. Neison in London verfolgten den Weg Mayer's, sehr zu Gunsten der wahren Fundamente der Selenographie, indem sie aus zahlreichen Messungen die Oerter vieler Gebirge durch Rechnung ableiteten. Die theoretische Entwicklung des Problems findet man in den Werken von Lohrmann und Mädler dargelegt. Den geringern Theil seiner Messungen gab Lohrmann in der ersten Abtheilung seines Werkes vom Jahre 1824; den grössern Theil werde ich in der neuen Publication der Lohrmannschen Arbeit mittheilen und im Folgenden jetzt schon im Auszuge verwerthen. Mädler's Beobachtungen findet man in dem Werke „der Mond", und die jüngst erlangten Resultate von F. Neison (jedoch ohne Details) in: Monthly Notices of the Royal Astronomical Society, Vol. XXXVI., No. 1., Nov. 1875.

Ich werde nun alle bis jetzt bekannten Angaben, so weit sie Punkte der ersten Ordnung betreffen, im besonderen Verzeichnisse zusammenstellen, wobei ich der Anordnung Mädler's folge, der den Mond in 4 Quadranten abtheilt, und für jeden derselben die Positionen nach der Reihenfolge der Breiten aufzählt. So wird Zusammengehöriges nicht allzusehr getrennt, und bei mässiger Kenntniss der Mondgebirge ist das Auffinden leicht genug. Ueberall setzte ich:

Westliche Länge = +   Nördliche Breite = +,   Südliche Breite = —;   Quadrant I und IV
Oestliche Länge = —   Nördliche Breite = +,   Südliche Breite = —;   Quadrant II und III.

Die Bezeichung ist durchweg nach Mädler angesetzt, einigemale nach Lohrmann. Neison verlegt den von Webb gewählten Namen „Rosse" in das Mare Nectaris; aber dort habe ich den von Neison ausersehenen Krater schon vor vielen Jahren mit dem Namen „Beer" bezeichnet, und solchen auf Lohrmann's Charte gebracht. Dagegen werde ich den andern von Neison gewählten Namen „Wichmann" = Euclid a, im Texte zu meiner eignen Charte anführen. Bei Lohrmann ist mehrfach nicht gesagt, welcher Punkt im Besondern ge-

meint sei, z. B. in Argelander, Zagut, Sacrobosco, aber meistens sind, falls nicht die Centralberge gemessen wurden, die Messungen regelmässig auf die Mitte der Krater bezogen worden.
Mädler's Angaben für Hercules und Schubert A bilden eine Ausnahme; doch gilt für Letztern
das Endresultat doch für die Mitte des Kraters.

I. Quadrant.

	Länge.	Breite.		
Maskelyne	+ 29° 46′ 13″	+ 2° 13′ 59″	4 Beob.	Lohrmann.
.	29 34 58	2 31 38	12 -	Mädler.
Schubert A	77 15 51	2 27 42	6 -	Mädler.
Dionysius	17 17	2 55	9 -	T. Mayer.
.	17 8 40	2 50 55	8 -	Lohrmann.
Agrippa	10 22 13	4 4 16	9 -	Lohrmann.
.	10 4 17	3 55 20	3 -	Neison.
Murchison A	1 0 4	4 3 57	18 -	Neison.
Taruntius	45 58 24	5 40 10	8 -	Mädler.
daselbst Krater 259 * (Lohrm.)=A (Mädl.)	49 25 3	7 18 32	6 -	Lohrmann.
Ukert	1 9 10	7 48 24	11 -	Neison.
Hansen A	74 0 8	13 17 19	7 -	Mädler.
Prom. Agarum	64 10 54	13 54 27	3 -	Lohrmann.
Manilius	8 46 54	14 26 48	124 -	Bouvard.
.	8 47 2	14 27 4	50 -	Nicollet.
.	9 4 17	14 15 20	1 -	Lohrmann.
Picard	53 52 8	14 27 44	8 -	Mädler.
Plinius	23 23 28	15 17 20	10 -	Lohrmann.
Proclus	46 13 25	16 1 28	5 -	Lohrmann.
.	46 31 34	16 9 8	9 -	Mädler.
.	46 28 24	16 12 8	6 -	Neison.
Menelaus	15 31 2	16 24 17	11 -	Neison.
Vitruvius	31 2 59	17 35 42	12 -	Lohrmann.
.	30 51 17	17 41 53	1 -	Mädler.
Conon	1 57 18	21 31 27	5 -	Lohrmann.
Bessel	17 22 26	21 54 14	7 -	Neison.
Eimmart	62 49 49	23 35 28	1 -	Lohrmann.
Römer	36 8 36	25 18 36	9 -	Lohrmann.
.	36 10 46	25 22 25	3 -	Mädler.
Lemonnier A	29 24 24	25 47 32	3 -	Lohrmann.
.	28 51 30	26 6 35	5 -	Mädler.
Linné	11 27 22	27 42 6	1 -	Lohrmann.
.	11 33 11	27 47 57	7 -	Mädler.
Cleomedes A	54 17 25	28 23 58	7 -	Mädler.
weisser Berg	54 46 33	26 49 30	5 -	Lohrmann.
Posidonius A	29 35	32 44	1 -	T. Mayer.
.	29 11 29	31 33 34	10 -	Lohrmann.
.	28 46 58	31 46 4	2 -	Mädler.
Aristillus	1 0 42	33 45 27	10 -	Lohrmann.

	Länge.	Breite.		
Franklin	+ 47° 12′ 2″	+ 38° 39′ 15″	8 Beob.	Lohrmann.
Calippus	10 28 39	38 45 40	10 -	Lohrmann.
Cassini A	4 8 55	40 22 44	10 -	Mädler.
Cepheus	45 39 42	40 59 20	10 -	Mädler.
Struve B	64 47 4	43 20 14	9 -	Mädler.
Bürg	27 31 57	44 57 9	8 -	Mädler.
Hercules, mittlerer Krater . .	38 1 37	46. 3 49	4 -	Lohrmann.
- NO.-Ecke	38 23 26	46 23 22	9 -	Mädler.
Endymion G	54 18 26	56 28 30	8 -	Mädler.
Aristoteles C	23 33 42	57 26 3	10 -	Mädler.
Archytas	4 13 3	58 24 1	8 -	Mädler.
Thales	49 12 23	61 58 24	9 -	Mädler.
Democritus	33 30 21	62 8 21	8 -	Mädler.

II. Quadrant.

	Länge.	Breite.		
Gambart A	— 18° 45′ 12″	+ 0° 50′ 30″	9 Beob.	Mädler.
Encke B	36 18 56	1 57 6	8 -	Neison.
Krater a, No. 284 * (Lohrm.) . .	11 43 31	2 2 43	5 -	Lohrmann.
Reinhold	22 37 26	3 13 19	10 -	Neison.
Encke	36 35 35	4 18 14	7 -	Neison.
Hortensius (d)	27 41 8	6 2 8	12 -	Neison.
Bode	2 30 48	6 37 54	8 -	Lohrmann.
. . . .	2 39 21	6 37 55	28 -	Neison.
Reiner	56 1 12	7 4 49	3 -	Lohrmann.
Kepler	37 42 18	7 46 13	11 -	Mädler.
-	37 38 58	7 57 48	14 -	Neison.
-	37 52 37	8 10 27	12 -	Lohrmann.
Olbers	77 32 31	7 55 16	8 -	Mädler.
Bode B	3 9 41	8 42 20	6 -	Neison.
Bode A	1 19 40	8 53 57	6 -	Neison.
Copernicus	19 56	9 44	3 -	T. Mayer.
- östl. Centralberg	20 5 53	9 30 39	9 -	Lohrmann.
- Centralberg	19 55 48	9 20 57	10 -	Mädler.
Milichius	29 40 1	10 0 15	11 -	Neison.
Marius	50 13 36	11 28 39	1 -	Lohrmann.
. . . .	49 57 5	11 58 44	2 -	Neison.
Eratosthenes	11 32 11	14 25 46	9 -	Lohrmann.
. . . .	11 41 19	14 23 58	7 -	Neison.
Bessarion	37 9 9	14 44 44	7 -	Lohrmann.
. . . .	37 0 41	14 58 48	11 -	Neison.
T. Mayer, Centralberg . . .	28 49 41	15 32 30	10 -	Mädler.
- Westkrater a	28 44 51	15 7 53	4 -	Lohrmann.
Pytheas	20 26 29	20 33 57	6 -	Lohrmann.

2

	Länge.	Breite.		
Pytheas	— 20° 31′ 13″	+ 20° 14′ 3″	10 Beob.	Mädler.
Krater D bei Diophantus = Brayley =				
A (Mädler)	36 43 35	20 46 38	4 -	Lohrmann.
Seleucus	65 34 40	20 47 15	1 -	Lohrmann.
. . . .	65 48 19	20 54 11	9 -	Mädler.
Brayley = D (Lohrmann) = A (Mädler)	36 52 10	20 53 52	5 -	Neison.
Euler	28 52 16	23 18 27	8 -	Lohrmann.
. . . .	28 56 50	22 57 51	10 -	Mädler.
Aristarchus	47 8 1	23 47 59	8 -	Lohrmann.
. . . .	47 12 9	23 17 17	9 -	Mädler.
Timocharis	12 59 44	26 42 44	11 -	Lohrmann.
Lahire	25 9 40	27 18 25	10 -	Mädler.
Archimedes A	7 10 47	27 44 58	17 -	Neison.
Delisle	34 47 57	29 59 20	10 -	Mädler.
Wollaston	46 54 14	30 17 15	9 -	Mädler.
Lichtenberg	67 5 3	31 25 20	8 -	Mädler.
Carlini	24 6 17	32 55 0	2 -	Lohrmann.
. . . .	24 0 46	33 22 45	11 -	Mädler.
Heraclides, Krater 18 (Lohrmann) =				
A (Mädler)	38 22 10	38 39 51	5 -	Lohrmann.
Heraclides	31 1 25	41 7 46	8 -	Mädler.
Harding	70 52 10	43 8 41	11 -	Mädler.
Laplace A	26 33 33	43 16 21	10 -	Mädler.
Pico	8 59 28	45 31 8	2 -	Lohrmann.
. . . .	9 12 31	45 28 7	10 -	Mädler.
Hügel No. 443 (Lohrmann)	8 54 44	46 13 55	1 -	Lohrmann.
Harpalus	43 36 20	52 28 41	9 -	Mädler.
Pythagoras	62 52 46	63 17 46	3 -	Lohrmann.
. . . .	61 36 45	63 3 44	9 -	Mädler.
Epigenes H	10 31 0	67 53 30	4 -	Mädler.

III. Quadrant.

	Länge.	Breite.		
Landsberg A	— 31° 5′ 26″	+ 0° 2′ 20″	8 Beob.	Neison.
Landsberg	26 7 7	— 0 15 40	7 -	Lohrmann.
. . . .	26 33 49	0 29 51	10 -	Mädler.
. . . .	26 18 49	0 25 28	9 -	Neison.
Möstlin	5 54 2	0 36 26	6 -	Neison.
Möstlin A	5 13 23	3 10 55	50 -	Wichmann.
. . . .	5 13 56	3 10 25	24 -	Neison.
Grimaldi, nördlicher innerer Krater				
= B (Mädler)	68 58 23	2 43 4	1 -	Lohrmann.
Grimaldi A	70 53 28	4 54 27	10 -	Mädler.
Lalande	8 44 23	4 20 3	6 -	Lohrmann.
. . . .	8 47 41	4 26 34	17 -	Neison.

	Länge.			Breite.				
Flamsteed	−44°	12′	8″	−4°	30′	48″	10 Beob.	Mädler.
Herschel	2	9	7	5	37	6	6 -	Lohrmann.
Euclides	29	34	31	7	13	27	4 -	Lohrmann.
-	29	15	47	7	10	21	8 -	Mädler.
Euclides a = Wichmann = No. 7 (Lohrm.)	37	56	13	7	41	15	4 -	Neison.
Ptolemaeus A	0	58	22	8	34	58	10 -	Neison.
Parry A	15	39	40	9	19	44	8 -	Mädler.
Guericke C	11	43	37	11	48	53	8 -	Neison.
bei Hansteen, No. 57 (Lohrmann)	59	54	9	12	27	37	2 -	Lohrmann.
Alphonsus	3	11	28	12	59	21	9 -	Mädler.
Billy	49	57	40	13	59	45	8 -	Mädler.
Krater D No. 192 (Lohrm.) = Guericke B (Mädler)	15	4	0	14	23	56	7 -	Lohrmann.
Alpetragius	4	44	29	15	54	32	5 -	Lohrmann.
Crüger	66	40	15	16	45	37	9 -	Mädler.
Gassendi, Centralberg	39	42	7	17	15	10	9 -	Lohrmann.
·	39	31	37	16	55	40	9 -	Mädler.
·	39	30	6	17	0	48	10 -	Neison.
Bullialdus	22	8	49	20	36	52	9 -	Lohrmann.
·	22	6	11	20	25	56	9 -	Mädler.
Eichstädt	70	27	9	20	31	15	7 -	Mädler.
Eichstädt B	77	17	7	21	39	1	3 -	Mädler.
Thebit A	5	47	8	21	17	34	12 -	Mädler.
Thebit D = No. 136 * (Lohrmann)	8	25	14	22	7	48	5 -	Lohrmann.
Byrgius A	63	10	5	24	22	43	10 -	Mädler.
Hesiodus B	16	59	35	26	50	26	8 -	Mädler.
Campanus	27	27	1	27	36	50	11 -	Mädler.
Pitatus	13	31	0	29	30	19	7 ·	Lohrmann.
Vitello	37	15	34	30	5	56	7 -	Lohrmann.
·	37	8	26	30	0	26	11 -	Mädler.
Hell	8	19	54	31	58	59	9 -	Mädler.
Ramsden	31	41	55	32	25	48	11 -	Mädler.
Vieta A	56	49	40	32	40	50	10 -	Mädler.
Capuanus	25	42	9	34	20	21	5 -	Lohrmann.
Drebbel	48	12	39	40	47	21	10 -	Mädler.
Tycho	11	0	10	43	9	54	4 -	Lohrmann.
·	11	52	25	42	52	19	9 -	Mädler.
Hainzel A	29	24	45	42	59	26	8 -	Mädler.
Phocylides E	55	34	35	54	31	48	5 -	Mädler.
Maginus A	7	5	50	49	57	17	11 -	Mädler.
Clavius C	14	40	26	57	16	47	8 -	Mädler.
Scheiner A	26	36	13	59	58	26	9 -	Mädler.
Moretus	7	8	38	69	45	25	10 -	Mädler.

2*

IV. Quadrant.

	Länge.	Breite.			
Censorinus	$+32°$ 21′ 31″	$-0°$ 26′ 35″	5 Beob.		Mädler.
Messier, der östliche	47 15 51	1 53 5	7	-	Lohrmann.
Messier, der westliche	47 9 12	1 58 55	11	-	Mädler.
Delambro	17 28 50	2 0 45	3	-	Lohrmann.
Capella	34 48 14	7 32 41	10	-	Lohrmann.
Hipparchus C	8 3 34	7 22 27	18	-	Neison.
Langrenus	60 26 56	8 47 8	10	-	Lohrmann.
"	60 34 9	8 22 29	10	-	Mädler.
Lapeyrouse A	73 52 41	9 23 20	9	-	Mädler.
Goclenius	44 27 2	9 58 46	12	-	Mädler.
"	44 40 22	10 15 5	4	-	Lohrmann.
Dollond	13 58 34	10 11 0	6	-	Mädler.
"	14 35 9	10 22 39	3	-	Lohrmann.
Mädler = A Theophilus	29 11 58	10 55 59	5	-	Neison.
Theophilus	26 38	11 25	2	-	T. Mayer.
"	26 18 16	11 21 3	10	-	Lohrmann.
Albategnius, Centralberg	3 58 13	11 21 20	7	-	Lohrmann.
Cyrillus A	22 41 20	13 30 3	7	-	Mädler.
Krater westlich bei Cyrillus	20 32 17	13 49 33	3	-	Lohrmann.
Krater Z Sect. IX. (Lohrmann)	13 5 5	16 12 2	7	-	Lohrmann.
Bohnenberger A	39 24 10	17 3 8	4	-	Neison.
Airy	5 53 48	17 45 50	3	-	Lohrmann.
Beer	34 45 17	17 47 52	6	-	Lohrmann.
"	34 19 38	17 48 37	8	-	Neison.
Sacrobosco	16 1 38	24 19 9	2	-	Lohrmann.
" A	15 40 55	23 42 5	9	-	Mädler.
Petavius	60 21 7	25 19 55	5	-	Lohrmann.
"	59 15 48	24 38 51	11	-	Mädler.
Werner	3 13 57	27 4 22	4	-	Lohrmann.
"	2 58 10	27 45 42	8	-	Mädler.
Piccolomini	32 13 4	29 9 1	5	-	Lohrmann.
"	31 35 22	29 10 50	12	-	Mädler.
Neander	39 45 5	31 10 20	3	-	Lohrmann.
Zagut	21 55 51	31 41 44	5	-	Lohrmann.
Lindenau	24 29 31	31 52 6	12	-	Mädler.
Walter C	1 46 24	32 23 1	1	-	Lohrmann.
Furnerius A	57 51 52	33 6 4	9	-	Mädler.
Grube Furnerius B (Mädl.), No. 1 (Lohrm.)	59 40 19	35 32 40	3	-	Lohrmann.
Fabricius	40 46 0	42 8 0	9	-	Mädler.
Maurolycus A	13 40 47	43 23 20	10	-	Mädler.
Vega A	68 44 0	44 36 54	8	-	Mädler.
Argelander, Krater nahe der Mitte	41 43 0	45 44 41	3	-	Lohrmann.
Pitiscus	29 32 49	49 58 43	8	-	Mädler.
Mutus, Mitte	29 21 50	63 6 5	9	-	Mädler.

Aus dieser Uebersicht ergiebt sich, dass bis zum Jahre 1875 Punkte erster Ordnung 157 bestimmt waren. Von diesen sind beobachtet:

4 von Tob. Mayer (soweit ich solche kenne)

1 - Bouvard

1 - Nicollet

76 - Lohrmann

89 - Mädler

1 - Wichmann

33 - Neison.

Um ungefähr die Genauigkeit solcher Messungen beurtheilen zu können, habe ich 11 Punkte, welche von Lohrmann und Mädler zwischen 5 und 12 Mal beobachtet wurden, in Bezug auf die wahrscheinlichen Fehler einer Bestimmung = w, nach Peters Formel berechnet und folgendes gefunden:

	bei Lohrmann:				bei Mädler:		
	in l	in b	Beob.		in l	in b	Beob.
Proclus	$w = \pm\, 0,268$	$w = \pm\, 0,143$	5		$w = \pm\, 0,256$	$w = \pm\, 0,070$	9
Euler.	- 0,241	- 0,180	8		- 0,202	- 0,134	10
Bullialdus . . .	- 0,164	- 0,081	9		- 0,176	- 0,306	9
Kepler	- 0,328	- 0,135	12		- 0,147	- 0,255	11
Aristarchus . .	- 0,255	- 0,199	8		- 0,341	- 0,329	9
Vitello	- 0,155	- 0,063	7		- 0,206	- 0,254	11
Copernicus . .	- 0,221	- 0,167	9		- 0,175	- 0,227	10
Landsberg . .	- 0,103	- 0,141	7		- 0,262	- 0,246	10
Langrenus . .	- 0,433	- 0,203	10		- 0,312	- 0,214	10
Pytheas	- 0,620 ::	- 0,222	6		- 0,248	- 0,345	10
Gassendus . . .	- 0,206	- 0,164	9		- 0,115	- 0,310	9

Werden die w auf den Aequator reducirt, also für Länge .. $w' = w \cos l \cos b$, für Breite ... $w' = w \cos b$, so hat man:

	bei Lohrmann:			bei Mädler:	
	in l	in b		in l	in b
Proclus	$w' = \pm\, 0,177$	$w' = \pm\, 0,138$		$w' = \pm\, 0,169$	$w' = \pm\, 0,068$
Euler.	- 0,194	- 0,165		- 0,163	- 0,169
Bullialdus . . .	- 0,143	- 0,073		- 0,153	- 0,286
Kepler	- 0,257	- 0,144		- 0,115	- 0,252
Aristarchus . .	- 0,159	- 0,181		- 0,213	- 0,302
Vitello	- 0,107	- 0,055		- 0,142	- 0,220
Copernicus . .	- 0,205	- 0,165		- 0,162	- 0,224
Landsberg . .	- 0,094	- 0,141		- 0,235	- 0,246
Langrenus . .	- 0,211	- 0,201		- 0,152	- 0,212
Pytheas	- 0,344 ::	- 0,208		- 0,217	- 0,323
Gassendus . . .	- 0,152	- 0,157		- 0,085	- 0,296

Bei dieser Reduction habe ich nur die mittleren Längen und Breiten genommen, während es die scheinbaren, also die mit der Wirkung der Libration behafteten hätten sein sollen. Für den vorliegenden Zweck ist das Verfahren aber hinreichend, da ausser Langrenus kein sehr excentrisch liegender Punkt gewählt ward. Wenn man bei Pytheas die von Lohrmann zweifelhaft bestimmte Länge nicht berücksichtigt, so erhält man im Mittel:

bei Lohrmann . . . . in l ... w $= \pm 0,1699$ sec l sec b   in b ... w $= \pm 0,1486$ sec b aus 90 Beob.
bei Mädler . . . . . . - - $= \pm 0,1642$ sec l sec b   - - $= \pm 0,2362$ sec b · 108 -

Während aber beide Beobachter die Längen mit nahe gleicher Sicherheit finden, bestimmt Lohrmann die Breiten mit erheblich grösserer Sicherheit als Mädler. Setzt man die Mittel $= \pm 0,16705$ und $\pm 0,19240 = \pm 10',0$ und $\pm 11',5$ selenocentrisch, so ist der w. Fehler des Mittels von 10 Beobachtungen:

in l $= \pm 0,05283$ sec l sec b $= \pm 3',17$ sec l sec b .   in b $= \pm 0,06084$ sec b $= \pm 3',65$ sec b und der w. Fehler des Mittels von 100 Beobachtungen:

in l $= \pm 0,01670$ sec l sec b $= \pm 1',00$ sec l sec b   in b $= \pm 0,01924$ sec b $= \pm 1',15$ sec b.

Es erhellt also, dass Positionen, auf 20 bis 30 Messungen beruhend, genau genug sind, um bei der Messung von Berghöhen aus dem Schatten als theoretische Basis dienen zu können, damit man die meist schwierige, oft kaum mögliche Messung des Abstandes eines Berges von der Lichtgränze erspare.

HÖHENMESSUNGEN.

Die Methode, die Höhe der Mondberge nach ihrem Schatten zu bestimmen, findet man in den Werken von Schröter und Mädler ausführlich erörtert. Ohne darauf, als auf längst Bekanntes, näher einzugehen, will ich hier nur einen Punkt berühren, der sich auf die theoretische Ermittelung der Sonnenhöhe am gemessenen Berge bezieht. Da in sehr vielen Fällen die Unebenheit der Phase die Messung des Abstandes eines Berges von der Phase in hohem Grade erschwert, und sie zuweilen ganz illusorisch erscheinen lässt, so wird es oft, wenn die Messung des Schattens gut gelang, von Interesse sein, sich von der Messung des Abstandes unabhängig zu machen, und diesen Abstand auf dem Wege der Rechnung zu finden. Dies kann aber nur dann ausgeführt werden, wenn eine genaue selenographische Position des fraglichen Punktes vorhanden ist.

Die schärfste bis jetzt bekannte Ortsbestimmung nach selenographischer Länge und Breite rührt von Wichmann in Königsberg her, und bezieht sich auf einen kleinen Krater in der Nähe des Moestlin. Wichmann schätzt den wahrscheinlichen Fehler auf ungefähr $\pm 1' 40''$ selenocentrisch. Um den Einfluss solches Fehlers, der aber nur in seiner Wirkung auf die Länge hier in Betracht kommen kann, darzustellen, genügt es, diesen Fehler $\pm \varepsilon$ einfach auf den Winkel φ zu übertragen, welcher den Höhenwinkel der Sonne am gemessenen Berge bedeutet. Die Höhe des Berges ist dann $h = \dfrac{\cos(\varphi - \psi)}{\cos \varphi} - 1$, wenn ψ den selenocentrischen Winkelwerth des gemessenen Bergschattens bedeutet. Wird also φ einmal um den Werth von ε vergrössert, dann um denselben Werth verkleinert, so wird man berechnen:

$$h' = \frac{\cos(\varphi + \varepsilon - \psi)}{\cos(\varphi + \varepsilon)} - 1 \qquad \text{und} \qquad h'' = \frac{\cos(\varphi - \varepsilon - \psi)}{\cos(\varphi - \varepsilon)} - 1$$

Indem wir diese Formeln auf 2 Beispiele anwenden, ergiebt sich Folgendes. 1855 Aug. 31 fand ich für einen der höchsten Berge $\varphi = 11^\circ 11' 43''$, $\psi = 1^\circ 36' 2''$; wird die erwähnte Aenderung berechnet, so erhält man die 3 Höhen:

$$h' = 4590' \qquad h = 4578' \qquad h'' = 4565'.$$

Die Aenderung gegen den Mittelwerth beträgt also $\pm 12\frac{1}{2}$ Toisen oder 75 Pariser Fuss, so gering, dass sie im Vergleich zu den unvermeidlichen Fehlern der Messung verschwindet; sie ist in diesem Falle $= \left(\frac{1}{366}\right) \cdot h$.

Wählen wir einen niedrigen Berg, wie ich solchen 1855 Sept. 28 maass, so haben wir: $\varphi = 2^\circ 6' 31''$, $\psi = 0^\circ 26' 12''$ nach der Beobachtung, und aus der Rechnung dann die 3 Werthe:

$$h' = 228' \qquad h = 225' \qquad h'' = 221'.$$

3

Die Aenderung gegen den Mittelwerth ist also $\pm 3'.5$ oder $= \left(\frac{1}{63}\right)$. h.

Est ist hiernach einleuchtend, dass man stets die theoretische Bestimmung von φ derjenigen vorziehen würde, die aus der Messung des Abstandes von der Phase folgt, wenn überall die zu befürchtende Unsicherheit in den Längen nicht grösser als $\pm 2'$ (selenocentrisch) wäre. Davon sind wir aber noch weit entfernt.

Nehmen wir an, dass in den günstigen Fällen, also bei Punkten, deren selenographische Längen und Breiten geringer als 20' sind, wo demnach die Verkürzungen auf der Kugelfläche nur unbedeutenden Einfluss haben, ι in Länge $\pm 20'$ (selenocentrisch) betrage, so würde der Einfluss auf h in den beiden so eben erwähnten Beispielen sich folgendermaassen darstellen:

für No. 1: $h' = 4726'$ $h = 4578'$ $h'' = 4428'$ $\iota = \pm 149' = \left(\frac{1}{31}\right)$. h

für No. 2: $h' = 264'$ $h = 225'$ $h'' = 185'$ $\iota = \pm 39'.5 = \left(\frac{1}{5,6}\right)$. h.

Ist also der zu befürchtende Fehler in den Längen durchschnittlich $\pm 20'$, so werden die daraus in h entstehenden Fehler noch nicht grösser, als sie bei der gewöhnlichen Art der Bestimmung gefunden werden.

Wenn im Vorigen gesagt ward, dass es für den vorliegenden Zweck genüge, $\pm \iota$ der Länge unmittelbar auf φ zu übertragen, so ersieht man dies auch aus der Formel bei Mädler pag. 98. Dort bedeutet:

λ die selenographische Länge des Berges,

$\mathfrak{C}$ u. $\mathfrak{l}$ die wahren und mittleren Längen des Mondes,

ϑ den Winkel zwischen Phase und der Hörnerlinie,

t den Stundenwinkel der Sonne am Berge,

i die Neigung der Mondbahn gegen die Ekliptik,

Ω den aufsteigenden Knoten der Mondbahn,

δ die selenocentrische Declination der Sonne. Hiernach ist:

$$t = 90^0 + \lambda - \vartheta - (\mathfrak{C} - \mathfrak{l})$$
$$\sin \varphi = \sin \beta \, \sin \delta + \cos \beta \, \cos \delta \, \cos t$$
$$\sin \delta = \sin i \, \sin (\mathfrak{C} - \Omega).$$

Durch $(\mathfrak{C} - \mathfrak{l})$ wird die Libration in Länge berücksichtigt.

Die Aenderung $\pm \iota$ in λ wirkt also auf t, und das so veränderte t nimmt seinen Einfluss auf φ.

Da φ sehr selten 20° erreicht, und meist zwischen 2° und 10° liegt, so ist es für einen ungefähren Ueberschlag des Einflusses von ι auf h ausreichend, ohne weitläufige Rechnung die Aenderung von λ direct auf φ zu übertragen.

Die Rechnung für die Winkel φ und ψ, ferner für h, habe ich stets mit siebenstelligen Logarithmen, das Uebrige mit fünfstelligen durchgeführt. Die verschiedenen Methoden der Messungen, welche ich seit 1844 versuchsweise in Anwendung brachte, oder, wie seit 1853 in Olmütz, strenge verfolgte, sollen nun im Kurzen mitgetheilt werden.

In den Jahren 1844 bis 1853 fehlten mir alle Hülfsmittel für feinere Messungen, um die Höhen der Mondberge zu bestimmen. Da ich solche indessen lebhaft wünschte, ersann ich, damals 1844 auf Hohenfelde bei Hamburg, um Schatten der Berge und Abstände von der Phase ohne Mikrometer zu ermitteln, die Methode der Passagen nach Uhrschlägen, wie solche eine gewöhnliche Taschenuhr machte. Den Werth solcher Uhrschläge ermittelte ich dann auf der Hamburger Sternwarte nach den dortigen Pendeluhren, und die Zeitdauer der Passage des Monddurchmessers entnahm ich dem Nautical Almanac. Da aber das Fernrohr kein Kreismikrometer, und auch keinen festen Faden hatte, so wählte ich den sehr scharfen Rand des Gesichtsfeldes, und beobachtete so die Eintritte des Berges, der Schattenspitze und den Abstand von der Phase, jedoch nur, wenn die Richtung der Schatten ganz oder sehr nahe mit der täglichen Bewegung übereinstimmte. Anstatt des Abstandes eines gemessenen Berges von der Hornspitze nahm ich einfach (90° —b), wo b die selenographische Breite bedeutet, ohne hier die Libration zu berücksichtigen, denn Fehler, die von Vernachlässigung solcher Correction herrühren, konnten bei meinen damaligen Versuchen nicht in Betracht kommen, weil ich zudem sehr nördliche oder südliche Regionen wenig beobachtete. Ich will einen Theil jener Bestimmungen mit aufnehmen, da sie gute Resultate lieferten, und weil sie die einzigen ihrer Art sein werden. Es ward auch in Bonn so beobachtet, weil sich an keinem Fernrohre ein Fadenmikrometer befand. Auch in Bilk fehlten mir die nöthigen Hülfsmittel, und das einzige dort benutzte Fernrohr mit prismatischem Oculare hatte nicht genügende Schärfe des Gesichtsfeldes. Die erwähnten Messungen bilden die erste Abtheilung der Höhenmessungen, soweit sie nicht Randberge betreffen.

Als ich im Juni 1853 nach Olmütz kam, fand ich am dortigen 5füssigen Refractor ein gutes Fadenmikrometer, welches, sehr einfach in seiner Construction, und deshalb sehr constant, von Starke in Wien gearbeitet ward. Herr Prälat E. v. Unkrechtsberg hatte den Werth des Schraubenumganges bereits mit Hülfe des Polarsterns ermittelt. Ich vermehrte diese Bestimmungen, indem ich noch andere nördliche Sterne mit hinzuzog. Von 1853 bis 1857 erlitt aber der Apparat mehrfache Beschädigungen; es mussten wiederholt neue Fäden eingespannt, und es mussten die Beobachtungen für die Bestimmung des Werthes eines Schraubenumganges wiederho......den. In der Berechnung meiner Messungen habe ich, soviel sich jetzt noch ermitteln lässt, folgendes angenommen:

$$
\begin{array}{llll}
\text{1853 Juni 13. bis 1854 Jan. 18.} & R = 46^{s},035 & \text{Dicke der Fäden} = 1^{s},41. \\
\text{1854 Jan. 31. - 1855 Oct. 20.} & - & 45,957 \\
\text{1855 Oct. 20. - 1856 März 3.} & - & 46,026 \\
\text{1856 März 3. - 1857 Dec. 1.} & - & 46,083 \\
\text{1857 Dec. 1. - 1858 Aug. 30.} & - & \underline{46,060} \\
& \text{Mittel aller} & = 46^{s},032.
\end{array}
$$

Da ich mehrmals den Focus um ein Geringes ändern musste, ward stets die Verschiebung gegen den Einstellungsstrich gemessen, und dann mit der veränderten Focalweite die Aenderung des Werthes von R berechnet. Seit Juni 1854 kam für die Messung der Bergschatten ein stärkeres Ocular von vortrefflicher Wirkung in Anwendung, welches Starke geliefert hatte.

Die Methode der Messung ist mit der von Mädler angewandten ganz übereinstimmend. Der Deckungspunkt ward nur durch seitliche Berührung bestimmt, mindestens je 5 Mal zu beiden Seiten, und dies ward stets vor und nach den Beobachtungen ausgeführt.

Jede Schattenmessung bestand aus wenigstens 4 Einstellungen links, und 4 derselben rechts vom Deckungspunkte, zumeist waren es 5 und 6, mehrfach 8 und 10. Bei den Abständen von der Phase, besonders wenn diese sehr schlecht gestaltet war, begnügte ich mich mit 4 oder 5 einseitigen Einstellungen. Die Messung des Abstandes von den Hornspitzen ward nur äusserst selten unterlassen.

3*

Eine Verbesserung wegen der Refraction kam nie in Anwendung, weil bei geringen Höhen des Mondes nur selten gemessen ward, und weil solche Verbesserung wegen der sonstigen Fehler der Messungen nicht in Betracht kommen konnte. Liessen sich die Abstände von der Phase mit ähnlicher Sicherheit finden, wie die Länge des Schattens, so würde es in einigen Fällen in der That nicht überflüssig erscheinen, die Refraction zu berücksichtigen. Alle Messungen habe ich so angestellt, dass ich die Fädendicke nachträglich in Anwendung brachte, und diese Bemerkung gilt auch für die meisten Messungen der Randberge. Die Zahl sämmtlicher mikrometrischen einzelnen Einstellungen von 1853—1858 beträgt gegen 57000.

MESSUNGEN DER RANDBERGE.

1851. **Bonn.** Als ich am 16. Januar die Culmination des Mondes am Meridiankreise beobachtete, schätzte ich die Höhe eines sehr grossen südlichen Randberges = 0,15 des inneren Abstandes der beiden Horizontalfäden. Am 17. Jan., bei ähnlicher Gelegenheit, ergab die Schätzung 0,10. Der Berg lag jetzt ungünstiger; er liegt in der südlichen Verlängerung des durch Clavius ziehenden Tychonischen Streifens, und wird der anderen Seite des Mondes angehören. In Schröter's Selenogr. Fragm. I., p. 141, §. 81 ist von ihm die Rede. Am 14. Jan. 1851 brachte ihn die Libration in so günstige Sicht, dass sein ganzer gegen Süden gerichteter Schatten sichtbar und messbar ward, vor welchem sich die grossartige Gestalt, glockenförmig wie der Chimboraço, in seltener Schärfe abhob. Am 18. Jan. (1851) bestimmte ich den Abstand der inneren Kanten gedachter Fäden mittelst des Collimators = 13",466. Wird die Vergrösserung des Mondhalbmessers berücksichtigt, so hat man:

$$\text{Jan. 16. Berg A} = 6",06; \quad h = 5432' \text{ (Toisen).}$$
$$\text{- 17.} \qquad\quad = 5",77; \quad h = 4800'$$

Am Ostrande des Mondes lagen, im Parallel des Sirsal, 2 Berge, die nördlich und südlich einen Randausschnitt begränzten. Die Höhe dieser über dem mittleren Rande war: B = 4",70 h = 4170'.

1854. **Olmütz.** Febr. 13. 11",4. Mit dem Fadenmikrometer maass ich einen Berg C am Ostrande des Mondes, östlich von der Südspitze des Grimaldi in 99" Abstand, durch 16 Einstellungen zu beiden Seiten des Nullpunktes, und fand: C = 5",135, oder nach Anbringung der Fädendicke = 3",718, demnach h = 3576'. Der Berg hat an der Südseite viel steileren Abfall als an der Nordseite. Damals waren die Abstände: Tycho vom nächsten Rande = 6',1, Schicards Mitte = 2',3 und Grimaldis Mitte vom nächsten Rande = 1',6. Ich bemerke, dass R = 45",988 angenommen ward.

- Febr. 14. 10",1. Derselbe Berg C, als er 88" Abstand von der südlichen Ecke des Grimaldi hatte; sein Fuss lag jetzt bereits hinter dem Mondrande, und so ward h nur = 2406' gefunden.

1854. März 14. 7.6. Südlich von Casatus und Newton, etwa in 85° Breite, erschien im Randprofile ein langes, fast gipfelloses Gebirge D, dessen Fuss noch durch eine sehr feine schwarze Linie vom Rande getrennt war. Um 11ʰ war diese Linie nicht mehr sichtbar. Ich fand aus 14 Messungen:

$$D \ldots \text{um } 7.6 = 3''.798 \qquad h = 3595'$$
$$- \ 11.0 = 4.863 \qquad h = 4577.$$

Wird bei der zweiten Messung die Dicke der Fäden berücksichtigt, so ergiebt sich die scheinbare Höhe = 3''.433 und h = 3230'.

- März 15 ward D unter sehr günstigen Umständen gemessen, denn er schien genau auf dem Mondrande zu liegen. 16 Messungen, in denen die Fädendicke schon in der Art der Beobachtung elimirt ward, ergaben:

$$D \ldots = 3''.868 \quad h = 3618'.$$

- März 19. Bei sehr stiller, etwas dunstiger Luft maass ich um 16.9 in 66° östlichem Abstande von der SO.-Ecke des Grimaldi, einen hellen kuppelförmigen Berg E, der am Nordende eines Randausschnittes lag. Er ist von C verschieden. Ich fand 3''.29; h = 3014'. Ein Randausschnitt bei Malapert am Südpole würde 6055' tief erscheinen, falls ich versichert sein könnte, dass hier die Phase nicht täuschend mitgewirkt habe. Moretus Mitte lag 49ʷ vom Südrande entfernt.

- April 8. Um 8.8 ward am Südpole der lange Berg D zu 3''.983 = 4636' bestimmt. Den Längendurchmesser des Berges fand ich = 6,4 Meilen.

- Mai 12. Berlin. Am 14 füssigen Refractor maass ich mit 214 maliger Vergrösserung bei ungünstiger Luft den Randberg östlich von Grimaldi, vielleicht E, um 13° 45″ Sternzeit. Ich fand 3''.388 und daraus 3052'. Es war am Tage des Vollmondes.

- Sept. 6. Olmütz. Um 11ʰ maass ich einen nicht näher bezeichneten Berg am Südpole durch 10 Einstellungen zu 2579'.

- Sept. 9. Um 14.4. Aus 8 Messungen ergab sich die Höhe eines grossen Berges in der Gegend des Newton = 3019'.

- Octob. 6. Um 8.6. In der südlichen Verlängerung der Verbindungslinie Hesiodus—Tycho lag ein grosser Polarberg, SW. von Moretus, dem Pole nahe. In erwähnter Richtung war der Abstand des Berges von Tychos Mitte = 4' 41″. Aus 11 Einstellungen ergab sich h = 4317'. Ich halte ihn für A.

- Octob. 8. Um 12.2 lag der Berg in der Linie Pitatus—Tycho, von Tycho 4' 50″ entfernt. Er war isolirt und kuppelförmig, mit A wohl sicher identisch. 12 Messungen ergaben h = 4223'.

- Nov. 4. Gegen 8.1. Kurz vor einer kleinen Finsterniss ward der grosse Berg A in der Linie Pitatus — Tycho gesehen, und sein Abstand von Tycho's Mitte = 4' 41″ gefunden. Am starken Oculare ergaben 24 Einstellungen: 4''.514 und h = 4286'. Die Fussbreite ward zu 5,5 Meilen bestimmt. Bei der Berechnung ward die Verbesserung der Parallaxe nach Adams berücksichtigt. Am 5. Nov. war der Berg noch mehr nach innen gerückt, und erschien weniger bedeutend.

- Dec. 2. Der Berg A erschien nahe in der Lage wie Nov. 4. und sein Abstand von Tycho's Mitte ward zu 4' 45″ bestimmt. Wie damals lag ihm westlich das hohe lange Gebirge D gegenüber, und zwischen beiden senkte sich der Boden beträchtlich unter den Mondrand. Ich maass den Unterschied vom Gipfel bis zum Thale = 5882'. Zwei Drittheile dieses Unterschiedes kommen auf die Höhe von A = 3921'. Das westliche Gebirge D mochte gegen 3500' aufragen.

1854. Dec. 5. Der Berg A war schon nach innen gerückt, und westlich von ihm lag D in
der Richtung Tycho-Pitatus. Sein Abstand von Tycho's Mitte war um 8.'1 = 5' 38",
wofür ich Dec. 2. = 5' 22" gefunden hatte. Für D erhielt ich h = 3807'. Die Tiefe
eines südlichen Randausschnittes fand ich, vom Gipfel bis zum Thale gemessen,
= 5700'. Den Ausschnitt nenne ich G.

- Dec. 6. Um 8.'6 fand ich den Ausschnitt G östlich vom Cabäus in 5' 16" Abstand
von der Mitte des Tycho, als von diesem der lange Berg D 5' 49" entfernt war.
10 genaue Messungen ergaben vom Hochgipfel bis zur Tiefe h = 6558', also fast
40000 Pariser Fuss.

1855. Sept. 27. Um 10.'6 fand ich den grossen kuppelförmigen Berg aus 12 Messungen
= 4786' hoch.

- Oct. 24. Gegen 8° lag A ganz im Rande, D, den westlichen Nachbar ansehnlich
überragend, und von diesem durch ein Thal getrennt, welches nicht unter das Randprofil hinabging. 14 Messungen ergaben h = 5093'.

- Octob. 28. In der südlichen Verlängerung Tycho—Scheiner lag ein Ausschnitt, dessen
Unterschied vom Gipfel bis zum Thale = 5439' gefunden ward. Westlich daneben, in
der Richtung Tycho—Blancanus, lag ein anderer Ausschnitt, vom vorigen durch einen
Hochgipfel geschieden. Von diesem Gipfel bis zur Tiefe fand ich h = 4705'. Die
Durchmesser der Ausschnitte waren 13,7 und 13,5 Meilen. An dieser Stelle konnte
die Phase keine Irrung verursachen.

Ich halte die Resultate für genügend sicher, und sehe keinen Grund, diese Höhenunterschiede für auffallend oder übertrieben zu halten. Sie sind noch erheblich geringer als
die auf der Erde bekannten, da sich für die Höhen der grössten Berge über den Tiefen des
Oceanes grössere Zahlwerthe herausgestellt haben. Nimmt man einige mittlere Werthe, so
lassen sich die erlangten Beobachtungen etwa so darstellen:

1) Berg A am Südpole, Höhe über der mittleren Oberfläche des Mondes.

1851 Jan. 16.	h = 5432'		
- Jan. 17.	4800	Diese 8 Messungen haben als Mittel:
1854 Oct. 6.	4317	h = 4607' = 27642 Par. Fuss.
- Oct. 8.	4223	Ohne die erste und die letzte findet man:
- Nov. 4.	4286	h = 4389' = 26334 Par. Fuss,
- Dec. 2.	3921	und das Mittel der beiden extremen Werthe ist:
1855 Sept. 27.	4786	h = 5262' = 31572 Par. Fuss.
- Oct. 24.	5093	

2) Das lange Gebirge D am Südpole.

1854 März 14.	h = 3595'	Das Mittel macht h = 4356' = 26136 Par. Fuss.
- - 14.	4577	
- - 15.	4618	
- April 12.	4634	

3) Am Ostrande erheben sich Berge bis zu 3500' = 21000 Fuss wenigstens, wahrscheinlich bis zu 4000'.

4) Am O.- und SO.-Rande, sowie nahe dem Südpole, giebt es eingesenkte Räume
von 10—14 Meilen Durchmesser, in denen sich Höhenunterschiede von 5000' bis
6000' oder 30000 bis 36000 Fuss nachweisen lassen. Unter allen am Rande gesehenen
Riesenbergen war nur einer von imponirender Form, und auch dieser hatte nur
die Glockenform des Chimboraço, aber bei Weitem nicht die schroffe Neigung der

Seiten, wie am Cotopaxi und anderen Vulcanen der Erde. Ich habe den Berg D einst (1848) unter sehr günstigen Umständen mit 300facher Vergrösserung des 8 füssigen Heliometers zu Bonn beobachtet und gezeichnet. Die Neigungswinkel waren unter 30°, und der Abhang gegen Westen zeigte 3 Zacken.

5) Am NO.-Rande wird man nie ansehnliche Randberge bemerken. Am Nordpole finden sich, wie zuerst Mädler nachwies, Berge von 1700—1800' Höhe, die ich bestätigt gefunden habe.

6) Am NW.-Rande sieht man bei günstiger Libration ansehnliche Berge, doch ist aus dieser Gegend nur eine ältere Angabe bekannt. 1806 Juni 16 während einer Sonnenfinsterniss beobachteten Schröter und Bessel zu Lilienthal einen Randberg = 3″,972 = 0,942 Meilen = 3586'. Bessel berechnete den Ort des Berges in 92° 31' westl. Länge und 66° 45' nördl. Breite, also NW. von dem grossen Nordkrater des Mare Humboldtianum. (Bode's Jahrb. für 1809, pag. 195.)

7) Am SW.-Rande sind selten einige mässige Berge sichtbar. Nach der Erinnerung scheint mir, dass der ansehnlichste Randberg dem Langrenus westlich gegenüber lag. Ueber die seltsamen anomalen Abplattungen, die bei gewisser Libration der Westrand des Mondes zeigte, und die ich 1841 zuerst wahrnahm, mag später einmal Genaueres mitgetheilt werden.

Schröter's Messungen hinsichtlich der Randberge und Ausschnitte findet man in seinen Selenogr. Fragm., Bd. I., §. 70 ff. und Bd. II., §. 938 ff. Er findet ebenfalls Randhöhen von mehr als 4000', und Ausschnitte von 3000', so dass der Gesammthöhenunterschied im Maximum immerhin sich auf 6000' und selbst auf 7000' belaufen mag. Schröter's Darlegung über die Randausschnitte ist sehr sorgfältig, und für seine Zeit sind seine Schlussfolgerungen meistentheils sehr vorsichtig, und könnten unserer Zeit gelegentlich als Muster dienen. Wenn man aber einen einzelnen seiner Fehlschlüsse herausgreift und das Uebrige verschweigt, so ist das gerade dasselbe, als wenn man in den grossen Sterncatalogen von Bessel und Argelander nur von den einzelnen unrichtigen Positionen reden, die Hauptsache aber ignoriren würde. Schröter's höchst anerkennenswerthes Werk ist niemals genügend gewürdigt worden, weil die 2 oder 3 Personen, die im Laufe von nun nahe 100 Jahren dazu durch praktische Kenntniss befähigt waren, es unterliessen, die sonstigen isolirten Urtheile von Nichtkennern aber gar kein Gewicht beanspruchen können. Was Schröter mit seinen angeblich so unvollkommenen Hülfsmitteln geleistet hat, ist bewundernswerth. Ein geborener Beobachter gelangt auch mit geringen Mitteln zum Ziele.

EINRICHTUNG DES CATALOGES DER HÖHEN.

Die Form des Cataloges der gemessenen Höhen, die Mädler vormals wählte, habe ich in allen Stücken beibehalten. Die zwei Abtheilungen meiner Messungen führen gesonderte Numerirung. Auf die Columne der mittleren Ortszeiten folgt die Columne der Bezeichnungen, die oft noch durch Anmerkungen näher erläutert werden. Die 6 folgenden Columnen geben:

S, die Länge des Schattens in Umgängen der Schraube, so auch A und d

A, den Abstand des Berges von der Phase

d, den Abstand des Berges von der Hornspitze (erst seit 1853 bestimmt)

φ, die Höhe der Sonne am Berge

h, den Höhenunterschied zwischen dem Gipfel und dem Orte, den die Schatten- spitze des Berges traf.

O. und W. der letzten Columne geben an, ob die Schatten gegen Osten oder Westen fielen, ob also bei zu- oder bei abnehmendem Monde gemessen ward.

In der ersten Abtheilung dieser Resultate, 1844—1851, findet man S und A in Uhr- schlägen ausgedrückt, wie früher schon mitgetheilt ward. Seit 1853 ward mit dem Faden- mikrometer gemessen. Da ein Umgang der Schraube 46″ betrug, so lauten also Werthe wie $S = 0,502$ $A = 1,327$ $d = 7,77$ auf Bogensecunden reducirt: $S = 23″$ $A = 1′1″$ $d = 5′37″$. War der Durchmesser des Mondes $= 30′,0$, so betrug er 39,13 Umdrehungen der Schraube.

Die erste Zusammenstellung der 3000 Messungen in Form eines Cataloges entwarf ich 1858 zu Olmütz; die zweite 1859 zu Athen. Diese ist es, welche ich nach wiederholter Re- vision beibehalten habe. Alle Bezeichnungen beziehen sich wesentlich, nebst den Ortsangaben (Positionen), auf Mädler's Charte, da auch von mir gewählte Buchstaben doch nur auf Oerter der gedachten Charte bezogen wurden. Damals gab es von Lohrmann's Charte nur 4 Sectionen.

Indem nun meine eigene Charte die Bezeichnungen Mädler's in der Hauptsache wieder- holt, kann der Höhencatalog unmittelbar benutzt werden, und um dies zu erleichtern, habe ich (1875) dem Catalogе inzwischen noch jene Namen beigefügt, welche seit 1865 oder früher schon in Gebrauch gekommen sind.

Ungeachtet zahlreicher Nachweisungen in den Anmerkungen wird doch mancher Punkt zweifelhaft bleiben, selbst wenn man auf die Originalbeobachtung zurückgeht. Dem Kenner sind solche Fälle verständlich. Soll einst über solche Zweifel entschieden werden, so geschieht es durch Wiederholung bei derselben Phase und Libration, und der Anblick der nun in Frage kommenden Schattenfiguren wird in den meisten Fällen auf den richtigen Weg leiten.

In der Beschreibung der 25 Sectionen sind alle Messungen von Schröter, Mädler und mir zusammengestellt, und zwar jede Höhe = h mit dem zugehörigen Erleuchtungswinkel φ, da die Vergleichungen der oft enorm verschiedenen Werthe von h sonst keinen Sinn haben. Den Mittelwerthen aus mehrfachen Messungen habe ich h, ausgedrückt in Pariser Fussen, beigesetzt, weil Manche doch mehr an dieses Maass gewöhnt sind. 3807 Toisen entsprechen einer geographischen Meile; 6 Pariser Fuss einer Toise; eine Toise = 1,949 Meter.

HÖHENMESSUNGEN VERMITTELST DER METHODE DER SCHATTEN.

I. Abtheilung. Passagen ohne Mikrometer beobachtet.

No.	Datum.	Zeit.	Name der Gebirge.	S	A	?	h	
			1844. (Hamburg.)					
1	Jan. 29.	6 30	Clavius, SW.-Rand, z. S. auf der Terrasse	4.625	44.400	7 56	1770	O.
2	.	.	Thebit, O.-Wall nach aussen	7.625	18.125	3 22	1033	
3	.	.	Bullialdus, O.-Wall nach aussen	3.500	21.500	3 27	529	
4	.	.	Euler-Berg β	7.916	9.016	1 41	381	
5	April 25.	8 0	Walter, Centralberg	2.850	13.600	6 9	826	O.
6	.	.	Arzachel, Centralberg	4.086	20.000	3 23	606	
7	.	.	Purbachius, W.-Wall	4.100	33.000	5 46	1118	
8	.	.	Cap Huyghens	13.500	19.830	5 10	2410	
9	.	.	Huyghens	16.800	25.800	4 26	2625	
10	.	.	Archimedes E.	5.166	21.000	3 56	884	
11	.	.	Kirch α	7.000	14.250	2 22	595	
12	.	.	Kirch β	9.750	12.750	2 5	579	
13	.	.	Kirch, nördlich von β	3.166	12.666	2 4	279	
14	.	.	Pico A — Insula Leucopetra, östl. von Cassini	3.700	35.800	6 18	1088	
15	.	.	Alpen η — Cap Agassiz	3.050	43.100	7 40	1108	
16	.	.	Alpen, nächst η, nördlicher, Cap Deville	3.800	41.250	7 18	1301	
17	.	.	Alpen Z	3.500	39.150	7 13	1190	
18	.	.	Plato ı oder Pico ı (?)	7.000	22.750	3 57	1142	
19	.	.	Plato ε	2.500	7.500	1 10	116	
20	April 26.	8 25	Clavius, W.-Wall	10.333	30.830	5 38	2420	O.
21	.	.	Tycho, Centralberg	3.150	31.200	5 44	864	
22	.	.	Clavius d. O.-Wall nach aussen	6.625	15.250	2 49	733	
23	.	.	Epigenes, O.-Wall?	6.750	19.000	3 29	1112	
24	Mai 26.	8 30	Clavius, NW.-Wall	5.800	48.000	8 56	2551	O.
25	.	.	Longomontanus, SW.-Wall	11.500	23.250	4 25	1002	
26	.	.	Longomontanus, Centralberg	4.250	12.250	2 22	435	
27	.	.	Ciebus, O.-Wall nach aussen	7.166	17.000	3 16	973	
28	.	.	Reinhold, O.-Wall nach aussen	3.125	13.500	2 36	377	
29	.	.	Pico ı	3.017	44.670	8 23	1189	
30	.	9 30	Laplace ε	5.000	21.000	4 12	979	
31	Juni 22.	8 30	Hipparch, W.-Wall	3.333	19.333	3 38	561	O.
32	.	.	Cassini, Krater in NO. O.-Wall nach aussen	8.166	14.670	2 45	826	
33	.	.	Caucasus, südlichster Berg	—	—	2 45	682	
34	.	.	Caucasus, isolirter Berg nördlicher	—	...	3 4	1311	
35	.	.	Eudoxus a	5.062	28.250	5 20	1247	
36	.	.	Calippus γ oder Eudoxus β	10.000	27.750	5 15	2186	
37	Juni 23.	10 30	Archimedes, O.-Wall nach aussen	5.700	27.200	3 16	770	O.
38	.	.	Pico A, östlich von Cassini	3.380	38.000	6 51	1235	
39	.	.	Cap Huyghens	9.900	39.600	7 8	3041	
40	.	.	Huyghens	12.166	37.000	6 43	3318	
41	.	.	Alpen, Berg südlich bei λ	9.500	18.500	5 8	1994	
42	.	.	Alpen λ	10.330	23.670	4 16	1691	
43	Juli 14.	9 0	Clavius, NW.-Wall	3.375	70.750	11 29	2791	O.

Anm. No. 33. 34. Die Originalangaben sind verloren gegangen.
No. 39. 40. Dem Beobachter sind die bei Huyghens zuweilen auftretenden Schwierigkeiten bekannt.
Juli 14. Diese Messungen (Passagen) am 4 füss. Refractor der Hamburger Sternwarte.

No.	Datum	Zeit	Name der Gebirge	S	A	p	h	
		° ′				° ′	′	
44	Juli 24.	9 0	Cichus, O.-Wallgipfel nach aussen	5,050	32,800	5 39	1156	O.
45	"	"	Bullialdus F. O.-Wall nach aussen	4,187	11,625	2 2	333	
46	"	"	Laplace a	5,812	21,750	3 45	897	
			1848. (Bonn.)					
47	Febr. 9.	9 12	Piccolomini, W.-Wall	8,643	37,000	5 59	1951	O.
48	"	"	Dessen Centralberg	5,500	20,200	3 13	652	
49	Febr. 12.	6 45	Cap Huyghens	6,866	20,000	5 27	2367	O.
50	"	"	Huyghens	8,333	19,750	5 32	2786	
51	"	7 0	Autolycus, W.-Wall	3,375	65,000	9 12	1484	
52	"	"	Aristillus, W.-Wall	3,000	63,250	8 57	1125	
53	"	"	Pico A, östlich von Cassini	3,583	43,000	6 9	1023	
54	"	"	Archimedes, SO.-Wall nach aussen . . .	6,600	19,050	2 51	674	
55	"	"	Dessen NO.-Wall	8,000	19,750	2 56	790	
56	"	"	Arzachel, Centralberg	3,167	36,170	5 15	790	
57	"	"	Alpetragius, SO.-Wall, aussen	6,000	15,400	2 19	490	
58	"	"	Dessen NO.-Wall, aussen	5,125	17,273	2 22	450	
59	"	7 33	Huyghens z, östlich vom Hauptgipfel	1,860	5,650	4 56	1696	
60	"	"	Huyghens	2,8925	6,6125	5 33	2880	
61	"	"	Cap Huyghens	2,1500	6,8750	5 46	2403	
62	Febr. 13.	5 25	Tycho, SW.-Wall	6,750	48,250	7 8	2060	O.
63	"	"	Tycho, NW.-Wall	11,250	49,500	7 19	3381	
64	"	"	Tycho, Centralberg	2,900	39,000	5 50	876	
65	"	"	Pico	2,940	50,400	7 26	1140	
66	"	"	Pico z	8,375	25,750	3 55	1227	
67	März 11.	9 37	Aristoteles, W.-Wall	7,500	51,400	7 16	2119	O.
68	"	9 42	Eudoxus, W.-Wall	9,300	53,400	7 33	2627	
69	"	9 45	Delambre, W.-Wall	5,150	69,500	9 48	2151	
70	"	9 48	Abulfeda, W.-Wall	8,200	37,800	5 22	1626	
71	"	9 50	Almanon, W.-Wall	4,700	44,800	3 45	1174	
72	"	9 53	Silberschlag β	9,600	26,250	6 23	1274	
73	Juni 9.	8 24	Pico A, östlich von Cassini	7,200	30,600	4 49	1322	O.
74	"	8 27	Alpen η, ⌐ Cap Agassis	5,172	38,714	6 5	1270	
75	"	8 29	Alpen, nördl. Nachbar von τ, Cap Deville . .	7,212	16,750	5 47	1606	
76	"	8 31	Alpen Z	6,750	35,250	5 33	1465	
77	"	8 35	Alpen, Montblanc, oder dessen Nachbar? . .	12,900	32,400	5 6	2277	
78	"	8 39	Cap Huyghens	15,500	30,250	4 47	2385	
79	"	8 57	Arzachel, Centralberg	3,437	43,000	6 47	944	
80	"	9 9	Pico A, östlich von Cassini	6,714	30,857	4 52	1261	
81	Sept. 18.	8 33	Pico	7,650	30,200	4 35	1239	O.
			1849. (Bonn.)					
82	Febr. 2.	7 48	Lahire	7,310	21,620	3 15	820	O.
83	"	7 53	Copernicus, W.-Wall	4,600	66,800	9 49	1802	
84	"	7 54	Bullialdus, W.-Wall	5,500	42,500	6 19	1344	

Anm. 1848, Febr. 9 u. Febr. 12, am 5 füss. Refr. der Bonner Sternwarte; Passagen nach Sechstel- und Drittel-Secunden beobachtet.

Febr. 12. No. 49, 50 nach Drittel-Secunden; No. 51 bis 58 nach Sechstel-Sec.; No. 59, 60, 61 nach Viertel-Secunden, aber in ganzen Secunden ausgedrückt.

Febr. 13 u. März 11 ward wieder nach Sechstel-Secunden beobachtet.

Juni 9 u. Sept. 6 ward nach Sechstel-Secunden mit starker Vergrösserung beobachtet.

Juni 9 gaben zwei Versuche dem Huyghens mehr als 3500′ Höhe.

1849, Febr. 2 nach Sechstel-Secunden beobachtet.

No.	Datum.	Zeit.	Name der Gebirge.	S	A	φ	b	
85	Febr. 2.	7 55	Cichus, O.-Wall nach aussen	5,500	37,000	4 28	924	O.
86	-	7 58	Cichus, W.-Wall	4,500	44,750	6 37	1170	
87	-	9 34	Bullialdus, W.-Wall	5,000	49,000	6 52	1148	
88	-	9 39	Landsberg, O.-Wall nach aussen	4,300	18,800	2 52	457	
89	-	9 42	Lahire	5,428	27,000	4 5	834	
90	-	9 49	Reinhold, W.-Wall	4,250	53,750	7 44	1317	
91	-	9 51	Cap Laplace, S. endet in der Phase	20,333	20,333	5 6	1311	
92	Febr. 3.	6 36	Delisle σ	4,100	10,600	2 47	668	O.
93	-	6 36	Hainzel, W.	3,250	22,000	5 36	1227	

1851. (Bonn.)

94	Jan. 10.	5 17	Cap Huyghens	11,091	14,730	4 32	2593	O.
95	-	5 55	Cap Huyghens	9,150	15,750	4 49	2397	
96	-	7 12	Cap Huyghens	7,028	17,710	5 25	2531	
97	-	5 30	Alpen; ein Berg südlich bei λ	5,100	18,710	5 43	2050	
98	-	5 35	Alpen λ	8,000	13,110	4 1	1851	
99	-	5 24	Pico A, östlich von Cassini	3,100	16,290	4 58	1156	
100	-	5 46	Archimedes E	3,857	10,710	3 16	671	
101	-	5 23	Huyghens	8,263	17,570	5 23	2824	
102	März 11.	8 45	Pico	5,000	44,620	6 3	1065	O.
103	-	8 53	Eratosthenes η	5,000	31,000	4 14	726	
104	-	8 55	Eratosthenes, W.	4,250	59,400	8 4	1232	
105	-	8 56	Eratosthenes, O.-Wall nach aussen . . .	4,000	47,333	6 27	930	
106	-	8 56	Pico B, O.-Wall des Kraters nach aussen . .	5,500	12,000	1 39	260	
107	-	8 57	Tycho, W.-Wall	9,400	55,800	7 34	2414	
108	-	9 0	Clavius σ	11,900	45,600	6 9	2372	

1865. (Athen.)

109	Jan. 19.	17 11	Pico	1,38761	1,77824	3 48	1269	W.

Anm. 1849. Febr. 3. Nach Viertel-Secunden beobachtet.
1851. Jan. 10. Nach Drittel-Secunden; Passagen am Rande des Gesichtsfeldes beobachtet.
- März 11. Nach Sechstel-Secunden beobachtet.
1865. Jan. 19. Für S. und A. stehen die (völlig corrigirten) Logarithmen der Bogensecunden.

II. Abtheilung. Messungen mit dem Fadenmikrometer.

No.	Datum.	Zeit.	Name der Gebirge.	S	A	d	φ	b	
		h m	**1853. (Olmütz.)**				**° '**	**'**	
1	Juni 13.	9 36	Caucasus, Berg in + 32° Br. und 7° w. Länge .	0,2757	0,6860	10,255	1 58	366	O.
2	"	9 38	Caucasus α	1,0351	1,7781	5,876	5 9	2951	
3	Juli 11.	8 39	Theophilus, W. S. reicht bis zur Mitte . . .	0,3139	2,4112	9,800?	7 55	1985	O.
4	Juli 12.	8 3	Mansinus, W.	0,4421	1,2850	2,944	6 49	2142	O.
5	"	8 31	Eudoxus α	0,5354	1,2682	4,130	3 43	1215	
6	"	8 38	Aristoteles, W.	0,2356	2,7164	3,128	8 8	1435	
7	"	8 24	Silberschlag β	0,3246	1,1961	13,850	3 45	833	
8	Juli 13.	8 6	Ptolemaeus, W., η	0,4781	1,6701	19,750	4 33	1394	O.
9	"	8 9	Ptolemaeus, Wall, Süd von η	0,5166	1,8000	—	4 58	1644	
10	"	8 11	Ptolemaeus, W., nördl. vom Vorigen . . .	0,2926	1,5521	—	4 17	849	
11	"	8 13	Ptolemaeus, SW.-Gipfel	0,6696	1,4400	—	3 58	1526	
12	"	8 20	Walter, Centralberg	0,4620	1,2141	11,240	3 25	964	
13	"	8 26	Alpen γ, — Cap Agassiz	0,4061	1,7006	5,321	4 42	1256	
14	"	8 33	Alpen, Nachbar nördl. von γ; Cap Deville .	0,6145	1,6039	5,100	4 26	1646	
15	"	8 42	Alpen Z	0,5499	1,2941	5,250	3 34	1157	
16	Aug. 12.	7 25	Cap Huyghens	0,5420	2,5670	—	6 59	2517	O.
			1854. (Olmütz.)						
17	Jan. 7.	5 10	Cap Huyghens; sehr schwierige Beobachtung .	0,3489	2,8110	15,210	8 28	1295	O.
18	"	10 25	Pico, Hauptgipfel, dessen S. in der Phase endet	0,9991	0,9991	7,240	3 5	1278	
18a	"		Pico, Nordgipfel; geschätzt					958	
19	"	10 35	Cap Huyghens	0,2744	3,4793	14,750	10 33	1338	
20	"	10 45	Plato, W.-Gipfel	0,4345	1,1860	4,920	3 39	1090	
21	Jan. 18.	12 13	Theophilus, nördl. Centralberg	0,2029	1,5897	20,334	5 33	1035	W.
21a	"		Theophilus, südl. Centralberg; geschätzt .	—	—	—		818	
22	"	12 15	Theophilus, O.-Wall	0,3017	2,1872	20,334	7 34	1074	
23	"	12 56	Gebirge südlicher, — 15° Br. 27° L. . . .	0,4604	1,4652	18,188	5 7	1935	
24	"	12 36	Polybius β, im Altai	0,3835	1,8465	14,940	6 24	1156	
25	Jan. 31.	7 15	Promontorium Agarum	0,1594	1,6256	20,089	7 27	1298	O.
26	"	7 24	Langrenus, W.-Wall	0,2165	1,2937	14,118	5 49	1128	
27	"	7 37	Langrenus, O.-Gipfel nach aussen	0,2375	0,4982	14,118	2 9	472	
28	Febr. 2.	7 20	Fabricius, NW.-Wall	0,2470	1,8930	4,530	9 40	1910	O.
29	Febr. 3.	7 5	Theophilus, W.-Wall	0,2548	2,5021	14,183	12 31	2245	O.
30	Febr. 4.	5 25	Aristoteles, W.-Wall	0,3452	1,9718	5,150	5 44	1414	O.
31	"	5 33	Silberschlag β	0,2981	1,3313	20,126	3 51	801	
32	"	5 49	Maurolycus, W.-Wall	0,3507	2,6041	5,650	7 35	1941	
33	"	5 59	Mansinus, W.	0,2327	3,3095	1,140	9 43	1706	
34	"	6 13	Pic A, NW. von Manilius	0,5207	1,0136	15,500	2 56	366	
35	"	6 25	Delambre, W.	0,2355	3,4915	21,570	10 11	1809	
36	"	6 30	Taylor a, W.	0,1634	2,7695	22,410	8 1	999	
37	"	6 40	Abulfeda, S W.-Wallgipfel	0,3275	2,7251	14,082	7 55	1910	

Anm. 1853. Juli 11. d kann nicht richtig sein, ist aber fast ohne Einfluss auf das Resultat.

1854. Jan. 7. Luft sehr schlecht; Fäden krumm, so dass nur an gewissen Stellen brauchbar.

Jan. 18. Meist neblige Luft; Fäden wieder gerade. Phase schwierig aufzufassen.

Jan 31. Messungen mit einem neuen Mikrometer. Luft stürmisch und höchst unruhig.

No. 25. Die obere Kuppe hatte keinen Schatten mehr. Es wird noch oft genannt unter Bezeichnung: „Cap Cyrillus".

No. 28. Gemessen unter sehr ungünstigen Umständen; ebenso No. 29.

No. 35 u. 36 zeigen, dass d grösser als der Radius des Mondes gemessen ward, also nicht vom nächsten Rande.

No.	Datum	Zeit.	Name der Gebirge.	S	A	d	?	h	
38	Febr. 4.	6 49	Abulfeda, W.	0,2474	2,7160	14,082	7 56	1468	O.
39	.	6 52	Almanon, W.	0,1766	3,1421	13,063	9 9	1229	
40	.	7 3	Maurolycus, SW.-Wallgipfel	0,5427	2,5318	5,620	7 22	2798	
41	.	8 15	Eudoxus, W., S. reicht bis zur Mitte . . .	0,3100	2,3721	6,775	6 54	1533	
42	.	8 25	Pitiscus, W.	0,1080	5,4200	4,490	16 22	1369	
43	.	8 31	Gemma Frisius, W.	0,3586	2,5740	7,750	7 29	1961	
44	.	8 41	Berg nördlich bei Eudoxus a	0,6096	1,1380	6,362	3 12	1160	
45	.	9 5	Eudoxus, Geb. β (+ 42° Br., 10,°5 Lg.) . .	0,4341	0,9740	7,262	2 50	751	
46	.	9 13	Manilius, SO.-Wallgipfel, nach aussen . . .	0,3317	0,6250	15,910	1 49	349	
47	.	10 3	Geber, W.	0,2061	1,9795	12,181	8 42	1361	
48	.	10 10	Baco? W., S. endet in der Mitte . . .	0,1870	1,6497	3,977	4 47	1287	
49	.	10 15	Manilius, NO.-Wallgipfel, nach aussen . .	0,2607	0,9886	15,900	2 53	670	
50	.	10 19	Krater A, (Nord v. Egede), O.-Wall nach aussen	0,1422	0,4685	5,401	1 57	454	
51	.	10 31	Bg. im M. Serenit. + 31° Br., 8,°2 Lg. . .	0,4526	0,7957	10,588	2 19	593	
52	.	10 49	Eudoxus, Geb. β = No. 45	0,4356	1,4226	6,362	4 9	1210	
53	.	10 57	Eudoxus a. S. endet im Gebirge . . .	0,6928	1,0975	7,009	3 12	1201	
54	.	11 4	Azophi, W., S. endet in der Mitte . . .	0,2121	2,6711	11,260	7 49	1255	
55	Febr. 5.	5 50	Calippus a, zweifelhaft	0,3259	3,1544	7,890	9 21	1257	O.
56	.	6 5	Alpen χ = Cap Agassiz	0,6418	1,2271	7,050	3 35	1357	
56a	.		Ganz nahe südlich an χ, der Nebengipfel . .					1270	
57	Febr. 7.	5 23	Copernicus, W.-Wall	0,1763	2,9134	16,784	9 33	1492	O.
58	.	5 30	Laplace ε (Phase ganz zweifelhaft)	0,3083	0,8028	5,592	2 40	670	
59	.	5 47	Copernicus, W.-Wallgipfel	0,2372	3,8536	16,784	9 14	1921	
60	.	5 59	Bullialdus, W., S. reicht bis zur Mitte . .	0,2111	2,2821	11,828	8 3	1493	
61	Febr. 8.	6 6	Hainzel, W.	0,2070	1,6521	7,220	6 3	1219	O.
62	.	7 23	Cap Laplace (sehr mangelhafte Messung) . .	0,1400	2,2342	5,190	7 58	1129	
63	.	8 54	Gassendi, nördl. Centralberg	0,2754	0,6866	14,108	2 39	622	
64	.	9 0	Hainzel, NW.-Wall a	0,1006	1,3325	7,198	5 1	993	
65	.	9 5	Gassendi, NW.-Wall	0,1305	1,2787	14,108	4 30	998	
66	.	10 14	Gr. Berg, NO. vom Hainzel = ? . . .	0,7925	0,7905	8,078	3 6	1312	
67	.	10 47	Encke f; ein Berg mit 2 Gipfeln	0,2003	0,6667	18,253	2 38	605	
68	Febr. 9.	5 41	Mersenius, SW.-Wall	0,3465	1,7541	11,751	5 15	1247	
69	.	6 48	Bettinus, SW.	0,0934	1,7541	3,127	7 14	2247	
70	.	6 54	Bettinus, Centralberg	0,0934	1,4940	3,127	6 16	715	
71	.	6 59	Kircher, W.	0,3458	1,3505	2,406	5 46	1294	
72	.	7 7	Schicard, westl. Senkung des Walls, unsicher .	0,3340	0,7685	6,625	3 19	1113	
73	.	7 16	Mersenius, O.-Wall nach aussen . . .	0,1775	0,8510	11,751	3 53	798	
74	.	7 34	Herodotus, E	0,2868	0,7078	9,035	3 15	956	
75	.	7 39	Aristarchus ζ, Südgipfel	0,1594	0,6170	8,761	2 51	512	
76	.	7 41	Dessen Nordgipfel	0,2356	0,5171	8,761	2 14	564	
77	.	8 33	Schicard, Berg nördl. von No. 72 . . .	0,3710	0,7333	6,881	3 23	1207	
78	.	8 41	Schicard, SW., etwa β	0,3895	0,7215	6,381	3 14	1403	
79	.	8 45	Schicard = No. 72; jetzt bessere Beob. . . .	0,1027	0,7785	6,883	3 15	822	

Anm. No. 40. Der Hochgipfel des Maurolycus, sonst nie vermessen, liegt in — 42°,5 Br. und 16°,5 Lg.

No. 44. In 45° Br. und 12° Lg. S. endet ganz im Gebirge.

No. 48. Vielleicht maass ich nicht Baco, sondern Cuvier.

Febr. 5. Höchst ungünstige Luft. Febr. 7. Luft sehr günstig, aber sonst stürmisch, und mehrmals Regen.

Febr. 8. Die ersten Beobachtungen No. 61, 62, 63 unter sehr ungünstigen Umständen.

No. 66. Dieser isolirte Berg liegt in — 37° Br. und 39° östl. Länge, und ist bei Mädler — a.

No. 67. f liegt südlicher als der gemessene Berg, den ich nahe Ost von Encke fände; wahrscheinlich Mädler ε.

Febr. 9. Luft genügend; aber die Phase im Süden so schwierig, dass ich Beobachtungen daselbst auslasse.

No. 77. Der Berg liegt in SW. vom Krater b, aber nördlicher als die westl. Niederung des Westwalles.

No.	Datum.	Zeit.	Name der Gebirge.	S	A	d	φ	h	
80	Febr. 9.	8 58	Mersenius b, O.-Wall nach aussen	0,1701	0,9541	10,700	4 24	893	O.
81	"	9 4	Berg Zupus β (?)	0,1665	0,7077	15,134	3 19	638	
82	"	9 6	Hansteen, SO.-Wallgipfel nach aussen . . .	0,2217	0,5213	16,854	3 28	561	
83	"	9 17	Flamsteed, Berg E	0,2154	0,6101	19,792	3 53	670	
84	Febr. 10.	6 15	Geb. α, nördl. von Byrgius A	0,4800	0,4800	12,082	2 58	1311	O.
85	"	6 21	Vieta, W.-Wallgipfel ?	0,1177	1,8067	10,115	9 54	1980	
86	"	6 31	Krater Galilei, O.-Wall nach aussen . . .	0,1269	0,2820	16,126	1 48	311	
87	"	6 35	Nord-Nachbar des Galilei, O.-Wall nach aussen	0,1193	0,2163	16,126	1 23	211	
88	"	12 10	Byrgius A, dessen O.-Wall über Byrgius-Tiefe	0,2237	0,8030	16,355	5 8	1852	
89	"	12 23	Bailly α, O.-Wall aussen (sehr gewagte Beob.)	0,4315	0,4315	4,533	2 48	1070	
90	"	12 30	Geb. α, nördl. von Byrgius — No. 84.	0,2167	0,8616	12,082	5 29	1963	
91	Febr. 11.	5 58	Eichstädt α	0,3753	0,3753	—	4 46	3088	O
92	"	6 2	Rocca a (vermuthet), SO.-Wall nach aussen	0,1784	0,4645	—	5 43	3248	
93	"	6 6	Rocca a, NW.	0,0862	0,7500	—	8 25	1798	
93a	"		Daselbst ein Berg südlicher, nach Schätzung .	—	—	—	—	1240	
94	"	6 13	Riccioli, W.-Wall, grösste Höhe	0,0707	0,6063	—	7 7	1949	
95	"	6 15	Riccioli, Centralberg ?	0,0353	0,3032	—	3 58	548	
96	Febr. 12.	11 36	Grosser Südpolar-Berg	0,0796	0,2313	1,610	4 55	2477	O.
97	"	11 41	Hausen? NO., an Bailly; SW.-Wall	0,0785	0,2548	1,798	5 18	2709	
97a	"	"	" W.-Wall, geschätzt	—	—	—	—	1500	
97b	"	"	" N.-Wall, geschätzt	—	—	—	—	1600	
98	"	11 41	Hausen, südlicher Centralberg	0,0392	0,1529	1,798	3 33	982	
98a	"	"	" nördlicher " . geschätzt .	—	—	—	—	860	
99	"	11 35	Cabaeus? NW.-Wall, geschätzt	—	—	—	—	1500	
99a	"	"	" Centralgebirge, geschätzt . .	—	—	—	—	900	
100	Febr. 14.	9 31	Furnerius, ? im Ostwalle	0,1130	0,8584	13,123	5 40	1271	W.
101	"	9 40	Petavius, westlicher Centralberg	0,0987	0,4878	17,047	3 35	677	
102	"	9 44	Vendelinus, α im Ostwalle	0,1007	0,7806	20,160	5 30	1104	
103	"	9 49	Langrenus, südl. Cblbg.; S. erreicht die Terrasse	0,1201	0,5832	17,522	4 12	961	
103a	"		Langrenus, nördl. Centralberg, geschätzt . . .	—	—	—	—	719	
104	"	10 0	Langrenus, SO.-Wall, südl. von γ	0,1634	0,7854	17,522	5 30	1695	
105	"	10 8	Geminus, NO.-Wall	0,1236	1,0940	4,594	6 54	1934	
106	"	10 14	Burckhardt, O.-Wall α	0,1524	0,9830	5,307	6 23	1870	
107	"	12 29	Furnerius, O.-Wall γ, nördl. von ? . . .	0,1201	0,7276	13,123	4 7	924	
108	"	12 35	Petavius, Krater a, — Wrottesley, O.-Wall	0,1060	1,7535	17,325	10 38	1174	
109	"	12 42	Vendelinus, O.-Wall a	0,1706	0,6410	20,160	4 21	1271	
109a	"	"	" , Gipfel südll. von a, geschätzt . .	—	—	—	—	953	
109b	"	"	" , nördl. von a, geschätzt . .	—	—	—	—	763	

Anm. No. 80. In 47° Lg. und — 25° Br.

No. 83. Ein Berg, den ich als NO. von Flamsteed liegend vermerkt finde.

No. 84. Ich verstehe das Gebirge in — 22° Br. und 63°,5 östl. Länge. S. ward von hohem Gebirge aufgefangen.

No. 88. Richtiger ist wohl, dass der S. des Westwalls von A den O.-Wall von A verdeckte, und so die Fläche des Byrgius erreichte.

Febr. 11. Alles sehr gewagte und schwierige Messungen.

No. 95. S. und A. sind nicht gemessen, sondern als halbe Werthe von S. und A. in No. 94. nur geschätzt.

No. 96. Diese nur als Versuch; der Schatten endete auf Hochgebirg, und h ist gegen 4000'.

No. 97. Hausen; wohl nicht Hausen meiner Charte, sondern östlicher ein grosses Ringgebirge.

No. 98. Keine directe Messung, sondern Schätzung nach den S. und A. von No. 97.

No. 99. Cabaeus, wohl S. von Bailly, ein grosser Krater der andern Hemisphäre.

Febr. 14. Sehr klar, aber bei — 9° bis — 12° R. oft wallende Luft. — No. 101. Phase ganz zweifelhaft. Die Libration ungünstig. Bei Langrenus wird d irrig sein, ist hier aber ohne Einfluss.

No.	Datum	Zeit.	Name der Gebirge.	S	A	d	φ	h	
		h m					° ′	′	
110	Febr. 14.	12 48	Langrenus, SO.-Wall — No. 104	0,3040	0,6120	17,522	4 9	1246	W.
111	-	12 51	Langrenus, NO.-Wall	0,1556	0,6120	—	4 9	1616	
112	-	12 58	Bourdagault, Geb. nördl. von. ſ	0,3665	0,3665	3,290	2 55	903	
113	Febr. 16.	10 44	Manzinus, SO.-Wall ɑ	0,1686	2,0445	2,195	7 5	1212	W.
114	-	10 54	Mutus, SO.-Wall ɑ	0,2177	1,8792	2,821	6 38	1499	
115	-	11 4	Hommel C, NO.-Gipfel	0,1931	1,7791	4,806	6 25	1239	
116	-	11 9	Pitiscus, O.-Wall	0,1328	1,9195	6,030	6 58	946	
117	-	11 16	Fabricius, Geb. β . S. endet an der Rifſe ̇:	0,5015	1,0630	7,781	3 59	1597	
118	-	11 22	Stiborius, O.-Wall	0,1213	1,9571	10,783	7 11	890	
119	-	11 28	Piccolomini, SO.-Wall. S. trifft d. Mitte noch nicht	0,2355	2,0663	13,079	7 33	1763	
120	-	11 35	Piccolomini, Centralberg	0,1046	1,7480	13,079	6 26	669	
121	-	11 43	Polybius β (Altai)	0,1092	3,4483	13,060	12 9	1365	
121a	-		„ ein Berg NO. neben β, geschätzt					1127	
122	-	11 50	Theophilus A, O.-Wall; ist der Krater „Mädler".	0,1026	2,8511	19,462	10 14	1080	
123	-	11 55	Isidorus, O.-Wall, südl. von δ; A überschattet	0,1161	1,7261	20,749	6 22	750	
124	-	11 59	Capella, W.-Wall nach aussen	0,2392	0,8177	20,749	3 8	671	
125	März 2.	5 57	Cleomedes, SW.-Gipfel	0,3747	0,9615	11,430	4 4	1369	O.
126	-	6 3	Cleomedes, O.-Wall	0,2760	1,0435	10,910	4 28	1185	
127	-	6 11	Promontorium Agarum	0,0998	2,9484	15,430	13 44	1474	
128	-	6 19	Endymion, W.-Gipfel; S. reicht bis zum O.-Walle	0,8429	0,8429	4,040	3 37	1769	
129	-	6 21	Endymion, O.-Wall, Niederung	0,3527	0,7495	4,150	3 11	956	
130	-	6 33	Petavius, Geb. β im Mare. (S sehr schwierig)	0,7747	0,7747	11,470	3 17	1463	
131	-	6 42	Snellius, NW.-Wall	0,1549	1,3800	10,020	5 57	1316	
132	-	6 48	Petavius — Wrottesley, NW.-Wall, (o. schwierig)	0,2076	1,6086	11,842	7 0	1495	
133	-	6 55	Bernoulli, SW.-Wall	0,1663	1,7005	9,700	7 28	1298	
134	-	7 7	Picard A, O.-Wall nach aussen	0,1000	0,5025	15,140	2 4	364	
135	-	7 8	Picard, nördl. Nachbar, O.-Wall nach aussen .					290	
136	-	7 13	Petavius, Geb. β = No. 130 (jetzt besser) .	0,4007	0,7052	11,470	2 55	926	
137	-	7 19	Burckhardt, SW.-Wall (sehr schwierig) . . .	0,1351	1,0016	11,190	4 13	469	
138	-	7 26	Burckhardt, O.-Wall ɑ, nach aussen . . .	0,3931	0,6000	11,190	2 29	724	
139	-	8 5	Geminus, W.-Wall, tiefere Stelle. S. erreicht die Mitte	0,3030	1,2097	8,940	5 8	1493	
140	-	8 12	Geminus, O.-Wallgipfel. S nach aussen . .	0,3352	0,6410	8,940	2 38	718	O.
141	März 3.	5 47	Fabricius, Wallgeb. nördlich von β . . .	0,4978	1,2876	4,995	4 39	1775	
142	-	5 53	Steinheil, NW.-Wall	0,3205	1,6096	4,106	5 56	1615	
143	-	5 57	Steinheil a, NW.-Wall — Krater Watt . . .	0,1497	1,8452	4,009	6 52	927	
144	-	6 8	Rosenberger, NW.-Wall	0,3059	1,1084	2,913	4 1	1002	
145	-	6 14	Franklin, SW.-Wall	0,1667	1,6388	8,173	5 56	882	

Anm. No. 110. S. fällt schon auf die unteren westlichen Terrassen, ebenso bei No. 111.
No. 112. In — 63° Br. und 62° westlicher Länge. S. endet in der Phase.
Febr. 16. Luft genügend; die Phase bereitete grosse Schwierigkeiten.
No. 113. S. noch sehr schwach, endete wohl noch auf den Terrassen.
No. 114. S. fällt in die Tiefe des Kraters b, dessen W.-Wall allein noch gesehen ward.
No. 120. Wird φ theoretisch berechnet, so wird h — 790′, bei φ = 7° 34′,7.
No. 121. Der Gipfel ist flach gewölbt.
März 2. Luft dunstig und unruhig. Phase durchweg sehr schwierig.
No. 127. Nicht der Gipfel, sondern die östliche Vorstufe warf Schatten.
No. 134. Der S. wird stumpf von der östlichen Bergzacke abgeschnitten; äusserst schwierige Messung.
No. 135. S. ward nach No. 134 geschätzt, A. unverändert beibehalten.
No. 138 und No. 140. S. liegt ganz im Gebirge.
März 3. Von 5°,8 bis 8° dunstige Luft, dann höchst klar und still. Alle Zeiten, wie sie hier stehen, sind um 4ᵐ zu gross. Damit habe ich gerechnet; der Einfluss auf die Resultate ist unwichtig.

No.	Datum.	Zeit.	Name der Gebirge.	S	A	d	φ	h	
		h m					° ´	´	
146	März 3.	6 18	Gebirg südl. v. Cleomedes, Nordrand in + 11° Br.	0,1232	2,8125	13,324	10 28	1178	O.
147	"	6 30	Picard, W.-Wall	0,07875	3,7182	15,878	14 18	1035	
148	"	6 38	Macrobius, W.-Wall = No. 155	0,2622	1,8669	13,795	6 43	1537	
149	"	7 2	Gebirg südl. bei Santbech	0,6380	1,2000	9,410	3 54	1672	
150	"	7 10	Gutemberg, W.-Wall, Mitte	0,3851	0,8747	13,796	3 4	867	
151	"	7 18	Metius, NW.-Wall	0,3010	1,5050	6,057	5 27	1364	
152	"	7 26	Santbech, NW.-Wall	0,2792	1,5424	11,822	5 32	1311	
153	"	8 3	Picard A, W.-Wall	0,07912	3,5742	13,795	13 30	978	
154	"	8 11	Ostrand des M. Crisium in + 14°,5 Br., 48° Lg.	0,09662	2,7673	15,878	10 10	897	
155	"	8 18	Macrobius, W.-Wall. S. erreicht die Mitte . .	0,2162	1,9593	13,795	7 3	1343	
156	"	8 25	Macrobius, westl. Krater C, W.-Wall . . .	0,2034	2,3668	13,795	8 36	809	
157	"	8 31	Atlas, W.-Wall	0,2487	1,0656	6,172	3 46	775	
158	"	8 37	Atlas, Centralberg	0,1641	0,5785	6,172	2 1	166	
159	"	8 44	Taruntius, Berg nördl. φ oder c	0,1907	1,3282	17,836	4 40	770	
160	"	9 0	Cook b, W.-Wall	0,09563	2,6887	11,469	10 0	872	
161	"	9 16	Nachbar des Langrenus a, W.-Wall . . .	0,0642	6,5495	16,602	27 50	1592	
162	März 4.	6 54	Piccolomini, W.-Wall	0,2617	1,8177	9,365	5 51	1207	O.
163	"	7 19	Piccolomini, Centralberg	0,2848	1,3362	9,365	4 16	623	
164	"	8 22	Taurus, Lemonnier Γ (vermuthlich) . . .	0,3327	1,3152	11,182	4 6	1012	
165	"	8 32	Piccolomini, W. (Phase etwas besser) . .	0,2617	1,8406	9,365	6 3	1251	
166	"	8 39	Piccolomini, Centralberg	0,2956	1,5270	9,365	4 53	759	
167	"	8 45	Hercules, W.-Wall	0,1929	2,6010	6,100	8 31	1340	
168	"	8 52	Posidonius, Krater C, O.-Wall, aussen . .	0,3547	0,8830	8,408	2 48	674	
169	"	8 58	Posidonius, W.-Wall	0,2529	1,3500	9,818	4 18	836	
170	"	9 7	Taurus, Geb. Littrow a (vermuthlich) . . .	0,3372	1,4072	12,253	4 28	1129	
171	"	9 15	Taurus, Pic SO. von Littrow, im Mare . .	0,6616	1,3116	13,205	4 9	1752	
172	"	9 23	Taurus, vielleicht O.-Wall des Littrow . .	0,2924	1,7135	12,538	5 28	1242	
173	"	9 29	Pitiscus, W.-Wall. (Phase anomal) . . .	0,3393	1,7490	4,000	5 39	1472	
174	"	9 34	Pitiscus, Geb. β	0,6546	0,9032	4,000	2 52	1028	
175	"	9 40	Janssen, SO.-Wallgipfel, aussen	0,2638	0,7583	14,900	2 23	442	
176	"	9 46	Cap bei Plinius A = Cap Chamisso. (+ 19° Br.						
			u. 28° westl. Länge, der südliche Gipfel	0,6737	1,0121	13,534	3 11	1228	
177	"	9 51	Dasselbe, Hauptgipfel; S. endet wohl in der Phase	0,9948	0,9948	13,355	3 9	1343	
178	"	10 24	Dasselbe Cap Chamisso bei Plinius A . . .	1,0761	1,0761	13,355	3 37	1729	
179	"	10 35		—	1,1417	—	3 24	1573	
180	"	10 38		0,8341	—	—	3 56	1641	
181	März 5.	5 17	Kl. Krater d, südl. von Picard; W.-Wall . .	0,04058	10,5435	15,682	36 16	1108	O.
182	"	5 24	Der östliche Messier, W.-Wall	0,0422	9,6340	18,521	33 8	1064	
183	"	5 47	Magelhaens a, W.-Wall	0,1072	9,7328	14,789	31 40	1660	
184	"	5 52	Maurinus, W.-Wall	0,3486	2,2547	1,376	5 29	1392	
185	"	5 56	Hommel a, W.-Wall	0,1444	2,2993	3,533	13 29	1530	
186	"	6 38	Bürg, W.-Wall	0,1361	2,7979	5,826	8 31	909	
187	"	6 43	Lindenau, W.-Wall	0,1360	3,0063	8,746	9 8	976	
188	"	6 49	Piccolomini A, W.-Wall	0,1264	3,7410	9,252	11 27	1140	

Anm. März 3. Mit No. 153 beginnen Messungen bei sehr guter Luft.

No. 161. Bei so grossem Abstande von der Phase war der Krater scheinbar ganz mit tiefem Schatten bedeckt. Ein Theil der Tiefe ward aber dem Auge durch den Ostwall entzogen.

März 4. Wolkige und dunstige Luft.

No. 162 u. 163. Phase ganz unbestimmbar. Für den Centralberg giebt die theoretische Bestimmung von A., für $\varphi = 4° 16´,6$, $h = 651´$, sowie in No. 166 durch solche Rechnung: $\varphi = 5° 1´,6$, $h = 783´$.

No. 171 hat bei Lohrmann die No. 42.

No. 178, 179, 180. Luft dunstig, und Mond sehr tief. Zweifel ob S. die Phase schon verlassen habe.

No.	Datum.	Zeit.	Name der Gebirge.	S	A	d	?	b	
189	März 5.	6 59	Stiborius, W.-Wall	0,1064	4,7061	8,138	14 35	1124	O.
190	"	7 4	Plinius, W.-Wall	0,1150	1,9175	14,642	8 50	800	
191	"	7 9	Bessel, SO.-Wallgeb. nach innen	0,09361	0,7910	12,551	2 11	167	
192	"	7 12	Theophilus A, W.-Wall — Krater Mädler . .	0,0757	4,8921	15,580	15 6	903	
193	"	8 16	Cap bei Plinius A = Cap Chamisso — No. 179	0,0849	4,2712	13,183	13 6	881	
194	"	8 37	Calippus K. S. endet in der Phase . . .	0,6862	0,6861	7,898	1 3	570	
195	"	8 43	Plinius A, W.-Wall — Krater Dawes	0,0737	3,8384	14,013	11 43	676	
196	"	8 48	Baco, W.-Wall	0,1921	1,7583	4,181	5 24	791	
197	"	8 54	Kant, W.-Wall	0,1209	2,3745	15,913	7 9	678	
198	"	9 0	Sacrobosco u im W.-Walle	0,4665	1,6531	12,131	4 57	1601	
199	"	9 5	Posidonius D (?), W.-Wall	0,08175	4,3818	8,889	13 30	874	
200	"	9 11	Macrobius a, W.-Wall	0,0745	7,7818	13 288	24 56	1180	
201	"	9 13	Macrobius B, W.-Wall	0,05587	7,7818	13,762	24 58	1079	
202	"	9 16	Posidonius D, W.-Wall	0,0910	4,6043	6,385	14 16	1039	
203	"	9 26	Calippus K, bessere Messung als No. 194 .	0,4991	0,7255	7,898	2 10	573	
204	März 6.	10 0	Tacitus, W.-Wall (Luft schon sehr dunstig) .	0,3025	1,9611	14,041	5 54	914	
205	März 6.	4 24	Maurolycus, SW.-Gipfel	0,3526	3,1946	6,438	9 15	1484	O.
206	"	4 31	Gemma, W.-Wall	0,2953	3,3294	8,712	9 49	1190	
207	"	4 36	Geber, W.-Wall	0,1491	3,5169	13,236	10 23	1197	
208	"	4 43	Azophi, W.-Wall	0,2394	3,1382	12,367	9 14	1682	
209	"	4 49	Fadenus, W.-Wall	0,2938	3,2684	5,529	9 38	2138	
210	"	6 19	Caucasus, Pic	0,6364	1,0911	7,830	3 11	1128	
211	"	6 30	Caucasus f, mittlerer Gipfel	0,9744	1,1552	8,068	3 40	1741	
211a	"		„ dessen 1. nördl. Nachbargipfel, geschätzt	—	—	—		1393	
211b	"			—				1306	
212	"	6 46	Caucasus, südwestlicher Berg im Mare — a.	0,1780	1,6151	9,935	4 44	630	
213	"	6 53	Caucasus, südlichster Hauptberg = b = C. Faraday	0,3919	1,1201	9,239	3 17	841	
214	"	7 0	Daniell 1, südl. v. Calippus s, im Hochlande; Mädlers B?	1,4711	1,4711	7,161	4 18	2511	
215	"	7 2	Calippus 2. S. noch nicht ganz entwickelt	1,4541	1,4541	7,017	4 15	1455	
216	"	8 33	Maurolycus, SW.-Gipfel — No. 205 . . .	0,2449	3,9941	6,438	11 46	1208	
217	"	8 41	Cuvier ß, im W.-Walle	0,1807	2,7542	4,875	8 5	1631	
218	"	8 49	Calippus 2	0,9805	1,7662	7,017	5 11	1910	
219	"	8 55	Ecke SO. von Calippus s — p	0,2029	1,6046	7,089	4 22	711	
220	"	9 4	Caucasus, Nordspitze einer Gebirgsgruppe im Süden. — c	0,5509	1,1451	8,840	3 25	1141	
220a	"		Dessen südlicher Nachbar, geschätzt					970	
221	"	9 14	Berg ß, Nord v. Hadley, sehr hell; — Cap Fresnel	0,6754	1,0900	9,835	3 12	1184	
222	"	9 50	Calippus 3	0,8283	1,8326	7,017	5 23	2751	
223	"	9 55	Abenezra, W.-Wall	0,1830	3,9857	12,726	11 46	1648	
224	"	10 0	Aliacensis, W. Wall	0,1751	2,0626	9,750	6 18	1648	
225	"	10 5	Licetus ß, im W.-Walle	0,1657	2,4161	5,259	7 8	1430	

Anm. No. 193. Nur der untere Theil des Berges hatte noch Schatten.

No. 196. Es war wohl nicht Baco, sondern ein ihm ähnlicher Krater in jener Gegend.

No. 199. Vielleicht war es der nördliche Nachbar von B.

No. 201. S. ward nur nach dem S. von No. 200 geschätzt.

März 6. Acht Stunden lang bei vorzüglich günstigen Umständen beobachtet. Die ersten 5 Beobachtungen wurden noch bei hellem Sonnenscheine angestellt.

Den Caucasusbergen gebe ich selbst Bezeichnungen. No. 210 in + 34° Br. und 7°,5 westlicher Länge. No. 211 in + 34°,5 Br. und 7°,5 westl. Lg. noch südlich vom Parallel des Theaetetus. No. 212 in + 31° Br. und 8° westl. Lg. No. 213 in + 31° Br. und 6°,7 westl. Lg. No. 214 in + 37°,7 Br. und 8° westl. Lg. No. 220 in + 31°,5 Br. und 7° westl. Lg.

5

No.	Datum.	Zeit.	Name der Gebirge.	S	A	d	φ	h	
226	März 6.	10 8	Playfair, W.-Wall	0,1884	2,9046	11,933	8 24	1217	O.
227	"	10 27	Eudoxus ɜ	0,1046	2,2378	5,959	6 35	1034	
228	"	10 36	Calippus ɜ	0,7255	2,0316	7,017	5 59	2845	
229	"	10 43	Eudoxus, W.-Wall	0,1894	3,8608	5,529	11 24	1673	
230	"	10 52	Manilius, W.-Wall	0,1661	2,9778	14,339	8 47	1130	
231	"	11 2	Dionysius, W.-Wall	0,0863	5,7623	20,949	17 10	1158	
232	"	11 11	Calippus α	0,6438	2,0573	7,017	6 4	2633	
233	"	11 26	Autolycus, im SW. der Berg 7 . . .	0,6601	0,6601	9,702	1 36	512	
234	"	11 32	Alfraganus, W.-Wall	0,0840	6,3232	—	16 55	1341	
235	"	11 38	Calippus α	0,6570	2,0093	7,017	6 3	2656	
236	"	12 20	Calippus α; (jetzt dunstige Luft; Mond tief) .	0,6352	2,1166	7,017	6 15	2706	
237	"	12 40	Hadley. S. wohl noch nicht ganz entwickelt .	1,3420	1,3420	9,935	3 58	1139	
238	"	12 48	Calippus α	0,4823	2,2059	7,017	6 31	2262	
239	März 7.	4 54	Werner, W.-Wall, S. schon sehr kurz . . .	0,1997	2,2170	11,006	12 7	1890	O.
240	"	5 1	Arzachel, Centralberg	0,1948	2,0278	14,030	5 57	889	
241	"	5 38	Maginus, SW.-Gipfel. Phase ganz zweifelhaft	0,5779	1,6900	4,670	4 58	1917	
242	"	5 44	Nasireddin, W.-Wall	0,3267	1,8375	7,158	8 19	3060	
243	"	5 47	Nasireddin α, W.-Wall = Leverrier . .	0,2310	3,1890	7,158	9 21	1671	
244	"	5 50	Dessen Centralkrater. S. des Ostwalls . .	0,0462	2,7935	7,158	8 12	302	
245	"	5 53	Cap Huyghens	0,6347	1,9201	12,226	5 40	2415	
246	"	6 2	Huyghens; Zweifel, welcher der 6 Schatten?	0,7771	1,8181	12,390	5 21	2639	
247	"	6 15	Pico A, (östlich von Cassini)	0,3060	1,7814	6,353	5 15	1182	
248	"	6 34	Calippus ɜ	0,1220	4,5086	6,581	17 9	2332	
249	"	6 37	Hadley	0,1893	3,5744	12,134	11 22	1644	
250	"	8 28	Berg-Circus, Nord an Calippus α . . .	0,1077	4,9057	6,581	14 19	1223	
251	"	8 36	Eudoxus z, Süd-Ecke	0,06783	5,0164	5,472	14 36	1020	
252	"	8 42	Calippus, W.-Wall	0,09937	5,5042	6,581	16 3	2265	
253	"	8 46	Südl. Kuppe bei Alpen η = Cap Agassiz .	0,0830	2,7446	5,973	8 4	534	
254	"	8 50	Alpen η	0,1874	2,7532	5,696	8 5	1150	
255	"	8 54	Alpen η, nördl. Nachbar von η, = Cap Deville .	0,1822	3,5917	5,376	7 37	1071	
256	"	9 0	Alpen λ (Montblanc?)	0,5692	1,7314	4,839	5 7	1969	
257	"	9 5	Plato μ	0,4761	1,5028	4,535	4 26	1441	
258	"	9 8	Bergader südlich von Pico B	0,0186	4,4742	6,432	14 19	172	
259	"	9 13	Pico A, östlich von Cassini	0,2010	2,1880	6,353	8 12	1285	
260	"	9 19	Autolycus, W.-Wall	0,1506	3,6097	8,995	10 38	1267	
261	"	9 22	Aristillus, W.-Wall	0,1603	3,4555	8,145	10 10	1287	
262	"	9 28	Cap Huyghens	0,4088	3,5968	12,126	7 41	1655	
263	"	9 34	Sattel südlich vor diesem Cap	0,2353	3,5968	12,350	7 41	1399	
264	"	9 17	Huyghens	0,5072	2,5366	12,390	7 31	2778	
265	"	9 41	Wolf; sehr feiner Schatten	0,6817	1,2950	13,368	3 31	1570	
266	"	9 46	Berg A, zwischen Huyghens u. Wolf = Ampère	0,3829	2,0555	14,720	6 5	1718	
267	"	9 50	Herschel, W.-Wall	0,1311	3,4030	18,116	10 4	1043	
268	"	9 55	Thebit, W.-Wall, mittlerer Gipfel . . .	0,1950	2,7995	12,750	8 17	1246	
269	"	9 59	Moretus, Centralberg	0,3260	1,0580	1,287	3 7	697	
270	"	11 54	Alpetragius, W.-Wall	0,1995	2,9365	14,651	8 43	1379	
271	"	11 2	Cap Huyghens	0,3306	2,9171	12,260	8 41	2214	

A n m. März 7. Besonders heitere stille Nacht; die ersten 11 Beobachtungen noch am Tage angestellt.

No. 244. Unsicher, welcher gemeint sei; der Centralberg muss viel höher sein. S. ist hier nicht gemessen, sondern nur zu ⅓ S. von No. 243 geschätzt; A. ward direct bestimmt.

No. 262. Ist wohl eine verfehlte Messung.

No. 269. Die Phase ganz zweifelhaft; S. traf noch die Terrassen.

No.	Datum.	Zeit.	Name der Gebirge.	S	A	d	?	h	
272	März 8.	6 19	Pico, die Nordecke	0,1649	2,5303	4.783	7 39	1032	O.
273	"	6 24	Pico z. S. sehr spitz	0,5379	1,0814	4,229	3 20	1137	
274	"	6 29	Moretus, Centralberg	0,1527	2,0606	1.485	5 59	745	
275	"	6 50	Clavius, NW.-Wall	0,2431	1 7067	3.657	8 7	1597	
276	"	6 55	Tycho, W.-Wall	0,2174	3,4779	6,366	10 11	1889	
277	"	6 59	Tycho, Centralberg. S. zu kurz . .	0,08725	2,9335	6,866	8 51	644	
278	"	7 1	Curtius δ, östlich nach aussen . . .	0,3849	1,2730	2,032	9 35	2933	
279	"	7 7	Pico	0,1163	2,6190	4.783	7 55	762	
280	März 11.	10 4	Kircher, SW.-Wall; Phase zweifelhaft	0,2250	2,5122	2.446	9 44	2743	O.
281	"	10 36	Vieta ϑ. S. endet am innern O.-Walle . . .	0,3253	1,8865	12,380	4 50	1839	
282	"	10 56	Vieta, SW.-Wall	0,2237	1,1860	12,071	4 51	1361	
283	"	11 29	Vieta δ	0,3093	1,2466	12,380	5 22	1928	
284	"	11 54	Vieta δ	0,2897	2,3516	12,380	5 22	1857	
285	März 12.	7 31	Gebirge α, Nord von Byrgius . . .	0,2360	0,5713	17,864	3 43	1397	O.
286	"	9 55	Inghirami, S.-Wall	0,2516	1,9688	8,9t1	11 15	3187	
287	"	9 55	Inghirami, Wall bei β	0,2354	1,9557	9.327	11 13	2851	
288	"	9 41	Gebirge α — No. 285	0,1577	0,7103	17.864	4 42	1377	
289	"	14 10	Berg südlich von Casatus	0,1002	1,1971	1,7651	7 18	2797	
290	"	15 37	Riccioli, SW.-Wall	0,2937	2,2937	14,655	2 17	746	
291	"	15 41	Riccioli, W.-Wall	0,1832	0,6211	14,655	4 37	1577	
292	"	15 44	Riccioli, Centralberg δ	0,2916	0,3161	14,655	2 17	714	
293	"	15 50	Ost von Byrgius; Eichstädt ζ oder α .	0,2386	0,5305	17,374	4 0	1608	O.
294	März 13.	7 21	Nord von Eichstädt, nördlich von B .	0,0467	0,1697	23,933	3 5	762	
295	"	7 28	Nord von Eichstädt — B	0,1713	0,3132	22,793	3 32	1449	
296	"	7 32	Lagrange f	0,1597	0,2565	18,415	2 58	1077	
297	März 15.	11 14	Pontecoulant, O.-Wall	0,1601	0,5206	4.936	4 30	1673	W.
298	"	11 19	Ihne u. O.-Wall des eingreifenden Kraters	0,0957	0,8636	13,017	7 17	1850	
299	"	11 24	Vendelinus, südlicher Nachbar von γ .	0,2987	0,4118	16,299	3 50	1551	
299a	"		Daselbst, mittlere Höhe geschätzt . .					775	
300	"	·	Vendelinus γ	0,2404	0,4118	16.695	3 50	1756	W.
301	März 17.	11 35	Vlacq, SO.-Wall	0,2043	1,8940	4.862	6 32	1252	W.
302	"	11 40	Vlacq, Centralberg	0,0852	1,5693	4.862	5 26	196	
303	"	11 44	Fabricius, SO.-Wall	0,1749	1,2285	7,504	4 58	649	
304	"	11 50	Neander, SO.-Wall	0,1379	1,5805	11,120	5 35	737	
305	"	11 54	Bei Neander ε, hoher Berg	0,5812	1,1890	10,611	4 14	1845	
306	"	12 1	Gebirge am NW.-Rande Neander's . .	0,3318	1,2720	11,385	4 31	1300	
307	"	12 7	Gebirge, Ost von Columbo bei δ . .	0,2160	4,1511	16,771	4 48	953	
307a	"		Der nördliche Gipfel desselben Berges .					715	
308	"	12 13	Gutemberg, W.-Wall Mitte, nach aussen	0,1470	0,8682	18.797	3 7	420	
309	"	12 15	Gutemberg, O.-Wall, unter A . . .	0,1404	1,5154	18.797	5 21	715	
310	"	12 24	Geb. α N. v. Macrobius, 2. Gipfel v. Süden gez.	0,5846	0,8126	11,984	2 55	1075	
311	"	12 30	Gebirge, Nord von Macrobius α . . .	0,3137	0,7540	11,168	2 43	671	

Anm. März 8. Nur kurze Zeit wolkenlos, dabei vorzüglich stille Luft.

No. 274. Phase sehr zerrissen.

No. 277. A. theoretisch berechnet giebt p = 8' 1',0   h = 524¹.

No. 278 und 279. Erst später bemerkte ich die Irrungen bei dieser Messung.

März 11 und 12. Bei Wolken und Regen beobachtet.

No. 285. Oestlich von der Rille γ; S. traf auf Berge.

No. 286. Phase zweifelhaft.

No. 289. Blosser Versuch; andere daselbst übergehe ich. Bei Riccioli sind die d vom Südpole an gemessen.

No. 294. Richtung der Linie: Letronne Südrand bis Crüger Nordrand.

No. 295. Richtung der Linie: Bullialdus — Vieta.

März 17. Luft sehr schlecht.   No. 310. In + 26° Br. und 40° westlicher Länge.

5*

No.	Datum	Zeit	Name der Gebirge.	S	A	d	?	h	
312	März 17.	11 35	Hercules, O.-Wall	0,2890	1,0267	5,030	3 17	847	W.
313	"	12 19	Posidonius D, O.-Wall	0,1053	2,3403	6,855	7 56	809	
314	"	12 45	Theophilus A — Müller; O.-Wall, schwierig	0,07262	4,5450	18,060	15 2	1747	
315	"	12 52	Hommel e, SW.-Ecke	0,09337	3,1650	4,521	10 41	971	
316	März 19.	16 52	Caucasus 7, nördlich von Calippus	0,5104	1,7564	7,944	4 59	1733	W.
317	"	17 14	Haemus 1, Ost von Menelaus	0,3191	1,4374	15,311	4 6	914	
318	"	17 19	Manilius, O.-Wall	0,1641	3,5489	16,320	9 59	1351	
319	"	17 25	Curtius ξ. S. am innern nördl. Walle . . .	0,5672	3,6433	1,488	9 48	3991	
320	"	17 29	Curtius, O.-Wall, nahe südl. unter ξ . . .	0,1429	3,6813	1,463	9 48	1780	
321	"	17 34	Short, O.-Wall	0,3240	3,6590	0,5802	9 15	2226	
322	"	17 37	Newton, O.-Wall	0,2113	4,2687	0,4913	10 20	1656	
323	"	17 43	Cuvier, O.-Wall a	0,2971	3,0580	4,466	8 29	1838	
324	"	17 46	Licetus, O.-Wall a	0,3065	4,0045	5,239	11 2	1731	
325	"	17 50	Maurolycus, O.-Wall a	0,4604	2,5435	6,589	7 3	2430	
326	"	17 51	Werner, O.-Wall ε	0,1801	5,9936	10,682	16 32	1269	
327	März 20.	16 6	Curtius ξ	0,9024	2,0470	1,4385	5 30	2864	W.
328	"	16 11	Moretus, Centralberg	0,1999	3,9082	0,9745	7 43	1619	
329	"	16 17	Moretus, O.-Wall	0,2586	3,3615	0,9745	9 10	1682	
330	"	16 19	Moretus, W.-Wallgipfel nach aussen . . .	0,3764	3,1159	0,9745	5 40	1437	
331	"	16 24	Gruemberger, O.-Wall	0,2276	4,0264	1,476	11 3	1794	
332	"	16 31	Pico A; (Luft wird neblig), Berg Ost v. Cassini	0,3268	1,8063	8,103	5 41	1266	
333	"	16 46	Clavius d. O.-Wall	0,1427	4,6792	2,631	12 29	1292	
334	"	16 51	Stoeflerus, O.-Wallgipfel	0,7891	1,6259	6,3184	4 25	1955	
335	"	16 57	Bradley. S. liegt im Hochlande	0,5701	2,4549	13,994	4 54	1735	
336	"	17 2	Aristillus, W.-Wall nach aussen	0,3246	1,2927	10,137	3 31	740	
337	"	17 5	Autolycus, W.-Wall nach aussen	0,2855	1,2500	11,231	3 24	638	
338	"	17 8	Autolycus, Berg β	0,3463	1,2750	12,005	3 22	770	
339	"	17 11	Autolycus, Berg γ. S. unsicher	0,2493	1,0850	11,624	2 57	483	
340	"	17 16	Pico. S. sehr kurz	0,1172	3,6788	6,729	9 56	845	
341	"	17 21	Pico A. Gute Messung des Hauptgipfels . .	0,3612	2,0184	8,103	5 29	1337	
342	"	17 23	Pico A, der südliche Gipfel	0,2216	2,0184	8,103	5 28	849	
343	"	17 29	Albategnius, Centralberg. Phase zweifelhaft .	0,4738	1,1439	15,839	3 7	866	
344	"	17 38	Triesnecker, W.-Wall nach aussen	0,1546	3,8825	22,322	2 24	388	
345	April 1.	6 21	Langrenus a, der N.-Ost eingreif. kleine Krater	0,0686	4,1970	17,078	20 7	1428	O.
346	"	6 22	Langrenus g, W.-Wall	0,0776	3,7810	16,179	17 38	1419	
347	"	6 23	M. Crisium, Südcap Δ	0,0762	2,6420	15,579	11 33	918	
348	"	6 29	Vendelin A, W.-Wall	0,0726	3,1780	15,691	14 15	1063	
349	"	6 32	Petavius a — Wrottesley, W.-Wall . . .	0,1300	2,5130	12,357	10 51	1453	
350	"	6 35	Snellius, NW.-Wall. Phase sehr schwierig .	0,1150	2,0160	12,357	8 33	1013	
351	"	6 38	Stevinus, NW.-Wall. " " "	0,1366	1,5990	10,577	6 40	916	
352	"	6 41	Hase a, W.-Wall	0,0602	3,1130	10,412	14 2	912	
353	"	6 44	Legendre b, SW. von N. 351; der Tiefste hier	0,0736	3,3030	10,373	15 11	1244	
354	"	7 1	M. Crisium, Nordrand, bei E	0,2515	1,2230	11,103	3 0	1201	
355	"	7 3	M. Crisium, daselbst, die mehr nördl. Ecke .	0,2248	1,2180	11,103	5 1	1091	

Anm. März 19 und 20. Mässig günstige Umstände.

No. 307. Curtius ξ. Schattenende und Phase sehr zweifelhaft. S. schien am Westwalle zu enden.

No. 318. A. theoretisch berechnet giebt φ = 4° 32',3, h = 920'.

No. 335. Bradley; wäre A = 1,4549 zu lesen, so wäre φ = 2° 46', h = 843' über dem westlichen Hochlande.

April 1. Luft sehr gut; Phase durchweg schwierig.

No. 345. Der kleine Krater ganz mit Schatten bedeckt.

No. 346. g ist der helle Krater, Innen mit dreieckigem grauen Flecken; diesmal mehr als ⅓ beschattet.

No. 354 und. 355. Das Gebirge südlich von Cleomedes, gemessen in + 22°,5 Br. und 58° westlicher Länge.

No.	Datum	Zeit.	Name der Gebirge.	S	A	d	♀	h	
		° ~					° ,	,	
356	April 1.	7 9	Geminus, SW.-Wall	0,1193	2,1730	7,979	9 16	1135	O.
357	"	7 13	Bernoulli, SW.-Wall	0,0930	1,6040	7,716	11 35	1116	
358	"	7 16	Gebirge β, östl. v. Geminus: S. ganz im Gebirge	0,4199	0,6200	7,950	2 29	738	
359	"	7 21	Cleomedes, SW.-Wall. S. schon zu kurz .	0,0931	2,3160	10,037	9 59	460	
360	April 2.	6 28	Vlacq, W.-Wall	0,3557	1,4900	3,937	5 22	1576	O.
361	"	6 29	Vlacq, Centralberg	0,1957	1,1570	3,937	4 7	698	
362	"	6 36	Steinheil, NW.-Wall	0,1847	2,7700	4,808	10 27	1712	
363	"	6 39	Fabricius, NW.-Wall	0,2505	2,2016	6,160	8 3	1770	
364	"	6 42	Metius, NW.-Wall	0,1627	2,6802	6,845	9 56	1452	
365	"	6 45	Macrobius, W.-Wall. S. sehr kurz . . .	0,1285	3,3055	12,569	12 16	1439	
366	"	6 53	Fracastor E — Beer, O.-Wall d. Kraters u. aussen	0,2906	0,4721	13,941	1 38	331	
367	"	8 12	Gutemberg, O.-Wall, südl. von A, nach aussen	0,1140	2,1767	16,316	7 45	796	
368	"	8 23	Langrenus a, kl. Krater, am NO.-Walle von a; W.-Wall	0,0528	7,5320	16,253	33 5	1525	
369	"	8 28	Legendre b, SW. von Hase a, W.-Wall — No. 353	0,0630	6,296	9,924	26 37	1490	
370	"	8 32	Fracastor, Gipfel im NW.-Wall	0,2359	0,8410	12,543	2 55	507	
371	"	8 35	Reichenbach a, nach aussen	0,1309	3,1910	10,133	11 46	1388	
372	"	8 41	Hercules, O.-Wall, Südgipfel nach aussen .	0,6673	0,6673	4,901	2 19	727	
373	"	8 45	Hercules, O.-Wall, Nordgipfel nach aussen .	0,4204	0,8833	4,901	3 5	934	
373a	"		Hercules, mittlere Wallhöhe geschätzt . .	—	—	—	—	467	
374	"	8 49	Reichenbach a, W.-Wall	0,07763	3,7470	10,558	14 2	988	
375	"	8 59	Beule im Fracastor	0,2301	0,2301	12,298	0 47	85	
376	"	9 0	Berg westl. von Fracastor (nicht genauer bez.)	0,2583	1,4170	12,420	4 58	1078	
377	"	10 5	Berg S. NW. von Posidonius, bei der Rille z	0,4210	0,9900	8,468	3 26	1055	
378	April 3.	6 47	Theophilus, W.-Wall	0,3149	2,5089	16,581	8 32	2016	O.
379	"	6 53	Theophilus, südlicher Centralberg . . .	0,1801	1,9500	16,581	6 14	909	
380	"	6 57	Theophilus, NW.-Wallgipfel	0,3762	2,3835	17,097	7 40	2255	
381	"	7 1	Cyrillus, östl. Centralberg. S. endet am östl. Fusse	0,2805	1,4399	16,085	4 34	964	
382	"	7 15	Piccolomini, Centralberg. S. sehr kurz .	0,08962	2,9172	10,818	9 29	703	
383	"	7 20	Pitiscus, NW.-Wall	0,2070	2,5587	5,108	8 22	1408	
384	"	7 24	Stiborius, W.-Wall	0,2028	2,9607	9,283	9 39	1579	
385	"	7 29	Theophilus, W.-Wall	0,3179	2,4924	16,581	8 1	2024	
386	"	7 36	Cap. NW. von Plinius A — Cap Chamiso .	0,1623	2,1577	11,637	6 55	916	
387	"	7 41	Isidorus, W.-Wall	0,0971	4,2901	17,968	14 11	1145	
388	"	7 48	Cyrillus, SW.-Wallgipfel. S. endet am Ostwalle	0,4285	1,7957	15,761	5 43	1836	
389	"	7 53	Katharina, W.-Gipfel	0,3401	2,5147	14,383	4 49	1235	
390	"	8 50	S. von Arago, höchste Bergader — a . .	0,0851	0,7689	11,551	2 25	165	
390a	"		Daselbst die Ader e, geschätzt	—	—	—	—	115	
391	"		" D, "	—	—	—	—	82	
392	"	8 54	Daselbst kleiner Krater B, südl. bei Arago A	0,1287	0,4299	11,551	1 21	183	
393	April 4.	5 33	Maurolycus, SW.-Wallgipfel	0,6041	1,9040	7,0323	5 44	2952	O.
394	"	5 37	Baco, W.-Wall	0,2355	2,5470	5,080	7 44	1403	
395	"	5 56	Aristoteles, W.-Wall	0,3951	1,7023	3,908	5 8	1452	
396	"	5 59	Bürg, W.-Wall	0,0929	3,9027	5,102	22 2	886	
397	"	6 2	Delambre, NW.-Wall	0,3261	3,0363	10,799	9 10	2280	
398	"	6 21	Kant, W.-Wall	0,1243	3,8117	17,249	11 37	1140	

Anm. April 2. Sehr schöne ruhige Luft.
No. 372. S. endete in der Phase.
No. 375. S. der Beule endet am Ostwalle innen; sie wird höher als 85' sein. Auf der Beule liegt ein feiner Hügel, der für sich 70 bis 80 Toisen Höhe hat.
April 3. Im ganzen genügend gute Luft.
April 4. Sehr günstige Luft. No. 393 und 394 am Tage beobachtet.

No.	Datum.	Zeit.	Name der Gebirge.	S	A	d	φ	h	
		ʰ ᵐ					° ′	′	
399	April 4.	6 24	Abulfeda, SW.-Wall	0,4658	1,6589	16,127	4 59	1610	O.
400	"	6 27	Abulfeda, W.-Wall	0,3138	1,6651	16,175	5 0	1146	
401	"	6 30	Almanon, W.-Wall	0,2028	1,2048	15,189	6 38	1034	
402	"	6 34	Sacrobosco α	0,2082	1,7450	13,005	8 18	1338	
403	"	7 1	Maurolycus, SW.-Wall	0,0939	1,8248	7,0523	5 26	2162	
404	"	8 24	Silberschlag β	0,2781	1,1408	22,831	3 42	739	
405	"	8 27	Südlicher Nachbar des Vorigen	0,1325	1,1328	22,556	3 59	404	
406	"	8 32	Maurolycus, W.-Wall	0,3160	1,7288	7,565	8 15	1981	
407	"	8 38	Maurolycus, SW.-Wallgipfel . . .	0,5517	1,4864	7,0523	7 31	2976	
408	"	8 45	Gemma, W.-Wallgipfel	1,6960	2,0569	9,479	6 11	2179	
409	"	8 48	Berg A, N.-W. von Manilius . .	0,4996	0,8645	13,157	2 36	743	
410	"	10 39	Macrobius α, der südliche, W.-Wall . . .	0,0648	9,6093	12,050	31 13	1564	
410a	"	—	Macrobius α, der nördl., W.-Wall, geschätzt . .					1173	
411	"	10 41	Messier, der östliche, W.-Wall . .	0,0486	11,786	—	40 11	1338	
412	"	10 44	Eudoxus, W.-Wall	0,2857	2,3890	5,102	7 24	1567	
413	"	10 49	Eudoxus, Gebirge β. (Vgl. No. 45 u. 52). .	0,6105	1,6651	4,777	3 11	1123	
414	"	10 55	Ross, W.-Wall	0,2684	4,8065	11,839	14 44	801	
415	"	10 56	Arago, W.-Wall	0,0815	5,0425	16,350?	15 24	994	
416	"	11 4	Ader im M. Screnit.; + 27°,5 Br. 7°,5 Lg.	0,0582	0,2547	9,181	0 46	32	
417	"	11 6	Geber, W.-Wall. Schatten endet in der Mitte	0,1827	2,8125	14,301	8 30	1218	
418	"	11 10	Maurolycus, SW.-Gipfel	0,3846	1,4965	7,0523	7 33	2165	
419	"	11 15	Cuvier, W.-Wall	0,4369	1,5465	5,173	5 19	1651	
420	April 5.	6 49	Calippus α	0,3445	2,9164	6,151	8 34	2198	O.
421	"	6 53	Cassini, Berg ζ	0,2937	1,8483	5,242	5 33	1194	
422	"	6 56	Cassini, Berg ε	0,1435	2,0445	5,310	5 59	657	
423	"	7 0	Walter, Centralberg	0,1819	3,3202	10,084	3 52	848	
424	"	8 20	Alpen η, der nördl. Gipfel (Cap Agassiz)	0,6677	2,2542	5,309	3 45	1473	
424a	"	—	Alpen η, der südl. Gipfel, geschätzt . . .					1326	
425	"	8 22	Ptolemaeus η	0,2964	1,7118	18,172	5 1	1077	
426	"	8 26	Werner, SW.-Wall	0,3789	1,7171	11,691	7 58	1659	
427	"	8 32	Aristillus, O.-Wall nach aussen . . .	0,2095	0,9465	7,545	2 53	430	
428	"	10 21	Alpen, Gipfel nördlich von η. S. höchst fein						
			(Cap Deville)	0,7613	1,2515	5,078	3 40	1551	
429	"	10 25	Alpen Z, nördlicher Nachbar des vorigen . .	0,6196	1,2218	4,851	3 35	1322	
430	"	10 31	Alpen Z, die breitere nördliche Kuppe . .	0,9610	0,9610	4,792	2 48	1081	
431	"	10 36	Kl. Hügel, nördl. von Pico A. (Ost von Cassini)	0,1727	0,4750	5,344	1 24	226	
432	"	10 39	Doppelhügel südlich von Pico A · · Γ .	0,1006	0,6520	6,445	1 55	142	
433	"	10 42	Alpen η ~ No. 424 ~ Cap Agassiz . . .	0,4111	1,5275	5,309	4 29	1273	
434	"	10 47	Calippus, W.-Wall	0,3095	4,2548	5,935	12 13	2513	
435	"	10 52	Manilius, W.-Wall	0,0890	4,7955	13,187	14 9	986	
436	"	10 57	Maginus, SW.-Wall	1,5262	1,5262	5,121	4 29	2734	
437	"	11 2	Pico A. S. vielleicht noch nicht ganz entwickelt	0,6310	0,4815	5,736	2 54	991	
438	"	11 7	Arzachel, Centralberg	0,2052	1,1436	14,777	3 22	502	
439	"	11 12	Arzachel, WNW.-Wall	0,4789	1,7560	15,093	5 10	1698	

Anm. No. 403. Der Prälat v. Unkrechtsberg maass denselben Schatten = 0,744, und ich berechnete h = 2595'; φ = 5° 26'.
No. 421. S. ist nach S. in No. 420 geschätzt, A. gemessen.
No. 410, 411, 414 und 415 sind schwierige und gewagte Messungen.
No. 418. Mond schon tief; Luft unruhig.
April 5. Sehr günstige Umstände. — No. 425. Der abgestumpfte Gipfel trägt 3 kleine Kuppen.
No. 431. Breite = + 42°,5 Länge = 1°,7 östlich. — No. 432. Beide Gipfel gleich hoch.
No. 436. S. endet am innern Ostwalle; h. vielleicht noch zu gering gemessen.

No.	Datum.	Zeit.	Name der Gebirge.	S	A	d	φ	h	
		ʰ ᵐ					° ′	″	
440	April 5.	11 32	Curtius ♭, nach aussen	1.5710	3.5710	2.320	4 37	2900	O.
441	April 6.	4 56	Moretus, Centralberg	0.3582	1.8540	1.771	5 23	1401	O.
442	.	6 14	Pico A. S. sehr kurz. (Ost von Cassiol.) .	0.1527	1.3285	5.565	9 42	1141	
443	.	6 21	Cap Huyghens	0.2644	4.0003	11.194	11 42	2399	
444	.	6 28	Pico	0.4419	1.2667	4.419	3 44	1096	
445	.	8 40	Pico	0.3897	1.3796	4.419	4 4	1102	
446	.	8 42	Curtius ♭, nach aussen	0.4683	2.8470	2.3325	8 14	2856	
447	.	8 50	Tycho, O.-Wallgebirge nach aussen	0.7037	1.1224	7.420	3 20	1299	
448	.	9 4	Tycho, Centralberg	0.1809	1.6183	7.420	4 47	661	
449	.	9 8	Tycho, NW.-Wall	0.5422	2.0488	7.420	5 57	1261	
450	.	9 14	Clavius α	0.5887	1.7583	3.502	5 9	1038	
451	.	9 18	Clavius, NW.-Gipfel	0.5303	1.8463	4.065	5 26	1964	
452	.	9 23	Clavius, W.-Gipfel	0.5025	1.9361	3.839	5 41	1013	
453	.	9 29	Eratosthenes η? (wohl ζ)	0.6464	0.6484	12.707	1 56	507	
454	.	9 33	Eratosthenes, O.-Wallgipfel nach aussen .	0.3191	1.4423	12.707	4 17	985	
455	.	9 37	Eratosthenes, W.-Wall	0.2662	2.1031	12.707	6 13	989	
456	.	9 41	Gebirge südlich von Eratosthenes z . . .	0.3510	1.4433	13.601	4 17	818	
457	.	9 44	Timocharis, SO.-Wallgipfel nach aussen .	0.2560	0.9346	9.140	2 47	505	
458	April 8.	8 33	Newton, SW.-Wall	0.2222	2.5896	1.024	7 4	1565	O.
459	.	8 36	Newton, NW.-Wall	0.1710	2.5178	1.141	7 42	1862	
460	.	8 39	Casatus, mittlerer W.-Wall	0.1642	1.7806	1.551	5 43	1436	
461	.	8 43	Casatus, NW.-Gipfel	0.5215	1.7583	1.772	5 40	2157	
462	.	8 50	Casatus, SW.-Gipfel. S. sehr fein . . .	0.6410	1.6426	1.536	5 19	2561	
463	.	9 49	Berg SW. von Casatus	0.5151	1.4121	1.533	4 38	1843	
464	.	9 54	Casatus, SW.-Gipfel nach aussen . . .	0.5564	0.9326	1.458	3 10	1210	
465	.	10 1	Gruemidi, nördl. Centralberg	0.3589	0.6010	17.722	2 6	506	
466	April 9.	10 42	Schicard, höchster W.-Wall	0.6183	0.6183	9.287	2 22	843	O.
467	.	10 47	Schicard, W.-Wall, Senkung	0.2365	0.7272	9.287	2 58	661	
468	.	10 50	Berg N.-O. von Flamsterd, etwa E? . .	0.2534	0.4534	23.164	1 50	466	
469	.	10 55	Hansteen, W.-Wall	0.1065	0.6471	20.370	2 41	300	
470	.	10 59	Herodotus E	0.2207	0.8316	8.314	3 23	777	
471	April 10.	8 41	Vieta ♭. S. sehr kurz	0.1243	2.2179	11.491	10 20	1095	O.
472	.	9 17	Galilei b, O.-Wall nach aussen	0.1396	0.4135	14.145	2 11	372	
472a	.	·	Galilei c, O.-Wall nach aussen, geschätzt .	—	—	—	—	284	
473	.	9 20	Wargentin, z.-Rand nach aussen	0.0686	0.7260	5 395	3 42	330	
474	.	9 27	Gebirge z. nördlich von Byrgius	0.3816	0.5836	13.485	3 2	1311	

Von nun an beginnen Messungen mit einem neuen Fadenmikrometer von Starke in Wien und mit neuem Oculare mit nahe 200maliger Vergrösserung.

No.	Datum.	Zeit.	Name der Gebirge.	S	A	d	φ	h	
475	Juni 1.	8 6	Theophilus, NW.-Wall	0.2710	2.4225	18.701	8 5	1815	O.
476	.	8 11	Theophilus, W.-Wall	0.2439	2.4959	18.408	8 22	1700	
477	.	8 16	Theophilus, SW.-Wall	0.2662	2.4200	18.079	8 4	1777	
478	.	8 22	Cyrillus, SW.-Wallgipfel	0.4439	1.9095	17.458	6 10	1173	
479	.	8 35	Cyrillus, südöstlicher Centralberg . . .	0.2825	1.4170	17.725	4 40	1040	
480	.	8 38	Cyrillus, O.-Wallgipfel nach aussen . .	0.4369	0.8775	17.725	2 52	852	

No. 440. Für Curtius ♭ nur als Beispiel angeführt. Der Schatten war noch lange nicht von der Phase getrennt.
April 6. Sehr schöne stille Luft. — No. 441. Noch am Tage beobachtet.
April 8. Vollkommen heiter, aber oft unruhige Luft.
No. 465. Phase unsicher. S. endet am Fusse des Ostwalles, oder höher auf der Terrasse.
April 9. Sehr heitere, aber merklich unruhige Luft.
No. 468 ist identisch mit No. 83. April war S. wohl noch nicht ganz entwickelt.
April 10. Sehr gute Luft. — Juni 1. Zwischen Gewitterwolken Luft klar und still.

No.	Datum.	Zeit.	Name der Gebirge.	S	A	d	φ	h	
481	Juni 3.	8 22	Pico A, östlich von Cassini	0,6506	1,1106	5,367	3 12	1152	O.
482	"	9 3	Alpen η — Cap Agassiz	0,3867	1,7744	5,022	5 7	1371	
483	"	8 57	Calippus a	0,2592	3,8151	5,820	11 4	1721	
484	"	9 7	Alpen, hoher Berg nächst η, nördl. Cap Deville	0,4867	1,6350	4,711	4 49	1561	
485	Juni 5.	8 38	Moretus, W.-Wallgipfel	0,1929	3,0992	1,791	8 39	1947	O.
486	"	8 48	Moretus, Centralberg	0,2142	2,3700	1,791	6 43	1110	
487	"	8 54	Curtius δ; S. noch unvollständig (?)	0,3530	3,9400	2,402	10 57	2973	
488	"	8 57	Clavius, NW.-Wallgipfel	0,2465	3,9205	4,266	11 6	2137	
489	"	9 2	Clavius b, W.-Wall	0,2084	3,9780	4,529	11 16	1845	
490	"	9 5	Tycho, W.-Wall, Terrassen noch beschattet . .	0,1851	5,0786	7,774	14 26	2109	
491	"	9 10	Copernicus, W.-Wallgipfel	0,2495	3,5910	15,708	10 35	2061	
492	"	9 45	Lahire, südlicher Hauptgipfel	0,3268	1,1901	9,220	3 31	807	
493	"	9 51	Bullialdus, W.-Wall; S. erreicht die Mitte . .	0,2391	2,6136	15,047	7 40	1420	
494	"	10 11	Longomontanus, W.-Wall	0,1976	2,7200	6,042	7 50	1214	
495	"	10 14	Longomontanus, NW.-Wall	0,1802	2,5804	6,308	7 30	1150	
496	Juni 6.	9 15	Gassendi, nördl. Centralberg. S. reicht auf die Terrassen hinauf	0,3706	0,3706	16,099	2 13	203	O.
497	"	9 19	Clavius d, W.-Wall	0,1016	5,5170	3,820	15 49	1412	
498	"	9 23	Longomontanus, SO.-Krater A, W.-Wall . .	0,1567	3,5170	5,159	11 32	1578	
499	Juni 7.	9 11	Casatus, W.-Wallgipfel	0,2409	3,0222	1,442	9 32	2338	O.
500	"	9 22	Mersenius, SW.-Wallgipfel	0,1890	1,5987	16,538	6 0	1121	
501	"	9 28	Aristarchus, W.-Wall, über ½ beschattet . .	0,1604	1,6124	4,312	6 0	978	
502	Juni 30.	9 57	Cap NW. bei Plinius A = Cap Chamisso . .	0,4330	2,1157	—	3 52	1253	O.
503	Juli 3.	8 27	Cap Huyghens	0,4345	2,9998	12,052	8 14	2595	O.
504	"	8 32	Calippus a	0,1616	4,7738	6,461	12 32	1615	
505	"	8 35	Pico A, östlich von Cassini	0,1872	3,0506	6,028	8 32	1121	
506	"	9 0	Pico B, südlich von Pico	0,3997	1,0764	5,427	3 1	748	
507	"	9 1	Curtius δ, S. noch von der Phase unterbrochen .	1,7328	1,7328	2,180	4 51	3200	
508	"	9 3	Lange Bergwand O. von Thebit, N.-Ende . .	0,08095	0,9640	13,755	1 37	93	
509	"	9 26	Hadley	0,1615	5,2200	4,907	13 39	1759	
510	"	9 40	Maginus, SW.-Wall	0,6189	1,9968	5,445	5 16	2131	
511	"	10 30	Pico. S. endet auf einer Bergader	0,8586	1,1328	4,762	3 11	1206	
512	"	10 34	Curtius δ. S. endet in Cysati-Tiefe (?) . .	2,1547	2,1547	2,180	6 2	4967	
513	"	10 36	Cap Huyghens	0,3256	3,3117	12,052	9 18	2194	
514	"	10 51	Thebit, W.-Wall	0,2583	2,9324	13,755	7 35	1428	
515	"	10 56	Herschel, W.-Wall	0,1609	3,8782	20,827	10 28	1310	
516	"	11 1	Bradley (?), Berg West bei Huyghens . . .	0,1877	3,1136	11,749	8 22	1237	
517	Juli 4.	8 13	Moretus, W.-Wall; Phase unsicher	0,2450	2,3894	1,516	6 34	2049	O.
518	"	8 18	Moretus, Cntrlbg. S. endet am Fusse d. Terrassen	0,3176	1,7786	1,516	4 56	1105	
519	"	8 20	Curtius δ. S. endet an einem Kraterwalle . .	0,1979	3,0698	2,051	8 32	2418	
520	"	8 24	Clavius, SW.-Wall a. Phase ganz unsicher . .	0,4479	1,4401	3,117	6 47	2137	
521	"	8 25	Clavius, W.-Wall, mittlerer Gipfel	0,4186	3,8183	3,562	7 49	2147	
521a	"		Clavius, mittlere Wallhöhe, geschätzt . . .					3040	
522	"	8 32	Clavius, NW.-Gipfel	0,4602	2,9116	3,780	8 5	2658	
523	"	8 36	Tycho, W.-Wall	0,3256	3,6754	7,265	10 15	1466	
524	"	8 40	Tycho, Centralberg	0,1444	3,1368	7,265	8 46	957	

Anm. Juni 3. Luft heiter, aber nicht ruhig. — Juni 5. Meist sehr dunstige Luft; Phase im Süden sehr schwierig.
No. 487. Vielleicht ward S. auch um die Hälfte zu gross gemessen.
No. 496. Gemessen ward der S. vom Ostwalle eines Wallkraters. — Juni 6. Ziemlich günstige Luft.
Juni 7. Ungünstige Luft. — Juni 30. Mond sehr tief. Luft ganz schlecht.
Juli 3. Sehr günstige Umstände. — No. 503. Der Anfang von S. ward wohl irrig aufgefasst.
Juli 4. Sehr schöne Luft.

No.	Datum.	Zeit.	Name der Gebirge.	S	A	d	?	h	
		h m					• '	'	
525	Juli 4.	8 43	Copernicus, O.-Wallgipfel nach aussen . . .	0,8716	0,8716	16,221	2 30	846	O.
526	"	8 47	Copernicus, östlicher Centralberg	0,1367	1,3703	16,221	3 17	362	
527	"	8 50	Copernicus, NW.-Wallgipfel	0,5638	1,9643	16,221	5 14	2085	
528	"	9 7	Copernicus, SW.-Wallgipfel	0,5412	1,7660	16,221	5 0	1785	
529	"	9 11	Pytheas, O.-Wall nach aussen	0,1729	2,9853	12,530	2 48	344	
530	"	9 16	Lambert, O.-Wall nach aussen	0,1679	0,7541	10,815	2 9	151	
531	"	9 19	Timocharis, W.-Wall	0,5172	3,7240	10,508	10 26	1012	
532	"	10 22	Copernicus, W.-Wall, mittlerer Hauptgipfel .	0,4475	2,1556	16,221	6 8	1922	
533	Juli 6.	8 56	Marius A, O.-Wall nach aussen	0,2442	0,5080	14,758	1 48	328	O.
534	"	9 1	Kepler, W.-Wall	0,1061	3,2017	16,733	10 45	1099	
535	"	9 24	Gr. Pic, N.-O. von Hainzel (?)	0,2731	1,3720	9,621	4 46	1150	
536	"	9 32	Cassius, SW.-Gipfel	0,4937	1,8023	1,414	5 48	2401	
537	Juli 7.	8 43	Vieta %, S. am östlicher Wand aufragend . .	0,3791	0,8841	10,945	3 54	1449	O.
538	"	8 48	Vieta, SW.-Wall. S. am Fusse des Ostwalles	0,5586	0,9082	10,384	4 0	1439	
539	"	8 52	Vieta, niedriger W.-Wall. S. endet in der Mitte	0,1055	0,8961	10,744	3 57	906	
540	"	9 0	Herschel's Rille, südliche Tiefe; bei F. . .	0,0193	2,5120	12,871	10 42	260	
541	Juli 12.	11 42	M. Crisium, Picard α, Südgipfel	0,3575	1,1435	18,28	4 42	1654	W.
542	"	11 48	M. Crisium, Picard α, Nordgipfel	0,2352	1,0725	18,28	4 26	1082	
543	"	11 51	M. Crisium, Berg β in + 11° Br. u. 50° östl. L.	0,3946	1,4805	17,97	6 0	1856	
544	"	11 58	M. Crisium, nördlicher Nachbar des vorigen .	0,3142	1,7027	17,66	6 50	1267	
545	"	12 3	M. Crisium, ein kleinerer Gipfel daselbst .	0,1771	1,4805	17,85	6 0	1162	
546	"	12 6	M. Crisium, Krater α, O.-Wall	0,1318	2,0126	17,66	7 59	1184	
547	Juli 14.	12 36	Altai η, S. bis O.-Wall Piccolomini . . .	0,6482	1,5412	8,445	4 35	1925	W.
548	"	13 0	Altai β, südlicher Hauptgipfel	0,4288	2,0400	9,504	6 0	1887	
549	"	13 3	Theophilus A, W.-Wall nach aussen = Müller	0,7125	0,7285	14,660	2 9	637	
550	"	13 6	Beaumont, Berg im N.-Walle	0,1735	0,7643	12,263	2 18	423	
551	"	13 10	Beaumont, O.-Wall	0,2840	1,3070	12,265	1 54	809	
552	"	13 13	Beaumont β, im S.-Walle	0,9163	1,2209	12,100	3 38	1648	
553	"	13 17	Theophilus, südlicher Centralberg	0,1709	1,9735	14,317	5 51	782	
554	"	13 22	Theophilus, nördlicher Centralberg	0,2305	1,9576	14,317	5 47	1027	
555	"	13 28	Theophilus, SO.-Wall. S. berührt die Mitte .	0,3491	2,4036	13,364	7 4	1871	
556	"	13 33	Theophilus, O.-Wall	0,3572	2,5720	14,317	7 33	2050	
557	"	13 38	Theophilus, NO.-Wall	0,3378	3,3766	14,841	6 59	1238	
558	"	13 44	Kant, Cap A	0,1872	3,3061	15,135	9 38	1430	
559	"	13 50	Cap westlich von Cyrillus = No. 23 . . .	0,3817	1,7315	15,151	5 17	1419	
560	"	13 55	Cyrillus ε gegen Westen	0,2500	2,2851	15,151	6 43	1295	
561	"	13 59	Katharina, N.-O. β	0,2106	3,2028	15,570	9 19	1545	
562	"	14 3	Altai β	0,5092	2,1075	9,504	6 11	2255	
563	"	14 9	Theophilus, NW.-Gipfel nach aussen . . .	0,1939	1,1684	14,317	3 18	477	
564	"	14 14	Plinius, O.-Wall. S. reicht bis zur Mitte .	0,3812	3,2305	18,071	9 25	1346	
565	Juli 15.	12 51	Curtius ε, S. reicht nahe bis zum W.-Walle .	0,7901	2,3582	0,931	6 28	3272	W.
566	"	12 57	Jacobi, W.-Wall nach aussen	0,2329	1,0833	2,428	3 3	492	
567	"	13 1	Jacobi, O.-Wall	0,4880	1,8245	2,428	5 7	1664	

Anm. No. 532. Mond schon tief, Luft wallend; S. endet an einem Centralberge.
No. 533. Schwerlich war es Kepler C.
Juli 6. Klare aber meist wallende Luft. — No. 535 in − 37°,5 Br. und 36° östl. Länge. No. 536. Nicht zum ersten Male fand ich, dass der Schatten des nördlichen stumpfen Berges gegen den feinen südlichen Bergschatten merklich geneigt sei.
No. 539. Um diese Zeit war der Centralberg ohne Schatten. — No. 540. S. ward nach der Fädenlicke geschätzt.
Juli 12. Luft unruhig. — Juli 14. Luft sehr gut.
No. 549. S. ward wohl schon von der Phase geschnitten, weshalb h vielleicht zu klein.
Juli 15. Der Mondradius kann diesmal constant genommen werden, da die Distanz sich nur um 10 Meilen änderte, und die abnehmende Parallaxe der Vergrösserung des Radius entgegenwirkte; Luft sehr gut.

No.	Datum	Zeit.	Name der Gebirge.	S	A	d	φ	h	
568	Juli 15.	13 3	Lilius, O.-Wall. S. erreicht den Centralberg .	0,2034	2,9312	2,764	8 8	1235	W.
569	"	13 6	Cuvier, O.-Wall. S. erreicht den Centralberg	0,3332	2,4760	3,543	6 55	1662	
570	"	13 10	Licetus, O.-Wall	0,3107	3,3992	4,216	9 28	1491	
571	"	13 13	Maurolycus, O.-Wall a. Phase sehr schwierig	0,6439	2,0380	5,199	6 2	2551	
572	"	13 17	Gemma, O.-Wall a	0,2007	1,5335	7,290	7 7	1356	
573	"	13 20	Werner, O.-Wall a	0,1586	5,9517	9,197	16 35	1960	
574	"	13 24	Azophi, O.-Wall a	0,2534	2,8695	11,000	6 5	1511	
575	"	13 27	Geber, O.-Wall	0,2449	2,0885	11,867	5 54	1052	
576	"	13 30	Abulfeda, O.-Wall	0,1852	2,3680	14,024	6 41	919	
577	"	13 34	Taylor a, W.-Wall β nach aussen	0,6313	1,4987	23,978	4 15	1635	
578	"	13 38	Menelaus, W.-Wall nach aussen	0,2420	1,3988	16,693	3 58	678	
579	"	13 42	Haemus a	0,1723	2,2826	16,322	6 10	788	
580	"	13 46	Bessel d, W.-Wall nach aussen	0,2240	0,2440	13,110	0 42	66	
581	"	13 48	Bessel, W.-Wall nach aussen	0,2413	0,7100	14,891	2 1	313	
581 a	"	-	Bessel, nördliche Bergader daselbst, Schätzung	-	-	-		16	
582	"	13 53	Conon, O.-Wall	0,0844	6,1768	14,9	17 18	1162	
583	"	13 58	Theaetetus, O.-Wall	0,1137	3,3823	9,881	9 29	817	
584	"	14 2	Calippus γ	0,2046	2,6612	9,046	7 29	1684	
585	"	14 7	Eudoxus, O.-Wall; mehr als d. Hälfte beschattet	0,4307	1,5225	7,716	3 25	935	
586	"	14 12	Seurecky, W.-Wall nach aussen	0,7176	0,7176	1,016	2 5	593	
587	August 3.	8 26	Moretus, Centralberg	0,2171	2,2093	1,056	6 18	1086	O.
588	"	8 31	Curtius d, nach aussen	0,3824	3,9200	1,498	10 26	3011	
589	"	8 35	Cap Laplace. S. äussert fein	0,8113	1,3269	6,249	3 51	1726	
590	"	8 39	Grösster Hügel N.O. von Laplace, im Mare .	0,3066	0,6653	6,175	1 57	367	
591	"	8 43	Longomontanus, NW.-Wall, wo ein Krater liegt	0,4865	2,0860	4,775	5 58	1050	
592	"	8 46	Longomontanus, W.-Wall, Mitte	0,3266	2,2603	4,561	6 26	1365	
593	"	8 49	Longomontanus, SW.-Wall	0,3724	2,2690	4,379	6 16	1711	
594	"	8 53	Clavius, NW.-Wall	0,2395	3,6436	3,001	10 3	1861	
595	"	8 56	Moretus, W.-Wall	0,3815	3,2210	3,056	8 36	2460	
596	"	8 59	Tycho, W.-Wall	0,3605	5,1270	6,102	14 12	1787	
597	"	9 2	Cichus, O.-Wall nach aussen	0,2654	2,0130	8,904	5 49	1258	
598	"	9 6	Bullialdus, W.-Wall; Tiefe halb beschattet .	0,2155	2,8440	13,020	8 11	1360	
599	"	9 9	Landsberg, O.-Wall nach aussen	0,1461	1,0110	22,041	3 18	423	
600	"	9 12	Reinhold, W.-Wall; S. reicht bis zur Mitte .	0,1942	2,9536	20,530	8 31	1284	
601	August 5.	7 55	S.-O. von Mersenius b	0,2586	1,0405	9,740	4 9	1394	O.
602	"	7 59	Mersenius b, südlich von Mersenius a . . .	0,3106	1,5405	10,573	6 2	1913	
603	"	8 1	Mersenius a, O.-Wall } Liebig	0,2025	1,2526	10,871	4 58	1053	
604	"	8 6	Mersenius a, W.-Wall }	0,1526	1,6016	10,871	6 17	1032	
605	"	8 7	Mersenius, O.-Wall nach aussen	0,1722	0,7507	11,633	3 3	531	
606	August 6.	9 5	Pythagoras, westlicher Centralberg . . .	0,1925	0,6148	3,361	3 17	937	O.
607	"	9 19	Gebirge N.-W. von Byrgius	0,3476	0,6202	12,846	3 54	1682	
608	"	9 56	Pythagoras, NW.-Wall	0,3206	1,0284	3,225	5 29	2489	
609	August 9.	9 58	Hahn, O.-Wall β	0,1850	0,6615	17,595	4 52	1722	W.
610	"	10 3	Hahn, Centralberg	0,1104	0,5025	17,595	3 46	826	

No. 576. d ward nur interpolirt.   No. 577. Hier, wie in andern ähnlichen Fällen, wird d vom Radius des Mondes subtrahirt, und man erhält den Abstand vom scheinbaren Aequator; der Ort ist Nord von Taylor.

No. 582. d ward nicht gemessen, sondern nur geschätzt.

Aug. 3.   Mond tief, Luft nie ruhig, alle d doppelt gemessen.

Aug. 5.   Mond tief, zwischen Wolken beobachtet. — No. 603 und 604. Hier ist wohl irgend ein Fehler.

Aug. 6.   Mond tief zwischen Dünsten; Bilder gut.

Aug. 9.   Sehr klar; ziemlich ruhige Luft.

No.	Datum.	Zeit.	Name der Gebirge.	S	A	d	?	b	
611	August 9.	10 5	Bernous, NO.-Gipfel x	0,1274	1,1277	16,425	7 44	2032	W.
612	"	10 9	Alhazen x (grosser isolirter Berg)	0,1265	0,8395	21,772	5 58	1522	
613	"	10 13	Gebirge Nord an Condorcet	0,0855	1,3953	24,217	8 40	1566	
614	"	11 20	Alhazen x — No. 612	0,1191	0,7465	21,772	5 3	1254	
615	August 10.	10 6	Langremus, nördl. Centralberg. Phase s. schwierig	0,2459	0,6520	13,450	1 9	855	W.
616	"	10 11	Langremus, SO.-Wall	0,4439	1,0446	13,071	5 5	2421	
617	"	10 18	Langremus, NO.-Wall	0,3549	1,0264	13,613	4 50	1910	
618	"	10 23	Endymion, O.-Wall	0,1619	1,7046	7,075	7 33	1575	
619	"	10 28	Geminus, NO.-Wall	0,1913	1,8050	12,907	8 7	1986	
620	"	10 32	Geminus, O.-Wall	0,1631	1,8108	13,220	8 8	1711	
621	"	10 35	Geminus, Centralberg	0,0504	1,5126	13,220	6 54	189	
622	"	10 52	Picard, O.-Wall	0,08378	1,3218	20,428	10 7	1120	
623	August 13.	10 51	Katharina, O.-Wallgipfel	0,7393	1,4476	13,150	4 16	1899	W.
624	"	10 58	Altai, Gipfel südlich bei 7	0,2424	1,7797	12,098	5 14	962	
625	"	11 1	Curtius d, S. reicht bis zur Mitte der Tiefe	0,6155	3,1063	1,217	8 17	3837	
626	"	11 5	Curtius, O.-Wall, südlich von d	0,2040	3,1063	1,217	8 17	1371	
627	"	11 8	Cuvier, O.-Wall x	0,1624	3,8561	3,942	10 58	1402	
628	"	11 12	Barocius, O.-Wall x	0,3264	2,4552	5,116	7 7	1750	
629	"	11 15	Bergader (grosse west.) im M. Serenit. (Anm.)	0,2531	0,5810	12,177	1 43	276	
629a	"		Bergader, nahe dem vorigen Punkte. (Anm.)	—				193	
630	"	11 19	Plinius, W.-Wall (5 Gipfel) nach aussen	0,2962	0,9224	15,831	2 45	544	
631	"	11 33	Kl. Krater, Ost v. Posidonius, W.-Wall, aussen	0,04325	0,4437	10,031	1 30	178	
632	"	11 29	Bürg B, nördl. Ende	0,3366	1,0320	6,327	1 1	515	
633	"	11 36	Cassini a, O.-Wall (im Cassini)	0,07775	6,1345	3,052	17 24	1071	
634	"	11 40	Calippus z, unterer westlicher Abhang	0,0910	4,4987	8,493	14 9	1021	
635	"	11 43	Calippus y, nördlicher Gipfel	0,1180	4,0212	8,181	11 12	1076	
636	"	11 48	Eudoxus, O.-Wall y	0,2917	3,2078	6,952	9 15	1384	
637	"	11 52	Aristoteles, O.-Wall x	0,1696	3,0800	5,374	8 51	1475	
638	"	11 58	Berg südlich an Kant (Anm.)	0,1294	1,9087	15,182	5 15	1355	
639	"	13 1	Kant A, westliches Cap	0,0697	1,4560	15,913	4 17	2223	
640	"	13 5	Kant, W.-Wall nach aussen	0,4625	1,8647	15,726	5 28	1781	
641	"	13 10	Gebirge nördlich bei Kant A	0,6440	1,6880	16,054	4 57	2075	
642	"	13 14	Gebirge nördlicher, nahe südlich bei 9	0,8434	1,9241	16,464	5 38	2979	
643	"	13 18	Kant A — No. 639	0,0627	1,5297	15,912	4 29	2376	
644	"	13 28	Kant 8, ein isolirter Berg	0,1347	1,7655	16,968	3 26	790	
644a	"	13 31	Kant 8, der nördliche kleine Nachbar, geschätzt					263	
645	"	13 31	Gebirge nördl. von 9, westlich von Alfraganus	0,1701	1,0230	17,374	4 43	1252	
646	"	13 37	Scoresby, W.-Wall nach aussen — No. 586	0,1542	1,0180	0,729	1 56	522	
647	"	13 42	Maurolycus, O.-Wall x	0,2928	3,4323	5,706	9 49	2203	
648	"	13 46	Maurolycus, SW.-Wall; S. endet im Krater C.	0,2364	1,0747	5,706	6 1	1046	
649	"	13 50	Curtius d	0,6563	3,8916	1,217	8 2	3723	
650	August 14.	13 58	Calippus x. S. endet innen an Cal. W.-Wall	0,3312	1,6831	7,848	4 49	1687	W.
651	"	14 7	Caucasus d	0,1431	0,8176	8,755	2 32	604	

Anm. No. 611. Die Länge des Berges x von N.—S. = 6455 Toisen: südlicher Abhang 11° geneigt.
Aug. 10. Mond sehr tief und in Dünsten. — No. 615. S. schon auf den unteren Terrassen.
No. 621. S. geschätzt nach dem S. von No. 620.
Aug. 13. Vorzüglich günstige Nacht; Phase oft sehr schwierig. — No. 629. Ein Punkt unter + 15° Br.; südlich und nördlich dabei die geschätzte Höhe No. 629a.
No. 631 liegt in + 32° Br. und 27°,5 westl. Länge. — No. 634. S. endet in der Tiefe von Katharina b.
No. 645. Nördlich an einem Krater in + 6°,5 Br. und 20°,8 westl. Länge.
Aug. 14. Besonders klare stille Luft. No. 651. Berg SO. von Calippus, + 36° Br. 10° westl. Lg. (meine Bezeichnung der Buchstaben beibehalten). Weder Lohrmann's noch Mädler's Charte genügt, um die Gipfel genau anzugeben; sie erfordern eine neue Darstellung.

6*

No.	Datum.	Zeit.	Name des Gebirge.	S	A	d	φ	h	
		ʰ ᵐ					° ′	′	
652	August 14.	14 12	Caucasus π, nördlich neben β	0,8453	1,1431	8,619	3 17	1361	W.
653	"	14 17	" τ in + 35°,5 Br. und 9° westl. Lg. .	0,3327	1,2399	8.807	3 33	798	
654	"	14 22	" ζ, bei Mädler's b	0,8008	1,1133	9,156	3 46	1632	
655	"	14 27	" δ, nahe = Mädler's η	0,7006	1,5389	8,954	4 24	1859	
656	"	14 36	" ε, nördlich nahe dem δ	0,6484	1,4173	8.872	4 3	1582	
657	"	14 42	" η, südlich bei ζ	0,5601	1,2912	9,352	3 25	1140	
658	"	14 46	" θ, südlich bei η	0,4463	1,4273	9,302	4 5	1197	
659	"	14 50	" ι, südlich bei θ	0,2151	1,1348	9,474	3 12	541	
660	"	14 54	" κ	0,1789	1,4920	9,634	4 16	559	
661	"	15 1	" d (gr. südliche Gruppe des Caucasus) .						
			Cap Faraday	0,3000	2,0110	9,966	5 45	1243	
662	"	15 5	Caucasus ε, südlicher Nachbar von d . . .	0,3002	2,1046	10,064	6 1	1305	
663	"	15 11	" ε, südliche Ecke der Gruppe . . .	0,1155	1,9689	10,126	5 39	493	
664	"	15 15	" b, der letzte Berg im Süden . . .	0,1501	2,1226	10,274	6 4	683	
665	"	15 18	" a, der isol. südwestl. Berg. mittl. Gipfel	0,1799	1,5624	10,401	4 28	590	
666	"	15 20	Sulpicius Gallus, W.-Wall nach aussen. (Anm.)	0,3467	0,3467	13,869	1 15	204	
667	"	15 23	Caucasus μ, isolirter Pic. Nord von d . . .	0,2197	1,9754	9,449	5 39	510	
668	"	15 28	Haemus ζ, höchter Gipfel.	0,6423	1,4504	13,578	4 9	1597	
669	"	15 32	Haemus, nördlich bei Λ	0,4159	1,4131	13,187	4 4	1126	
670	"	15 36	Cassini, Berg ε	0,1835	2,3989	7,138	6 51	939	
671	"	15 40	Barrow, O.-Wall π, Doppelgipfel	0,5214	1,6262	1,240	4 37	1571	
672	"	15 45	Alpen η, der Berg in + 45° Br.	0,2477	3,1859	5,072	9 4	1676	
673	"	15 47	Pico A, südliche Kuppe } Ost von Cassini .	0,08312	4,0032	7,469	11 25	726	
674	"	15 50	Pico A, ... }	0,1452	4,0554	7,469	11 34	1275	
675	"	15 54	Moretus, Centrlbg. S. erreicht nicht d. Terrassen	0,4179	2,0568	0,966	5 49	1694	
676	"	15 57	Moretus, O.-Wall	0,3397	2,5409	0,966	7 0	1719	
677	"	16 1	Clavius d, O.-Wall	0,1670	4,1292	1,553	11 58	1514	
678	"	16 4	Stoefferus, O.-Wall bei δ	0,1331	2,2359	6,316	6 23	1527	
679	"	16 6	Aliacensis, O.-Wall γ. S. berührt die Mitte .	0,3565	3,4162	9,387	6 54	1770	
680	"	16 10	Werner, O.-Wall ε. S. berührt die Mitte .	0,3425	3,0069	10,673	8 35	2150	
681	August 27.	7 15	Macrobius, W.-Wall	0,1549	1,1180	13,905	7 9	1213	O.
682	"	7 19	Santbech, W.-Wall, mittlere Höhe	0,1279	1,5635	12,643	4 35	1285	
683	"	7 23	Picard, W.-Wall	0,3692	3,6981	16,261	12 48	921	
684	"	7 27	Langrenus a, NO, eingreifendes Kraer, W.-Wall	0,6438	5,2995	15,756	17 55	1107	
685	"	7 34	Im Gebirge südlich von Fabricius, hoher Berg						
			(Landschaft Argelander)	2,0139	1,2005	5,566	4 26	1638	
686	"	7 50	Hoher Berg nördlich von Neander	0,6469	1,0040	10,371	3 46	1709	
687	Sept. 1.	6 42	Moretus, W.-Wall	0,4296	2,3951	0,6945	6 21	1990	O.
688	"	6 47	Moretus, Centralberg	0,3683	1,6120	0,6945	4 22	1100	
689	"	6 53	Curtius δ	0,4610	2,8861	1,154	7 42	2515	
690	"	6 56	Clavius, W.-Wall π. Phase ganz zweifelhaft .	0,5200	2,5010	2,0075	6 50	2457	
691	"	7 0	Clavius, W.-Wall, mittl. Gipfel. Phase ganz zwh.	0,4190	1,9950	2,1815	5 8	2448	
692	"	7 4	Clavius, NW.-Gipfel. Phase ganz zweifelhaft .	0,4870	2,7957	2,490	7 38	1611	
693	"	7 10	Tycho, W.-Wall, Phase sehr schwierig . . .	0,2918	3,7792	5,435	10 23	2269	

Anm. No. 654. Dieser in + 30°,8 Br. und 9° westl. Lg. und No. 655 der östliche Nachbar.
No. 659. Von ι an liegen die Berge in der Gruppe + 31° Br., 9° westl. Lg.; κ nach Nord von der südlichen Hauptgruppe.
No. 661 ist der Nordgipfel in der südlichen Caucasusgruppe.
No. 666. S. wohl schon von der Phase unterbrochen.
Aug. 27. Mond klar und still.
No. 672. η am südlichen Ende des Ausganges des grossen Alpenthales gegen das Mare Imbrium.
No. 684 — No. 161. No. 685 und 686. Sehr schwierige Messungen.
Sept. 1. Mond sehr tief, Luft unruhig.

No.	Datum.	Zeit.	Name der Gebirge.	S	A	d	φ	h
694	Sept. 1.	7 16	Copernicus, O.-Wallgipfel nach aussen . . .	0,7707	0,7707	19.374	2 16	658	O.
695	.	7 22	Copernicus, östlicher Centralberg	0,05297	1,3666	19.174	3 52	243
696	.	7 57	Copernicus, äussere NO.-Terrasse	0,2627	0,9424	19.135	2 41	469
696a	.	.	Copernicus, die Höhe nördlich danehen . .	—	—	—	—	235
697	.	8 1	Laplace α, Ostecke	0,4395	1,0060	6,686	3 51	763
648	.	8 6	Copernicus, NW.-Wall	0,3775	1,0928	19.135	5 38	1499
699	.	8 11	Copernicus, W.-Wallgipfel	0,4930	2,1144	19.374	5 58	2027
700	.	8 15	Copernicus, SW.-Wall	0,4291	1,8917	19.699	5 21	1585
701	.	8 19	Timocharis, W.-Wall	0,1245	3,9044	13.269	10 53	1035
702	Sept. 2.	6 41	Anaxagoras γ, Südgipfel	0,1877	1,9808	1.446	5 48	1326	O.
703	.	6 52	Cap Laplace	0,3792	2,5621	7.380	7 45	1762
704	.	6 57	Helicon A (der westliche), W.-Wall	0,0403	4.1297	9.251	12 31	961
705	.	7 1	Helicon (der östliche), W.-Wall	0,1014	3,6519	9.251	10 54	939
706	.	7 5	Euler β, Südgipfel	0,1783	0,8878	15.060	2 47	388
707	.	7 8	Euler β, Nordgipfel	0,1402	0,9931	15.060	3 7	569
708	.	7 12	Longomontanus, NW.-Wall, wo ein Krater	0,1918	3,4575	3.951	10 5	1621
709	.	7 16	Clavius, NW.-Gipfel	0,1515	4,5707	2.187	12 39	1619
710	.	7 53	Blancanus, SW.-Wall	0,2973	2,2919	2.349	6 38	1590
711	.	7 57	Clavius d, W.-Wall	0,1185	3,8061	2.046	10 41	1077
712	.	7 59	Clavius b, W.-Wall	0,1626	4,7311	2.728	13 10	1814
713	.	8 1	Capuanus, O.-Wall Mitte, nach aussen . .	0,3139	1,7911	7.473	5 32	1370
714	.	9 34	Diophantus, O.-Wall nach aussen . . .	0,1997	0,7123	13.247	2 19	350
715	.	9 41	Gebirge Hippalus α	0,7005	0,7005	8.731	2 6	652
716	.	9 48	Hippalus α, südliche Vorhöhe	0,3658	0,9172	8.650	2 55	751	O.
717	Sept. 3.	7 48	Marius A, O.-Wall nach aussen	0,1886	0,4876	13.425	1 52	301	O.
718	.	7 52	Wollaston B, SO.-Wall aussen	0,1901	0,7359	13.465	2 46	483
719	.	7 56	Wollaston daselbt, nördlich aaber Gipfel .	0,1291	0,5435	13.350	2 5	251
720	.	7 59	Berg α, NW. bei Merculus	0,1814	0,6743	11.663	2 34	603
721	.	8 1	Grosser Berg α, NO. von Hainzel . . .	0,2522	1,0659	5.986	3 58	930
722	.	8 6	Diophantus, W.-Wall	0,0738	3,8679	13.943	13 28	1036
723	.	8 10	Delisle, W.-Wall	0,1140	3,6051	13.175	11 54	1525
724	.	8 14	Philolaus, N.-Wall	0,1700	2,1175	2.037	7 10	1235
725	.	8 16	Anaximenes, B im Walle	0,2850	1,0184	2.037	3 42	952
726	.	8 20	Kepler, W.-Wall	0,1063	1,9903	21.404	10 43	1165
727	.	9 25	Schiller, NO.-Gipfel nach aussen . . .	0,3201	0,7043	3.322	2 41	707
728	.	9 30	Gassendus A, W.-Wall	0,1406	2,3515	12.816	8 36	1257
729	Sept. 4.	7 48	Geb. Ost v. Mairan(+ 39° Br. u. 52° östl. Lg), Südg.	0,1682	0,4527	11.359	2 33	472	O.
730	.	7 52	Dasselbe, Gipfel nördlicher	0,3755	0,2937	11.081	1 33	278
731	.	7 57	Herodot C = Schiaparelli, O.-Wall n. aussen .	0,1547	0,2620	17.405	1 24	222
732	.	8 5	Vieta B; S, steigt am O.-Wall empor . .	0,3364	0,7566	7.582	3 49	1448
733	.	8 12	Wiederholung von No. 729	0,1437	0,4286	11.359	2 15	396
734	.	8 16	Herodot C (No. 731 wiederholt)	0,1306	0,2415	17.405	1 49	203
735	.	8 24	Vieta B	0,3349	0,7701	7.582	3 57	1477
736	.	8 28	Vieta, W.-Wall Mitte	0,1444	0,8532	7.413	4 18	838

A n m. Sept. 2. Mond sehr tief, Luft sehr klar, aber unruhig. — No. 712. d ist nur interpolirt.

No. 715. S, ging in der Phase noch nicht zu Ende, sondern ward von ihr wohl noch abgeschnitten. Die Luft war zuletzt schon zu schlecht, um gut zu sehen und zu messen.

No. 716. d nur interpolirt.

Sept. 3. Sehr klare aber unruhige Luft. — No. 717 = No. 533. — No. 718 ein flaches Ringgebirge, NW. von Aristarchus.

No. 719. d nur geschätzt. — No. 720. S. ganz im Gebirge.

Sept. 2 u. 3 ward irrthümlich das schwächere Ocular gebraucht.

Sept. 4. Sehr schöne stille Luft.

No.	Datum.	Zeit.	Name der Gebirge.	S	A	d	𝜑	h	
		h m					° '	"	
737	Sept. 4.	8 31	Vieta, SW.-Wall. (S. endet an den Terrassen)	0,2898	0,7671	7,188	3 54	1338	O.
738	"	8 36	Fourier, SW.-Wall	0,1189	1,0857	7,154	5 22	893	
739	"	8 41	Euler A, W.-Wall — Brayley	0,0588	5,6609	18,108	13 14	1973	
740	"	9 6	Kl. Krater NO. v. Aristarch — Briggs A, O.-Wall	0,0573	0,1673	15,290	0 55	66	
740a	"	.	Südlicher Nachbar, O.-Wall aussen, geschätzt	.	.	.	—	7	
741	"	9 47	Bergader bei B südlich (+ 37° Br.: 61° ö. Lg.)	0,0501	0,1333	11,438	0 44	45	
741	"	.	Hügel, West neben Gahlei, d. südl., Schätzung	.	.	.	—	15	
741a	"	.	Daselbst, der nördliche Nachbar, Schätzung .	.	.	.	—	22	
743	"	9 55	Seleucus A, SO. von Herodot C, O.-Wall aussen	0,0575	0,1925	17,812	1 3	79	
744	"	10 2	Repsold x (+ 51°,7 Br., 62° ö. Lg.): O.-Wall aussen	0,1282	0,2887	8,017	1 34	136	
745	"	10 6	Marius A, W.-Wall	0,0587	3,4324	11,338	15 33	1360	
746	"	10 11	Vieta δ. S. endet am Fuss des Ostwalles . .	0,3093	0,8984	7,581	4 36	1760	
747	"	11 8	Vieta δ	0,3108	0,0391	7,581	4 53	1932	
748	"	11 12	Vieta, SW.-Wall	0,1694	0,9155	7,188	4 46	1832	
749	"	11 16	Carendish C, O.-Wall aussen	0,2941	0,1941	9,123	1 40	377	
750	Sept. 5.	8 8	Briggs d, NO.-Wall nach aussen	0,0970	0,2593	—	2 22	481	O.
751	"	8 13	Gebirge NO. von Hyginus x	0,1410	0,3897	—	3 25	1025	
752	"	8 17	Seleucus, W.-Wall	0,0703	0,9384	—	7 27	1331	
753	"	8 20	Cavalerius, NW.-Wall	0,0870	0,9872	—	7 50	1720	
754	Sept. 6.	10 44	M. Humboldtianum, SW.-Wall x	0,0606	0,1726	—	3 44	1353	W.
755	"	10 49	M. Humboldtianum 2 (Mädler)	0,0476	0,1680	—	3 39	1120	
755a	"	.	M. Humboldtianum, nördl. Nachbar von 2 .	.	.	—	—	560	
756	"	10 54	Nordpol, Gioja x	0,0643	0,2110	—	4 22	1752	
757	Sept. 8.	9 25	Burckhardt a. (Viel Gewölk stört.) . . .	0,0881	1,8610	13,149	13 36	3064	W.
758	"	11 8	Burckhardt x	0,1073	2,7044	13,149	11 31	2431	
759	"	11 12	Bernoulli, O.-Wall	0,0892	1,8089	11,882	9 7	1353	
760	"	11 16	Mercurius, O.-Wallgipfel. S. berührt d. westl. Fuss	0,1828	0,8041	8,255	3 48	1142	
761	"	11 20	Ader zwischen Berosus c und Messala d . .	0,0549	0,4337	13,750	2 9	205	
762	"	11 24	M. Crisium, West, Berg 3	0,1907	0,6561	17,548	2 16	947	
763	"	11 29	Gebirge NO. bei Eimmart	0,1645	1,4225	15,172	7 30	1865	
764	"	11 35	Picard d, O.-Wall	0,0447	3,8079	16,099	17 35	1243	
765	"	11 39	Azout 2, mittlerer Gipfel	0,2431	1,0065	15,554	5 28	1851	
766	Sept. 9.	9 41	Picard x, Südgipfel	0,1393	1,1290	19,519	5 10	1808	W.
767	"	9 46	Cleomedes, SO.-Wallgpfl. S. berührt die Mitte	0,1784	1,1714	13,830	4 46	1793	
768	"	9 51	Cleomedes, Centralberg	0,1546	0,8318	13,815	3 33	598	
769	"	10 0	Picard x, Südgipfel	0,3723	1,1299	19,519	5 10	1944	
770	"	10 4	Picard x, Nordgipfel	0,1289	1,1332	19,331	4 46	1173	
771	"	10 12	Daselbst nahe NO., Berg im grossen Walle .	0,2871	1,4812	19,325	6 9	1897	
772	"	10 18	Daselbst, Wallberg, SO. nahe	0,1416	1,5192	19,633	6 17	1010	
773	"	10 23	Cap südlich von x	0,4967	0,9088	19,725	3 51	1638	
774	"	10 30	M. Crisium, NO.-Rand 2	0,3303	1,1653	16,537	4 52	1635	
775	"	10 36	„ NO.-Rand 0	0,3066	0,9610	15,385	4 3	1233	
776	"	10 42	„ NO.-Rand 1	0,4971	1,3524	15,635	5 16	1213	
777	"	10 47	„ Picard x, Südgipfel	0,4837	1,1312	19,519	4 43	2110	

Anm. No. 744. Dieser Krater fehlt bei Mädler; Lohrmann hat ihn gezeichnet.
Sept. 5. Klare aber unruhige Luft; d ward vergessen, und daher die selenographische Breite benutzt, indem solche wegen der Libration um 5° vermindert ward.
Sept. 6. Vollmond; klar und still. — No. 754. Nach Mädler's Specialzeichnung liegt x in + 55°,7 Br. und 92° westl. Lg. gehört also zur andern Hemisphäre, ebenso x in + 66° Br.
Sept. 8. Kurze Zeit klar; die d sind nicht sehr scharf bestimmt.
No. 762. Die nördl. kleinen Hügel bei δ etwa h = 90'. — No. 765, östl. neben Condorcet, südl. von Prom. Agarum.
Sept. 9. Klare unruhige Luft. — No. 774—776 liegen nördl. von Picard B im innern NO.-Walle des Mare.

No.	Datum.	Zeit.	Name der Gebirge.	S	A	d	φ	h
778	Sept. 9.	10 52	M. Crisium, Picard z. Nordgipfel	0,2678	1,0788	19,131	4 11	1352	W.
779	"	10 55	z — Mädler's z	0,2566	1,6778	18,894	6 51	2122
780	"	11 28	" Picard z, Südgipfel	0,6122	1,0552	19,519	4 23	2210
781	"	11 34	" " z, Nordgipfel	0,3246	1,0122	19,131	4 17	1369
782	"	11 40	M. Crisium, Berg λ, etwa Mädler's z . . .	0,1342	1,7230	18,623	6 58	1777
783	"	11 48	" Berg σ, O.-Wall in + 4° Br. . .	0,1663	2,0364	19,231	8 9	1519
784	"	11 53	" Berg ε, " in + 15° Br. . .	0,1204	2,0696	18,060	8 16	1129
785	"	11 56	" Berg γ, " in + 16° Br. . .	0,1581	2,1142	17,733	8 30	1509
786	"	12 0	" Picard z, Südgipfel	1,0296	1,0296	19,519	4 16	1578
787	"	12 3	" Picard z, Nordgipfel	0,3682	0,9198	19,131	3 49	1307
788	"	12 9	" Berg θ — No. 775	0,4589	0,7102	15,385	2 57	1056
789	"	12 14	" Berg γ, — No. 774	0,4736	1,0280	15,537	4 14	1784
790	"	12 19	" z — No. 776	0,2523	1,2228	15,685	5 0	1314
791	"	12 25	Picard, W.-Wallgipfel nach aussen	0,2895	0,4042	18,233	1 42	366
791a	"		der südliche, geschätzt . . .	—	—	—	—	366
792	"	12 30	M. Crisium, Berg z — Mädler's z	0,1926	1,4416	17,514	5 51	1217
793	"	12 35	" Berg D, Nordgipfel (östl. nahe z)	0,1539	1,6793	17,387	6 45	1149
794	"	12 39	" Berg E, Hauptwall, östl. neben D	0,1737	1,7889	16,993	7 9	1369
795	"	12 44	" Berg C, Südgipfel (Krater) +18° Br.	0,2343	1,6787	16,717	6 44	1695
796	"	12 48	" Berg B, Südgipfel in + 20° Br.	0,2793	1,4676	16,333	5 55	1727
796a	"		demen naher nördl. Nachbar .	—	—	—	—	1727
797	"	12 53	" Berg A, nördl. Gipfel (südl. bei i)	0,1917	1,2606	16,019	5 7	1049
798	"	12 57	Macrobius C, O.-Wall. S. berührt die Mitte .	0,1505	2,2326	15,085	8 46	1470
799	"	11 1	Proclus, O.-Wallgeb. S. reicht nicht zur Mitte .	0,1297	2,5301	17,485	9 53	1437
800	"	11 5	Macrobius a, O.-Wall. S. erreicht die Mitte .	0,0803	4,2699	15,980	15 48	1437
801	"	11 10	Macrobius B, O.-Wall	0,0915	4,0773	15,543	15 9	1436
802	"	11 19	M. Crisium, SO.-Wall, Berg z, nahe Mädler's θ	0,4141	1,0060	19,112	4 28	1714
803	"	11 26	" NO.-Wall, Berg 1 — No. 790 .	0,2607	1,2078	15,685	4 28	1542
804	"	11 31	" Berg B — No. 796 . . .	0,4317	1,3239	16,333	5 19	2185
805	"	11 38	" Picard d, O.-Wall? (Aum) . . .	0,0905	0,7587	18,620	3 7	291
806	"	14 1	" Picard A, O.-Wall?	0,1193	0,6305	16,750	2 40	310
807	"	14 6	" Berg z — No. 792	0,2407	1,1280	17,514	4 56	1222
808	"	14 11	" z — No. 803	0,4561	0,8945	15,685	3 38	1199
809	Sept. 11.	10 34	Curtius z. S. reicht bis zur Mitte	0,4508	5,7965	1,592	10 59	3962	W.
810	"	10 50	Theophilus, O.-Wall. S. bis zur Mitte . . .	0,1646	2,6196	16,010	8 8	1323
811	"	10 56	Theophilus, nördl. Centralberg	0,2133	2,0040	16,010	6 15	1240
812	"	11 1	Theophilus, südl. Centralberg	0,1774	2,0022	16,010	6 15	920
813	"	11 6	Kant, Cap A	0,1644	3,5559	16,287	10 55	1559
814	"	11 11	Curtius z. (Luft besser.)	0,4718	5,7906	1,592	10 49	4112
815	"	11 15	Short, NO.-Wall	0,3318	3,4561	0,586	9 17	2514
816	"	11 21	Altai β, südl. Gipfel. Phase schwierig . . .	0,4535	1,8278	10,935	5 41	1952
817	"	11 26	Derselbe, nördl. Gipfel	0,3980	1,9682	11,019	6 7	1833
818	"	11 32	Cap Chamisso, NW. bei Plinius A	0,3424	1,4288	13,232	4 28	1164
819	"	11 39	Theophilus, NO.-Wall	0,3550	2,4104	15,723	7 27	2115
820	"	11 44	Theophilus, O.-Wall. S. berührt die Mitte .	0,3626	2,4818	16,010	7 40	2334
821	"	11 48	Theophilus, NO.-Wall	0,3075	2,4190	16,335	7 29	1856

Anm. No. 796. Die Schatten dieser Gruppe erreichen noch nicht die grosse Bergader westlich davon im Mare Crisium.
No. 797 und ein südl. Nachbar desselben A sind abgerundete Kuppen. — No. 800. S. wohl zu klein gemessen.
No. 805. Hier ist gewiss der Westwall gemeint, da d sehr tief ist; ebenso bei No. 806. Die Luft war für so
feine Messungen im M. Crisium viel zu unruhig, um genaue Resultate erwarten zu können.
Sept. 11. Sehr veränderliche, nie gute Luft.
No. 811, 812. Für beide giebt die theoretische Berechnung von A.; φ = 6° 30',7, h = 1302' und φ = 6° 18',1, h = 952'.

No.	Datum.	Zeit.	Name der Gebirge.	S	A	d	φ	h	
		h m							
822	Sept. 11.	11 53	Cap West bei Cyrillus = No. 23	0,3931	1,6611	14,620	5 11	1546	W.
823	"	11 57	Beaumont, O.-Wall	0,3953	1,1166	13,763	3 51	782	
824	"	12 1	Curtius δ	0,6854	3,5024	1,592	10 2	3871	
825	"	12 5	Theophilus, nördl. Centralberg	0,2443	1,8310	16,010	5 38	1104	
826	"	12 9	Theophilus, südl. Centralberg	0,1992	1,8004	16,010	5 36	907	
827	"	12 15	Beaumont, NW.-Gipfel = No. 550	0,4359	0,6608	13,990	2 5	523	
828	"	12 22	Theophilus, W.-Wallgipfel nach aussen . . .	0,1432	1,1854	16,010	4 1	467	
829	"	12 44	Polybius, O.-Wall	0,2089	1,9946	11,348	6 9	1035	
830	"	12 48	Katharina, NO.-Wall β	0,2173	2,9730	14,846	9 5	1628	
831	"	12 53	Curtius δ	0,5071	3,4398	1,592	9 51	1029	
832	"	12 59	Delue II, O.-Wall	0,0948	6,5824	1,581	18 29	1487	
833	"	13 5	Theophilus, nördlicher Centralberg . . .	0,2397	1,5738	16,010	4 53	925	
834	"	13 9	Theophilus, südlicher Centralberg	0,1920	1,6083	16,005	4 59	775	
835	"	13 14	Kant, Cap A	0,2233	3,0823	16,287	9 24	1727	
836	"	13 18	Kant, O.-Wall, S. überschritt schon die Mitte	0,1835	3,7904	16,335	11 29	1752	
837	"	13 22	Berg südlich von Kant = No. 638	0,1422	3,6091	15,723	10 57	1300	
837a	"	"	Sattel zwischen Kant und No. 837, geschätzt					1040	
838	"	13 27	Plinius, O.-Wall, S. erreicht die Mitte . . .	0,1881	2,8845	14,726	8 48	1367	
838A	"	"	Plinius, Centralberg, geschätzt					228	
839	"	13 32	Cassini A, O.-Wall (Krater im Cassini) . . .	0,0695	7,4535	6,915	11 26	1342	
840	"	13 36	Theophilus, NW.-Gipfel nach aussen . . .	0,2409	1,0217	16,335	3 11	578	
841	"	13 39	Theophilus, NNW., äusserer Terrassengipfel	0,1882	0,9263	16,345	4 53	428	
842	"	13 44	Kant, W.-Wall nach aussen	0,1310	3,4283	16,005	4 53	1079	
843	"	13 48	Curtius δ	0,5206	3,1427	1,592	9 34	3887	
844	"	13 50	Altai β, Südgipfel	0,5924	1,5591	10,935	4 49	1964	
845	"	13 56	Altai β, Nordgipfel (kuppelförmig) . . .	0,5823	1,6839	11,019	5 10	2110	
846	"	14 5	M.Nectaris, gr. Bergader (unter +15°Br. 28° w. L.)	0,1577	0,5829	14,610	1 49	212	
847	"	14 8	Cap West bei Cyrillus = No. 822	0,6286	1,4560	14,610	4 30	1859	
848	"	20 4	Curtius δ	0,6032	2,9315	1,572	8 26	3805	
849	"	20 11	Kant, Cap A	0,4645	1,7150	16,757	5 13	1757	
850	"	20 15	Curtius δ	0,5973	2,0860	1,572	8 38	3860	
851	Sept. 12.	11 30	Sosigenes α, W.-Wall nach aussen	0,3395	0,4707	16,767	1 14	248	W.
852	"	11 34	Curtius δ	0,8245	2,0942	1,788	6 5	3250	
853	"	11 39	Curtius, O.-Wall, südlich nahe δ . . .	0,2871	2,0963	1,680	6 4	1316	
854	"	11 45	Maurolycus, SO.-Wall α. Phase sehr schwierig	0,6542	1,9127	6,554	5 38	2479	
855	"	11 51	Maurolycus, O.-Wall, S. erreicht die Mitte .	0,4891	1,3733	6,852	5 11	1903	
856	"	11 56	Delambre γ	0,6374	0,6374	20,532	1 52	492	
857	"	11 59	Dollond A, W.-Wall β, nach aussen	0,5302	1,3193	10,832	3 53	1345	
858	"	12 3	Sosigenes, W.-Wall nach aussen	0,4294	0,6644	16,390	1 59	466	
859	"	12 6	Taquet, W.-Wall nach aussen	0,1922	0,4591	11,863	1 36	262	
860	"	12 10	Bessel d, W.-Wall aussen = No. 580 . . .	0,2073	0,3237	10,308	0 58	111	

A n m. No. 822. Der Schatten erreicht noch nicht die grosse westliche Bergader.

No. 825. A. theoretisch berechnet giebt φ = 5° 54',8 h = 1164'. } Die Spitzen der Schatten erreichen die west-
No. 826. A. " " " φ = 5° 52',7 h = 1160'. } lichen Terrassen noch nicht.
No. 833. A. " " " φ = 5° 25',8 h = 1039'. } Die Schattenspitzen liegen schon auf den untern
No. 834. A. " " " φ = 5° 24',8 h = 845'. } Terrassen.

No. 839. d ward erst September 12 gemessen, und beiläufig reducirt.

No. 840. Der Schatten überschreitet alle westlichen äusseren Vorhöhen.

No. 847. S. erreicht die westliche Bergader noch nicht. — No. 848 bis 850 in hellem Sonnenschein beobachtet.

Sept. 12. Sehr klare, nicht ganz ruhige Luft. — No. 852. S. scheint die westl. Terrasse noch nicht zu berühren.

No. 856. S. endet auf einem Berge in der Phase.

No. 857. Es wird Taylor α zu lesen sein.

No.	Datum	Zeit.	Name der Gebirge.	S	A	d	φ	h	
861	Sept. 12	12 13	Bessel, W.-Wall aussen — No. 581	0,2355	0,7439	11,054	2 14	359	W.
862	-	12 17	Eudoxus, O.-Wall. S. berührt die Mitte	0,3502	1,4599	5,615	4 10	1083	
863	-	12 20	Aristoteles, O.-Wall. S. der Mitte nahe	0,4201	1,4758	4,312	4 21	1266	
864	-	12 26	Curtius ẟ	0,8545	1,9456	1,788	5 39	3028	
865	-	12 32	Cuvier, O.-Wall. S. der Mitte nahe	0,3499	2,2011	4,722	6 26	1774	
866	-	12 47	Clavius d, O.-Wall	0,1183	5,2657	3,088	14 54	1396	
867	Sept. 13	13 20	Moretus, östl. Centralberg. S. nahe d. Terrassen	0,4035	1,1949	1,382	3 29	1078	W.
868	-	13 27	Moretus, O.-Wall. S. erreicht die Mitte	0,4167	1,6806	1,382	4 52	1410	
869	-	13 31	Cassini, W.-Wall aussen	0,3401	0,7470	6,133	2 11	454	
870	-	13 36	Cassini t. S. äusserst fein	0,3033	0,8630	5,906	2 31	712	
871	-	13 42	Alpen η, südlichste Kuppe = Cap Agassis	0,1999	1,8043	5,823	5 15	786	
872	-	13 49	Alpen, gr. Berg nördlich bei η, etwa = Z	0,2529	1,8693	5,518	5 27	1016	
873	-	13 55	Alpen, Berg η (?) in + 45° Br.	0,3276	1,2485	5,191	6 15	1199	
874	-	14 1	Alpen λ, südlicher Gipfel	0,2411	1,5672	4,653	7 29	1337	
875	-	14 5	Alpen η (+ 52° Br. 2°,5 westl. Länge)	0,6224	1,7244	4,049	5 5	1056	
876	-	14 10	Hadley β. N. von Cap Fresnel	0,5543	0,554	9,242	1 17	355	
877	-	14 15	Albategnius, Centralberg	0,5160	0,8347	16,681	1 26	687	
877a	-	-	nördl. Kuppe, geschätzt					86	
878	-	14 20	Albategnius, O.-Wall ẟ	0,4985	1,5110	16,894	4 24	1451	
879	-	14 25	Albategnius A, W.-Wall aussen	0,1735	2,0653	16,352	3 6	392	
880	-	14 27	Albategnius, NO.-Wall γ	0,9376	1,5205	16,970	4 27	1294	
881	-	14 31	Alpen a (+ 42°,5 Br. und 2°,5 westl. Lg.)	0,3031	1,3816	5,776	4 1	861	
882	-	14 35	Alpen b, nördlich von a	0,2460	1,4806	5,527	4 19	769	
883	-	14 38	Alpen c, nördlich von b	0,3030	1,4594	5,507	4 15	911	
884	-	14 44	Autolycus γ	0,2302	1,2101	9,197	1 51	581	
885	-	14 47	Autolycus β, nördlicher Gipfel	0,2563	1,3388	9,642	1 54	714	
885a	-	-	β, südlicher Gipfel, geschätzt					571	
886	-	14 51	Herschel, O.-Wall, über halb beschattet	0,2646	3,1070	18,532	9 4	1809	
887	-	14 55	Albategnius, O.-Wall. S. erreicht die Mitte nicht	0,1147	3,6124	15,016	10 33	937	
888	-	14 58	Arzachel, NO.-Wall bei b	0,2301	3,0070	14,470	8 46	1529	
889	-	15 1	Thebit C, O.-Wall, halb beschattet	0,0767	5,7784	12,949	16 58	1007	
890	-	15 6	Pico A, Südgipfel } östlich von Cassini	0,1942	2,3398	6,323	6 48	1000	
891	-	15 11	Pico A, Hauptgipfel }	0,1644	2,3433	6,211	6 49	1405	
892	-	15 15	Pico	0,1060	4,2011	5,000	12 15	1011	
893	-	15 20	Tralesnecker, W.-Wall aussen	0,1552	0,8491	23,893	2 18	316	
894	-	15 24	Tycho, O.-Wall. S. deckt die Terrassen	0,1767	4,4724	6,718	13 3	1773	
895	-	15 29	Clavius α nach aussen	0,1686	2,0630	1,981	6 0	766	
896	-	15 30	Gruemberger, O.-Wall, halb beschattet	0,3743	2,4743	1,911	8 3	1212	
897	Sept. 14	15 0	Pico B, südlich bei Pico	0,8786	0,8786	5,177	2 37	926	W.
898	-	15 9	Clavius d, W.-Wall aussen	0,4330	0,4330	3,442	1 42	245	
899	-	15 17	Pico	0,7919	0,9045	4,612	1 42	972	
900	Sept. 15	13 41	Longomontanus, O.-Wallgipfel a	1,1505	1,3818	5,818	4 24	2542	W.
901	-	13 47	„ Gipfel, südlicher — b	0,9184	1,1386	5,541	3 39	1723	

Anm. Sept. 13. Sehr klare, ziemlich gute Luft. — No. 873. Es wird der westliche neben η (in + 45° Br.) liegende Gipfel sein. — No. 874 vielleicht irrig. — No. 879. Gemessen ward also die Höhe der W.-Wallen A über der Fläche des Albategnius. — No. 881—883. Drei Berge westlich neben dem Südcap ζ, der Alpen.

Sept. 14. Nur kurze Zeit klar und still.

No. 897. Pico B (Insula Ebisana) hatte längeren Schatten als Pico, aber des Pico Schatten endete auf einer Bergader (Schröter's Newton). — No. 898. S. berührte schon die westlichen Terrassen. Dass A. — S. war, ist Hypothese; unanfechtbare Entscheidung war nicht möglich.

Sept. 15. Luft genügend ruhig. — No. 900. S. reicht bis zum innern Fusse des W.-Wallen.

No. 901 wird zu klein bestimmt sein.

No.	Datum.	Zeit.	Name der Gebirge.	S	A	d	?	h
		• °					° ′	
902	Sept. 15.	13 51	Longomontanus, Gipfel e, südlichster im Ostwalle	0,8466	1,2696	5.300	4 2	1952	W.
903	„	13 57	„ Wallhöhe zwischen c und b . . .	0,5190	1,1885	5.180	3 46	1318
904	„	14 7	„ NO.-Wall Gipfel g. S. b. z. W.-Walle	1,0494	1,2735	6,003	4 3	2126
905	„	14 13	„ O.-Wall zwischen a und b . . .	0,7208	1,2510	5,630	3 58	1736
906	„	14 17	„ NO.-Wall zwischen a und g . . .	0,7261	1,2738	5,826	4 4	2043
907	„	14 26	Bullialdus, W.-Wallgipfel nach aussen	0,3614	1,0295	14,070	3 15	421
908	„	14 34	Copernicus, westlicher Centralberg	0,1485	0,8391	25,173(?)	2 38	303
909	„	14 51	Capuanus, O.-Wallgipfel	0,1643	2,1023	9,778	6 45	902
910	„	14 56	Landsberg, O.-Wall, fast halb beschattet . .	0,1571	3,0053	20,908	9 43	1154
911	„	15 1	Cap Laplace	0,3223	2,0253	4,708	6 32	1644
912	„	15 5	Pytheas, W.-Wall nach aussen	0,2149	0,8340	11,350	2 38	434
913	„	15 9	Lambert, W.-Wall nach aussen	0,1903	0,8564	9,652	2 43	357
914	„	15 14	Westlicher Helicon, W.-Wall nach aussen . .	0,1195	0,7526	6,148	2 22	221
915	„	15 23	Bianchini, O.-Wall	0,2088	3,4954	4,463	5 24	482
916	„	15 27	Euler, O.-Wall, fast halb beschattet . . .	0,0888	3,3302	11,051	10 47	797
917	Sept. 16.	15 47	Berg Eukr β, westlicher Gipfel	0,5107	0,6367	10,516	2 13	634	W.
918	„	15 55	Delisle b, W.-Wall nach aussen; — Heis .	0,2475	0,3505	7.843	1 12	181
919	„	16 0	Delisle C, W.-Wall nach aussen; — C. Herschel	0,2816	0,5411	7.557	1 53	366
920	„	16 26	Sin. Iridum, Cap Heraclides	0,3357	0,8721	5.423	3 4	777
920a	„		„ südl. kl. Gipfel, etwa Mädler's b		—	—		113
921	„	16 16	„ Berg δ oder Sharp B	0,3411	1,6760	4.397	6 3	1735
922	„	16 21	„ Berg γ?	0,3181	1,3320	5,251	4 45	1277
923	„	16 26	„ Gipfel e, nördlich bei γ . . .	0,1664	1,3460	5,076	4 35	666
924	„	16 30	„ dessen nördlicher Nachbar . .	0,1884	1,4310	4,812	5 8	842
925	„	16 36	„ südlich bei No. 921	0,2816	1,4790	4,607	5 18	1267
926	„	16 56	Schiller, O.-Wall z. S. reicht bis zum W.-Walle	0,4498	1,3483	5.363	4 49	1695
926a	„		„ mittlerer O.-Wall, geschätzt . .					424
927	„	17 0	Grosser Berg s. N.-O von Hainzel	0,1981	1,8463	8.714	6 33	1162
928	„	17 4	Zuchius, NO.-Wall	0,2267	2,4403	3.180	9 17	1897
929	„	17 8	Inghirami A, O.-Wall	0,1090	10,2752	5.144	23 9	2175
930	„	17 13	Bailly A, NO.-Wall	0,1363	2,6780	1.896	10 46	1313
931	Sept. 17.	15 27	Mersenius a, W.-Wall nach aussen; — Liebig	0,9702	0,9701	13.198	3 57	2120	W.
932	„	15 32	„ Berg, N.-W. bei a . . .	0,2349	0,6008	13,365	2 24	495
933	„	15 36	„ Krater d, W.-Wall aussen . .	0,6721	0,6909	13,643	2 47	1048
934	„	15 40	„ Berg in — 22°,5 Br. u. 44° östl. Lg.	0,1884	0,4537	14,046	1 49	289
935	„	15 45	„ Berg zwischen d und Mersenius	0,2533	0,8817	14,046	3 35	833
936	„	15 50	„ Berg westlich an Mersenius . . .	0,2452	0,8021	14,190	3 29	789
937	„	15 55	„ Berg N.-W. an Mersenius, Mädler's β	0,4485	0,8059	14,318	3 15	1140
937a	„		„ dessen nördlicher Nachbar, geschätzt					1026
938	„	15 59	Flamsteed B, W.-Wall nach aussen	0,2104	0,3104	19,403	0 50	96
939	„	16 2	Flamsteed, W.-Wall nach aussen	0,2460	0,3367	19,879	1 10	221
940	„	16 6	Bailly A, NO.-Wall	0,1782	1,5567	2,117	7 0	1265
941	„	16 14	Inghirami B, O.-Wall	0,0772	3,5074	5.484	17 41	1126
942	„	16 19	Phocylides, W.-Wall nach aussen	0,4559	1,2593	5,063	5 18	833
943	„	16 23	Schicard, äussere W.-Wall-Terrasse nach aussen	0,1404	0,8861	7,069	3 38	504
944	„	16 27	„ daselbst südlich von z	0,1445	0,9977	7,627	4 6	573
945	„	16 30	„ Berg Drebbel z	0,1584	1,0423	7,973	4 18	676
945a	„		„ südlicher Nachbar von z, geschätzt .					608
946	„	16 34	Reiner, O.-Wall	0,0756	2,6755	13.563	11 45	989

Anm. No. 908. d muss wohl 24.400 sein.

Sept. 16. Etwas dunstig, so dass im Mare die Phase schwierig zu bestimmen war. — No. 918 und 919. Vielleicht muss es heissen: Delisle d und b. Die Messungen am Sin. Iridum sehr zweifelhaft.

Sept. 17. Sehr heiter, aber nie ruhige Luft.

No.	Datum.	Zeit.	Name der Gebirge.	S	A	d	τ	L	
		h m				° ′	° ′	′	
947	Sept. 17.	16 38	Marius A, W.-Wall nach aussen	0,1296	0,7021	25,661	2 50	308	W.
948	"	16 42	Aristarchus B, W.-Wall nach aussen	0,0924	0,6028	8,432	2 26	222	
949	"	16 47	Herodotus C, O.-Wall — Schiaparelli . . .	0,0673	3,2037	10,243	14 47	1063	
950	"	16 52	Grimaldi B, O.-Wall	0,0529	5,0559	19,866	16 13	1434	
951	"	16 57	Sirsal, NO.-Wall	0,0917	3,6207	16,405	16 48	1653	
952	Sept. 25.	6 9	Petavius a, NW.-Wall; — Wrottesley . . .	0,1510	2,4493	12,943	11 18	2019	O.
953	"	6 14	M. Crisium, NW., Berg in + 22° Br. u. 52° w. L.	0,1771	1,7225	12,366	7 59	1501	
954	"	6 18	M. Crisium, Ost, Berg in + 13° Br. u. 49° w. L.	0,1686	1,1620	15,067	5 11	930	
955	"	6 23	Snellius, NW.-Wall	0,1338	1,2142	11,910	10 37	1572	
956	"	6 27	Taruntius, NO.-Wall nach aussen	0,1828	0,5353	18,153	2 18	307	
957	Sept. 26.	6 12	Steinheil, NW.-Wall; Phase ganz unkenntlich	0,1902	2,5324	4,531	9 43	1646	O.
958	"	6 15	Fabricius, NW.-Wallgipfel	0,1798	1,9928	6,009	7 19	1721	
959	"	6 18	Metius, NW.-Wall a	0,1393	2,0011	6,635	7 20	1413	
960	"	6 22	Legendre a, NW.-Wall	0,0848	5,8331	8,887	26 18	2078	
961	"	6 25	Fracastor, Berg H	0,2999	1,3326	12,574	4 43	1170	
962	"	6 28	Fracastor E — Beer, O.-Wall n. aussen = No.336	0,1093	0,6415	13,486	2 14	207	
963	"	6 32	Fracastor, mittlerer W.-Wall	0,1620	0,7282	12,574	2 32	354	
964	"	6 35	Fracastor, Beule — No. 375	0,3252	0,3252	11,574	1 7	170	
965	"	6 41	Römer, W.-Wall, S. endet am Ostwalle . .	0,3619	1,5804	12,767	5 37	1254	
966	"	6 32	Beule d, südlich von Maraldi. (Mond 2° hoch)	0,4426	0,5426	15,683	1 52	471	O.
967	Sept. 27.	5 37	Piccolomini, Centralberg	0,1617	2,8585	8,868	8 58	1140	O.
968	"	5 45	Vlacq, NW.-Wall	0,1793	3,3397	3,510	12 45	1804	
969	"	5 49	Pitiscus, NW.-Wall.	0,3159	2,3994	3,603	7 36	1825	
970	"	6 14	Theophilus, W.-Wall, S. nahe zur Mitte reichend	0,2897	2,7017	14,835	8 37	1880	
971	"	6 18	Theophilus, NW.-Wallgipfel	0,3587	2,5967	15,224	8 2	2159	
972	"	6 22	Theophilus, SW.-Wall	0,3041	2,6159	14,588	8 6	1879	
973	"	6 27	Cyrillus, SO.-Centralberg	0,2843	1,4005	14,186	4 15	771	
974	"	6 31	Cyrillus, SW.-Wallgipfel	0,4880	1,9154	13,920	5 56	2054	
975	"	6 34	Cyrillus, W.-Wall	0,2747	1,9581	14,186	6 0	1230	
976	"	6 43	Theophilus, W.-Wall	0,3778	2,7137	14,835	8 22	1793	
977	Sept. 28.	6 3	Maurolycus, SW.-Wallgipfel	0,1896	1,8475	5,448	5 13	2516	O.
978	"	6 10	Manzinus, NW.-Wall	0,4072	2,5720	1,044	7 27	2106	
979	"	6 13	Baco, W.-Wall	0,2071	2,7924	3,528	7 57	1190	
980	"	6 17	Barocius, NW.-Wall	0,3058	2,4774	4,899	7 0	1526	
981	"	6 20	Barocius b, NW.-Wall	0,1797	2,5926	5,173	7 20	956	
982	"	6 23	Barocius, O.-Wall nach aussen	0,3310	1,5333	4,899	4 18	955	
983	"	6 26	Maurolycus, NW.-Wall	0,6356	2,0150	5,960	5 48	2300	
984	"	6 28	Maurolycus, W.-Wall	0,5445	1,1508	5,704	6 3	2179	
985	"	6 32	Maurolycus, SW.-Wall	0,7606	1,9146	5,448	5 23	1474	
986	"	6 37	Maurolycus, Wall 7 in NO.; aussen . . .	0,3576	0,6936	5,036	1 56	386	
987	"	6 40	Gemma, W.-Wall 7	0,6997	2,1174	7,867	6 0	2648	
988	"	6 44	Endoxus a, Südgipfel	0,5750	1,0826	7,457	3 1	961	
989	"	6 48	Eudoxus, W.-Wall, noch nicht halb beschattet	0,2700	2,8050	7,461	8 6	1563	
990	"	6 51	Abulfeda, W.-Wall	0,2420	2,5700	14,447	7 13	1249	

Anm. No. 947. Vergl. No. 717 und 533.
No. 950. Vielleicht war es Krater A. Der Krater im Hevelius scheint noch tiefer.
Sept. 25. Mond sehr tief, ziemlich gute Bilder. Es ward die Adams'sche Correction der Parallaxe berücksichtigt.
No. 954. Vielleicht = No. 783.
Sept. 26. Mond sehr tief, Luft nicht ruhig. — No. 964. Mond schon ganz tief, Messung kaum ausführbar.
Sept. 27. Sehr klare, aber höchst unruhige Luft; die drei ersten Beobachtungen noch am Tage.
Sept. 28. Mond tief, Luft sehr klar und sehr unruhig. — No. 986. d nur geschätzt, Phase sehr zweifelhaft.
No. 987 und 988. S.-Spitze nebelhaft verwachsen.

7*

No.	Datum.	Zeit.	Name der Gebirge.	S	A	d	♂	♄	
991	Sept. 29.	5 27	Jacobi, W.-Wall	0,1631	3,0670	2,379	8 18	1537	O.
992	-	5 32	Lilius a, W.-Wall	0,3447	2,1668	2,520	6 8	1438	
993	-	5 35	Lilius, Centralberg	0,1717	1,8528	2,736	5 1	604	
994	-	5 37	Cuvier, W.-Wall	0,2134	3,2574	3,642	8 50	1317	
995	-	5 41	Baco a, W.-Wall	0,1313	5,1480	3,081	13 58	1323	
996	-	5 44	Baco b, W.-Wall	0,1615	4,6542	3,642	12 38	1466	
997	-	5 47	Clairaut a, W.-Wall	0,2109	4,4272	3,661	12 1	963	
998	-	5 50	Clairaut, W.-Wall	0,1525	4,6678	3,938	12 40	1390	
999	-	5 53	Maurolycus, SW.-Wallgipfel . .	0,1841	5,0232	5,103	13 39	1822	
1000	-	5 57	Licetus, nördlicher Theil, W.-Wall, bei ♂ .	0,2796	1,8431	4,226	7 42	1305	
1001	-	6 5	Pico A, östlich von Cassini . . .	0,5731	1,3231	8,923	3 35	1136	
1002	-	6 10	Alpen γ, der nördliche Gipfel, Cap Agassiz	0,3813	2,0384	8,392	5 32	1406	
1002a	-	.	Alpen η, der südliche nahe Gipfel, geschätzt .					1125	
1003	-	6 15	Alpen b — Mädler's Z	0,4722	1,7780	8,127	4 49	1453	
1004	-	6 20	„ b, dessen Nordgipfel . .	0,4557	1,7434	8 046	4 44	1378	
1005	-	6 25	„ d, in + 44° Br. und 0° Lg.	0,3982	1,4890	7,769	4 11	1025	
1006	-	6 28	„ e, nördlich von d, schon am Mare	0,3298	1,3314	7,669	3 17	769	
1007	-	6 32	„ e, in + 45° Br. (Schröter's Montblanc)	0,7944	1,6101	7,550	4 28	1924	
1008	-	6 38	„ f, nördlicher Nachbar von e .	0,4367	1,5562	7,319	4 13	1166	
1009	-	6 41	„ i, nördlich von f	0,1786	1,4406	6,992	4 1	746	
1010	-	6 44	„ n — Nordgipfel v. Mädler's τ, (+ 52°,5 Br.)	0,5526	1,8022	6,222	4 53	1698	
1011	-	6 47	„ l — Südgipfel von τ, daselbst .	0,3821	1,7422	6,585	4 43	1183	
1012	-	6 52	„ o, in + 51°,7 Br. und 0° Lg. .	1,2912	1,2912	6,437	3 30	1670	
1013	-	6 55	Calippus α	0,2827	4,2368	9,520	11 31	2307	
1014	-	6 59	Calippus, W.-Wall	0,1120	4,9358	9,480	13 26	2086	
1015	-	7 3	Hadley, S. endet auf Hügeln . .	0,2687	3,2278	13,462	8 44	1652	
1016	-	7 8	Apenninen x in + 25° Br. und 3° westl. Lg.	0,3782	1,1139	14,156	7 36	1971	
1017	-	7 11	„ Conon A	0,6027	2,4268	14,495	6 35	2560	
1018	-	7 15	„ Bradley α, Nordcap .	0,5527	2,0856	14,989	5 40	2001	
1019	-	7 19	„ Bradley β, mittlerer Gipfel	0,6938	1,8516	15,213	5 1	2088	
1020	-	7 23	Ptolemaeus, NW.-Gipfel, A gegenüber	0,3277	1,8029	15,965	4 53	1074	
1021	-	7 27	Albategnius, W.-Wall	0,2390	3,3862	8,606	9 11	1557	
1022	-	7 31	Werner, W.-Wall	0,3486	2,8042	9,476	7 36	1831	
1023	-	7 47	Walter, W.-Wall; Phase sehr schwierig .	0,2987	2,2594	8,036	5 52	1201	
1024	-	7 51	Walter, Centralberg	0,3067	1,4761	7,856	4 0	812	
1025	-	7 55	Krater Pico A, O.-Wall nonnen .	0,2710	0,7412	8,565	1 17	330	
1026	-	7 59	Pico A, östlich von Cassini . . .	0,4308	1,5746	8,923	4 16	1173	
1027	-	8 5	Berg-Cirkus, Nord von Calippus .	0,1635	4,4916	9,513	11 15	1417	
1028	-	8 8	Aristillus, NW.-Wall = SW.-Wall .	0,3281	2,5784	11,094	7 0	1586	
1029	-	8 12	Manilius, W.-Wall, nicht mehr halb beschattet	0,1184	5,5484	17,738	15 9	1196	
1030	-	8 17	Alpen e — Schröter's Montblanc . .	0,6052	2,0539	7,550	3 32	2125	
1031	Sept. 30.	6 5	Eratosthenes, Berg α	0,5031	0,8201	18,009	2 14	632	O.
1032	-	6 10	Eratosthenes, südliches Gebirge a .	0,2579	1,4081	18,014	3 55	698	
1033	-	6 16	Eratosthenes ζ, nördlich von η .	0,2081	1,0896	17,637	2 1	436	
1034	-	6 29	Huyghens	0,1483	4,9122	16,321	13 29	1488	
1035	-	6 33	Cap Huyghens	0,1849	4,9742	16,033	13 32	1848	

Anm. Sept. 29. Mond zwar tief, aber vorzüglich reine stille Luft; die drei ersten Messungen noch am Tage.
No. 996. d nur geschätzt; ebenso d in No. 1001 und 998. — No. 1001. S. endet in unebenem Lande.
No. 1009. Dieser ist zunächst südlich am südlichen Rande der Mündung des grossen Alpenthales; die folgenden Berge nördlicher. — No. 1011 — l liegt hart am Nordrande des grossen Alpenthales.
No. 1012. S. endet am westlichen Fusse des Plato. — No. 1016. A unleserlich geschrieben, doch nahe richtig.
Sept. 30. Sehr klare, wenig unruhige Luft; Mond zuletzt tief.

No.	Datum	Zeit.	Name der Gebirge.	S	A	d	φ	h	
1036	Sept. 30.	6 36	Bradley β	0.1532	5.8466	15.651	15 58	1818	O.
1037	-	6 40	Pico, mittlerer Gipfel	0.2505	2.3614	7.909	6 12	1180	
1038	-	6 44	Pico, Nordgipfel	0.2056	2.2234	7.850	6 13	928	
1039	-	6 47	Krater Pico B, O.-Wall, aussen	0.2471	0.5858	7.700	1 38	243	
1040	-	6 51	Eratosthenes, O.-Wallgipfel, aussen	0.2576	1.7910	18.315	4 59	906	
1041	-	6 54	Eratosthenes, W.-Wall	0.2506	2.5354	18.315	7 1	1373	
1042	-	6 58	Plato, W.-Wallgipfel	0.1835	2.6072	6.227	7 24	999	
1043	-	7 32	Plato, O.-Wallgipfel nach aussen . . .	0.2722	1.5674	6.398	4 21	822	
1044	-	7 35	Plato, SW.-Wallgipfel	0.2228	1.6372	6.610	7 15	1177	
1045	-	7 46	Scoresby, W.-Wall	0.2640	3.2775	1.074	8 37	1660	
1046	-	7 50	Barrow A, nach aussen	0.1883	1.6246	1.786	7 5	1519	
1047	-	7 53	Epigenes, W.-Wall	0.1572	1.4260	2.718	6 37	768	
1048	-	7 56	Timaeus, W.-Wall	0.1113	3.5013	3.683	9 29	792	
1049	-	8 7	Archytas, W.-Wall	0.1139	4.8974	4.405	13 10	523	
1050	-	8 10	Archytas, W.-Wall	0.0894	5.6711	5.071	15 13	998	
1051	-	8 13	Timocharis d, O.-Wall nach aussen . .	0.2292	0.6528	11.913	1 50	266	
1052	-	8 18	Eratosthenes η, — No. 1031 . . .	0.3539	1.2122	18.009	3 27	820	
1053	-	8 21	Berg Pico ?	0.1936	2.2718	7.494	3 33	436	
1054	-	8 25	Pico	0.2223	1.7006	7.909	7 27	1215	
1055	-	9 18	Alpetragius, W.-Wall	0.1323	5.0156	13.041	13 47	1372	
1056	-	9 27	Clavius, NW.-Wallgipfel; Phase zweifelhaft	0.0154	1.5294	2.340	4 13	2188	
1057	-	9 31	Clavius, W.-Wall	0.7631	1.2288	2.160	3 57	1691	
1058	-	9 34	Tycho, O.-Wallgipfel nach aussen . .	0.7186	0.9996	4.965	2 48	988	
1059	-	9 38	Berg Pico 1	0.7355	1.1843	7.381	3 19	1301	
1060	-	9 41	Tycho, N.W.-Wall, über halb beschattet	0.5584	2.0592	4.978	5 43	1117	
1061	-	9 46	Tycho, Centralberg. S. berührt die Terrassen	0.2167	1.6334	4.956	4 33	739	
1062	-	9 58	Clavius, W.-Wall. S. endet an d westlich.	0.6792	1.5948	2.980	4 22	1804	
1063	Octbr. 1.	8 32	Clavius, W.-Wall, Nord von a . . .	0.2033	3.6421	1.750	10 3	1662	O.
1064	-	8 36	Clavius, NW.-Wallgipfel	0.2045	3.5757	1.925	9 56	1655	
1065	-	8 40	Cap Laplace (Anm.)	0.0587	1.1435	8.735	3 29	1618	
1066	-	8 45	Lahire, südlicher Gipfel	0.2377	1.5615	14.921	4 45	881	
1067	-	8 50	Copernicus, W.-Wallgipfel	0.1722	3.6383	21.379	11 40	2642	
1068	-	8 53	Copernicus, SW. untere Hauptterrasse . .	0.0996	3.8165	21.379	11 10	937	
1069	-	8 57	Tycho, W.-Wall	0.1562	5.2231	4.551	14 39	1933	
1070	-	9 1	Longomontanus, NW.-Wall	0.4444	2.1526	3.264	8 21	1116	
1071	-	9 5	Longomontanus, W.-Wall	0.2259	2.2413	3.035	6 35	1191	
1072	-	9 10	Cap Laplace	0.8718	1.1851	8.735	3 37	1673	
1073	-	9 16	Cap Laplace, Hügel φ	0.2989	0.5547	8.614	1 43	317	
1074	-	9 20	Lambert, W.-Wall	0.1139	3.1460	15.178	9 25	891	
1075	-	9 24	Cichus, W.-Wall nach aussen . . .	0.2321	2.0027	6.643	6 1	1123	
1076	-	9 27	Cichus, W.-Wall	0.1546	2.5641	6.643	7 38	969	
1077	-	9 32	Wurzelbauer, Krater d, W.-Wall . . .	0.1324	3.4305	6.049	9 51	1081	
1078	-	9 35	Bullialdus, W.-Wall	0.2300	2.9105	10.341	8 42	1626	
1079	-	9 39	Mercator, Gebirge a	0.4155	1.1410	7.173	3 32	1068	
1080	-	9 44	Reinhold, W.-Wall	0.2841	2.9700	23.823	8 56	1350	
1081	-	9 48	Euler, Berg z (+ 19°.7 Br. u. 18° Lg.), Nordg.	0.4618	0.7513	17.909	2 49	816	
1082	-	9 52	Anaxagoras, Berg γ	0.3306	1.5366	2.024	4 34	1142	
1083	-	10 7	Cap Laplace	0.6451	1.2530	8.735	3 51	1633	
1084	-	10 13	Clavius b, W.-Wall	0.2008	4.3400	2.116	11 56	1983	

Anm. No. 1038. d nur taxirt. — No. 1052. Diese Messung finde ich als besonders genau angegeben.
Octbr. 1. Sehr günstige Luft, Phase oft sehr schwierig.
No. 1065. Das Ende des äussert feinen langen S. fast unkenntlich. — No. 1067. S. deckte noch die Terrassen.

No.	Datum.	Zeit.	Name der Gebirge.	S	A	d	φ	h	
1085	Octbr. 2.	6 9	Anaximenes B (+ 63° Br. u. 36' Lg.) . . .	0,5940	0,5940	3.815	2 7	777	O.
1086	·	6 12	Anaxagoras, Berg γ — No. 1082 .	0,1712	2,3067	1.665	7 17	1174	
1087	·	6 17	Gioja α	0,3938	0,9872	0,4995	3 12	969	
1088	·	6 23	Cap Laplace	0,1139	3,4948	8.383	11 27	1256	
1089	·	6 26	Hainzel, SO.-Wall, β, nach aussen	0,2596	1,3734	4,811	4 42	1081	
1090	·	6 29	Hainzel, NO.-Wall, ?, nach aussen	0,1393	1,2307	5,238	4 16	551	
1091	·	6 32	Hainzel, Berg am NO.-Walle	0,1280	1,4050	5,682	4 51	1075	
1092	·	6 35	Hainzel B (?) O.-Wall	0,1735	1,5104	6,127	5 38	901	
1093	·	6 38	Hainzel, SW.-Wall	0,2066	1,9962	4,900	6 45	1574	
1094	·	8 4	Berg SO. bei Γ Letronne, etwa θ .	0,2225	0,5192	15,553	1 53	331	
1095	·	8 8	Anaximenes B — No. 1085 . . .	0,4706	1,1026	3.845	3 52	1418	
1096	·	8 12	Gioja α — No. 1087	0,4147	0,9962	0,4995	2 16	1064	
1097	·	8 20	Berg Kepler Z	0,2045	0,4782	21,302	1 45	282	
1098	·	8 23	Berg Mairan ζ (+ 34°,2 Br., 40° Lg.) .	0,3750	0,6626	12,327	1 24	646	
1099	·	8 26	Berg Mairan δ (+ 36° Br., 40° Lg.) .	0,4102	0,7974	11,811	2 53	878	
1100	·	8 29	Philolaus, W.-Wall	0,2837	1,5770	2,087	5 19	1369	
1101	·	10 35	Vitello, O.-Wall nach aussen	0,2400	1,0858	7,787	3 56	860	
1102	·	10 38	Gebirge östlich bei Hainzel	0,1498	0,7800	3,694	2 50	292	
1103	·	10 40	Gassendi, SW.-Wall	0,1218	1,1082	11,583	4 45	567	
1104	·	10 43	Gassendi, höchster W.-Wall	0,3349	1,3326	11,761	4 50	1450	
1105	·	10 46	Gassendi, südlicher Centralberg . . .	0,2396	0,8102	11,583	2 59	626	
1106	·	10 50	Gassendi, nördlicher Centralberg . . .	0,2323	0,7774	11,583	2 52	583	
1107	·	10 53	Letronne, NW.-Gipfel	0,1630	0,7372	13,879	2 44	408	
1108	·	10 55	Letronne, 2 gleich hohe SW.-Gipfel . . .	0,3080	0,6592	13,479	2 17	594	
1109	·	10 59	Anaximenes B — No. 1095 . . .	0,3140	1,0234	3.845	3 41	1004	
1110	·	11 1	Bianchini, W.-Wall	0,1414	1,9407	7,837	6 53	965	
1111	·	11 7	Kepler C, O.-Wall aussen	0,3286	0,3286	21,156	1 15	210	
1112	·	11 32	Aristarchus, Berg β, südl. Theil der Gruppe .	0,3204	0,4556	15,371	1 43	357	
1113	·	11 35	„ Berg ε, nördlicher Nebengipfel .	0,2051	0,3866	15,354	1 28	222	
1114	·	11 38	„ Berg γ, S. zweifelhaft .	0,3126	0,7487	15,310	2 41	681	
1115	·	11 41	„ Berg ε, nördl. Nebengipfel von γ .	0,3388	0,5642	15,192	2 7	521	
1116	·	11 44	„ Südgipfel von λ .	0,2860	0,6264	14,724	2 21	538	
1117	·	11 47	„ Berg λ S. zweifelhaft .	0,2455	0,7142	14,614	2 39	831	
1118	·	11 51	Kepler C, O.-Wall aussen — No. 1111 .	0,1055	0,4821	21,156	1 50	335	
1119	·	11 54	Kepler, W.-Wall; über halb beschattet . .	0,1467	1,7741	21,934	6 23	446	
1120	Octbr. 3.	7 11	Gioja α — No. 1096	0,2561	1,1590	0,5435	4 26	1286	O.
1121	·	7 13	Mersenius b nach aussen	0,2570	1,3177	8,507	5 28	1248	
1122	·	7 26	Mersenius b, zwischen a und b die Höhe .	0,2069	1,2613	8,586	5 37	1394	
1123	·	7 29	Mersenius, SW.-Wall	0,1500	1,2570	9,530	5 37	1039	
1124	·	7 32	Mersenius a, O.-Wall aussen — Liebig .	0,2861	0,9360	8,830	4 8	903	
1125	·	7 34	Zupus	0,2977	0,2977	11,044	1 24	278	
1126	Octbr. 6.	10 35	Neper, SO.-Wallgipfel	0,0626	0,4050	—	5 58	1840	W.
1126a	·		mittlere Wallhöhe, West					1380	
1127	Octbr. 8.	8 26	Petavius, westlicher Centralberg . . .	0,2515	0,8224	12,206	4 17	1356	W.
1128	·	8 30	Furnerius, SO.-Wallgipfel	0,2652	0,9363	8,438	4 50	1637	
1129	·	8 34	Furnerius, SO.-Wall, nördlicher	0,1658	1,1283	8,619	5 41	1300	

Anm. Octbr. 2. Sehr klare aber nie ruhige Luft. — No. 1085. S. endet auf einem Berge.
No. 1087. Sehr schwierig, bei günstiger Libration.
No. 1095. S. muss jetzt den Berg wohl verlassen und die Ebene erreicht haben.
No. 1102. Ist nicht näher bezeichnet. — No. 1106. Zweifelhaft wegen des östlichen Nebengipfels.
No. 1112 bis 1117. Alle unsicher. — Octbr. 3. Wenig günstige Luft.
Octbr. 6. 14 Stunden nach dem Vollmonde; Luft ungünstig. — Octbr. 8. Sehr klare, aber unruhige Luft.

No.	Datum.	Zeit.	Name der Gebirge.	S	A	d	♀	b	
		h m					° '		
1130	Octbr. 8.	8 57	Furnerius, O.-Gipfel	0,2239	1,1741	8,852	5 53	1772	W.
1131	-	8 41	Furnerius, O.-Gipfel, nördlich am vorigen . .	0,2290	1,0130	8,948	5 15	1588	
1132	-	8 46	Langrenus, SO.-Wallgipfel	0,2985	1,1849	17,177	6 29	2530	
1133	-	9 8	Burckhardt, NO.-Wall	0,1118	1,8473	9,149	8 49	1593	
1134	-	9 18	Langrenus, O.-Wallgipfel (Anm.)	0,3054	1,2383	17,671	6 13	2442	
1135	-	9 24	SO.-Wallgipfel — No. 1132 . .	0,3366	1,2267	17,377	6 10	1616	
1136	-	9 31	" südlicher, Centralberg	0,1075	0,8065	17,725	4 9	1302	
1137	-	9 37	" nördlicher Centralberg. (Anm.) . .	0,2608	0,8063	17,833	4 9	1325	
1138	-	9 41	Vendelinus, O.-Wall 2	0,2513	1,1061	15,152	5 56	1807	
1139	-	9 51	Langrenus, O.-Wallgipß., nördl. als d. Centrum	0,3513	1,1520	18,097	5 47	2194	
1140	-	9 56	SO.-Wallgipfel — No. 1135 . .	0,3891	1,0958	17,377	5 30	2460	
1141	-	10 2	O.-Wallgipfel = No. 1134 . .	0,3600	1,1221	17,671	5 18	2460	
1142	-	10 5	südlicher Centralberg	0,2320	0,7307	17,725	3 45	1063	
1143	-	10 10	nördlicher Centralberg	0,2599	0,7556	17,833	3 53	1311	
1144	-	11 53	Vendelinus, O.-Wallgipfel, südlich von 2 . .	0,3077	0,7489	15,031	3 45	1291	
1145	-	11 57	O.-Wall 2	0,4579	0,7601	15,152	3 48	1697	
1146	-	12 0	O.-Wallgipfel, nördlich von 2 . .	0,3381	0,7834	15,491	3 54	1422	
1147	-	12 4	Petavius, O.-Wall, Mitte	0,2660	1,1495	12,206	5 36	1854	
1148	-	12 8	Geminus, NO.-Wall	0,2304	1,6075	8,103	7 29	2253	
1149	Octbr. 9.	18 53	Römer, O.-Wall, halb beschattet	0,1217	2,9384	10,473	10 30	1315	W.
1150	-	18 59	Ylacq, Centralberg	0,1095	1,1928	4,487	4 24	884	
1151	-	19 3	SO.-Wall	0,4921	1,6254	4,487	5 54	2568	
1152	-	19 8	Manzinus, O.-Wall	0,2104	2,7543	1,818	9 7	1938	
1153	-	19 12	Mutus, O.-Wall, S. noch nicht am innern Krater	0,1802	2,3380	2,457	8 2	1457	
1154	-	19 18	Hommel C, O.-Wall	0,1583	2,9892	3,633	10 13	1847	
1155	Octbr. 10.	9 58	Piccolomini, Centralberg	0,1619	1,8036	10,894	6 9	914	W.
1156	-	1 02	SO.-Wall	0,3432	2,1056	10,781	7 8	2155	
1157	-	10 8	Pitiscus, SO.-Wallgipfel	0,2657	1,9284	5,067	6 28	1532	
1158	-	10 13	Curtius δ	0,2571	4,2544	1,907	12 43	2946	
1159	-	10 17	Manzinus, SO.-Wall	0,3256	1,5230	2,798	5 1	1393	
1160	-	10 21	Simpelius, O.-Wallgipfel β	0,2644	2,2088	1,110	10 55	1642	
1161	-	10 34	Altaï β, südlicher Gipfel	0,1706	3,4378	11,653	11 22	1800	
1162	-	10 39	Curtius δ	0,2718	4,2034	1,907	12 34	3131	
1163	-	10 55	Piccolomini, Centralberg	0,2082	1,6688	10,894	5 40	1055	
1164	-	10 59	SW.-Wallgipfel nach aussen .	0,1776	1,1262	10,894	3 52	604	
1165	-	11 5	SO.-Wall. S. erreicht die Mitte	0,1920	2,0287	10,781	6 50	1302	
1166	-	11 57	Centralberg	0,2272	1,4360	10,894	4 50	949	
1167	-	12 1	Curtius δ	0,2829	4,0903	1,907	12 7	3076	
1168	-	12 5	Theophilus, O.-Wall, S. deckt schon die Terrasse	0,1690	4,2201	16,159	13 38	2104	
1169	-	12 9	nördlicher Centralberg	0,1065	3,5868	16,873	11 41	1145	
1170	-	12 13	A — Mädler, O.-Wall, über ½ besch.	0,3056	2,7108	17,037	8 57	1428	
1171	-	12 50	Curtius δ	0,3056	4,0628	1,907	12 1	3271	
1172	-	12 54	Pitiscus, Centralberg	0,2257	1,1078	5,109	3 42	702	
1173	-	12 58	Altaï β, Südgipfel — No. 1161 . .	0,1975	3,0478	11,653	9 55	1761	
1174	-	13 3	Fracastor, NO.-Wall †	0,1190	1,7032	13,865	5 41	610	

Anm. No. 1134. S. endet am südlichen Fusse des südlichen Centralberges.
No. 1137. S. liegt schon auf der westlichen Terrasse.
No. 1139. S. endet zwei Meilen nördlich vom nördlichen Centralberge.
Octbr. 9. Sehr ruhige Luft, nach Sonnenaufgang. — No. 1150 und 1151 mögen irrig sein.
Octbr. 10. Meist gute Luft. Die letzten Beobachtungen bei Sonnenaufgang. Phase meist sehr schwierig.
No. 1155. Der Centralberg verschwindet, bevor sein Schatten die westl. Terrasse erreicht (nach späterer Wahrnehmung).
No. 1158. S. ungünstig, durch den Nordwall theilweise verdeckt.

No.	Datum.	Zeit.		Name der Gebirge.	S	A	d	φ	h	
		h	m					° ′		
1175	Octbr. 10.	13	6	Fracastor, O.-Wall β	0,1818	1,7370	13,541	5 17	844	W.
1176	"	13	10	E — Beer, W.-Wall, n. ausa. = No. 962	0,1157	0,6967	13,682	2 11	235	
1177	"	13	14	Kant, Cap A	0,0886	4,9050	17,159	15 39	1269	
1178	"	13	20	Theophilus, O.-Wall — No. 1168	0,1968	4,0510	16,859	13 3	2320	
1179	"	13	25	Short, O.-Wall	0,3537	3,6640	0,8355	10 17	3181	
1180	"	13	38	Curtius δ	0,3174	3,9790	1,907	11 47	3312	
1181	"	17	57	Fracastor, O.-Wall β = No. 1175 . .	0,3791	1,7434	13,100	3 48	1125	
1182	"	18	1	NO.-Wall γ = No. 1174 . . .	0,2527	1,0394	13,377	3 28	719	
1183	"	18	6	Altai β, Südgipfel = No. 1173 . . .	0,2718	2,5069	11,315	8 8	1957	
1184	"	18	11	Theophilus, O.-Wallgipfel. S. nahe der Mitte	0,3006	3,1243	16,401	10 5	2696	
1185	"	18	16	südlicher Centralberg	0,1137	2,3873	16,340	7 47	793	
1186	"	18	19	nördlicher Centralberg	0,1411	2,4662	16,481	7 51	985	
1187	"	18	24	Curtius δ. Phase schwierig	0,3853	3,7986	1,921	11 18	3752	
1188	"	18	38	Curtius δ	0,4150	3,9344	1,921	11 50	4227	
1189	Octbr. 11.	10	40	Kant, Cap A	0,4889	4,7224	16,893	5 24	1963	W.
1190	"	10	45	Curtius δ. S. überschreitet wenig die Mitte .	0,5472	3,4049	1,992	10 2	4337	
1191	"	10	56	Berg γ, Nord von Kant, ist wohl = No. 642	0,5442	2,0613	14,476	6 44	2612	
1192	"	17	56	Curtius δ	0,7556	2,5333	2,161	7 19	4021	
1193	"	18	2	Curtius, O.-Wall, südlich bei δ	0,2227	2,5005	2,036	7 23	1319	
1194	"	18	7	Maurolycus, SO.-Wallgipfel	0,3455	2,4120	7,356	7 17	1964	
1195	"	18	12	Maurolycus, O.-Wallgipfel	0,3687	2,2982	7,621	7 31	1165	
1196	"	18	16	Barocius, O.-Wallgipfel	0,4868	1,6062	6,806	4 54	1608	
1197	"	18	20	Curtius δ	0,7377	2,4710	2,161	7 19	3831	
1198	"	18	26	Short, O.-Wall. Vergl. No. 1179 . . .	0,3765	3,6246	1,008	7 34	2210	
1199	"	18	30	Zach, O.-Wall	0,2248	2,9578	3,065	8 45	1587	
1200	"	18	34	Jacobi, O.-Wall	0,3265	2,1356	5,979	6 25	1626	
1201	"	18	37	Lilius, O.-Wall	0,1997	3,4886	4,398	9 29	1537	
1202	"	18	40	Cuvier, O.-Wall	0,2585	2,8508	5,400	8 32	1768	
1203	"	18	44	Curtius δ	0,7210	2,4684	2,161	7 18	3757	
1204	Octbr. 12.	20	50	Moretus, Centralberg. Phase schwierig . . .	0,4293	1,6995	1,655	4 58	1522	W.
1205	"	20	53	Moretus δ. S. erreicht die Mitte . .	0,4132	2,3261	1,655	6 45	2018	
1206	"	20	58	Gruemberger, O.-Wall; nahe halb beschattet .	0,3196	3,1097	2,145	9 1	2184	
1207	"	21	1	Clavius a nach aussen	0,1300	2,6807	3,137	7 49	796	
1208	"	21	4	Tycho, O.-Wall. S. deckt kaum die Terrasse	0,1524	5,2931	7,027	15 28	1848	
1209	"	21	9	Pictet, O.-Wall	0,1492	4,1613	6,989	12 28	1460	
1210	"	21	12	Sasseriden, O.-Wall β	0,1701	6,2291	7,884	18 15	2426	
1211	Octbr. 14.	17	15	Clavius, O.-Wall a	0,9186	1,4310	3,935	4 21	2217	W.
1212	"	17	23	Blancanus, NO.-Wall bei a	0,7647	1,6758	2,966	5 7	2405	
1213	"	17	28	Laplace a (Ostende des Bergzuges) . . .	0,3640	1,3767	3,749	4 10	1073	
1214	"	17	31	Copernicus, O.-Wall	0,2417	1,9738	24,390	9 6	1709	
1215	"	17	39	Longomontanus, SO.-Wall b = No. 901 . .	0,3693	1,2558	5,585	6 54	1900	
1216	"	17	44	SO.-Wall c = No. 901 . .	0,3456	1,3380	5,443	7 9	1860	
1217	"	17	47	NO.-Wall g = No. 904 . .	0,4125	1,3550	6,081	7 55	2242	
1218	"	17	54	Scheiner, NO.-Wall	0,2206	2,8710	3,446	8 54	1461	

Anm. No. 1179. Wenn S = 0,3537, so ist h = 3182'. Siehe No. 1331, wo h = 3134' gefunden ward, mit S = 0,3464,
   also nicht S = 0,2537.

No. 1185. Zwei kleine Kuppen überragen wenig den Ostwall.

No. 1188. Curtius; bei der abnehmenden Erleuchtung von 10°–12° macht stets Manzinus die Phase schwierig.
   Auch jetzt war A. beidemal zur Hälfte hypothetisch.

Octbr. 11. Nachts kurze Zeit klar zwischen Wolken; gegen Morgen alles sehr günstig.
   Die letzten Beobachtungen schon im Tageslichte, ebenso wie alle folgenden October 12.

Octbr. 14. Nachts trübe; gegen Morgen sehr stille Luft, bei Longomontanus die Phase ganz unkenntlich.

No.	Datum.	Zeit.	Name der Gebirge.	S	A	d	p	h	
		° '					° '		
1219	Octbr. 14.	17 56	Kircher, NO.-Wallgipfel	0,2927	4,0376	2,061	12 56	2951	W.
1220	·	18 1	W. von Hewen, O.-Wall	0,2484	2,1344	7,440	6 30	1237	
1221	·	18 4	Bullialdus, O.-Wallgipfel. S. berührt d. Mitte	0,2247	3,1691	14,303	9 43	1638	
1222	Octbr. 18.	4 41	Maurolycus, SW.-Wall	0,4152	3,3075	4,657	9 2	2583	O.
1223	·	4 45	Gemma, W.-Wall	0,3682	3,5432	6,912	9 41	2281	
1224	·	4 48	Azophi, W.-Wall	0,3352	3,3169	10,551	9 3	1507	
1225	·	4 52	Geber, W.-Wall	0,1986	3,7707	11,455	10 20	1494	
1226	·	4 55	Abulfeld, SW.-Wall	0,3178	3,9867	13,404	10 55	1693	
1227	·	4 58	Abulfeld, W.-Wall	0,1631	4,0813	13,455	11 10	1306	
1228	·	5 7	Calippus a, S. endet am Südwalle Cassini's .	1,0799	1,9167	10,085	5 13	2979	
1229	·	5 12	Caucasus 2, nahe — Mädler's B	0,7517	1,9395	10,313	5 17	2361	
1230	·	5 16	Theaetetus, O.-Wall aussen	0,3379	1,0062	10,627	2 44	565	
1231	·	5 20	Caucasus y (a + 36',5 Br. u. 7',5 Lg. . .	0,3366	1,5895	10,583	4 19	930	
1232	·	5 26	Caucasus e in + 34' Br. u. 7',5 Lg. = No. 210	0,3802	1,6125	11,437	4 23	1080	
1233	·	5 29	Caucasus i in + 34',5 Br. u. 7',3 Lg. = No. 211	0,5307	1,8293	11,305	4 58	1658	
1234	·	5 33	Caucasus b = Südcap — No. 213	0,3329	1,5937	12,641	4 20	949	
1235	·	5 37	Caucasus c, Südgipfel — No. 220 a = Cap Faraday	0,5264	1,5833	12,417	4 18	1388	
1236	·	5 41	Caucasus e, Nordgipfel → No. 220 . . .	0,6043	1,5971	12,317	4 20	1576	
1237	·	5 45	Eudoxus, W.-Wall, Tiefe viertel beschattet .	0,2293	4,2274	8,513	4 34	1886	
1238	·	5 50	Calippus a	0,9073	2,0183	10,085	5 29	2840	
1239	·	5 55	Cuvier, W.-Wall; Tiefe halb beschattet . . .	0,3636	2,0985	3,114	5 41	1392	O.
1240	Octbr. 19.	4 43	Zach, W.-Wall	0,3136	2,7956	1,503	7 30	1664	O.
1241	·	4 46	Lilius, W.-Wall	0,2114	3,5394	2,527	9 29	2457	
1242	·	4 49	Lilius, Centralberg	0,1137	3,1818	2,527	8 15	717	
1243	·	4 52	Maginus, W.-Wall, tiefste Stelle. (Anm.) .	0,3771	1,5368	3,378	4 12	1045	
1244	·	4 56	Arzachel, Centralberg (sehr günstig) . . .	0,1196	2,1971	11,847	6 18	990	
1245	·	4 59	Arzachel, W.-Wall	0,2016	3,0491	11,847	8 21	1739	
1246	··	5 3	Werner, SW.-Wall	0,2199	4,4374	8,790	12 4	1934	
1247	·	5 7	Calippus a	0,2016	5,3492	10,080	14 33	2143	
1248	·	5 11	Bergader südlich bei Pico B (Ins. Ebisus).	0,2247	0,4964	9,415	1 22	179	
1249	·	5 15	Pico A, östlich von Cassini	0,2283	0,1792	9,519	6 47	1110	
1250	·	5 20	Huyghens	0,6819	2,3378	16,679	6 25	2809	
1251	·	6 1	Maginus, W.-Wall	0,9095	1,7478	3,154	4 47	2451	
1252	·	6 5	Cap Huyghens	0,5085	2,5215	16,745	6 55	2379	
1253	·	7 36	Huyghens	0,5101	2,8334	16,679	7 47	3735	
1254	·	7 40	Cap Huyghens	0,4563	2,9014	16,745	7 58	2581	
1255	·	7 43	Wolf, S. nahe fein, verwaschen	0,8495	1,4258	17,659	3 57	1774	
1256	·	7 46	Bradley, mittlerer Gipfel. S. im ebenen Lande	0,2880	3,7371	16,061	10 13	2130	
1257	·	7 49	Bradley A, Nordgipfel; S. auf Hügeln . . .	0,2851	4,2440	15,321	11 37	2642	
1258	·	7 53	Conon, W.-Wall; Tiefe halb beschattet . . .	0,0919	4,6000	15,893	12 36	870	
1259	·	7 57	Berg-Circus nördlich von Calippus a . . .	0,1499	5,9148	9,815	16 5	1778	
1260	·	8 0	Theaetetus, W.-Wall, S. berührt die Mitte .	0,1082	5,2854	10,693	14 14	1156	
1261	·	8 2	Autolycus, W.-Wall, Tiefe fast halb beschattet	0,1892	4,3371	12,671	11 52	1651	
1262	·	8 5	Aristillus, W.-Wall, ⅓ beschattet	0,1995	4,1111	11,711	11 18	1657	
1263	·	8 8	Alpen λ, mittlerer Gipfel, Montblanc	0,4301	3,3856	7,512	6 33	1855	

Anm. Octbr. 18. Mond tief, Luft gut; die Bilder, wenn auch bleich, doch sehr bestimmt. Die Messungen gehören zu den besseren.

No. 1235. S. endet auf der östlichen Bergader. — No. 1236. S. überschreitet östlich die Bergader.

Octbr. 19. Sehr klar, aber seit der siebenten Beobachtung ward die Luft unruhig.

No. 1243. Phase ganz zweifelhaft. — No. 1250. Schattenspitze genau unterblieben.

No. 1252. S. endet nebelhaft zwischen kleinen Hügeln; Phase ganz zerrissen.

No. 1256. Vielleicht nur scheinbar Ebene, wo S. endet.

R

No.	Datum.	Zeit.	Name der Gebirge.	S	A	d	φ	h	
1264	Octbr. 29	8 12	Alpen, Plato μ	0,3682	1,0038	7,202	5 11	1204	O.
1265	"	8 15	Alpen o = No. 1012. S. sehr fein	0,2964	1,1594	6,874	6 45	1420	
1266	"	8 18	Gerade Wand, Ort bei Thebit. (Anm.)	0,0460	0,9566	10,944	2 39	183	
1267	"	8 21	Thebit, W.-Wall, Tiefe halb beschattet	0,1907	2,6161	10,658	7 12	1491	
1268	"	8 24	Curtius 4, nach aussen. (Anm.)	1,0140	2,0140	0,811	5 23	4212	
1269	"	8 25	Nasireddin, W.-Wall	0,1047	3,3131	5,277	9 2	1980	
1270	"	8 28	Nasireddin a, W.-Wall — Leverrier	0,2547	3,7146	5,636	10 7	1875	
1271	"	8 30	Saussure, SW.-Wall	0,2438	1,2561	4,694	5 39	980	
1272	"	8 33	Herschel, SW.-Wall, nahe halb beschattet	0,1956	3,4679	16,177	9 32	1368	
1273	"	8 37	Plato, W.-Wallgipfel x, südl. neben dem höhern	0,7942	1,1406	6,340	3 9	1235	
1274	"	8 40	Barrow A	0,4805	1,9844	1,883	5 21	1704	
1275	"	8 43	Scoresby, W.-Wall, über halb beschattet	0,1353	2,7756	1,232	7 25	1862	
1276	"	8 46	Epigenes, W.-Wall bei a, tiefste Stelle	0,2845	1,5369	2,849	4 32	888	
1277	"	8 50	Orontius, O.-Wall r nach aussen	0,3865	1,3486	5,298	3 44	934	
1278	"	8 54	Cap Huyghens	0,4080	3,0906	16,745	8 31	2455	
1279	Octbr. 30	4 52	Clavius, SW.-Wall a	0,4983	1,2631	1,583	5 21	2176	O.
1280	"	4 55	Clavius, W.-Wall, mittlerer Hauptgipfel	0,4758	2,4525	2,809	6 54	2391	
1281	"	4 59	Clavius, NW.-Wallgipfel	0,4846	1,3791	1,997	6 43	2361	
1282	"	5 20	Moretus, Centralberg	0,3050	1,6538	0,449	4 33	1016	
1283	"	5 23	Greenberger, SW.-Wallgipfel	0,6238	1,7837	0,710	4 58	2049	
1284	"	5 27	Pico	0,2510	3,3950	7,997	9 45	1168	
1285	"	5 30	Pico, nördlicher Gipfel	0,1401	2,2850	7,997	9 27	1051	
1286	"	5 31	Pico t, nordöstliche Kuppe	0,3534	1,7477	7,214	5 6	1317	
1287	"	5 37	Lambert, Berg f	0,2638	1,0121	14,191	3 0	561	
1288	"	5 40	Scoresby, W.-Wall	0,2420	3,2645	1,237	8 51	1671	
1289	"	5 43	Tycho, Centralberg	0,1612	1,1741	4,611	7 7	901	
1290	"	5 49	Tycho, W.-Wall	0,3385	3,0450	4,611	8 41	1253	
1291	"	8 40	Weul. Helicon, O.-Wall nach aussen	0,1501	0,6423	9,507	1 56	211	
1292	"	8 44	Copernicus, östlicher Centralberg	0,1250	1,1047	20 026	3 37	178	
1293	"	8 47	Copernicus, SW.-Wallgipfel	0,5202	1,7595	20,327	5 15	1878	
1294	"	8 50	Copernicus, W.-Wallgipfel. (Anm.)	0,5560	1,8253	19,744	5 26	2111	
1295	"	8 55	Pytheas, O.-Wall nach aussen	0,2342	0,9083	15,952	2 44	469	O.
1296	"	8 58	Lambert, NO.-Wallgipfel nach aussen	0,3080	0,6345	14,090	1 55	369	
1297	"	9 1	Timocharis, W.-Wall, nahe halb beschattet	0,1426	3,5117	13,977	10 16	1180	
1298	"	9 57	Copernicus, O.-Wall nach aussen	0,1666	0,9153	10,738	1 43	511	
1299	"	10 0	Copernicus, O.-Wall, äussere NO.-Terrasse, aussen	0,2462	0,8688	19,516	2 42	473	
1300	"	10 3	Copernicus, W.-Wall — No. 1294	0,4686	1,0461	19,744	6 7	2104	
1301	"	10 7	Copernicus, NW.-Wallgipfel	0,4737	1,9071	19,582	5 43	1973	
1302	"	10 11	Copernicus, W.-Wall, Gipfel A	0,4863	1,0501	20,016	6 8	2182	
1303	"	10 43	Laplace r, NO.-Kuppe, S. Ende unsicher	0,3270	0,8615	7,174	2 38	802	
1304	"	10 47	Copernicus A = No. 1301	0,4363	1,1035	20,016	6 19	1057	
1305	Octbr. 31	5 16	Cap Laplace	0,3779	1,7724	6,492	5 49	1833	O.
1306	"	5 20	Kl. Krater e Heraclides, O.-Wall aussen	0,2575	0,2715	9,504	0 56	119	
1307	"	5 22	Krater Delisle C, O.-Wall aussen = C. Herschel	0,1781	0,5820	10,368	1 59	282	
1308	"	5 24	Krater Delisle b, O.-Wall aussen — Heis	0,4396	0,4396	11,051	1 31	310	

Anm. No. 1266. Etwas nördlich von der Mitte ward gemessen. — No. 1268. Unter der Annahme, dass S. am Walle des Gruemberger von der Phase geschnitten werde.

Octbr. 30. Vorzüglich schöne Luft; Phase oft sehr schwierig. — No. 1280; ist oben abgeplattet.

No. 1294. Es ist nicht der hohe Pic A, der südlicher steht, und dessen S. zwischen den Centralbergen endete.

Octbr. 31. Sehr reine stille Luft. — No. 1305. Phase sehr günstig. — No. 1306 in + 37'.2 Br, und 33° Lg.

No.	Datum.	Zeit.	Name der Gebirge.	S	A	d	♄	h	
		° '					° '	'	
1309	Octbr. 31.	6 10	Copernicus, W.-Wall A. (Anm.)	0,0740	4,9425	18,908	15 45	1081	O.
1310	"	6 14	Krater Delisle b — No. 1308 — Heis	0,2501	0,5679	11,056	1 57	357	
1311	"	7 55	Euler β, Südgipfel	0,3825	0,6530	14,711	2 15	575	
1312	"	7 59	Euler β, Nordgipfel	0,4172	0,6754	14,543	2 19	633	
1313	"	8 24	Cap Laplace	0,2862	2,0197	6,492	6 41	1693	
1314	"	8 27	Anaxagoras γ, Südgipfel.	0,3642	1,2985	2,027	4 17	965	
1315	"	8 48	Berg x, SO. von Tob. Mayer	0,2772	0,9880	17,770	3 25	778	
1316	"	8 53	Anaxagoras, W.-Wall. S. schon kurz . .	0,1575	2,3263	2,093	7 21	1068	
1317	Nov. 1.	5 15	Gr. Berg x, NO. von Hainzel	0,5081	0,8154	7,364	3 22	1351	O.
1318	"	5 22	Aristarchus 1, westlicher Hauptgipfel . .	0,3311	0,7606	12,194	3 11	959	
1319	"	5 27	Aristarchus 3, nördliche Kuppe	0,1364	1,1375	11,433	4 38	1147	
1320	"	5 33	Anaximenes B	0,2820	1,1147	2,409	4 24	1258	
1321	"	9 39	Marius A, O.-Wall aussen — No. 947 . .	0,2232	0,4586	17,110	2 2	418	
1322	Nov. 5.	8 15	Ansgarius, W.-Wall, mehr als halb beschattet	0,1410	0,5813	15,108	6 42	1282	W.
1323	"	8 20	Kästner, Gebirge bei u	0,1958	0,1397	18,648	3 9	1349	
1324	"	8 24	W. v. Humboldt, SO.-Wall x	0,0953	0,4735	10,194	5 31	1864	
1325	"	8 35	Hekataeus, SO.-Wall x	0,1068	0,4259	11,000	5 4	1842	
1326	Nov. 6.	8 5	Vendelinus, SO.-Wallgipfel	0,1466	0,1466	11,859	2 33	888	W.
1327	"	8 8	Vendelinus, daselbst, Mädler's γ	0,1578	0,6724	12,138	4 27	1926	
1328	"	8 11	Vendelinus, nördlich vom Vorigen . . .	0,2186	0,6567	12,359	4 31	1653	
1329	Nov. 9.	20 21	Casatus, SW.-Gipfel nach aussen	0,1647	4,4080	0,942	12 13	2345	W.
1330	"	20 25	Newton, NO.-Wall	0,2796	3,8414	0,961	10 55	2645	
1331	"	20 30	Short, NO.-Wall. Vergl. No. 1179 . . .	0,3464	3,6076	1,337	10 35	3134	
1332	"	20 34	Curtius δ. S. reicht bis zur Mitte . . .	0,5463	3,5514	1,576	10 49	4899	
1333	Nov. 11.	12 35	Moretus, S.-Wall	0,4216	1,6804	1,923	4 57	1484	W.
1334	"	12 39	Gebirge südlich von Casatus	0,3654	1,8656	0,801	8 13	2176	
1335	"	12 44	Kircher, Berg im NO.-Wall. (Anm.) . . .	0,2187	6,8476	1,988	19 20	1968	
1336	"	12 48	Berg SO. von Casatus	0,3621	3,5913	0,742	10 9	2798	
1337	"	12 51	Casatus, SW.-Gipfel x nach aussen. (Anm.)	0,2394	2,9742	1,124	8 35	1562	
1338	"	12 55	Newton, NO.-Wall	0,2294	2,0742	1,010	6 2	1884	
1339	"	12 58	Newton, SO.-Crater x, O.-Wall, halb beschattet	0,3407	2,0310	0,6965	5 53	1486	
1340	"	13 3	Newton, W.-Wallg. nach aussen. S. im Gebirge	0,2655	1,1127	0,9905	3 17	978	
1341	"	13 7	Moretus, O.-Wall	0,2072	2,2920	1,923	6 26	1485	
1342	"	13 10	Gruemberger, O.-Wall. S. endet in einem Krater	0,1745	2,9194	2,388	8 11	1806	
1343	"	13 13	Curtius δ. S. endet auf dem NW.-Walle .	0,9340	0,9340	1,549	2 46	1048	
1344	"	13 16	Cysatus, NO.-Wall, über halb beschattet. .	0,3306	2,1954	1,632	6 27	1597	
1345	"	13 20	Clavius d, O.-Wall, über halb beschattet. .	0,2107	3,5301	1,961	10 20	1707	
1346	"	13 34	Stoederus, O.-Wallgipfel	0,6659	1,3504	3,042	4 0	1629	
1347	"	13 39	Werner, O.-Wallgipfel. S. endet am W.-Walle	0,5577	1,9312	12,001	5 44	2113	
1348	"	13 43	Werner, W.-Wallgipfel nach aussen . . .	0,3431	1,0962	12,001	3 16	765	
1349	"	13 47	Albategnius, Centralberg — No. 877 . . .	0,2663	1,6016	17,100	4 45	940	
1350	"	13 51	Albategnius A, O.-Wall. S. nahe am W.-Wall endend.	0,3311	2,2507	17,218	6 40	1744	

Anm. No. 1309. S. endet auf den oberen Terrassen.

Nov. 1. Sehr schöne, günstige Luft. — No. 1321 u. 947 derselbe Krater, aber verschiedene Wälle gemessen.

Nov. 5. Stille Luft zwischen Regenwolken; Messungen sehr schwierig; ebenso Nov. 6. — No. 1322, eine gewagte Messung, deren Resultat wenig wahrscheinlich. — No. 1326—1328. Nicht Vendelinus selbst, sondern westlicher in · 21° Br. und 68° Lg.

Nov. 9. Messungen am Tage bei etwas dunstiger Luft.

Nov. 11. Nach grossem Schneefall, sehr gute Luft. Phase überall sehr schwierig. — No. 1333. S. hatte deutlich 2 wellenförmige Krümmungen. — No. 1335. S. berührt den Fuss der nächsten unteren Terrasse. — No. 1337. S. stieg schon am Walle des Newton empor.

8*

No.	Datum	Zeit	Name der Gebirge.	S	A	d	φ	h	
1351	Nov 11.	13 54	Albategnius, O.-Wall, bei γ	0,3463	2,2647	17,692	6 43	1736	W.
1352	"	13 57	Herschel, SO.-Wall, halb beschattet	0,2239	3,8497	19,239	11 22	1991	
1353	"	14 2	Autolycus, O.-Wall, über halb beschattet . .	0,2908	2,2894	7,752	6 28	1420	
1354	"	14 5	Aristillus, O.-Wall, halb beschattet	0,3372	2,5316	6,934	7 26	1889	
1355	"	14 9	Pico A	0,2585	2,4690	5,225	7 16	1438	
1356	"	14 12	Pico A, südliche Kuppe	0,2123	2,4690	5,225	7 16	1192	
1357	Nov. 12.	20 24	Gebirge südlich von Casatus = No. 1334 . .	0,7371	1,9293	0,762	5 44	2721	W.
1358	"	20 28	Gebirge südöstlich von Casatus = No. 1336 .	0,3714	3,3970	0,812	10 15	2851	
1359	"	20 32	Kircher, NO.-Wallgipfel — No. 1335 . . .	0,2287	4,7076	2,019	14 13	2606	
1360	"	20 38	Blancanus, O.-Wallgipfel	0,4437	2,4628	1,938	7 17	2338	
1361	"	20 42	Casatus, SW.-Wallgipfel n. aussen = No.1337	0,3922	1,7462	1,102	5 10	1431	
1362	"	20 47	Casatus, O.-Wallgipfel	0,3228	2,8042	1,470	8 22	1985	
1363	Nov. 25.	4 21	Piccolomini, Centralberg	0,2200	2,7803	8,426	8 13	1343	O.
1364	"	4 25	Theophilus, W.-Wall, halb beschattet . . .	0,5261	1,8472	14,367	5 22	1882	
1365	"	4 29	Theophilus, NW.-Wallgipfel	0,5270	1,7708	14,688	5 8	1790	
1366	"	4 34	Cap Chamisso, NW. bei Plinius A. (Phase gut)	0,3490	2,0090	17,234	5 50	1432	
1367	"	4 38	Theophilus, südlicher Centralberg	0,2884	2,2920	14,367	3 44	740	
1368	"	4 44	Pitiscus, W.-Wall, halb beschattet	0,3572	2,4926	3,211	7 27	1922	
1369	"	4 47	Theophilus, W.-Wall = No. 1365	0,5106	1,9506	14,367	5 40	1949	
1370	"	4 55	Hommel C, O.-Wall nach aussen	0,2051	3,4150	2,572	4 13	623	
1371	Nov. 26.	4 14	Maurolycus, SW.-Wallg. S. endet am O.-Walle	0,9890	1,5966	4,700	4 23	1229	O.
1372	"	4 20	Pitiscus, W.-Wall	0,1923	5.1734	3,321	14 42	2036	
1373	"	4 25	Baco, W.-Wallgipfel, kaum halb beschattet .	0,2526	2,5310	3,030	7 1	1241	
1374	"	4 30	Sacrobosco, W.-Wallgipfel a.	0,3532	2,7386	9,963	7 33	1846	
1375	"	4 34	Aristoteles, W.-Wall; Tiefe } beschattet. (Anm.)	0,4224	1,9676	6,891	5 25	1489	
1376	"	4 38	Aristoteles, O.-Wall nach aussen	0,2501	0,8734	6,891	2 23	379	
1377	"	4 41	Endoxus, O.-Wall nach aussen. (Anm.) . .	0,2595	1,1116	8,542	3 2	515	
1378	"	4 57	Maurolycus, SW.-Wallgipfel	0,9285	1,6263	4,700	4 28	1202	
1379	"	5 1	Barocius, W.-Wall	0,3634	2,3462	4,266	6 31	1618	
1380	"	5 5	Abulfeda, SW.-Wallgipfel. S. endet a. O.-Walle	0,6088	1,7116	13,042	4 41	1740	
1381	"	5 9	Abulfeda, W.-Wall, etwas über halb beschattet	0,4087	1,6842	13,248	4 37	1227	
1382	"	5 12	Almanon, W.-Wall, halb beschattet	0,2685	2,1054	12,200	5 47	1074	
1383	"	5 15	Delambre, W.-Wall. S. überschreitet d. Mitte	0,3242	3,1972	17,299	8 49	2110	
1384	"	5 21	Abulfeda, O.-Wall nach aussen	0,2566	0,8962	13,248	2 27	398	
1385	"	5 24	Kant, W.-Wall, halb beschattet	0,1382	3,9658	14,246	10 59	1105	
1386	"	5 33	Maurolycus, Nordgipfel d. östl. Centralberg	0,2801	1,0596	4,993	2 54	521	
1387	"	5 37	Barocius A, W.-Wall, halb beschattet. (Anm.)	0,2432	2,5050	4,275	6 54	1184	
1388	"	5 40	Maurolycus, SW.-Wallgipfel	0,8790	1,6334	4,700	4 32	2170	
1389	"	5 44	Barocius, O.-Wall aussen. (Anm.)	0,3807	2,3312	4,266	4 0	978	
1390	"	5 47	Maurolycus, W.-Wallgipfel. S. reicht b. z. Mitte	0,6777	1,6870	4,993	4 37	1855	
1391	Nov. 27.	4 8	Maurolycus, SW.-Wallgipfel	0,2287	4,7275	4,831	12 52	2041	O.
1392	"	4 11	Curtius, tiefster W.-Wall, } beschattet. (Anm.)	0,3622	2,0677	0,771	5 35	1376	.

Anm. Nov. 11. Beobachtungen am Tage bei guter Luft; Phase südlich höchst schwierig. - No. 1361. S. ragt noch höher am O.-Walle des Newton hinauf.

Nov. 25. Gute Luft, aber die Phase sehr schwierig — No. 1365 u. 1367. Es liegen 2 sehr niedrige Kuppen auf dem Westwalle.

Nov. 26. Genügend ruhige, doch nie ganz dunstfreie Luft. Bei Maurolycus die Schwierigkeit der Phase fast unüberwindlich. — No. 1375. Es wird nicht der Gipfel auf der inneren W.-Terrasse beobachtet.

No. 1377. Vielleicht nicht der höchste Wall, sondern schon die obere östliche Terrasse.

No. 1387. d. nur Schätzung. — No. 1389. J. nur geschätzt. — No. 1390. Es war schon sehr dunstig.

Nov. 27. Kurze Zeit klar, wegen baldiger Bewölkung konnten nicht alle d. gemessen werden.

No. 1392. Phase ganz zweifelhaft.

No.	Datum	Zeit.	Name der Gebirge.	S	A	d	φ	b	
		' "					° '		
1393	Nov. 27	4 15	Jacobi, W.-Wall, nicht halb beschattet . . .	0,2332	3,0507	2,058	8 31	1415	O.
1394	"	4 18	Lilius, W.-Wall, halb beschattet	0,3011	2,2369	2,427	6 6	1282	
1395	"	4 22	Lilius, Centralberg	0,1589	1,8813	2,427	5 8	584	
1396	"	4 25	Curier, W.-Wall, S. nicht zur Mitte reichend	0,2029	3,2859	3,273	8 56	1310	
1397	"	4 28	Licetus d, West-Ecke	0,2134	1,9839	3,218	5 25	817	
1398	"	4 32	Licetus b, Westwall = Curier, Ostwall = Heraclitus	0,1890	2,5717	3,440	7 1	933	
1399	"	4 35	Licetus, W.-Wall ß, hell beschattet . . .	0,1780	2,7423	3,927	7 29	1472	
1400	"	4 38	Walter, Centralberg Phase sehr schwierig	0,6076	0,9449	7,358	2 36	800	
1401	"	4 42	Allacensis, W.-Wall, weniger als halb beschattet	0,3187	2,8363	8,043	7 45	1742	
1402	"	4 46	Werner, W.-Wall, über halb beschattet . .	0,5044	2,1727	8,789	5 57	1982	
1403	"	4 49	Albategnius, W.-Wall	0,2362	3,1083	14,143	8 32	2443	
1404	"	4 52	Albategnius, NW.-Wall	0,2640	2,8441	14,673	7 48	2464	
1405	"	4 55	Albategnius, Centralberg	0,1784	2,2487	14,143	6 10	789	
1406	"	4 59	Hadley	0,5243	1,9857	13,923	5 27	1855	
1407	"	5 3	Calippus o. S. schon westl. v. d. Bergader .	0,3822	3,0809	10,120	8 26	2255	
1408	"	5 12	Calippus a. (bessere Messung)	0,3816	3,1431	10,120	8 36	2301	
1409	"	5 15	Caucasus f	0,1970	2,9459	11,168	8 4	1146	
1410	"	5 18	" e, dicht südl. bei f	0,1315	2,8273	11,180*	7 45	742	
1411	"	5 22	" c, Südgipfel	0,1665	2,9587	12,365*	8 6	979	
1412	"	5 25	" c, mittl. Gipfel = Cap Faraday . .	0,2058	2,9407	12,351	8 3	1194	
1413	"	5 34	Apenninen z, südl. vom Hadley = No. 1026	0,7971	1,7141	14,400*	4 42	2254	
1414	"	5 39	Caucasus c, nördl. Gipfel; Cap Faraday . .	0,1959	3,0411	12,340*	8 20	1178	
1415	"	5 43	Berg nahe NW, bei Hadley, wohl Cap Fresnel	0,2699	2,4757	13,333*	6 47	1394	
1416	"	5 47	Berg nahe südl. an Hadley	0,3297	2,4807	13,975*	6 48	1564	
1417	"	5 51	Kl. Krater südl. bei Pico A; O.-Wall aussen. (+ 39°.7 Breite)	0,1929	0,4904	9,375*	2 21	157	
1418	"	5 55	Ptolemaeus, W.-Wallgipfel; S. verdeckt noch den Krater A	0,9048	1,4097	15,619*	3 52	1782	
1419	"	5 59	Ptolemaeus, W.-Wallg. b, südl, vom Vorigen	0,6765	1,5581	15,442*	4 17	1695	
1420	"	6 3	Ptolemaeus, Westlichster Gipfel c	0,8726	1,7752	14,945*	4 52	2399	
1421	"	6 7	Ptolemaeus, SW.-Ecke d	0,4053	1,3871	14,858*	3 49	986	
1422	"	6 11	Casini, Berg f	0,3237	1,3519	8,747	3 26	725	
1423	"	7 57	Alpen η (schon unter Wolken beob.) Cap Agassiz	0,6123	1,5117	8,881	4 4	1481	
1424	"	8 4	Bradley, Nordcap	0,6902	2,0377	14,875	5 36	2207	
1425	Nov. 30.	4 51	Cap Laplace	0,2016	1,0706	6,364	7 29	1547	O.
1426	"	4 56	Hainzel, SW.-Wall	0,2366	1,2208	5,018	4 32	984	
1427	"	5 16	Hainzel, NW.-Wall a	0,2373	1,6040	6,392	6 2	1442	
1428	"	5 31	Ananiagonis γ	0,2141	1,2241	7,155	4 25	937	
1429	"	5 36	Kepler, O.-Wall z, nach aussen	0,1687	0,4434	15,851	1 46	265	
1430	"	5 52	Debile a, Südgipfel	0,2797	0,4910	10,948	1 57	428	
1431	"	5 56	Debile a, nördl. Nachbar	0,3498	0,4800	10,878	1 57	479	
1432	"	9 2	Kepler A, Nordende	0,2370	0,1734	17,089	1 31	270	
1433	"	9 9	Vitello, O.-Wall nach aussen	0,4078	0,7196	9,357	2 51	903	
1434	"	6 22	Casatus, W.-Wall	0,4258	1,3634	0,502	4 38	1778	

Anm. No. 1406. Schattenspitze und Phase unsicher.
No. 1413. S. fällt auf Bergland. — No. 1418. Phase im Ptolemaeus sehr günstig.
No. 1410. Die mit (* bezeichneten d sind interpolirt, oder beiläufig berechnet. — November 30. Sehr ruhige Luft
bei dünnen Wolken und Staubregen. — No. 1430. 1431. Die beiden Schatten liefen nicht parallel.
No. 1433. Das Nordende von d hat 3 kleine Gipfel, deren höchster und nördlichster gemessen ward.

No.	Datum	Zeit	Name der Gebirge.	S	A	d	φ		h	
							° '		'	
1435	Dec. 1.	7 19	Mersenius b, nach aussen	0,3238	0,9931	10,487	4	51	1873	O.
1436	"	7 23	Mersenius A, nach aussen = Liebig	0,4270	0,5408	10,930	2	45	993	
1437	"	7 26	„ südl. von a, nördl. von b . . .	0,2630	0,8440	10,752	4	12	1326	
1438	"	7 30	Aristarchus, W.-Wall; fast ganz beschattet ‡	0,1525	0,8978	13,122	4	28	899	
1439	"	7 34	Mersenius, SW.-Wall; halb beschattet . . .	0,1769	0,9586	11,670	4	45	1090	
1440	"	8 8	Aristarchus, Gebirg bei ‡ südwestlich . . .	0,1937	0,5002	13,466	2	34	576	
1441	"	8 11	Aristarchus, Berg ‡ an der Rille	0,3210	0,4238	13,346	2	12	614	
1442	"	8 14	Billy, SW.-Wall ‡	0,1743	0,6470	14,255	3	18	719	
1443	"	8 18	Mersenius b	0,2622	1,0531	10,487	5	13	1719	
1444	"	8 21	Billy, SO.-Wall nach aussen	0,1661	0,3974	14,255	2	4	393	
1445	"	8 25	Herodotus E, S. reicht bis zur Phase? . . .	0,3461	0,1746	12,891	2	17	771	
1446	"	8 32	Mersenius h	0,2474	1,0868	10,487	5	23	1703	
1447	"	8 49	Aristarchus ‡, an der Rille 1441	0,2554	0,4916	13,346	2	33	648	
1448	"	9 0	Aristarchus, W.-Wall; über halb beschattet	0,1571	1,0786	13,122	5	24	1146	
1449	"	9 4	Mersenius b	0,2373	1,0790	10,487	5	23	1652	
1450	"	9 8	Krater Reiner C. O.-Wall aussen	0,1056	0,2070	15,476	1	6	127	
1451	Dec. 5.	8 16	Boussingault, NW.-Wallgipfel	0,3701	0,3701	2,241	3	47	1950	W.
1452	Dec. 6.	8 18	Burckhardt, NO.-Wallgipfel	0,1644	1,5462	6,764	9	9	2655	W.
1453	"	8 21	Grosses Cap bei Eimmart	0,5706	0,7004	8,469	4	25	2427	
1454	"	8 22	Berg SW. von Newton?	0,4256	1,1041	0,301	4	45	2625	
1455	"	9 13	Langrenus, O.-Wall	0,1810	1,1374	18,766	6	55	2132	
1456	"	9 19	Curtius ‡, S. auf der oberen Terrasse . .	0,0605	6,3436	2,372	22	25	1106	
1457	"	9 34	Boussingault f = Helmholtz W.-Wall . . .	0,2887	0,4162	3,439	2	36	867	
1458	"	9 38	Burckhardt, NO.-Wall	0,1829	1,3621	6,764	7	48	2410	
1459	"	10 16	Langrenus, SO.-Wallgipfel = No. 1455 . .	0,1961	1,0718	18,766	6	27	2066	
1460	"	10 23	Geminus, NO.-Wall	0,1557	1,1845	6,564	7	20	1931	
1461	"	10 43	Langrenus, SO.-Wallgipfel	0,2391	0,9480	18,766	5	44	1627	
1462	"	10 51	Langrenus, SO.-Wallg. (jetzt enden die Wolken)	0,2378	1,0186	18,766	6	10	2199	
1463	"	10 57	Vendelinus A, W.-Wall nach aussen . . .	0,1266	0,7396	17,414	4	32	936	
1464	"	11 1	Vendelinus A, O.-Wall; halb beschattet . . .	0,1120	0,9271	17,414	5	35	1048	
1465	"	11 4	M. Crisium φ in + 22°,2 Br. u. 61°,2 Lg.	0,1539	0,6240	9,184	3	49	909	
1466	"	11 8	M. Crisium ⁊ in + 22°,7 Br. u. 61°,2 Lg.	0,1000	0,7418	8,827	4	29	1367	
1467	"	11 11	Burckhardt, NO.-Wall	0,1889	1,3410	6,764	7	33	2336	
1468	"	11 15	Langrenus, südl. Centralberg	0,1442	0,6428	19,083	3	57	828	
1469	"	11 18	Langrenus, nördl. Centralberg	0,1375	0,6460	19,083	3	59	865	
1470	"	11 22	Petavius, Krater B, O.-Wall	0,1303	1,5338	15,380	8	47	1933	
1471	"	11 25	Langrenus, SO.-Wallgipfel	0,2434	0,9034	18,766	5	25	2005	
1472	"	11 28	Vendelinus, O.-Wallgipfel a	0,1586	0,9650	16,525	5	45	1477	
1473	"	11 33	Furnerius, O.-Wallgipfel γ	0,2068	0,9927	10,082	5	50	1845	
1474	"	11 36	Langrenus, SO.-Wallgipfel	0,1562	0,8864	18,766	5	19	2041	
1475	"	11 45	Geminus, NO.-Wall	0,1766	1,2228	6,564	6	53	1973	
1476	"	11 48	Langrenus, südl. Centralberg	0,1916	0,6670	19,083	4	4	1165	
1477	"	11 54	Petavius, Krater a, O.-Wall — Wrottesley .	0,1138	1,5895	14,150	9	0	1728	
1478	"	11 59	Langrenus, SO.-Wallgipfel	0,2475	0,9863	18,766	5	50	2195	
1479	Dec. 7.	8 56	Mare Crisium e, in der Ebene = No. 792 .	0,5432	0,5432	11,458	3	40	972	W.
1480	"	8 59	„ D im O.-Wall, vortretend zu							
			West = No. 793 . . .	0,6587	0,7754	11,343	3	42	1841	
1481	"	9 5	„ C im O.-Walle = No. 795 . .	0,5524	0,7176	10,709	3	26	1537	

Anm. December 1. Luft gut. — No. 1435. b war als Krater nicht sichtbar, wegen des Schauens von Westen her.
December 6. Luft sehr still, aber viel Gewölk. Ueberall die Phase sehr schwierig. — No. 1465, 1466. Diese Berge liegen noch im Mare.
December 7. Klar und still, nur ganz zuletzt dunstig. Für die Berge des Mare Crisium vergl. Sept. 9.

No.	Datum.	Zeit.	Name der Gebirge.	S	i	A	d	?	h	
		h m						° '	'	
1482	Dec. 7.	9 8	Mare Crisium I (Schröter) auf Bergader . . .	0,2472	0,6134	11,795	2 57	782	W.
1483	"	9 11	" " p auf Bergader	0,2274	0,5391	11,992	2 36	627	
1484	"	9 14	" " = e; O.-Wall (= No. 784	0,2264	0,9176	12,340	4 10	1157	
1485	"	9 19	Cook b, SW.-Wall a	0,3051	0,9198	14,928	4 24	1504	
1486	"	9 23	Cook b, W.-Wall nach aussen	0,1283	0,8680	15,067	4 7	658	
1487	"	9 26	Cook d, O.-Wall (= 19° Breite) . . .	0,1641	1,5468	15,444	7 6	1481	
1488	"	9 30	Steinheil a — Wall, SO.-Wall, S. berührt den W.-Wall	0,3271	1,2778	6,098	5 49	2206	
1489	"	9 33	Steinheil b, SO.-Wall, S. berührt den W.-Wall .	0,3020	1,5016	6,341	6 45	2439	
1490	"	9 36	Hagecius, SO.-Wall	0,2145	1,2130	3,866	5 17	1398	
1491	"	9 40	Rheita, NO.-Wall β	0,3018	1,4440	9,964	6 36	2372	
1492	"	9 42	Rheita, SO.-Wall γ	0,2031	1,5322	9,510	6 57	1759	
1493	"	9 47	Curtius δ, S. noch in den Terrassen . .	0,0734	6,1180	2,504	10 0	1163	
1494	"	9 52	Gr. Berg, SW. von Newton	0,5152	2,1012	0,2515	6 38	3704	
1495	"	9 56	Cook b, SW. a	0,3818	0,8221	14,922	3 53	1508	
1496	"	9 59	Cook b, O.-Wall	0,0700	0,9610	15,061	4 10	407	
1497	"	10 3	Macrobius, O.-Wall	0,2606	1,8414	10,009	8 13	1679	
1498	"	10 5	Berg südl. von Macrobius, etwa ε . .	0,3054	1,4020	10,794	6 23	2292	
1499	"	10 11	Macrobius, O.-Wall	0,3031	1,0980	10,043	4 44	1515	
1500	"	10 17	Tarantius, SO.-Wall	0,1258	0,8574	15,068	3 45	537	
1501	"	10 20	Messier, der westliche, SW.-Wallgipfel aussen	0,1581	0,4312	12,546	1 56	306	
1502	"	10 23	Goclenius, O.-Wall, nicht ganz halb beschattet	0,1322	1,3462	18,534	5 47	886	
1503	"	10 26	Colombo, ONO.-Wall, bei a, halb beschattet	0,1813	1,1364	16,883	4 55	1005	
1504	"	10 30	Colombo a, O.-Wall, etwas über halb beschattet	0,1893	1,3484	17,175	5 47	1147	
1505	"	10 32	Magelhaens, O.-Wall, fast halb beschattet . .	0,0903	1,4097	17,841	6 2	709	
1506	"	10 35	Santbech, O.-Wall, S. bis zur Mitte . .	0,2026	1,3306	14,905	5 42	1306	
1507	"	10 39	Metius, O.-Wall, fast halb beschattet	0,2575	1,5928	8,825	6 41	1932	
1508	"	10 43	Metius A, O.-Wall, ebenso	0,3171	2,0752	8,825	8 33	2384	
1509	"	10 47	Fabricius C, O.-Wall (= 46° Br., 36° Lg.) im SO.-Walle von Argelander . .	0,1460	2,5302	7,208	10 7	1756	
1510	"	10 51	Vlacq, SO.-Wall, nicht ganz halb beschattet .	0,1969	2,0546	5,283	8 18	1896	
1511	"	10 55	Nearchus, SO.-Wall, S. berührt die Mitte .	0,1025	1,6510	4,167	6 44	1560	
1512	"	10 58	Mutus, O.-Wall	0,1317	1,7974	3,111	10 35	1656	
1513	"	11 2	Curtius δ	0,0775	5,9210	2,517	18 58	1218	
1514	"	11 7	Schomberger, SO.-Wall	0,1132	2,1588	1,111	7 50	1920	
1515	"	11 11	Tarantius, SO.-Wall = No. 1500 . . .	0,1551	0,7460	15,068	3 16	553	
1516	"	11 14	Atlas, O.-Wall β, S. erreicht den W.-Wall	0,3030	0,9634	3,595	4 4	1551	
1517	"	11 17	Hercules, NO.-Wall	0,1914	1,7028	3,623	6 52	1508	
1518	Dec. 8.	9 51	Römer, Berg δ	0,3540	0,7721	9,220	3 1	944	W.
1519	"	9 56	Geb. nördl. an Römer δ. (Anm.) . . .	0,5148	0,8707	8,939	3 24	1327	
1520	"	10 0	Geb. b, nördl. v. Vorigen, SW. von Krater .	0,5566	0,9163	8,800	3 34	1486	
1521	"	10 4	Römer, O.-Wall, Tiefe halb beschattet . .	0,1690	1,3961	9,066	5 21	931	
1522	"	10 9	Krater bei Posidonius; W.-Wall aussen. (Anm.)	0,2616	0,8541	6,804	3 19	800	

Anm. No. 1482. 1 südlich von e, p noch südlicher, in der Bergader, und ebenso nördlich als der Nordwall des Picard. Der Schatten von 1 endete auf einer Bergader, alle anderen Schatten aber fielen westlich darüber hinaus. Der Schatten von C berührt den Nordrand von Picard A. — No. 1482. 1 ist ein Krater, dessen westlicher Wallschatten gemessen ward. No. 1485–1487 verstehe ich die grossen Krater zwischen Cook und Santbech.

No. 1496. Der Boden von Cook b liegt hoch über dem Mare. — No. 1512. Der östliche Krater (also wohl Manzinus) noch ohne Schatten. — No. 1514. Es zeigte sich gewiss, dass auf Curtius NO.-Wall nicht der kleine Krater, sondern nördlich daneben das Gebirge den zu Zeiten so grossen Schatten wirft.

Dec. 8. Luft stets dunstig.

No. 1519. Der Ort des Gebirgs ist, wo bei Mädler der Buchstabe S steht. — No. 1521 in + 31°,5 Br. u. 37° Lg.

No.	Datum.	Zeit.	Name der Gebirge.	S	A	d	?	h	
		° ′					′ ″	′	
1523	Dec. 8.	10 14	Capella, O.-Wall 1	0,1169	1,8019	19,101	6 52	912	W.
1524	"	10 19	Fabricius C, W.-Wall aussen. (SO.-Wall von						
			Argelander)	0,3805	1,1000	6,939	4 13	1433	
1525	"	10 22	Fabricius, Pic γ, SW. bei C. im gr. Bergwall						
			Argelander	0,8868	0,8868	6,650	3 26	1595	
1526	"	10 25	Walllose Tiefe, östl. von Fabricius	0,5250	1,0355	8,976	4 0	1682	
1527	"	10 29	Mutus, SO.-Wall a. S. endet im innern Krater	0,2943	2,2809	3,066	8 10	2425	
1528	"	10 33	Manzinus, SO.-Wall	0,1928	2,5293	2,356	8 50	1761	
1529	"	10 38	Schomberger, SO.-Wall	0,4185	1,5822	1,128	5 35	2153	
1530	"	10 42	Simpelius, W.-Wall a nach aussen	0,3771	2,0905	1,575	7 17	2017	
1531	"	10 48	Curtius δ	0,1232	4,3781	2,592	14 15	1411	
1532	"	10 53	Hommel C, O.-Wallgipfel	0,3562	2,1953	4,994	8 1	2076	
1533	"	10 57	Piccolomini, SO.-Wall β	0,2140	1,4987	11,678	9 16	2032	
1534	"	11 3	Piccolomini, Centralberg	0,1275	2,0349	11,856	7 38	1014	
1535	"	11 4	Altai β	0,1398	3,8309	12,788	13 47	2013	
1536	"	11 8	Theophilus A, O.-Wall; fast halb beschattet .	0,0999	3,2055	17,938	11 45	1232	
1537	Dec. 10.	18 7	Caucasus ψ = No. 658	0,9366	0,9366	6,995	1 51	1205	W.
1538	"	18 11	Curtius δ. (Anm.)	0,7947	1,8817	2,426	5 36	2885	
1539	"	18 16	Curtius, O.-Wall. S. berührt die Mitte . . .	0,3328	1,9280	2,337	5 43	1440	
1540	"	18 19	Curtius, SO.-Wall	0,5148	1,8426	2,211	5 27	1995	
1541	"	18 23	Short, NO.-Wall, weit über halb beschattet . .	0,5024	2,5032	1,256	7 16	1708	
1542	"	18 28	Curtius δ	0,8184	1,8914	1,426	5 37	2970	
1543	"	18 34	Licetus δ	0,7817	1,2730	10,976	3 51	1716	
1544	"	18 38	Caucasus ε, mittl. Gipfel = No. 662, Cap Faraday	0,7878	1,5110	7,698	4 34	1280	
1545	"	18 42	Aristillus, O.-Wall, fast halb beschattet . .	0,1842	3,4408	7,085	10 13	1523	
1546	"	18 46	Autolycus, O.-Wall, halb beschattet	0,1838	3,3880	7,954	10 4	1488	
1547	"	18 51	Herschel, O.-Wall, fast halb beschattet . .	0,1377	5,1111	19,388	16 5	1792	
1548	"	18 55	Curtius δ	0,8396	1,8176	1,426	5 24	2849	
1549	"	19 0	Curtius, Centralberg	0,1431	2,1462	1,461	4 4	478	
1550	"	19 4	Licetus, NO.-Wall. S. erreicht die Mitte . .	0,3903	1,8500	6,387	5 33	1604	
1551	"	19 8	Lilius, Centralberg. S. bis z. W.-Walle. (Anm.)	0,2114	2,4284	4,698	4 18	696	
1552	"	19 16	Licetus, NW.-Wall, aussen	0,1701	2,9902	6,387	3 0	386	
1553	"	19 19	Curtius δ	0,8651	1,8158	1,426	5 24	2917	
1554	"	19 25	Werner, O.-Wall, halb beschattet	0,3049	3,3128	11,983	9 54	2176	
1555	"	19 30	Aliacensis, O.-Wall, fast halb beschattet . . .	0,2890	2,7721	11,056	8 18	1878	
1556	"	19 33	Curtius, O.-Wall	0,3771	1,7534	2,337	5 13	1450	
1557	"	19 37	Moretus, O.-Wallgipfel, nicht halb beschattet	0,1386	1,8526	1,868	8 19	1565	
1558	"	19 41	Zach, O.-Wall. S. überschritt die Mitte . .	0,4980	1,7534	3,405	5 14	1848	
1559	"	19 44	Newton, Krater a, O.-Wall. S. bis zur Mitte .	0,2481	2,5564	0,704	7 17	1417	
1560	"	19 47	Newton, NO.-Wall	0,3184	2,9476	1,050	8 26	2093	
1561	"	19 52	Pic südlich von Casatus	0,3571	3,4670	0,930	9 46	2738	
1562	"	19 57	Curtius δ	0,9847	1,7804	2,416	5 19	2933	
1563	Dec. 11.	16 38	Moretus, Centralberg; Phase ganz unkenntlich	0,4760	1,4203	1,821	4 7	1203	W.
1564	"	16 43	Regiomontanus, Centralberg	0,8446	1,2263	2 28		467	
1565	"	16 47	Huyghens, S. im Hochgebirge	0,3457	1,2183	11,247	3 35	844	
1566	"	16 52	Alphonsus, SW.-Wall nach aussen	0,5356	0,9399	16,744	2 45	833	

Anm. Dec. 10. Beobachtung bei Tagesanbruch; oft mussten Ehrinden vom Objective entfernt werden.
    No. 1538. S. endet am innern NW.-Walle. — No. 1551. Die Nordseite des Schattens vom Centralberge floss völlig mit dem S. des Ostwalles zusammen. — No. 1558. Der Saum des S. braun, faserig und verwaschen.
    Dec. 11. Sehr klar und still, aber ununterbrochen überzog Eis das Objectiv, welches stets beseitigt ward.

No.	Datum.	Zeit.	Name der Gebirge.	S	A	d	?	h	
		' ''					'	'	
1567	Dec. 11.	16 57	Arzachel, Centralberg	0,2519	1,3585	17,806	3 58	718	W.
1568	.	17 4	Arzachel, NO.-Wall b. S. berührt die Mitte	0,4317	1,8793	18,007	5 28	1659	
1569	.	17 8	Pico	0,2411	1,3603	4,341	6 50	1240	
1570	.	17 12	Berg Plato r	0,6814	1,3813	2,744	4 1	1631	
1571	.	17 15	Anaxagoras, W.-Wall aussen	0,9942	0,9942	0,378	2 53	1110	
1572	.	17 19	Archimedes, W.-Wallgipfel aussen . . .	3,3385	1,1270	8,320	3 17	750	
1573	.	17 23	Archimedes, O.-Wallgipfel x	0,1175	1,9764	8,296	5 45	936	
1574	.	17 26	Archimedes, Südcap bei z	0,3001	1,3247	8,865	3 51	814	
1575	.	17 30	Archimedes, SW.-Wallgipfel aussen . .	0,3435	1,3355	8,624	3 53	922	
1576	.	17 34	Archimedes E	0,3134	1,3213	7,662	3 51	843	
1577	.	17 37	Hügel NO. bei Pico A	0,3296	0,5799	5,003	1 41	247	
1578	.	17 41	Krater Pico A, W.-Wall nach aussen . .	0,3091	0 8359	5,171	1 26	155	
1579	.	17 45	Ptolemaeus, NO.-Wall γ	0,3997	1,9433	19,055	5 39	1605	
1580	.	17 50	Ptolemaeus, N.-Wall ε	0,4093	1,5263	19,209	4 26	1245	
1581	.	17 55	Ptolemaeus A, W.-Wall aussen	0,1168	0,8423	18,728	2 27	211	
1582	.	18 0	Alphonsus, Centralberg	0,1101	1,5527	17,031	4 31	732	
1583	.	18 5	Moretus, Centralberg	0,5028	1,5271	1,821	4 25	1468	
1584	.	18 9	Newton, W.-Wall aussen (schwer kenntlich) .	0,5489	1,3390	0,968	3 35	1109	
1585	.	18 11	Berg südl. von Casatus	0,4338	3,3800	0,808	9 18	2971	
1586	.	18 14	Casatus, Berg am SW.-Walle, nach aussen	0,3641	3,0640	1,130	8 45	1746	
1587	.	18 18	Berg zwischen Casatus und Cabaeus . . .	0,3697	4,8980	0,868	14 0	2883	
1588	.	18 21	Gruenberger, O.-Wallg. S. reicht b. z. Mitte	0,4229	3,6443	2,423	7 38	2345	
1589	.	18 24	Clavius α, nach aussen	0,3230	2,0137	3,602	5 50	972	
1590	.	18 29	Tycho, Centralberg	0,3707	3,1500	7,589	9 8	1197	
1591	.	18 33	Tycho, O.-Wall, nicht halb beschattet .	0,2468	3,5694	7,589	10 21	1945	
1592	.	18 37	Pictet, O.-Wall. S. berührt die Mitte .	0,2892	2,4390	7,589	7 5	1522	
1593	.	18 41	Saussure, O.-Wall. über halb beschattet . .	0,1961	1,5251	7,679	4 30	954	
1594	.	18 44	Orontius, O.-Wallgipfel, fast halb beschattet .	0,4494	1,9533	8,398	5 41	1785	
1595	.	18 48	Pico	0,2785	2,0173	4,341	5 52	1200	
1596	.	18 52	Pico B, Westecke, südlich bei Pico . .	0,3358	2,0361	4,900	5 54	1361	
1597	.	18 55	Plato, O.-Wallgipfel ζ	0,1531	2,3511	1,737	6 48	1287	
1598	.	18 59	Arzachel, Centralberg. S. bis zur westl. Terrasse	0,3955	1,0553	15,395	3 4	782	
1599	.	19 4	Blancanus, NO.-Wallgipfel	0,2364	4,3817	1,950	12 37	1093	
1600	.	19 8	Kircher, NO.-Wallgipfel	0,1868	6,6793	2,224	19 3	2731	
1601	.	19 12	Heinsius d, O.-Wall, halb beschattet . .	0,1283	4,9115	7,858	14 15	1415	
1602	.	19 16	Moretus, Centralberg	0,4855	1,1407	1,821	3 53	1211	
1603	.	19 20	Ptolemaeus, NO.-Wall γ = No. 1579 . .	0,5524	1,5223	19,055	4 26	1586	
1604	.	19 23	Timocharis, O.-Wall. S. bis zur Mitte .	0,1501	4,3973	9,417	13 46	1482	
1605	.	19 26	Archimedes, O.-Wall z = No. 1573 . .	0,2703	1,8475	8,296	5 22	1064	
1606	.	19 30	Archimedes E = No. 1576	0,3606	1,1591	7,662	3 23	812	
1607	.	19 33	Pico	0,3045	1,8609	4,341	5 34	1193	
1608	Dec. 23.	5 9	Macrobius, O.-Wall nach aussen	0,3773	0,8593	17,863	2 56	793	O.
1609	Dec. 25	4 11	Theophilus, NO.-Wall, viertel beschattet .	0,1127	3,3856	14,649	9 37	1551	O.
1610	.	4 14	Lindenau, W.-Wall, halb beschattet . .	0,2481	2,6515	7,969	7 31	1340	
1611	.	4 18	Pittscus, W.-Wall, viertel beschattet . . .	0,2410	3,5521	3,606	10 14	1789	
1612	.	4 21	Manzinus, W.-Wall, halb beschattet . . .	0,5560	2,1417	0,932	6 11	2264	

Anm. No. 1567. Auch hier, wie noch an andern Stellen, die Phase sehr schwierig.

No. 1573. Dicht südlich an diesem Gipfel fehlt aller Schatten, so dass der Wall dort sehr niedrig sein muss.

No. 1577 liegt in + 42°,5 Br. und 2°,5 östl. Länge.   No. 1596. Es schien, dies der lange Schatten von B, oder Insula Ebisus, dem westl. Theile des Berges angehöre.

No. 1602. d ist schroffer und tiefer als die 3 Krater im Heinsius.

Dec. 25. Wenig günstige Luft. — No. 1609. Etwas nördlich von dem dortigen Wallkrater.

No.	Datum.	Zeit.	Name der Gebirge.	s	A	d	p	h
1613	Dec. 25.	4 24	Manzinus, O.-Wall nach aussen	0,8440	1,0525	0,931	2 58	302	O.
1614	Dec. 26.	4 34	Maurolycus, SW.-Wall. S. berührt die Mitte	0,4288	3,1125	5,310	8 52	2753	O.
1615	"	4 37	Maurolycus, W.-Wall	0,3146	3,4789	5,640	9 37	2254	
1616	"	4 41	Cuvier, W.-Wall, über halb beschattet . .	0,4093	1,9061	3,620	5 25	1433	
1617	"	4 46	Stoeflerus, NW.-Wallgipfel in — 40° Br.	1,2023	1,4808	6,054	4 5	2280	
1618	"	4 50	Jacobi, W.-Wall, über halb beschattet	0,3859	1,9527	7,431	5 22	1397	
1619	"	5 1	Maurolycus, SW.-Wall — No. 1614	0,4345	3,3651	5,310	9 27	2813	
1620	"	5 4	Gemma, W.-Wall, weniger als halb beschattet	0,3682	3,5253	7,487	9 44	2532	
1621	"	5 7	Apianus, Senkung im W.-Wall. S. nahe zur Mitte	0,2954	1,8285	9,576	5 2	1023	
1622	"	5 11	Azophi, W.-Wall. S. erreicht die Mitte	0,2927	3,0797	11,529	8 30	1767	
1623	"	5 14	Geber, W.-Wall, halb beschattet	0,2174	3,5106	11,197	9 41	1521	
1624	"	5 19	Almanon, W.-Wall	0,1247	4,0585	13,809	11 13	1025	
1625	"	5 21	Abulfeda, SW.-Wallgipfel	0,2450	3,7475	14,146	9 53	1742	
1626	"	5 24	Abulfeda, W.-Wall	0,1853	3,7925	16,419	10 19	1409	
1627	"	5 28	Cuncasus a — No. 112	0,3816	0,8907	11,930	4 27	551	
1628	"	5 30	Manilius, O.-Wall nach aussen . . .	0,1852	1,1990	17,571	3 18	423	
1629	"	5 35	Manilius, W.-Wall. S. reicht bis zum O.-Walle	0,3023	1,7048	17,571	4 42	965	
1630	"	5 39	Menelaus, W.-Wall, halb beschattet	0,1257	4,0063	16,726	11 4	1019	
1631	"	5 42	Bessel, W.-Wall, etwas über halb beschattet	0,0829	4,5818	14,843	12 41	774	
1632	"	5 46	Eudoxus, W.-Wall, drittel beschattet . .	0,2977	1,8885	7,673	9 4	1923	
1633	"	6 18	Stoeflerus β	0,3968	1,2045	5,640	3 19	833	
1634	"	6 22	Stoeflerus NW. — No. 1617	0,8331	1,6723	6,054	4 36	2159	
1635	"	6 25	Maurolycus SW. — 1619	0,3687	3,6000	5,310	9 55	1589	
1636	"	6 29	Cuvier, W.-Wall. S. fast noch bis zur Mitte — No. 1616	0,3672	2,0831	3,620	5 44	1435	
1637	"	6 34	Eudoxus, Berg z, Südgipfel	0,5263	1,6117	8,006	4 26	1467	
1638	"	7 32	Bergader am Caucasus, in + 30°,5 Br. u. 5°,5 Lg.	0,1242	0,3533	12,000*	0 58	75	
1639	"	7 35	Calippus γ	0,8300	1,3523	8,530	3 44	2610	
1640	"	7 38	Calippus γ', südl. am Vorigen . . .	0,5852	1,2687	8,881*	3 30	1182	
1641	"	7 41	Eudoxus, Berg α, Nordgipfel	0,2519	1,6555	7,850	4 34	797	
1642	"	7 44	Eudoxus, Berg α, mittlerer Gipfel . . .	0,4183	1,7377	7,929*	4 48	1323	
1643	"	7 48	Eudoxus, Wallberg β (südl. vom Berge α) .	0,2511	1,7529	8,000	4 50	846	
1644	"	7 51	Agrippa, W.-Wall. S. berührt die Mitte .	0,3324	2,6006	11,269	7 11	1194	
1645	"	7 53	Agrippa, O.-Wall nach aussen . . .	0,1437	2,0561	11,269	5 41	591	
1646	"	7 56	Godin, W.-Wall, über halb beschattet . .	0,3277	2,4885	12,105	6 52	1119	
1647	"	8 0	Delambre, W.-Wallgipfel	0,3632	5,1461	13,392	14 16	1705	
1648	"	8 4	Alfraganus, W.-Wall, über halb beschattet .	0,3117	5,5993	14,719	15 34	1423	
1649	"	8 7	Kant, W.-Wall	0,4028	6,0604	16,546	16 53	1274	
1650	"	8 11	Maurolycus, SW.-Wall	0,3369	3,6083	5,310	9 57	2392	
1651	"	8 38	Caucasus, Südcap b — No. 113 . . .	0,7455	1,1853	11,825	3 7	1167	
1652	"	8 44	Caucasus b, Ost von Müller's β . . .	0,9689	1,3107	10,105	3 38	1666	
1653	"	8 48	Caucasus p, südöstlich von Calippus a . .	0,3549	1,3770	9,421	3 49	907	
1654	"	8 55	Curtius, NW.-Wall. S. Ende nahe dem Berge δ	0,7744	1,3726	4,076	3 47	1580	
1655	"	8 58	Stoeflerus b, W.-Wall, über halb beschattet .	0,4708	2,0877	5,427	5 38	1767	

A n m. Dec. 26. Gute stille Luft.

No. 1616. Es ward nicht der dortige Gipfel gemessen, nur der Kamm.

No. 1637. Eudoxus Berg α; darunter ist stets der Berg in + 43° Br. u. 10° Lg. verstanden. — No. 1638. d. geschätzt.

No. 1640. d. nur geschätzt, ebenso d. im folgenden und in No. 1642.

No. 1643. Nicht β im O.-Walle des Eudoxus, sondern in + 41° Br. u. 12°,5 Lg.

No. 1651. S. überschreitet noch weit die östliche Bergader. — No. 1653. Ich mass nur den kürzesten Schatten nördlich bei Calippus α, an der Stelle von p.

No.	Datum.	Zeit.	Name der Gebirge.	S	A	d	?	b	
		m					**"** **'**	**"**	
1656	Dec. 26.	9 3	Stoeflerus, NW.-Wallgipfel = No. 1634 . . .	0,5717	1,7033	6,054	4 42	1683	O.
1657	-	9 10	Cuvier, W.-Wall	0,2795	2,3700	3,610	6 33	1294	
1658	-	9 14	Baco b, W.-Wall, weniger als halb beschattet	0,1661	3,7041	3,891	10 13	1245	
1659	-	9 18	Jacobi, W.-Wall. S. erreicht die Mitte . . .	0,2980	2,4991	2,431	6 54	1453	
1660	-	9 26	Caucasus e = No. 210	0,7235	1,1900	11,751	3 18	1252	
1661	-	9 31	Caucasus g (oder f) = No. 211	0,8216	1,4275	10,203	3 55	1720	
1662	-	9 36	Caucasus f = No. 211: südlich neben No. 1661	0,9524	1,1463	10,349	3 44	1733	
1663	-	10 11	Caucasus c = No. 214. S. äussert fein . .	1,1460	1,5111	9,483	4 13	1397	
1664	-	10 20	Caucasus c, Südgipfel = No. 220a (?) . . .	0,8350	1,3865	11,515	3 51	1701	
1665	-	10 22	Caucasus c, mittlerer Gipfel	0,8753	1,3360	11,413	3 43	1654	
1666	-	10 26	Caucasus b = No. 1651	0,4254	1,3761	11,825	3 50	1941	
1667	Dec. 27.	4 48	Zach, W.-Wall, halb beschattet	0,2996	2,9718	1,896	8 13	1816	O.
1668	-	4 51	Curtius 4, nach aussen	1,9105	1,9105	1,090	5 29	4088	
1669	-	4 53	Jacobi, W.-Wall	0,1494	4,5220	2,678	12 24	1411	
1670	-	4 59	Hadley	0,2889	3,3194	12,961	4 51	2016	
1671	-	5 6	Calippus 2	0,8817	4,2086	8,920	11 49	2496	
1672	-	5 12	Werner, W.-Wall	0,2399	4,1530	—	11 48	2026	
1673	Dec. 28.	4 0	Clavius 2	0,3692	1,9971	1,865	5 55	1427	O.
1674	-	6 14	Tycho, W.-Wall. S. berührt die Mitte . . .	0,3737	2,6750	5,570	8 3	2385	
1675	-	6 18	Moretus, Centralberg. Phase sicher . . .	0,2083	1,6561	0,812	4 51	1020	
1676	-	6 21	Pico	0,1298	2,4741	—	7 31	1405	
1677	-	6 25	Krater Pico B, O.-Wall nach aussen . . .	0,1649	0,8191	6,451	2 33	323	
1678	-	6 29	Eratosthenes, W.-Wall, kaum halb beschattet	0,2019	3,0320	—	9 14	1512	
1679	-	6 34	Calippus 2	0,1221	7,4511	—	21 34	2189	
1680	-	6 38	Eratosthenes, Berg 5	0,1887	1,6684	—	5 5	786	
1681	-	6 41	Tycho, Centralberg	0,1721	2,1415	5,570	6 31	920	O.
1682	Dec. 29.	4 47	Lahire. (Luft noch schlecht)	0,2354	1,3624	12,106	4 42	974	O.
1683	-	4 57	Blancanus, SW.-Wall, nicht halb beschattet	0,2852	2,0633	1,464	6 36	1677	
1684	-	5 2	Bullialdus, W.-Wall, „ „ „	0,1602	3,0141	11,600	10 4	1509	
1685	-	5 6	Reinhold, W.-Wall, „ „ „	0,1582	2,6497	20,439	8 58	1327	
1686	-	6 36	Tob. Mayer a, O.-Wall nach aussen . . .	0,5507	0,8543	16,303	3 0	1083	
1687	-	6 41	Clavius b, W.-Wall, weniger als halb beschattet	0,1701	5,0515	2,845	15 10	2438	
1688	-	6 44	Capuanus, O.-Wall, sehr feiner S. (Anm.)	0,5485	1,1359	7,534	3 55	1517	
1689	-	6 48	Lambert, W.-Wall, weniger als halb beschattet	0,1191	2,9589	12,631	9 58	1128	
1690	-	7 3	Cap Laplace	0,9731	0,9731	6,712	3 27	1618	
1691	-	7 8	Laplace, Hügel d	0,4155	0,4155	6,561	1 29	500	
1692	-	7 13	Scheiner, W.-Wall. S. bis zum O.-Walle . .	0,6299	1,4447	2,218	4 52	1297	
1693	-	7 17	Euler, O.-Wall nach aussen	0,2175	0,3339	13,720	1 54	342	
1694	-	7 25	Landsberg, W.-Wall	0,1936	1,8703	21,803	6 29	1160	
1695	-	7 33	Cap Laplace. S. völlig entwickelt	0,8378	1,0336	6,712	3 37	1730	
1696	-	9 8	Cap Laplace	0,5082	1,1688	6,712	4 7	1606	
1697	-	9 12	Ader nahe Nord bei Delisle c (+ 35° Br.).	0,1093	0,3001	10,774	1 5	96	
1698	-	9 19	Capuanus, O.-Wall, nördl. von B; nach aussen	0,2437	1,5176	7,710	5 18	1175	
1699	-	9 24	Cap Laplace	0,4752	1,2199	6,712	4 18	1617	

A n m. No. 1660. S. überschreitet die östliche Bergader. Nur diese eine Messung am schwächeren Oculare genommen. — No. 1666. S. endet schon westlich neben der Bergader im Osten.

Dec. 27. Wolken und Schnee. — No. 1668. S. scheint an einem Berge in der Phase zu enden.

Dec. 28. Luft dunstig und still; die nicht gemessenen d. wurden annähernd durch Rechnung bestimmt.

Dec. 29. Im Ganzen gute Luft, aber mehrfach musste das Eis vom Objective entfernt werden.

No. 1686. S. vom Ostwalle des Randkraters fällt weit über den O.-Wall des Mayer hinaus.

No. 1688. Es ist S. vom Ost-Walle des eingreifenden Kraters B.

9*

No.	Datum.	Zeit.	Name der Gebirge.	S	A	d	φ	h	
		h m					° '	'	
1700	Dec. 31.	5 40	Aristarchus, W.-Wall, nicht halb beschattet	0,0814	1,4721	11,310	7 45	986	O.
1701	"	5 48	Marius, W.-Wall, „ „ „	0,0802	0,9332	15,031	5 9	657	
1702	"	5 50	Schicard, SW.-Wallgipfel	0,2070	0,8311	6,703	4 32	1078	

1855. (Olmütz.)

No.	Datum.	Zeit.	Name der Gebirge.	S	A	d	φ	h	
1703	Jan. 9.	17 37	Curtius f. S. endet am W.-Walle	0,9121	1,6968	2,161	4 57	1655	W.
1704	"	17 41	Curtius, Centralberg	0,1815	1,2707	2,053	3 43	508	
1705	"	17 45	Curtius, SO.-Wall	0,7200	1,5397	1,966	4 30	1996	
1706	"	17 51	Pico A, östlich von Cassini	0,2443	2,3583	5,810	6 55	1295	
1707	"	17 52	Pico A, Südgipfel	0,1983	2,3583	5,871	6 55	1063	
1708	"	18 16	Anaxagoras, W.-Wall nach aussen . . .	0,5182	1,1531	0,453	3 19	1071	
1709	"	18 20	Aristillus, O.-Wall	0,3231	2,1156	7,589	6 14	1504	
1710	"	18 24	Herschel, O.-Wall, halb beschattet . .	0,1488	4,0348	19,166	11 48	1386	
1711	"	18 28	Albategnius, Centralberg	0,2350	1,6331	17,208	4 49	850	
1712	"	18 43	Moretus, Centralberg	0,3226	2,3550	1,591	6 46	1637	
1713	"	18 47	Moretus, O.-Wall, etwas nördlich	0,2864	2,9545	1,591	8 25	1846	
1714	"	18 51	Stoeflerus, O.-Wallgipfel	0,4736	2,1537	7,697	6 19	2144	
1715	"	18 56	Curtius, mittl. O.-Wall, mehr als halb beschattet	0,5925	1,6274	2,053	4 44	1849	
1716	"	19 25	Short, NO.-Wall, fast ganz beschattet . . .	0,5787	2,5827	1,023	7 19	3016	
1717	"	19 29	Gr. Berg südlich von Casatus	0,3328	3,9171	0,597	10 32	2689	
1718	"	19 32	Werner, W.-Wall nach aussen	0,3215	1,5301	11,668	4 11	1048	
1719	"	20 10	Werner, NO.-Wallg. S. trifft die westl. Terrasse	0,6499	2,2311	11,668	6 34	2933	
1720	Jan. 10.	16 52	Pico B. S. äusserst fein; südlich bei Pico . .	1,0330	2,0330	5,526	2 57	1183	W.
1721	"	16 55	Pico. S. endet auf einer Bergader	0,8624	1,1392	4,914	3 15	1352	
1722	"	17 0	Plato, O.-Wallgipfel ʒ	0,4909	1,5905	2,599	4 32	1455	
1722a	"	"	„ Gipfel, südlich an ʒ geschätzt . . .					727	
1722b	"	"	„ Gipfel noch südlicher, „ . . .					364	
1723	"	17 7	Moretus, Centralberg. S. hoch an den Terrassen	0,5061	1,0962	1,528	3 7	942	
1724	"	17 12	Tycho, Centralberg. S. noch in der Tiefe . .	0,2661	2,4412	7,113	6 58	1358	
1725	"	17 17	Tycho, O.-Wall. S. reicht nahe zur Mitte . .	0,3390	2,9427	7,113	8 21	2061	
1726	"	17 21	Clavius f, nach aussen	0,3768	1,2771	2,212	3 38	905	
1727	"	17 45	Maginus, Krater f. W.-Wall nach aussen . .	0,7686	1,5823	4,816	4 30	2034	
1728	"	17 49	Clavius, Krater d, W.-Wall nach aussen . .	0,1493	1,9680	1,545	5 36	624	
1729	"	17 53	Blancanus, NO.-Wall	0,2611	4,0765	2,769	11 35	2258	
1730	"	18 0	Kircher, NO.-Wallgipfel	0,1632	6,4681	2,375	18 21	2256	
1731	"	18 5	Gr. Berg südlich von Casatus	0,5098	3,2785	0,865	9 14	3352	
1732	"	18 10	Gruemberger, O.-Wallg., viel über halb beschattet	0,5820	2,2377	2,019	6 19	2478	
1733	"	18 16	Tycho, Centralberg	0,2644	2,4866	7,113	7 5	1373	
1734	"	18 23	Tycho, O.-Wall. S. endet am Centralberg . .	0,3200	2,9084	7,113	8 17	1939	
1735	"	18 29	Tycho, O.-Wall	0,4742	2,8650	7,300	8 10	2750	
1736	"	18 40	Eratosthenes, O.-Wall, halb beschattet . .	0,2492	2,8053	13,702	8 0	1475	
1737	"	18 57	Helicon A, O.-Wall, fast halb beschattet . .	0,1033	4,1981	6,130	11 58	940	
1738	"	19 5	Plato, O.-Wallgipfel ʒ	0,6087	1,4306	2,599	4 4	1513	

Anm. Dec. 31. Gute Luft bei grossem Winde.

1855, Jan. 9. Ziemlich gute Luft zwischen Wolken. Phase überall sehr schwierig. — No. 1706. Bei φ = 7° hatte die Nordkuppe des Pico A noch keinen Schatten. — No. 1711. A theoretisch berechnet, giebt φ = 4° 30',1 und h = 782'. — No. 1712. Dieselbe Berechnung giebt φ = 6° 21',6 h = 1529'. — No. 1716. Short, W.-Wall, aussen sehr niedrig, weil jetzt noch ohne Schatten. — No. 1718. Luft dunstig.

Jan. 10. Gute Luft zwischen Wolken. Phase überall sehr schwierig.

No. 1723. A theoretisch berechnet, giebt φ = 2° 9',9 h = 568'. Phase ganz zerrissen.

No. 1724. A theoretisch berechnet, giebt φ = 6 55,9 h = 1351.

No. 1733. A ebenso, führt auf φ = 6 31,6 h = 1259.

No.	Datum.	Zeit.	Name der Gebirge.	S	A	d	?	h	
1739	Jan. 10.	19 16	Heinsius d, O.-Wall, halb beschattet	0,1516	4.3496	7,583	12 25	1135	W.
1740	"	19 22	Tycho, O.-Wall (sehr wolkig)	0,3579	2,7900	7,313	7 57	1060	
1741	"	20 15	Tycho, Centralberg. (Anm.)	0,3077	—	7,313	5 47	1272	
1742	Jan. 12.	17 30	Delisle C, W.-Wall nach aussen = C. Herschel	0,3376	0,7324	8,763	2 11	455	W.
1743	"	17 36	Kircher, NO.-Wallgipfel, über halb beschattet	0,4385	2,8158	1,822	8 59	2921	
1744	"	17 36	NO.-Wall, südlich am Gipfel . .	0,2709	2,8118	1,822	8 59	1857	
1745	"	17 42	Bettinus, NO.-Wall, fast halb beschattet . . .	0,2635	3,0725	2.403	9 47	1977	
1746	"	17 47	Zuchius, NO.-Wall, nicht halb im Schatten .	0,2359	3,8853	2,753	12 38	2307	
1747	"	17 52	Hainzel, O. Wall; fast ganz im Schatten . .	0,4007	2,3345	7,486	7 7	2094	
1748	"	17 57	Cap Heraclides — No. 920	0,3617	1,1749	6,935	3 31	866	
1749	"	18 2	Sin. Iridum f = Sharp B = No. 921 . . .	0,4919	1,9072	5,614	5 48	1001	
1750	"	18 7	" " Bianchini δ, oder östlicher . . .	0,5708	1,7615	5,413	5 21	1253	
1751	"	18 12	" " Sharp δ = c	0,3302	1,8272	5,786	5 33	1340	
1752	"	18 12	" " zw. den 2 Vorigen } =No.925	0,2769	1,8136	5,747	5 31	1131	
1753	"	18 18	" " bei Sharp δ = d	0,4321	1,7501	6,034	5 17	919	
1754	"	18 18	" " Sattel zwischen d und e . .	0,1789	1,7502	5,997	5 19	723	
1755	"	18 24	" " Berg C, Nordlg. liegt nördlich bei No. 1749	0,2155	1,7420	6,378	5 17	858	
1756	"	18 24	" " Sattel zwischen c und d . .	0,1213	1,7420	6,311	5 17	496	
1757	"	18 30	" " Berg b, NO. am Cap Heraclides	0,3823	1,6942	6,717	5 8	1401	
1758	"	18 34	" " Cap Heraclides — No. 1748 .	0,3962	1,0842	6,935	3 15	849	
1759	"	18 38	Kepler, O.-Wall, über halb beschattet	0,1602	3,1890	17,559	10 26	1306	
1760	"	18 43	Gassendus A, O.-Wall über halb beschattet .	0,1689	3,9786	15,498	12 32	1654	
1761	"	18 45	Ramsden, SW.-Wall nach aussen	0,1595	0,9795	9,603	2 56	346	
1762	"	18 49	Delisle b, W.-Wall nach aussen = Heis	0,1864	0,7075	9,384	2 7	274	
1763	"	19 17	Hainzel, Gebirge bei δ	0,6407	1,5590	6,745	4 6	1633	
1764	"	19 20	Hainzel, Gebirge bei D	0,5387	1,3100	6,163	3 57	1365	
1765	"	19 23	Schiller, SW.-Wall	0,2932	2,8788	4,508	9 0	2015	
1766	"	19 26	Kircher, NO.-Wallgipfel	0,4377	2,7962	1,822	9 0	2935	
1767	Jan. 13.	18 45	Mercenius g, Gipfel östl. über F	0,3374	1,8774	12,528	6 23	1741	W.
1768	"	18 49	Doppelmayer, Centralberg	0,4280	0,4380	11,198	1 24	266	
1769	"	18 54	Reiner, O.-Wall	0,0897	4.1128	14.394	14 52	1156	
1770	"	19 0	Grimaldi, Krater B, O.-Wall	0,0722	6,9794	21,174	28 31	1745	
1771	"	19 5	Hevellus, innerer kleiner Krater a (O.-Wall) .	0,0722	6,8144	23,301	27 38	1670	
1772	"	19 24	A, östl. v. Hainzel, SW.-Wall n. aussen. (Anm.)	0,2483	1,0038	8,835	3 22	663	
1773	"	19 27	Mercenius g = No. 1767	0,3712	1,8877	12,528	6 27	1922	
1774	"	19 43	Cavendish, Krater e, O.-Wall, halb beschattet	0,1334	3,6634	12,561	13 14	1531	
1775	Jan. 21.	4 34	Geminus, O.-Wall, halb beschattet . . .	0,3839	1,7131	10,170	6 45	1925	O.
1776	"	4 37	Geminus, W.-Wall, " . . .	0,2766	1,7836	10,185	7 2	1794	
1777	"	4 40	Bernoulli, SW.-Wall über halb beschattet .	0,1995	2,4717	10,950	10 4	1929	
1778	"	4 43	Cleomedes, SW.-Wallgipfel, Phase unsicher .	0,1763	3,8918	13,578	7 26	1902	
1779	"	4 46	Cleomedes, W.-Wall, Mitte	0,2581	1,7509	13,351	6 51	1636	
1780	"	4 49	Burckhardt, SW.-Wall, über halb beschattet .	0,2448	1,5023	12,460	5 49	1306	
1781	"	4 52	Burckhardt, NO.-Wallgipfel nach aussen . .	0,2765	2,0901	12,440	4 9	1001	
1782	"	4 57	Langrenus, W.-Wallgipfel	0,1423	3,2425	15,790	13 32	1907	
1783	"	5 0	Langrenus f, W.-Wall	0,0787	1,9647	16,722	7 43	590	

Anm. No. 1741. Da A. irrig gemessen ward, so mussten ? und h theoretisch nach der Ortslage des Berges bestimmt werden.
Jan. 12. Meist klare unruhige Luft. — Für den Sinus Iridum zu vergl. 1854, Sept. 16.
Jan. 13. Luft bei — 7° R. sehr klar und genügend ruhig. — No. 1771. Dies ist der Krater, den Schröter für eine neue Entstehung zu seiner Zeit hielt. — No. 1772 liegt in 37° Br. und 43° Lg.
Jan. 21. Sehr klare ruhige, erst zuletzt unruhige Luft.

No.	Datum	Zeit.	Name der Gebirge.	S	A	d	♀	h	
		h m					° ′	′	
1784	Jan. 21.	5 3	Langrenus a, W.-Wall. S. berührt die Mitte.						O.
			(Anm.)	0,1137	2,3004	16,723	9 9	1004	
1785	"	5 6	Langrenus b, W.-Wall, fast halb beschattet .	0,0906	2,3797	17,048	9 39	834	
1786	"	5 1-	Petavius a = Wrottesley, NW.-Wall. S. bis						
			zum O.-Walle	0,2280	1,0515	10,546	8 9	1743	
1787	"	5 13	Snellius, NW.-Wall, über halb beschattet .	0,2880	1,7870	8,823	7 1	1432	
1788	"	5 17	Stevinus, W.-Wall. S. berührt die Mitte . .	0,2390	1,4653	7,875	5 42	1242	
1789	"	5 20	Stevinus, Centralberg	0,1105	1,1239	7,687	4 41	493	
1790	"	5 24	Hase, W.-Wall	0,0975	1,9015	8,340	11 12	1152	
1791	"	5 28	Endymion, W.-Wallg. Phase ganz unsicher .	0,6400	1,4175	5,455	5 33	2775	
1792	"	6 5	Geb. SO. von Cleomedes = R.	1,1803	1,1803	15,381	4 12	2590	
1793	"	6 11	Gemina, SW.-Wall. Phase jetzt besser . .	0,2479	1,6723	10,170	6 38	1467	
1794	Jan. 22	4 47	Macrobius, W.-Wall. S. bis zur Mitte . . .	0,2429	2,6009	15,018	8 31	1668	O.
1795	"	4 50	Gebirg R = No. 1792	0,1356	3,9059	14,155	13 13	1890	
1796	"	4 54	Picard A, W.-Wall, halb beschattet . . .	0,0751	4,4247	15,967	15 9	944	
1797	"	4 57	M. Crisium, O.-Wall a nach aussen . . .	0,1340	3.5959	17,475	12 2	1331	
1798	"	5 1	Franklin, SW.-Wall. S. bis zur Mitte . . .	0,1696	2,4261	9,183	7 58	1101	
1799	"	5 4	Atlas, W.-Wall. S. reicht bis zur Mitte . .	0,3155	1,6330	6,887	5 17	1276	
1800	"	5 7	Tarontius, Berg a	0,2544	1,2097	11,966	3 59	734	
1801	"	5 12	Santbeck, W.-Wall, halb beschattet . . .	0,2137	2,6741	12,235	8 47	1520	
1802	"	5 16	Westl. Ader im M. Nectaris bei ς	0,1917	0,6759	12,241	1 8	296	
1803	"	5 18	Bohnenberger, O.-Wallgipfel aussen. (Anm.)	0,3961	1,0251	13,703	3 15	880	
1804	"	5 21	Berg a. Nord bei Bohnenberger. (Anm.) .	0,3696	0,9879	14,341	3 7	796	
1805	"	5 24	Berg r, noch nördlicher in − 13° Br. . . .	0,1995	1,0880	14,654	3 27	518	
1806	"	5 29	Gutemberg, W.-Wall, südl. an ε	0,1825	1,8445	16,355	5 55	867	
1807	"	5 31	Gutemberg, W.-Wall	0,2315	1,6643	16,197	5 20	971	
1808	"	5 35	Gutemberg, S.-Gebirge β	0,5316	1,3951	15,627	4 26	1618	
1809	"	5 38	Magelhaens, W.-Wall	0,1042	2,6011	15,263	8 29	729	
1810	"	5 45	Magelhaens a, W.-Wall	0,1120	2,8723	14,979	9 25	869	
1811	"	5 48	Colombo a, W.-Wall, halb beschattet . .	0,1749	2,6951	14,521	8 48	1352	
1812	"	5 51	Cook d, W.-Wall (, ebenso. (— 19° Br.) .	0,1872	1,4755	12,851	11 35	1119	
1813	"	5 55	Borda, W.-Wall, halb beschattet	0,1660	3,3469	10,812	11 9	1521	
1814	"	5 58	Reichenbach a, W.-Wall	0,1283	3,7649	9,841	12 44	1343	
1815	"	6 1	Reichenbach, NW.-Wall	0,1584	3,8090	9,356	12 55	1676	
1816	"	6 4	Reichenbach, O.-Wall a, nach aussen . .	0,2220	3,1803	9,356	10 35	1904	
1817	"	6 9	Rheita c, NW.-Wall; gr. langer Krater. (Anm.)	0,1169	1,5853	8,299	5 6	1750	
1818	"	6 12	Rheita, NW.-Wall	0,1167	2,2457	7,398	10 53	1569	
1819	"	6 26	Metius, NW.-Wall. S. bis zur Mitte . . .	0,2637	2,2050	6,478	7 12	1504	
1820	"	6 28	Walllose Senkung, östl. v. Metius . . .	0,3301	1,1790	6,351	3 45	899	
1821	"	6 21	Fabricius, NW.-Wall. S. reicht bis zur Mitte	0,3275	1,8230	5,736	5 54	1443	
1822	"	6 24	Metius a, W.-Wall. (Anm.)	0,4245	2,1201	5,151	6 56	2191	
1823	"	6 27	Steinheil b, NW.-Wall, halb beschattet . .	0,2605	2,4355	4.348	8 1	1746	
1824	"	6 31	Macrobius, W.-Wall	0,1135	2,8726	15,018	9 23	1609	
1825	"	7 7	A, O.-Wallgipfel nach aussen. (Siehe Anm.)	0,1474	0,7455	19,459	2 20	261	

Anm. No. 1784. Westl. Nachbar von f. — No. 1793. In + 21° Br. u. 52° westl. Länge.
    Jan. 22. Sehr klar, meist gute Luft. — No. 1797 in + 14°,5 Br. und 48°,5 Länge.
    No. 1803. S. fällt östlich über die grosse Bergader hinaus. — No. 1804 in − 14° Br. und 40°,5 Lg.
    No. 1812. Entweder Cook d in − 19° Br. oder der Krater in 50° Lg. — 14°,7 Br. = Crozier.
    No. 1817. In − 32°,5 Br. und 48° Lg. — No. 1822. Gehört zu dem grossen Wallgebirge Argelander zwischen Metius, B und Steinheil.
    No. 1825. Ein Krater im M. Tranquillitatis, in + 10° Br. und 38° Lg.

No.	Datum	Zeit.	Name der Gebirge.	S	A	d	φ	h	
1826	Jan. 22.	7 13	Langrenus 2, W.-Wall. (Siehe Anm.) . . .	0,0723	7.9340	16,675	30 20	1751	O.
1827	"	7 17	Langrenus C, W.-Wall	0,0655	6,8150	17,988	24 44	1313	
1828	"	7 22	Goclenius A, W.-Wall	0,0689	5,1885	17,852	17 50	1007	
1829	"	7 26	Oestl. Messier, W.-Wall, halb beschattet . . .	0,0816	3.5735	18,964	11 34	778	
1830	"	7 39	Cepheus, W.-Wall	0,2580	2,1695	8,529	7 21	1499	
1831	Jan. 23.	8 39	Theophilus, W.-Wall β	0,5469	1,7065	15,283	4 56	1764	O.
1832	"	8 46	Theophilus, nördl. Centrbg. S. auf den Terrassen	0,3131	1,1080	15,283	3 11	666	
1833	"	8 46	Theophilus, südl. " " " " "	0,2785	1,1080	15,283	3 11	603	
1834	"	9 11	Theophilus, W.-Wall β → No. 1831	0,5498	1,6907	15,283	4 54	1756	
1835	"	9 15	Cap Chamisso, NW. bei Plinius A	0,3847	1,8515	15,165	5 22	1441	
1836	Juli 19.	8 17	Piccolomini, SW.-Wall	0,3467	1,8734	10,379	6 30	1858	O.
1837	"	8 20	Piccolomini, W.-Wall	0,1889	2,0061	10,491	6 58	1138	
1838	"	8 24	Piccolomini, östl. Centralberg	0,1655	1,6870	10,493	5 35	797	
1839	"	8 27	Cap Chamisso, NW. bei Plinius A	0,3172	1,5902	12,357	5 18	1497	
1840	"	8 36	Vlacq, NW.-Wall	0,1922	2,2064	4,170	7 50	1305	
1841	Juli 21.	9 25	Calippus	0,3607	2,8543	7,129	8 25	1243	
1842	"	9 30	Alpen η → Cap Agassis	0,8206	1,2671	6,263	3 42	1630	
1843	"	9 34	Cuvier, W.-Wall. S. bis zur Mitte . . .	0,2471	2,4060	—	7 5	1312	
1844	Juli 31.	11 37	M. Crisium, SO.-Wall, Mädler's β . . .	0,5843	0,8387	23,041	3 24	1461	W.
1845	"	11 42	" " ζ — No. 822.(Sept. 9. 1854)	0,5053	1,0070	22,685	4 7	1777	
1846	"	11 46	" " ι — No. 776, 823 u. 808 .	0,4018	0,8393	19,149	3 30	1229	
1847	"	11 50	" " κ = No. 779	0,4249	1,2081	22,422	4 54	1964	
1848	"	11 54	" Wallkrater K, W.-Wall aussen	0,3095	1,2823	22,322	5 11	1615	
1849	"	12 12	" W.-Wall z (oder o) → No. 784 .	0,1413	1,6145	21,639	6 25	995	
1850	"	12 16	" " c → No. 792 . . .	0,2612	1,1994	21,045	4 50	1301	
1851	"	12 19	" " y → No. 785	0,1933	1,6521	22,117	6 33	1362	
1852	"	12 35	" Nordg. D → No. 793	0,2618	1,3493	20,892	5 14	1453	
1853	"	12 39	" " → No. 1846	0,4184	0,8820	19,149	3 35	1483	
1854	"	12 43	" in NO. A → No. 797	0,3993	1,0467	19,435	4 13	1231	
1855	"	12 46	" Südgipf. B = No. 796	0,4890	1,1265	19,765	4 55	2172	
1856	"	12 50	" Nordgpf. B' → No. 796a . . .	0,5946	1,2511	19,730	5 0	1554	
1857	"	12 54	" W.-Wall v. C über Mare, Nordg.: nahe No. 795 .	0,2835	1,3380	20,205	5 20	1189	
1858	"	12 57	" Picard A, W.-Wall aussen = No. 806 .	0,1253	0,4908	20,431	2 1	398	
1859	"	13 0	" Picard B, W.-Wall aussen	0,1213	0,4977	19,987	2 3	248	
1860	"	13 4	" Berg c → No. 1850	0,3173	1,0460	21,045	4 11	1280	
1861	"	13 8	Macrobius 2, O.-Wall, halb beschattet = No. 800 .	0,0918	4.0195	19,447	14 41	1499	
1862	"	13 12	Macrobius, O.-Wall	0,1283	2,5933	19,044	9 52	1395	
1863	"	13 38	Santbech b, Pic 2, nach aussen	0,3745	1,1251	10,060	4 27	1559	
1864	"	13 42	Santbech b, NW.-G., aussen oder Cook b .	0,1949	1,0801	10,278	4 17	853	
1865	"	13 47	Santbech b, SO.-Wall	0,0818	1,3980	10,278	3 17	488	
1866	"	13 51	M. Crisium, Berg l → No. 1482 . . .	0,1180	1,0703	21,127	4 16	535	
1867	"	13 55	" " im NO.; Geb. F → No. 794 . . .	0,2786	1,1657	20,557	5 23	1509	

Anm. No. 1826. Der nordöstlich dem Langrenus 2 anliegende Krater. — No. 1828 im M. Foecunditatis. — 7°,2 Br. und 51° Lg. Vielleicht maass ich aber nicht diesen, sondern den kleinern, östlich im Parallel von Langrenus f.

Jan. 23. Gute Luft. — No. 1832. 1833. Nur bei diesen bloss an einer Seite des Deckungspunktes gemessen.

Juli 21. Mond tief, Luft unruhig.

Juli 31. Sehr klare Nacht, aber meist unruhige Luft. Für die Berge des Mare Crisium musste ich eigene Bezeichnungen einführen, aber mit Beibehaltung der Mädler'schen. — No. 1851 liegt genau im Osten von l. — No. 1853. S. überschreitet jetzt die westliche Bergader. — No. 1863 in 20°,5 Br. und 48° Lg. Gelegentlich habe ich ihn auch nach Cook benannt. — No. 1866 ist ein Krater mit hohem W.-Walle. Schröter hat ihn viel beobachtet.

No.	Datum.	Zeit.	Name der Gebirge.	S	A	d	p	h	
		h m					° ′		
1868	Juli 31.	13 59	M. Crisium. R′ = No. 1856	0,8446	1,1153	19,750	4 26	2151	W.
1869	-	14 4	„ „ c = No. 1860	0,3906	0,9057	21,045	3 37	1238	
1870	-	14 17	„ „ Picard B, W.-Wall aussen =No.1859	0,2511	0,3505	20,431	1 16	257	
1871	-	14 28	„ „ c = No. 1869	0,4409	0,8993	21,045	3 35	1322	
1872	-	14 51	„ „ c.	0,4913	0,8479	21,045	3 22	1295	
1873	-	14 55	„ „ Nordg. D = No. 1852	0,5207	1,1272	20,892	4 26	1960	
1874	-	15 0	Berg s, südl. bei Macrobius D und E. West-gipfel (Anm.)	0,2603	1,8531	19,982			
1875	-	15 4	Proclus, O.-Wall, über halb beschattet	0,1431	1,0603	20,099	7 6	1903	
1876	-	15 11	M. Crisium, Berg o	0,5510	0,7919	21,045	3 9	1238	
1877	-	15 15	Berg D, Nordg. = No. 1873	0,5573	1,0109	20,892	3 59	1762	
1878	August 2.	11 42	Theophilus, SW.-Wallgipfel aussen	0,3823	0,9837	15,980	2 54	721	W.
1879	-	11 46	Cap westl. bei Cyrillus = No. 822	0,6003	1,4393	14,759	4 13	1615	
1880	-	11 50	Altai β, Südgipfel	0,6433	1,6900	10,884	4 56	1267	
1881	-	11 54	Ader im Marc Nectaris, West von No. 1879; = No. 846	0,1804	0,6531	14,759	1 56	243	
1882	-	11 57	Theophilus, NW.-Wallg. nach aussen (Anm.)	0,2375	0,9815	16,693	2 53	571	
1883	-	12 1	Curtius δ, S. erreicht die Mitte	0,5369	3,6893	1,267	9 49	3902	
1884	-	12 5	Theophilus, südl. Centralberg	0,2731	1,4601	16,120	4 16	852	
1885	-	12 8	Theophilus, nördl. Centralberg	0,2946	1,4017	16,254	4 9	1077	
1886	-	12 12	Theophilus, SW.-Wallg. aussen = No. 1878	0,5263	0,9307	15,980	2 44	830	
1887	-	12 21	Theophilus, SO.-Wall. S. bis zur Mitte	0,5702	1,9491	15,980	5 35	1175	
1888	-	12 25	Theophilus, O.-Wall. S. bis zur Mitte	0,4528	2,0485	16,191	5 57	1914	
1889	-	12 28	Theophilus, NO.-Wall. S. bis zur Mitte	0,5570	1,9549	16,461	5 41	1177	
1890	-	12 33	Kant, Cap A	0,2341	3,0819	16,629	8 51	1600	
1891	-	12 37	Kant, W.-Wall nach aussen	0,1693	3,4749	16,324	9 57	1315	
1892	-	12 40	Kant, O.-Wall, über halb beschattet	0,2140	3,7587	16,324	10 45	1788	
1893	-	12 43	Kant, Berg am Südwalle	0,1756	3,5655	15,952	10 12	1397	
1894	-	12 47	Theophilus, südl. Centralberg	0,3730	1,4379	16,120	4 12	831	
1895	-	12 50	Theophilus, nördl. Centralberg	0,3043	1,3934	16,254	4 4	884	
1896	-	12 55	Curtius δ	0,5578	3,6839	1,267	9 47	4002	
1897	-	13 0	Plinius, ONO.-Wall. S. bis zur Mitte	0,2174	2,8469	16,211	8 7	1417	
1898	-	13 11	Curtius δ	0,5438	3,6437	1,267	9 40	3858	
1899	-	13 14	Curtius, O.-Wall	0,2504	3,6038	1,166	9 32	1263	
1900	August 3.	13 7	Maurolycus, Centralberg. Phase sehr übel.	0,4183	0,9788	8,651	2 43	700	W.
1901	-	13 11	Curtius δ. S. nahe am NW.-Wall endend	0,9109	3,1170	0,962	5 49	3253	
1902	-	13 15	Curtius δ. O.-Wall. S. nahe zur Mitte	0,3646	2,2070	0,846	5 57	1502	
1903	-	13 19	Zach, SO.-Wall, halb beschattet	0,1702	1,3582	1,812	6 25	1654	
1904	-	13 24	Lilius, SO.-Wall, halb beschattet	0,3580	2,6283	3,515	7 12	1812	
1905	-	13 27	Cuvier, O.-Wall, halb beschattet	0,4855	1,1701	4,498	5 58	1943	
1906	-	13 30	Cuvier, O.-Wall nach aussen	0,2536	1,1602	4,498	3 13	548	
1907	-	13 34	Licetus, O.-Wall	0,2778	3,0596	5,160	8 23	1677	
1908	-	13 37	Werner, O.-Wall	0,2160	5,1860	10,361	14 13	2254	
1909	-	13 40	Haemus 1, Südgipfel	0,1521	1,6026	14,486	4 26	1488	
1910	-	13 44	Curtius δ	0,9104	2,0876	0,962	5 39	3016	
1911	-	13 47	Cuvier, O.-Wall	0,4302	2,0963	4,498	5 46	1014	
1912	-	13 50	Azophi, O.-Wall, fast ganz beschattet	0,3506	2,3124	12,450	6 23	1561	
1913	-	13 53	Azophi, W.-Wall nach aussen	0,4756	1,7814	12,450	4 56	611	

Anm. No. 1874 in + 18° Br. u. 46° Lg.

Aug. 2. Sehr klare, selten ruhige Luft. No. 1878. Aeussere Terrassen überschattet. — No. 1882. Liegt schon auf der oberen äusseren Terrasse. — No. 1884. Die S. der Centralberge berühren schon die westlichen Terrassen. — No. 1888. S. liegt auf dem östl. Fusse der Centralberge.

Aug. 3. Genügend stille Luft. — No. 1900. S. berührt die Terrasse.

No.	Datum.	Zeit.	Name der Gebirge.	S	A	d	♀	h	
		° '					° '	'	
1914	Aug. 3.	13 56	Abenezra, SO.- u. NO.-Wall. S. b. z. Mitte	0,2580	2,4364	12,801	6 43	1239	W.
1915	"	14 13	Abenezra, W.-Wall nach aussen	0,1489	2,0000	12,801	5 30	595	
1916	"	14 16	Geber, O.-Wall, drei viertel beschattet . . .	0,3238	1,9904	13,429	5 30	1233	
1917	"	14 20	Almanon, O.-Wall. S. bis zur Mitte . . .	0,2214	1,5978	14,270	4 10	645	
1918	"	14 23	Abulfeda, O.-Wall. S. bis zur Mitte . . .	0,3256	1,9544	15,332	5 17	1187	
1919	"	14 28	Curtius ?	0,9397	3,1496	0,962	5 48	3190	
1920	"	14 34	Godin, O.-Wall, halb beschattet	0,1988	3,0006	20,188	8 26	956	
1921	"	14 37	Agrippa, O.-Wall, halb beschattet	0,2248	3,7964	19,368	7 42	1250	
1922	Aug. 19.	7 24	Maurolycus, SW.-Wallgipfel	0,5839	2,2394	5,316	6 45	2746	O.
1923	"	7 29	Maurolycus, W.-Wall	0,3860	2,2490	5,729	7 23	2101	
1924	"	7 34	Baco, W.-Wallgipfel	0,2148	2,7051	3,730	7 5	2260	
1925	"	7 42	Manzinus, NW.-Wallgipfel	0,3716	3,6007	0,929	8 2	2250	
1926	"	7 52	Abulfeda, SW.-Wallgipfel	0,2649	3,0897	13,764	9 19	1882	
1927	"	7 55	Abulfeda, W.-Wall	0,1797	3,1943	13,969	9 38	1340	
1928	"	7 58	Almanon, W.-Wall	0,1433	3,4735	13,419	10 30	1173	
1929	"	8 1	Geber, W.-Wall	0,2303	2,9563	12,044	8 54	1570	
1930	"	8 5	Eudoxus, Gebirg z. Südgipfel	0,3697	1,8607	7,046	5 34	1460	
1931	"	8 8	Eudoxus, W.-Wall	0,2271	3,3887	6,962	10 18	1798	
1932	"	8 13	Maurolycus, SW. = No. 1922	0,5210	2,5400	5,316	7 39	2861	
1933	Aug. 21.	8 33	Clavius a. (Anm.)	0,7720	1,3991	2,077	3 56	1689	O.
1934	Aug. 22.	8 36	Cap Laplace; Phase sehr günstig	0,5160	2,6678	7,236	4 54	1738	O.
1935	"	8 40	Clavius b, W.-Wall, halb beschattet . . .	0,2042	4,4525	2,428	12 11	1970	
1936	"	8 43	Longomontanus, NW.-Wall. (Anm.) . . .	0,1860	2,7555	2,789	7 53	1991	
1937	"	8 47	Longomontanus, NO.-Wall nach aussen . .	0,3927	2,1673	3,298	3 26	913	
1938	"	8 50	Tycho, W.-Wall	0,1439	5,6933	5,164	15 49	1802	
1939	"	8 53	Heinsius d, W.-Wall	0,2029	3,6651	5,325	10 27	1676	
1940	"	8 56	Wurzelbauer d, W.-Wall	0,1252	4,2401	6,809	12 6	1428	
1941	"	9 17	Cichus, W.-Wall	0,1577	3,1275	7,455	9 3	1135	
1942	"	9 21	Bullialdus, W.-Wall	0,1966	3,3147	11,596	9 18	1500	
1943	"	9 24	Cap Laplace	0,4433	1,7951	7,236	5 17	1676	
1944	"	9 29	Tob. Mayer a, O.-Wall nach aussen . . .	0,5905	1,3393	17,655	3 41	1356	
1945	"	9 32	Reinhold, W.-Wall	0,1821	3,4205	21,658	9 56	1445	
1946	Aug. 23.	7 43	Bianchini, W.-Wall, halb beschattet . . .	0,1996	2,3796	6,871	7 33	1316	O.
1947	"	7 46	Berg ?, nördlich bei Delisle A	0,1550	0,9884	10,991	3 15	426	
1948	"	8 31	Vitello, O.-Wall nach aussen	0,2181	1,1584	8,615	3 49	693	
1949	"	8 37	Aristarchus, Berg 3	0,4602	2,8921	13,112	2 58	928	
1950	"	9 12	Philolaus, NW.-Wall, halb beschattet . . .	0,2482	1,9428	2,010	6 3	1290	
1951	"	9 14	Höchster Nordpolarberg, Gioja a	0,3385	1,2262	0,3885	3 41	1021	
1952	"	9 18	Anaximenes B	0,3133	1,1396	3,177	3 47	942	
1953	"	9 22	Kepler, W.-Wall, über halb beschattet . .	0,1634	2,0060	10,360	6 34	952	
1954	"	9 25	Kepler C, O.-Wall nach aussen	0,1678	0,6396	19,556	1 9	290	
1955	Aug. 24.	7 51	Harpalus, NW.-Wall. S. bis zur Mitte . . .	0,1361	2,5343	6,851	9 26	1423	O.

Anm. Aug. 19. Mond sehr tief. Luft klar, aber nicht ruhig; zuletzt muss ich am schwächern Oculare.

Aug. 21. Mond tief und zwischen Wolken. — No. 1933. S. endet am Walle von Clavius a.

Aug. 22. Mond tief; nie ganz ruhige Luft. — No. 1936. Hier wirft der Ostwall des eingreifenden Kraters seinen Schatten.

No. 1944. Der S. des O.-Walles von a fällt ganz über den Hauptkrater hinweg in die östliche Ebene.

Aug. 23. Mond tief. Luft sehr klar, aber nicht ruhig. — No. 1951. Bei Mädler genauer angegeben.

Aug. 24. Bei tiefer Lage des Mondes, dennoch gute Bilder.

10

No.	Datum	Zeit	Name der Gebirge.	S	A	d	♀	h	
1956	Aug. 14.	7 55	Sharp, W.-Wall	0,1091	3,3891	8,831	12 13	1511	O.
1957	"	8 29	Mairan, W.-Wall	0,1079	2,9851	10,117	11 10	1355	
1958	"	8 51	Mersenius b (zu Osten	0,2015	1,9057	8,858	7 15	1429	
1959	"	8 55	Mersenius a, W.-Wall — Liebig	0,1327	1,8329	9,191	7 10	1057	
1960	"	8 58	Mersenius, W.-Wall	0,1322	1,9815	10,147	7 43	1140	
1961	"	9 2	Mersenius a, O.-Wall nach aussen — Liebig	0,1356	1,6385	9,191	6 22	971	
1962	"	9 5	Zupos a	0,1477	1,0481	11,516	4 16	883	
1963	"	9 9	Marius, W.-Wall	0,3084	1,5000	21,922	6 0	730	
1964	"	9 13	Marius A, W.-Wall	0,0801	2,7077		10 23	957	
1965	"	9 29	Aristarchus, W.-Wall, nicht halb beschattet .	0,1081	3,3663	16,170	9 11	1130	
1966	"	9 48	Herodotus B, O.-Wall aussen . . .	0,2073	0,3419	16,3°	1 27	153	
1967	"	9 44	,, B', südl. v. B. O.-Wall nach aussen	0,0358	0,4377	16,5°	1 51	147	
1968	"	9 52	Gioja x = No. 1951	0,2749	1,4719	0,394°	4 53	1384	
1969	Aug. 15.	9 44	Pythagoras, NW.-Wall a	0,3039	1,2714	2,883	6 31	1946	O.
1970	"	10 8	Pythagoras, nördlicher Centralberg .	0,2142	0,7644	2,997	4 16	1349	
1971	"	10 13	Pythagoras, W.-Wall β	0,3561	1,3446	2,969	6 54	3616	
1972	"	10 17	Gioja 2 = No. 1968	0,2039	1,4778	0,3003	5 34	1770	
1973	Aug. 28.	10 41	Hase a	0,1113	1,3597	7,729	8 27	1904	W.
1974	"	10 44	Legendre e, O.-Wall	0,1622	0,6401	7,729°	4 43	1418	
1975	"	10 48	Legendre, O.-Wall	0,1581	0,5663	7,719°	3 58	1128	
1976	"	10 53	Behaim A, O.-Wall	0,1116	0,4983	11,549	3 34	744	
1977	"	10 57	Lapeyrouse b, O.-Wall (— 11° Br. 70° Lg.)	0,1507	0,8741	14,205	4 42	1319	
1978	"	11 7	Lapeyrouse a, O.-Wall (— 11° Br. 67° Lg.)	0,1076	1,2043	14,205	2 4	1735	
1979	"	11 11	Maclaurin, O.-Wall	0,1394	1,0313	17,284	6 52	1734	
1980	"	11 15	Schubert a, O.-Wall (+ 4° Br. 71° Lg.)	0,1225	0,7217	19,810	5 0	1153	
1981	"	11 18	Kraiter SW. v. Condorcei, O.-Wall (+ 9°,5 Br. 69° Lg.)	0,1173	0,6141	21,925	4 19	951	
1982	"	11 22	Condorcet, O.-Wallgipfel . . .	0,1235	0,7800	20,852	5 21	1263	
1983	"	11 25	Prom. Agarum, Seite NO. von Condorcet .	0,1216	0,0801	20,415	6 33	1547	
1984	"	11 29	Berg Albazen a	0,1911	0,5181	17,939	3 52	1349	
1985	"	11 38	Eimmart, O.-Wall	0,1031	1,1819	16,464	4 22	2013	
1986	"	11 43	Berosus, NO.-Wall a . . .	0,1597	0,8791	12,764	5 48	1720	
1987	Aug. 29.	11 11	Endymion, O.-Wall a . . .	0,2584	1,0941	5,979	4 12	1206	W.
1988	"	11 14	Endymion, O.-Wall γ . . .	0,2113	1,2419	6,200	5 25	1350	
1989	"	11 17	Endymion, SO.-Wall β . . .	0,1519	1,3703	7,073	5 57	1103	
1990	"	11 21	Strabo, O.-Wall. S. erreicht die Mitte .	0,1704	1,1589	4,298	5 0	1018	
1991	"	11 25	Geminus, NO.-Wall, halb beschattet .	0,1787	1,1942	11,055	6 8	1975	
1992	"	11 29	Geminus, O.-Wall ,, . . .	0,2114	1,3921	12,161	6 7	1538	
1993	"	11 32	Geminus, SO.-Wall ,, . . .	0,2391	1,2595	12,401	5 34	1549	
1994	"	11 35	Geminus, SW.-Wall nach aussen .	0,1325	0,7317	12,401	3 20	518	
1995	"	11 40	Burekhardt, NO. x. S. bis zum W.-Walle	0,2834	1,3340	13,243	5 28	1779	
1996	"	11 44	Tralles, O.-Wall	0,1402	2,0550	14,384	8 45	1521	
1997	"	11 47	Cleomedes, O.-Wall	0,1991	1,8500	14,751	7 57	1912	
1998	"	11 51	Cleomedes, SW.-Wallgipfel nach aussen .	0,1708	0,9105	14,957	4 8	822	
1999	"	11 55	Tralles A, O.-Wall (+ 27° Br., 47°,5 Lg.) .	0,0742	3,4467	14,751	13 11	1206	
2000	"	12 0	Picard A, O.-Wall, halb beschattet . .	0,0898	1,0037	17,965	8 24	944	
2001	"	12 4	Picard, O.-Wall, ,, ,, .	0,1085	1,6161	19,342	7 2	943	

Anm. No. 1966–1968. d nur interpolirt, und in No. 1967 ist S. nur eine Schätzung.

Aug. 15. Luft dunstig und sehr ruhig.

Aug. 28. Sehr heitere, aber selten ruhige Luft. — No. 1973–1975. d ward nur für Hase a gemessen.

Aug. 29. Sehr klar, meist ruhige Luft.

No. 1987—1989. Nur γ ist eine Bezeichnung Mädler's; sein β liegt im Südwalle.

No.	Datum.	Zeit.	Name der Gebirge.	S	A	d	φ	h	
		ʰ ᵐ					° ′	″	
2002	Aug. 29.	12 9	Langrenus f, NO.-Wall, halb beschattet . . .	0,1467	1,3567	16,556	5 56	1051	W.
2003	„	12 15	Steinheil b, SO.-Wall	0,1868	2,5595	3.343	9 46	1113	
2004	„	12 34	Thal θ Rheita (– 42°,5 Br., 51° Lg.) . . .	0,1774	2,0093	5,049	8 27	1811	
2005	„	12 38	Langer Krater a, O.-Wall (– 33° Br. u.47°,5 Lg.)	0,1190	2,2742	6,971	9 13	1149	
2006	„	12 42	Stevinus, SO.-Wall, halb beschattet	0,3102	1,3123	7,401	5 37	1930	
2007	Aug. 30.	10 44	Atlas, SW.-Wall nach aussen; ein Gipfel . .	0,2437	0,9800	5.864	3 30	746	W.
2008	„	10 48	Atlas, W.-Wallgipfel nach aussen	0,2568	0,8968	5.301	3 11	648	
2009	„	10 51	Atlas, NO.-Wall	0,1963	1,7716	5.501	6 5	1112	
2010	„	10 56	Hercules, NO.-Wall	0,1779	2,7942	5.813	9 18	1589	
2011	„	11 0	Atlas A, O.-Wall (+ 51° Br. u. 43° Lg.) . . .	0,1481	1,8466	4,691	6 18	891	
2012	„	11 4	Krater a Römer, O.-Wall (+ 29°,5 Br.u.44° Lg.)	0,2118	2,0550	10.814	7 6	1416	
2013	„	11 8	Cap südlich vom Vorigen (+ 27°,5 Br.u.46° Lg.)	0,2733	1,3216	11,273	3 46	1134	
2014	„	11 13	Macrobius, O.-Wall	0,3964	1,3663	13,804	6 0	1880	
2015	„	11 33	Taruntius, O.-Wall, fast halb beschattet . . .	0,2285	1,1472	19.499	4 4	828	
2016	„	11 37	Taruntius, W.-Wall nach aussen	0,1874	0,6376	19.499	2 18	365	
2017	„	11 40	Westl. Messier, SW.-Wallgipfel nach aussen .	0,1386	0,4386	21,193	1 36	348	
2018	„	11 44	Macrobius a, O.-Wall	0,1346	1,9706	14,447	10 3	1301	
2019	„	11 47	Metius, SO.-Wall	0,4934	1,3633	7,007	4 44	1877	
2020	„	11 50	Metius A, O.-Wall	0,3070	1,8893	7,007	6 27	1242	
2021	„	11 53	Fabricius, SO.-Wall. S. berührt die Mitte . .	0,1827	1,5604	6,365	5 11	1312	
2022	„	11 56	Vlacq, SO.-Wall	0,3456	2,0315	3.765	6 44	1083	
2023	„	12 0	Nearchus, SO.-Wall	0,3513	1,7453	2,770	5 59	1855	
2024	„	12 4	Santbech, SO.-Wall	0,3361	1,6470	13,095	4 3	1094	
2025	„	12 7	Santbech, W.-Wall nach aussen	0,1885	0,9381	13,177	3 19	554	
2026	„	12 10	Goclenius, O.-Wall	0,1853	1,4728	17,090	5 9	878	
2027	„	12 29	Neander, südl. Gebirg ζ	0,4573	1,6900	9,387	5 49	2243	
2028	„	12 34	Neander, NW.-Gebirg bei ε	0,3352	1,9896	9.914	6 47	1597	
2029	„	12 38	Neander, SO.-Wall	0,1925	1,3516	9.507	7 57	1434	
2030	„	12 53	Macrobius 2. (Anm.)	0,1520	2,0138	13,186	6 53	900	
2031	Aug. 31.	20 11	Curtius ζ. S. bis zur Mitte. (Anm.)	0,5567	4,2204	1,670	11 25	4811	W.
2032	„	20 17	Curtius η	0,5390	4,1310	1,670	11 11	4578	
2033	„	20 26	Curtius δ	0,5660	4,0737	1,670	11 3	4734	
2034	Sept. 1.	11 30	Curtius ζ. S. überschreitet die Mitte	0,6439	1,7493	1,860	7 37	3387	W.
2035	„	11 35	Short, O.-Wall	0,2135	2,7007	1,797	7 19	1203	
2036	„	11 39	Short, O.-Wall, über halb beschattet	0,3921	2,7831	0,7815	7 30	2138	
2037	„	11 44	Zach, O.-Wall	0,3204	3,3901	2,735	9 7	1512	
2038	„	11 48	Curtius δ	0,6803	2,7873	1,860	7 43	3597	
2039	„	11 53	Zach d, O.-Wall, Nord bei Curtius	0,3457	2,9373	2,266	8 9	1703	
2040	„	11 58	Jacobi, O.-Wall, fast halb beschattet	0,2866	2,4801	3,628	7 9	1517	
2041	„	12 3	Curtius δ	0,7096	2,8987	1,860	8 3	3688	
2042	„	12 23	Calippus a. (Anm.)	0,1402	4,7921	7,369	13 31	1431	
2043	„	12 27	Eudoxus	0,2125	3,1429	5,846	8 49	1414	
2044	„	12 31	Aristoteles, SO.-Wall δ, halb beschattet . . .	0,3365	2,5761	4,615	7 14	1778	
2045	„	12 36	Aristoteles, O.-Wall	0,2367	2,7219	4,392	7 38	1349	
2046	„	12 39	Aristoteles, NO.-Wall γ	0,3397	2,5206	4,240	7 4	1749	
2047	„	12 43	Aristoteles a, O.-Wall. S. erreicht die Mitte .	0,1934	1,6339	4,442	4 38	658	

Anm. Aug. 30. Sehr klar; selten stille Luft. — No. 2014. Gemessen ward S. vom Ostwalle, des östlichen Wallkraters, dessen Westwall schon unsichtbar.

No. 2030. Das Gebirg liegt NO. von Macrobius und NW. von Krater B.

Aug. 31. Sehr klar. Messungen im vollen Tageslichte. Aber wegen Manzinus ist (für Curtius δ) die Phase immer
sehr schwierig, wenn φ 10° bis 11°.

Sept. 1. Sehr klare, genügend ruhige Luft. — No. 2042. S. trifft noch nicht den Calippus.

10 *

No.	Datum.	Zeit.	Name der Gebirge.	S	A	d	φ	h	
2048	Sept. 3.	11 46	Aristoteles a, W.-Wall nach aussen	0.2437	1,3181	4.442	3 43	647	W.
2049	"	11 51	Cuvier, O.-Wall	0.2426	3,3363	5.068	9 19	1695	
2050	"	11 56	Curtius δ	0,7313	1,7908	1,860	7 43	3793	
2051	"	13 1	Barocius, O.-Wallgipfel, halb beschattet . .	0.4737	2,0477	6.459	5 47	1891	
2052	"	13 30	Curtius δ	0,7359	2,7725	1,860	7 38	3774	
2053	"	13 35	Maurolycus, SO.-Wallgipfel	0,3413	1,6988	6,990	7 35	1886	
2054	"	13 39	Maurolycus, O.-Wallgipfel	0,3528	1,8183	7,115	7 55	2036	
2055	"	13 43	Licetus, O.-Wall	0.1628	4,2555	5.778	11 48	1459	
2056	"	13 46	Gemma b, O.-Wall, halb beschattet . . .	0,3793	3,6497	9.489	10 14	1188	
2057	"	13 49	Buch, O.-Wall	0,1543	1,6699	8.084	4 44	542	
2058	"	13 54	Sacrobosco, W.-Wall a, Südgipfel nach aussen	0,2976	1,8033	12,891	5 7	1087	
2059	"	13 58	Delambre, O.-Wall. S. bis zur Mitte . . .	0,2277	2,4911	21,100	7 3	1190	
2060	"	14 3	Curtius δ	0,7667	1,8191	1,860	7 45	3967	
2061	"	14 10	Cuvier, O.-Wall	0,2552	3,2413	5,068	9 2	1715	
2062	"	14 14	Curtius δ	0,7700	2,7645	1,860	7 36	3890	
2063	Sept. 18.	6 57	Calippus a. S schon westl. von der Bergader	0,4586	2,8804	9.139	8 14	2657	O.
2064	"	7 0	Caucasus c, mittlerer Gipfel = No. 1665 . .	0,3529	2,5050	11.469	7 8	1305	
2065	"	7 4	Cuvier, W.-Wall	0,2738	2,5806	2.581	7 25	1468	
2066	"	7 8	Stoeflerus b, W.-Wall. S. bis zur Mitte . .	0,3824	2,5840	5.179	7 23	1999	
2067	"	7 11	Abkacusis, W.-Wall. S. bis zur Mitte . .	0,4687	2,0442	8.039	5 49	1887	
2068	"	7 15	Calippus a	0,4371	2,9122	9.139	8 13	2565	
2069	Sept. 21.	6 43	Diophantus, O.-Wall nach aussen . . .	0,3077	0,7579	14.493	3 22	496	O.
2070	"	6 46	Cap Laplace. Phase schwierig	0,2696	1,5901	8.493	7 48	1702	
2071	"	6 50	Gioja a Nordpolarberg. S. u. Phase zugewinn	0,5213	1,0131	0,939	3 2	990	
2072	"	7 18	Anaxagoras, W.-Wall	0,1526	3,2013	1,752	9 1	1151	
2073	"	7 22	Anaxagoras γ, mittlerer Gipfel	0,1698	3,0529	1,969	6 2	1301	
2074	"	7 26	Euler, W.-Wall, über halb beschattet . .	0,3575	3,6917	16,080	8 11	2073	
2075	"	7 29	M. Humorum, Berg Hippalus 2	0,5084	1,0369	9,128	3 13	1057	
2076	"	7 33	Blancanus, SW.-Wall, fast halb beschattet .	0,3042	2,8459	0,916	7 50	1920	
2077	"	7 56	Scheiner, SW.-Wall, " " "	0,4504	1,8249	1.319	5 21	1798	
2078	"	8 1	Clavius b, W.-Wall	0,1663	5,5165	2.176	13 40	1907	
2079	"	8 41	Hippalus a — No. 1075	0,4071	1,2484	9,128	3 53	1142	
2080	"	8 45	Agatharchides x, W.-Wall	0,1665	1,3219	10,839	4 7	853	
2081	"	9 7	Delisle, Gebirge a, Südgipfel	0,3634	0,8469	13.5°	2 46	660	
2082	Sept. 22.	8 22	Gioja a — No. 2071	0,3584	1,2609	0,389	4 2	1252	O.
2083	"	8 41	Philolaus, NW.-Wall. Phase sehr schwierig .	0,2149	2,0931	2,064	7 0	1463	
2084	"	8 44	Anaximenes B. " " "	0,3890	1,0327	2,064	3 43	1195	
2085	"	8 48	Bianchini, W.-Wall	0,1009	3,3685	7,745	11 26	1179	
2086	"	9 38	Harpalus, W.-Wall	0,1782	1,6001	6.118	5 47	1031	
2087	"	9 42	Sharp, W.-Wall	0,1996	2,4767	8.154	8 45	1756	
2088	"	9 46	Mairan, W.-Wall	0,1230	1,8529	9.129	6 43	1477	
2089	"	10 2	Gassendi A, W.-Wall. S. bis zur Mitte . .	0,1736	2,8371	13,039	10 5	1784	
2090	"	10 5	Kepler, W.-Wall	0,0914	3,8273	11,810	13 14	1369	
2091	"	10 9	Gr. Berg 2, NO. von Hainzel	0,1970	2,8829	6,056	6 45	1330	
2092	"	10 15	Diophantus, W.-Wall, halb beschattet . . .	0,0911	4,4693	13,780	15 18	1426	
2093	"	10 19	Aristarchus, W.-Wall, über halb beschattet .	0,1108	1,0999	15,326	4 7	832	
2094	Sept. 23.	7 5	Gioja a — No. 2082	0,2806	1,0663	0,365	4 7	1135	O.
2095	"	7 9	Vieta, W.-Wall δ. S. bis zum NO.-Walle .	0,3232	0,9435	8.529	4 37	1261	
2096	"	7 15	Vieta, SW.-Wall. S. bis zum SO.-Walle . .	0,2591	1,0795	8,070	5 7	1623	

Anm. Sept. 18. Mond tief. Luft genügend ruhig. — No. 2067. Phase hier sehr schwierig.
Sept. 21. Mond tief. Luft sehr klar und still.
Sept. 22. Etwas dunstige, selten gute Luft. — Sept. 23. Sehr klare, aber unruhige Luft.

No.	Datum.	Zeit.	Name der Gebirge.	S	A	d	?	h	
2097	Sept. 23.	7 50	Vieta δ	0,3086	0,9595	8,524	4 32	1681	O.
2098	.	7 53	Fourier, SW.-Wall	0,1502	1,6403	7,957	6 50	1375	W.
2099	Sept. 17.	9 43	M. Crisium, westl. Berg a . . .	0,2984	0,6739	18,402	7 44	1353	
2100	.	9 47	Cap bei Eimmart	0,1289	1,2769	18,757	6 38	2176	
2101	.	9 57	Borckhardt	0,1552	2,5285	17,956	11 50	2789	
2102	.	10 1	Bernoulli, O.-Wall. S. bis zur Mitte	0,1147	1,5153	17,834	7 33	1422	
2103	.	10 5	Geminus, NO.-Wall	0,1071	2,4025	17,838	11 13	1341	
2104	.	10 9	Vendelinus B, O.-Wall, halb beschattet . .	0,1741	1,1579	13,547	6 5	1538	
2105	.	10 13	Vendelinus c, NO.-Wall ., ..	0,1372	0,9313	15,377	5 0	1613	
2106	.	10 17	Hase c	0,1497	1,0639	9,659	5 34	1908	
2107	.	10 23	Tarantius c im N.-Wall; O.-Wall	0,0342	5,4014	22,988	13 5	1207	
2108	Sept. 28.	9 7	M. Crisium, Picard a	1,0853	1,0853	18,624	4 35	2868	W.
2109	.	9 10	Steinheil a = Watt, SO.-Wall. S. bis z. W.-Walle	0,3606	1,6925	4,417	6 28	2361	
2110	.	9 14	Steinheil b, SO.-Wall. S. bis zum W.-Walle	0,2916	1,9454	4,704	7 21	2252	
2110a	.	.	" O.-Wall geschützt					2351	
2110b	.	.	" NO.-Wall					1688	
2111	.	9 20	Rheita ?	0,2331	1,3835	6,336	5 25	1328	
2112	.	9 24	Rheita, SO.-Wall a	0,1619	2,2719	7,570	8 36	1527	
2113	.	9 29	M. Crisium, O.-Wall β	0,3974	1,2609	18,616	5 4	1918	
2114	.	9 34	" "	0,3152	1,2261	18,608	4 55	1578	
2115	.	9 38	" Picard, W.-Wallgipfel nach aussen	0,2275	0,3654	18,528	1 31	270	
2116	.	9 42	" im SO.-Geb. nördl. bei ξ, südl. v.K.	0,1546	1,3270	18,585	5 18	1840	
2117	.	9 48	" im NO.-Geb. τ . .	0,3172	1,1103	18,387	4 27	2370	
2118	.	9 52	" Berg e	0,1216	1,3691	18,467	5 26	1354	
2119	.	9 56	" im NO.-Walle. B, der südl. Gipfel	0,3197	2,4109	18,349	5 33	1788	
2120	.	10 0	" A; ebenso A' .	0,9983	1,2615	18,326	5 38	1378	
2121	.	10 5	" SO.-Walle; SW.-Wall von K.	0,2684	1,4101	18,622	5 35	1531	
2122	.	10 9	" σ	0,2103	1,7093	18,550	6 41	1489	
2123	.	10 44	Berg δ, westl. von Cook δ, mittlerer Gipfel .	0,2950	0,7493	14,673	3 1	775	
2124	.	10 48	Berg γ, am W.-Walle von Cook b, nach aussen	0,2102	1,4703	12,695	5 44	1256	
2125	.	10 52	Cook (oder Santbech)b, O.-Wall, in -- 19° Breite	0,2454	2,2795	13,305	8 40	1363	
2126	.	10 56	M. Crisium, Berg ? = No. 2114	0,4966	0,9299	18,660	3 40	1477	
2127	.	11 0	" ? = No. 2118 . .	0,2574	1,2645	18,509	4 59	1234	
2128	.	11 4	" im NO.; Krater C, W.-Wall aussen	0,2036	1,5345	18,431	5 58	1267	
2129	.	11 7	" E	0,2175	1,6967	18,453	6 35	1618	
2130	.	11 11	" Grat zwischen C u. B .	0,1248	1,3907	18,416	5 26	857	
2131	.	11 15	" Berg τ = No. 2117 . .	0,4890	0,9141	18,340	3 38	1436	
2132	.	11 19	Macrobius c, O.-Wall, halb beschattet . . .	0,1633	2,0179	18,335	7 42	1374	
2133	.	11 45	M. Crisium, Picard A, W.-Wall aussen . .	0,1758	0,5081	18,466	2 2	328	
2134	.	11 48	" Picard B	0,1067	0,5263	18,427	2 6	225	
2135	.	11 53	" Berg D, mittlerer Gipfel .	0,2661	1,3455	18,522	5 14	1384	
2136	.	11 56	" c . . .	0,1942	1,0813	18,537	4 14	1187	
2137	.	12 0	" Berg B'	0,5969	1,1757	18,417	4 54	2442	
2138	.	12 5	Macrobius a, O.-Wall, halb beschattet	0,1055	4,4663	18,459*	14 31	1697	
2139	Sept. 30.	20 16	Curtius δ. S. reicht bis zur Mitte	0,6138	3,2772	2,217	8 54	1849	W.
2140	.	20 25	Curtius δ	0,6046	3,4222	2,237	9 17	3965	

Anm. Sept. 27. Sehr klar und still.

No. 2107. S. geschätzt nach 12 Mal gemessenem Durchmesser von c.

Sept. 28. — Sehr klare und genügend ruhige Luft. — No. 2119. S. endet genau auf der westlichen Bergader.

No. 2123 in -- 14° Br. und 52° Lg. — No. 2137. S. hat die westliche Bergader überschritten.

Sept. 30. Nur am Tage konnte beobachtet werden; für die Messung des Curtius ? war Manzinus in der Phase sehr störend. Der S. von ? endet auf kleinem Kratergebirg.

No.	Datum.	Zeit.	Name der Gebirge.	s	A	d	φ	h	
		h m							
2141	Sept. 30.	10 29	Curtius δ	0,5960	3,3993	1,217	8 58	3768	W.
2142	Octbr. 4.	16 22	Cap Laplace	0,4880	1,6192	3,639	5 5	1762	W.
2143	"	16 27	Kircher, NO.-Wallgipfel, S. erreicht die Mitte	0,3528	3,6420	2.790	8 31	2334	
2144	"	16 31	Bettinus, NO.-Wall	0,1868	2.8968	3.457	9 19	1399	
2145	"	16 35	Zuchius, NO.-Wall	0,1682	3.7411	3.813	12 14	1664	
2146	"	16 38	Scheiner, NW.-Wallgipfel nach aussen . . .	0,5407	0.5407	4.145	1 39	373	
2147	"	16 41	Scheiner, XO.-Wallgipfel	0,5116	1,1800	4.145	4 18	1496	
2148	"	16 44	Scheiner, O.-Wallgipfel	0,4292	1.4410	4,035	4 31	1376	
2149	"	16 50	Lahire	0,2245	1,5324	8.135	4 47	914	
2150	"	17 2	Cap Laplace	0,4964	1,5188	3,639	4 46	1656	
2151	"	17 6	Bianchini, O.-Wall, S. zur Mitte reichend . .	0,2625	3,2648	3.181	10 18	1352	
2152	"	17 11	Gassendi A, O.-Wall	0,1081	5.4964	16.644	18 3	1584	
2153	"	17 15	Bullialdus B, W.-Wall aussen	0,2011	1.0558	13.752	3 18	496	
2154	"	17 19	Campanus, XO.-Wall, halb beschattet . . .	0,1885	2,0276	12.577	6 21	950	
2155	"	17 32	Capuanus, O.-Wall B, " " . . .	0,2777	1.6001	10.839	4 59	1055	
2156	"	17 35	Hainzel, NO.-Wallgipfel	0,1721	3.1961	9.087	10 12	1418	
2157	"	17 39	Hainzel, SW.-Wall, Nebengipfel nach aussen .	0,1973	2.5142	8.567	7 59	1258	
2158	"	17 43	Cap Laplace	0,5321	1.3968	3,639	4 23	1585	
2159	Octbr. 16.	5 16	Hommel a, W.-Wall	0,3728	3.7681	2.637	9 17	2706	O.
2160	"	5 19	Pitatus, NW.-Wall	0,2899	2.4855	3.158	8 11	1871	
2161	"	5 22	Theophilus, NW.-Wall	0,2667	3.7023	13.886	8 40	1830	
2162	"	5 26	Cyrillus, SW.-Wallgipfel	0,4550	1.8571	12.742	5 52	1976	
2163	"	5 20	Cyrillus, O.-Wall aussen	0,2761	1.0105	12.742	3 9	639	
2164	"	5 31	Cyrillus, W.-Wall	0,2188	1.0923	13.164	6 19	1091	
2165	"	5 36	Theophilus, W.-Wall	0,3729	3.6847	13.638	8 36	1858	
2166	"	5 40	Katharina, W.-Wall	0,3151	1.8097	11.479	5 43	1374	
2167	"	5 47	Rabbi Levi, W.-Wall	0,4542	1.3333	6.563	4 12	1325	
2168	"	5 50	Stiborius, W.-Wall	0,2043	3.2269	6.757	10 34	1739	
2169	"	5 53	Lindenau, W.-Wall	0,3488	1.5229	7.388	4 48	1240	
2170	Octbr. 17.	5 18	Maurolycus, SW.-Wallgipfel	0,6663	2.2877	4.658	6 37	2904	O.
2171	"	5 22	Baco, W.-Wall	0,2402	1.8200	3.028	8 16	1457	
2172	"	5 24	Maurolycus, W.-Wall, halb beschattet . . .	0,4329	2.5320	4.973	7 29	2280	
2173	"	5 27	Gemma, W.-Wallgipfel	0,5879	3.3351	6,790	6 44	2664	
2174	"	5 29	Eudoxus, W.-Wallgipfel, S. bis zum O.-Walle	0,4004	2.4920	8.253	8 28	2472	
2175	"	5 37	Maurolycus, SW.-Wallgipfel	0,6543	2.3771	4.658	6 53	2986	
2176	"	5 48	Abulfeda, SW.-Wallgipfel	0,3423	3.0177	18.437	8 42	2151	
2177	"	5 51	Abulfeda, W.-Wall, S. bis zur Mitte . .	0,2763	3.0375	18.413	8 36	1769	
2178	Octbr. 19.	5 17	Tycho, W.-Wall, etwas südl.	0,6140	1.1110	4.713	5 49	2301	O.
2179	"	5 21	Tycho, Centralberg, S. berührt die Terrasse .	0,2424	1.5664	4.713	4 10	701	
2180	"	5 24	Tycho, W.-Wall, etwas nördlich	0,6987	2.0288	4.713	5 34	2422	
2181	"	5 27	Tycho, O.-Wall nach aussen	0,3140	0.9682	4.713	2 45	1000	
2182	"	5 31	Pico	0,2826	2.2622	8.053	6 15	1243	
2183	"	5 34	Pico, Nordgipfel	0,2626	2.2114	8.053	6 4	1129	
2184	"	6 3	Plato, O.-Wall nach aussen	0,3079	1.4200	6.446	3 55	812	
2185	"	6 6	Timocharis D, O.-Wall nach aussen. (Anm.)	0,3730	0.5420	12,8°	1 30	276	
2186	"	6 9	Eratosthenes ε	0,4074	1.1153	17.547	3 22	862	

Anm. Octbr. 4. Luft gut, nachdem der Halo von 22° Radius aufgehört hatte.
Octbr. 16. Mond tief, bei sehr klarem Himmel oft unruhige Luft.
No. 2168. Sehr undeutlicher Schatten.
Octbr. 17. Mond tief; Luft leidlich gut. — No. 2175. S. nur an einer Seite des Nullpunktes gemessen.
Octbr. 19. Klar und still.
No. 2185. Es ist der kleine Krater NO. von Timocharis, in + 33° Br.

No.	Datum.	Zeit.	Name der Gebirge.	S	A	d	?	h	
		n m					**. .**	**,**	
2187	Octbr. 19.	6 11	Eratosthenes, O.-Wall nach aussen	0,2733	1,8861	17,547	5 11	991	O.
2188	-	6 15	Eratosthenes, W.-Wall. S. der Mitte nahe .	0,2779	1,6844	17,547	7 13	1470	
2189	-	6 18	Clavius a	0,7376	1,6010	1,583	4 22	1861	
2190	-	6 22	Clavius, Westwallgipfel	0,6985	1,8386	1,718	5 0	2164	
2191	-	6 25	Clavius, NW.-Wallgipfel	0,6110	1,7748	2,081	4 50	1843	
2192	-	6 30	Bradley	0,1702	5,9384	13,964	16 11	2036	
2193	-	6 34	Huyghens	0,1902	5,0928	15,505	13 54	1960	
2194	-	6 37	Calippus a (?)	0,1148	7,8596	9,585	21 13	1399	
2195	-	6 41	Calippus a, nördl. Bergwand (?)	0,1502	7,9848	9,416	21 33	1374	
2196	-	7 12	Tycho, SW.-Wall a	0,5431	2,2520	4,713	6 11	2162	
2197	-	7 16	Tycho, NW.-Wall β	0,5590	2,2542	4,713	6 10	2279	
2198	-	7 19	Tycho, Centralberg. S. nicht auf der Terrasse	0,1457	1,7818	4,713	4 54	849	
2199	-	7 52	Scoresby, W.-Wall, halb beschattet	0,3324	2,9812	1,204	7 55	1876	
2200	-	8 1	Berg Pico δ	0,2239	1,2622	7,82°	3 30	542	
2201	Octbr. 20.	6 9	Lahire, mittlerer Gipfel	0,3215	1,3312	14,017	3 57	911	O.
2202	-	6 22	Copernicus, W.-Wallgipfel A	0,1246	2,9364	20,21 t	11 21	2428	
2203	-	6 24	Copernicus, innere SW.-Terrasse	0,1276	3,7633	20,50°	10 54	1115	
2204	-	6 27	Copernicus, innere NW.-Terrasse	0,1246	3,7351	20,00°	10 49	1081	
2205	-	6 30	Laplace A, O.-Wall nach aussen	0,1230	0,7105	8,91°	2 8	196	
2206	-	6 33	Landsberg, O.-Wall nach aussen	0,1949	0,9245	23,874	2 46	394	
2207	-	6 37	Lambert, W.-Wall, halb beschattet	0,1333	3,0145	18,690	8 47	935	
2208	-	6 39	Anaxagoras, Berg γ	0,1677	1,3045	1,662	3 47	973	
2209	-	6 50	Clavius, NW.-Wallgipfel	0,1583	4,6189	1,978	12 20	2516	
2210	-	6 53	Clavius b, W.-Wall, halb beschattet . . .	0,2169	4,6200	1,120	12 23	1134	
2211	-	6 56	Longomontanus, NW.-Wall . (Anm.) . . .	0,4044	2,9449	3,362	8 16	2537	
2212	-	7 6	Mercator, Berg 2	0,4131	1,3160	7,807	3 54	1134	
2213	-	7 9	Mercator, SW.-Wall. S. berührt die Mitte .	0,2603	1,6339	8,357	4 49	947	
2214	-	7 12	Bullialdus, W.-Wall. „ „ „ „	0,2347	2,8597	11,132	8 37	1589	
2215	-	7 15	Reinhold, W.-Wall. „ „ „ „	0,2070	2,8559	22,483	8 22	1367	
2216	-	7 18	Hortensius, O.-Wall nach aussen	0,1773	0,7449	21,35°	2 36	317	
2217	-	7 25	Cap Laplace. Luft schon sehr dunstig . . .	1,1128	1,1138	8,017	3 22	1545	
2218	-	7 47	Cap Laplace	1,1141	1,1242	8,017	3 41	1845	
2219	-	7 50	Anaxagoras, W.-Wall	0,1471	2,1320	1,827	6 33	1256	
2220	-	7 53	Anaxagoras, O.-Wall nach aussen	0,1298	2,8333	1,827	5 14	939	
2221	-	7 56	Cichus, W.-Wall. S. bis zur Mitte	0,1777	3,2171	7,278	9 17	1317	
2222	-	8 7	Cap Laplace	1,7619	1,2629	8,017	3 46	1003	
2223	-	8 19	Cap Laplace (am kleinen Oculare beobachtet)	1,0918	1,2347	8,017	3 41	1824	
2224	-	8 35	Cap Laplace	0,9278	1,3535	8,017	4 2	2014	
2225	Octbr. 21.	10 53	Gr. Berg a, NO. von Hainzel	0,9100	0,9100	6,866	3 20	1507	O.
2226	-	10 57	Hainzel, SO.-Wall	0,2141	2,7463	6,049	9 6	1843	
2227	-	11 2	Aristarchus, Berg A, Hauptgipfel	0,4864	1,0169	12,966	1 37	1322	
2228	-	11 39	Bianchini, W.-Wall (Wolkig.)	0,1831	3,3735	6,515	8 3	1412	
2229	Octbr. 27.	8 39	Boussingault SO. a. S. berührt d. W.-Wall.						
			(Anm.)	0,5284	1,1524	1,747	5 9	1786	W.

Anm. Alle d mit einem * sind nicht gemessen, sondern nur geschätzt.

Octbr. 20. Anfangs klar und still, dann dunstig.

No. 2205. Der Krater A liegt SO. von Laplace im Mare, NO. von Helicon, in ± 43°,5 Br. u. 26°,5 Lg.

No. 2211. Daselbst S. vom Ostwalle der eingreifenden Krater.

No. 2217 und 2218. Zu benutzen bei das Mittel: ? = 3° 32′ h = 1605′1 ebenso für No. 2222—2224, die bei wolkiger Luft beobachtet im Mittel ergaben: ? = 3 49 h = 1947′.

Octbr. 21. Luft gut. — Octbr. 27. Genügend stille Luft. — No. 2229. a im SO.-Wall des inneren tiefen Kraters.

No.	Datum	Zeit	Name der Gebirge	S	A	d	φ	h	
		° '					° '		
2230	Octbr. 27.	8 43	Bouvingault B. (Anm.)	0,2433	1,2246	1,557	5 6	1565	W.
2231	"	8 46	Biela, O.-Wall	0,1494	2,0686	4,528	8 52	1752	
2232	"	8 50	Petavius, mittl. Centralbg. Phase ganz unsicher	0,1212	0,7618	13,239	3 41	1278	
2233	"	8 53	Langrenus, beide Centralberge	0,2311	0,6408	19,191	3 8	756	
2234	"	8 57	Langrenus, SO.-Wall, S. bis zur Mitte . . .	0,4941	1,0940	18,710	5 12	2700	
2235	"	9 1	Langrenus, NO.-Wall. " " "	0,4090	1,0165	19,231	4 51	2255	
2236	"	9 5	Fraunhofer, O.-Wall ζ	0,2364	0,9964	8,626	4 39	1312	
2237	"	9 8	Fornerius, SO.-Wall	0,3321	0,9154	9,266	4 21	1602	
2238	"	9 12	Fornerius, SO.-Wall, Niederung	0,2084	1,0502	9,477	4 56	1265	
2239	"	9 15	Burckhardt, NO. α	0,2300	1,4634	8,682	6 41	1930	
2240	"	9 19	Geminus, NO.-Wall	0,2136	1,4767	7,641	6 43	1808	
2241	Octbr. 28.	17 16	Taruntius B, N.-Wallgipfel	0,3698	0,8640	17,163	3 7	898	W.
2242	"	17 20	Schomberger, W.-Wallgipfel nach aussen ?) . .	0,4754	2,0211	0,972	6 25	2626	
2243	"	17 23	Curtius δ. S. auf der oberen Terrasse . . .	0,1048	6,4166	2,409	18 9	1851	
2244	"	17 27	Simpelius, O.-Wall	0,1567	3,6914	1,625	11 9	1691	
2245	"	17 31	Manzinus, O.-Wall	0,1756	3,1508	2,409	10 1	1693	
2246	"	17 34	Vlacq, O.-Wall. S. bis zur Mitte	0,3393	1,7030	5,430	5 54	1784	
2247	"	17 38	Colombo δ oder Bohnenberger e	0,2773	1,4282	17,604	5 4	1261	
2248	"	17 42	Hercules, NO.-Wall	0,3157	1,8850	3,980	6 25	1839	
2249	"	17 45	Macrobius, Gebirg α, Südgipfel	0,2509	1,3026	10,372	4 16	953	
2250	"	17 49	Gutemberg, O.-Wall A	0,1727	1,7730	19,538	6 14	1012	
2251	"	17 53	Nearchus, SO.-Wall	0,3360	1,4940	4,178	5 10	1524	
2252	"	17 57	Fabricius C, W.-Wall nach aussen	0,1598	1,9231	7,139	6 37	917	
2253	"	18 2	" C, O.-Wall	0,2168	2,1604	7,329	7 35	1514	
2254	Octbr. 30.	11 22	Kant, Cap A	0,8081	1,1598	18,499	4 15	2145	W.
2255	"	11 27	Curtius δ. S. bis zur Mitte	0,4797	4,0491	2,552	11 36	4320	
2256	"	11 32	Gebirge Nord vom Cap A Kant	0,7017	1,8148	19,018	5 29	2571	
2257	"	11 36	Kant, W.-Wall nach aussen	0,4388	1,7984	18,271	5 26	1702	
2258	"	11 40	Katharina, O.-Wallg. S. bis zum W.-Walle	0,8223	1,1848	15,765	4 11	2007	
2259	"	11 44	Curtius δ	0,5098	3,9262	2,563	11 16	4425	
2260	"	11 49	Baco α, W.-Wall nach aussen	0,2978	1,6364	5,294	4 54	757	
2261	"	11 55	Baco, NO.-Wallgipfel	0,4932	2,3814	5,748	7 5	2592	
2262	"	11 57	Kant, Cap A	0,8723	1,3466	18,499	4 4	1986	
2263	"	12 2	Abal, vorletzter Nordgipfel. (Anm.)	0,3772	1,4046	14,902	4 15	1149	
2264	"	12 6	Curtius δ	0,5361	3,9932	2,577	11 16	4714	
2265	"	12 10	Barocius, O.-Wall	0,2889	2,6314	7,424	7 50	1767	
2266	"	12 15	Delambre, O.-Wall	0,2614	3,2392	11,311	9 39	1370	
2267	"	12 20	Curtius δ	0,5427	3,9646	2,548	11 20	4711	
2268	"	12 24	Short, NO.-Wall	0,4205	3,7998	1,293	10 37	3461	
2269	"	12 28	Jacobi, O.-Wall	0,2427	3,4518	4,478	10 5	1947	
2270	"	12 32	Cuvier, O.-Wall	0,1347	4,1662	5,988	12 10	1325	
2271	"	12 40	Curtius δ	0,5742	3,6283	2,596	10 36	4528	
2272	"	12 44	Curtius δ	0,5692	3,8258	2,600	10 56	4726	
2273	"	12 48	Curtius δ	0,5784	3,5314	2,602	10 10	4428	
2274	"	12 52	Curtius, SO.-Wall	0,1346	3,5072	2,436	10 4	1877	
2275	"	12 56	Curtius δ	0,5938	3,7838	2,604	10 52	4877	

Anm. No. 2230. Der SO.-Wall des Erstern umschliessenden Wallgebirges.
   Octbr. 28. Luft sehr gut, aber die Höhe des Mondes sehr beschwerlich. — No. 1246. Am Kegelschatten leicht
      kenntlich.
   Octbr. 30. Luft klar und ziemlich ruhig. — No. 2264 in — 21° Br. u. 25° Lg.

No.	Datum.	Zeit.	Name der Gebirge.	S	A	d	♀	h	
		h m					° ′	″	
2276	Octbr. 30.	21 15	Curtius ð	0,7449	2,5808	2,511	7 28	3850	W.
2277	-	21 18	Curtius, O.-Wall, südlich bei ð	0,2558	2,7252	2,510	7 53	1558	
2278	-	21 22	Short, NO.-Wall	0,4917	2,8890	1,276	8 22	1983	
2279	-	21 25	Curtius ð	0,7863	2,7176	2,511	7 52	4269	
2280	-	21 29	Zach, O.-Wall. S. nahe zur Mitte . . .	0,2640	3,0892	3,495	8 57	1812	
2281	-	21 32	Jacobi, W.-Wall nach aussen	0,2055	1,4315	4,357	4 13	654	
2282	-	21 34	Jacobi, O.-Wall. S. erreicht die Mitte . .	0,4442	2,0954	4,357	6 9	1285	
2283	-	21 38	Curier, O.-Wall	0,2483	2,9590	6,025	8 39	2297	
2284	-	21 41	Licetus, O.-Wall	0,3364	3,7444	6,817	10 55	2021	
2285	-	21 45	Maurolycus, SO.-Wall. S. bis zur Mitte .	0,5448	2,4552	8,096	7 13	2837	
2286	-	21 48	Curtius ð	0,7798	2,7376	2,511	7 55	4381	
2287	Octbr. 31.	17 22	Caucasus a. (Anm.)	0,4673	0,6038	7,862	1 45	397	W.
2288	-	17 30	Caucasus b	0,1846	1,1188	7,759	3 14	969	
2289	-	17 36	Haemus, südlich bei ð	0,6768	1,2032	9,541	3 30	1343	
2290	-	17 41	Curtius ð. S. auf dem NW.-Walle . . .	0,9410	1,5696	2,564	4 52	2361	
2291	-	17 50	Werner, O.-Wall. S. erreicht die Mitte . .	0,4254	2,8088	12,578	8 9	2521	
2292	-	17 55	Aliacensis, O.-Wallg. „ „ „ „	0,5293	3,2871	11,544	6 29	2348	
2293	-	18 1	Moretus, Centralberg	0,3795	2,2452	1,957	5 54	1601	
2294	-	18 7	Pico A. östlich von Catalni	0,2052	3,5266	5,236	10 11	1597	
2295	Nov. 1.	17 29	Pico	0,3816	1,7464	3,910	5 9	1394	W.
2296	-	17 34	Pico B, mittlerer Gipfel, südlich bei Pico .	0,3817	1,7723	4,598	5 13	1414	
2297	-	17 39	Archimedes, O.-Wall. S. bis zur Mitte .	0,4058	1,4683	7,749	4 19	1204	
2298	-	17 44	Tycho, O.-Wall. S. bis zur Mitte . . .	0,2234	2,8223	8,257	8 22	2074	
2299	-	17 49	Tycho, Centralberg	0,2358	2,3982	8,257	7 4	1257	
2300	-	18 14	Eratosthenes, O.-Wall	0,2877	3,4615	12,170	10 57	2250	
2301	-	18 18	Plato, O.-Wallgipfel	0,3023	2,0857	2,767	6 11	1380	
2302	-	18 23	Pico	0,4285	1,6080	3,910	4 45	1425	
2303	-	18 27	Alphonsus, O.-Wall. S. bis zur Mitte . .	0,4733	1,1113	17,242	3 16	972	
2304	-	18 31	Maginus, NO.-Krater f, W.-Wall aussen .	0,6813	1,4880	6,687	4 23	1838	
2305	-	18 37	Blancanus, NO.-Wall	0,3134	3,3665	3,724	10 4	1386	
2306	-	18 40	Clavius d, W.-Wall nach aussen . . .	0,2749	1,5693	4,448	4 38	598	
2307	-	18 44	Tycho, Centralberg	0,2476	2,2931	8,257	6 47	1264	
2308	-	18 47	Tycho, O.-Wall	0,3693	2,7771	8,257	8 15	2258	
2309	-	18 51	Street (?), O.-Wall	0,2495	2,2423	7,419	6 38	1245	
2310	-	18 59	Clavius, O.-Wall, unterste Terrasse . .	0,1591	2,7909	5,167*	8 18	1018	
2311	Nov. 19.	8 37	Hippalus a, Südgipfel	0,4684	0,9438	9,920	3 8	1010	(1).
2312	-	8 41	„ Nordgipfel	0,2013	0,9179	9,920	3 3	503	
2313	-	8 45	Anaxagoras ?	0,2741	3,7070	1,280	5 15	1209	
2314	Nov. 26.	10 47	Picard a, mittlerer Gipfel, geschätzt . .	0,6308	1,0372	14,345	4 32	2446	W.
2314a	-		der nördliche Vorsprung, geschätzt .					1468	
2315	-	10 55	M. Crisium, SO. ð	0,3191	1,2244	14,103	5 29	1842	
2316	-	11 3	„ „ ð	0,2868	0,9910	11,023	4 21	1339	
2317	-	11 8	Biela, SO.-Wall	0,3813	1,3705	4,410	5 45	1414	
2318	-	11 12	Biela, NW.-Wall nach aussen, bei c . .	0,3233	0,7499	4,410	4 4	1344	
2319	-	11 15	Steinheil a, SO.-Wall — Wall . . .	0,2454	1,8367	5,647	7 34	2148	
2320	-	11 19	Steinheil b, SO.-Wall	0,2543	2,1816	5,914	8 52	2239	

Anm. Von No. 1276—2286 am Tage beobachtet.
Octbr. 31. Luft sehr klar und still, dann Nebel; die Messungen bei der hohen Lage des Mondes ungewöhnlich beschwerlich. — No. 2287. Für die Bezeichnung der Caucasusberge ist 1854, März 6 u. a. a. Orten zu vergleichen.
Nov. 1. Etwas Nebel, Luft still; Phase zum Theil sehr schwierig. — No. 2309. Vielleicht nicht Street, sondern ein anderer, südlich bei Tycho. — Nov. 19. Luft genügend. — Nov. 26. Luft genügend klar und still.

11

No.	Datum	Zeit	Name des Gebirge.	S	A	d	φ	h	
		h m					° '	° '	
2321	Nov. 26.	11 14	Picard, W.-Wallgipfel nach aussen	0,2015	0,3947	13,358	2 9	428	W.
2322	"	11 19	M. Crisium, östlicher Berg e	0,1818	1,2515	12,569	5 25	1133	
2323	"	11 33	NO.; B. S. des Südgipfels berührt						
			kaum die westl. Ader	0,2478	1,2736	11,549	5 29	1520	
2324	"	11 47	" 1	0,3587	0,9457	11,023	4 8	1412	
2325	"	11 56	" B. Nordgipfel	0,2992	1,2783	11,549	5 29	1784	
2326	"	12 1	" Krater C, W.-Wall aussen . .	0,2452	1,1033	13,748	5 12	1409	
2327	"	12 5	" Berg e	0,2056	1,1659	12,569	5 2	1162	
2328	Nov. 27.	18 31	Theophilus A = Mädler, O.-Wall, halb beschattet	0,1157	3,4730	17,888	11 43	1196	W.
2329	"	18 36	Piccolomini, SO.-Wall	0,2343	2,7605	11,681	9 22	2046	
2330	"	18 40	Piccolomini, Centralberg	0,1405	2,3045	11,681	7 53	1046	
2331	"	18 44	Stiborius, O.-Wall	0,1428	2,4819	10,211	8 17	1141	
2332	"	18 48	Pitiscus, O.-Wall	0,1707	2,4857	5,842	8 20	1333	
2333	"	18 51	Hommel C, O.-Wall, halb beschattet . . .	0,2513	2,3587	4,730	7 54	1825	
2334	"	18 56	Mutus, O.-Wall. (Anm.)	0,3437	2,3755	2,890	7 49	2414	
2335	"	19 0	Manzinus, O.-Wall	0,2651	2,5100	2,323	8 8	1979	
2336	"	19 4	Curtius E. S. auf der Terrasse	0,1070	5,8350	1,630	17 7	1746	
2337	"	19 8	Cysatus, O.-Wall	0,0897	7,1307	1,630	20 20	1734	
2338	"	19 12	Simpelius a, O.-Wall	0,1976	3,2140	1,850*	10 1	1896	
2339	"	19 16	Simpelius, O.-Wall	0,2330	2,8567	1,629	8 57	1937	
2340	"	19 19	Simpelius, W.-Wallgipfel nach aussen . . .	0,3309	2,1605	1,629	6 59	2059	
2341	"	19 22	Schomberger, W.-Wallgipfel a nach aussen . .	1,1220	1,1210	1,049	3 53	2257	
2342	Nov. 28.	17 17	Akai β, Südgipfel	0,6007	1,3420	13,394	4 16	1739	W.
2343	"	17 21	" β, Nordgipfel	0,5324	1,5878	13,394	5 2	1877	
2344	"	17 26	Theophilus, nördl. Centralbg. S. an d. Terrassen	0,2883	1,2313	18,564	3 55	875	
2345	"	17 30	" südl. Centralbg. " " "	0,3227	1,3404	18,236	4 16	1039	
2346	"	17 35	" SO.-Wallgipfel	0,6021	1,6948	18,224	5 22	2326	
2347	"	17 39	" NO.-Wall, südlich von B . .	0,5564	1,7675	18,796	5 35	2292	
2348	"	17 43	Kant, Cap A	0,2755	2,6466	18,986	8 28	1894	
2349	"	17 47	Kant, W.-Wall nach aussen	0,1826	3,0422	18,661	9 30	1469	
2350	"	17 51	Berg südlich an Kant	0,1833	3,1138	18,255	9 42	1508	
2351	"	17 56	Curtius E. S. erreicht die Mitte noch nicht .	0,4346	4,0414	2,654	11 54	4246	
2352	"	18 0	Simpelius a, O.-Wall, halb beschattet . . .	0,4156	3,1444	1,321	6 26	2101	
2353	"	18 5	Short, NO.-Wall. S. bis zur Mitte . . .	0,3734	3,8472	0,856	10 38	3272	
2354	"	18 9	Simpelius, W.-Wallgipfel a nach aussen . .	0,7925	1,2334	1,321	3 49	1761	
2355	"	18 13	Simpelius a, O.-Wall, halb beschattet . . .	0,4232	1,0096	2,273	6 25	2124	
2356	"	18 31	Baco, O.-Wall, Niederung	0,2497	2,8394	6,162	8 45	1821	
2357	"	18 35	Pentland, NO.-Wall. (Anm.)	0,3078	2,8846	3,185	8 44	2216	
2358	"	18 39	Curtius δ	0,4273	3,8984	2,654	11 30	4018	
2359	Dec. 14.	4 40	Theophilus, W.-Wall. S. zur Mitte . . .	0,4137	1,8776	14,161	8 38	1603	O.
2360	"	4 45	" nördlicher Centralberg	0,1259	2,2638	14,062	6 37	1572	
2361	"	4 51	" SW.-Wallgipfel	0,4582	2,5976	13,734	7 44	2540	
2362	"	4 56	Cyrillus, SW.-Wallg. S. berührt den O.-Wall .	0,6403	1,9664	13,170	5 49	2457	
2363	"	5 3	Theophilus, NW.-Wall	0,4006	2,7854	14,254	8 20	2430	
2364	Dec. 15.	5 40	Maurolycus, SW.-Wallgipfel	0,7898	1,3864	5,192	6 35	2313	O.
2365	"	5 44	" W.-Wall. S. bis zur Mitte . .	0,4903	2,5243	5,539	6 58	2279	
2366	"	5 47	Barocius b, W.-Wall, halb beschattet	0,2058	3,3174	4,953	9 13	2354	

Anm. Nov. 27. Sehr klar und still. Alle d nicht besonders scharf bestimmt. — No. 2334. S. endet im inneren kleinen Krater.
Nov. 28. Anfangs still und klar bei starker Kälte; dann unruhig. — No. 2357. Der O.-Wall des Pentland ist ähnlich wie der des Curtius gestaltet.
Dec. 14. Meist unruhige Luft, mit sehr wechselnden Zuständen.
Dec. 15. Luft meist klar, zum Theil dunstig, aber still.

No.	Datum	Zeit	Name der Gebirge	S	A	d	φ	h	
							° '	,	
2367	Dec. 15.	5 50	Barocius, W.-Wall, südlich unter b	0,2979	3,2364	4,797	8 59	1882	O.
2368	-	5 53	Baco, W.-Wallgipfel	0,2502	3,3812	3,561	9 26	1673	
2369	-	5 56	Gemma, W.-Wall, halb beschattet	0,6623	2,4256	7,500	6 42	2824	
2370	-	6 0	Gemma, NW.-Krater f, W.-Wall	0,3294	2,3568	8,037	5 8	1136	
2371	-	6 3	Silberschlag β	0,4134	1,3072	11,175	3 34	918	
2372	-	6 6	Taylor 2, W.-Wall	0,4029	2,3319	14,725	6 24	1739	
2373	-	6 9	Taylor, W.-Wall. S. bis zur Mitte	0,2388	2,9242	14,725	8 3	2358	
2374	-	6 12	Delambre, W.-Wallgipfel. S. bis zur Mitte .	0,1681	3,8500	13,889	10 6	2917	
2375	-	6 15	Eudoxus, W.-Wall, über halb beschattet . . .	0,5322	2,1032	7,833	5 47	1983	
2376	-	6 18	Eudoxus, O.-Wall nach aussen	0,3738	1,5238	7,833	3 37	656	
2377	-	6 21	Aristoteles, O.-Wall . .	0,3422	0,9788	6,154	2 40	418	
2378	-	6 47	Aristoteles, W.-Wall	0,3711	2,2196	6,154	6 8	1338	
2379	-	6 50	Manilius, im NW. Berg A	0,7738	1,0436	17,514	2 51	1016	
2380	-	6 54	Maurolycus, SW.-Wallgipfel	0,6932	2,6696	5,192	7 22	3283	
2381	-	6 57	Clairaut, W.-Wall. S. bis zur Mitte . . .	0,3955	2,4162	4,187	6 40	1407	
2382	Dec. 16.	4 28	Calippus α	0,4059	3,1427	8,926	8 29	2367	O.
2383	-	4 31	Hadley	0,5910	2,3644	13,111	6 24	1431	
2384	-	4 36	Ptolemaeus, NW.-Wall, gr. Berg	0,7563	4,2219	16,348	3 51	1571	
2385	-	4 39	Ptolemaeus, W.-Wall-Ecke	0,7239	1,8814	16,019	5 5	2188	
2386	-	4 43	Werner, W.-Wall, halb beschattet . . .	0,3976	2,7298	9,793	7 20	1983	
2387	-	4 46	Walter, Centralberg. Phase ganz unkenntlich .	0,4173	4,4282	8,248	3 52	1012	
2388	-	4 48	Walter, WNW.-Wall	0,4812	2,3132	8,248	5 59	1884	
2389	-	4 51	Aliacensis, W.-Wall	0,2953	3,4420	8,989	9 18	1926	
2390	-	6 34	Bradley. (Vergl. No. 1424.)	0,9406	2,1712	13,956	5 42	3069	
2391	-	6 38	Ptolemaeus, N.-Wallgipfel — No. 2384. .	0,4413	1,8084	16,348	4 53	1391	
2392	-	6 42	Ptolemaeus, W.-Wall-Ecke	0,5611	2,3574	16,019	6 22	2316	
2393	-	7 2	Zach, W.-Wall, halb beschattet	0,3508	2,8972	1,899	5 20	1277	
2394	-	7 6	Alpen, Südcap η — Cap Agassiz . . .	0,7924	2,4292	8,043	3 52	1629	
2395	-	7 12	Aristillus, Berg aussen neben dem NO.-Walle	0,4206	0,9496	10,75°	2 34	630	
2396	-	7 14	Aristillus, O.-Wall aussen	0,2957	1,0632	10,661	2 53	539	
2397	-	7 17	Aristillus, W.-Wall. S. bis zum Ostwalle .	0,4947	1,8094	10,661	4 53	1538	
2398	-	8 20	Alpen η — No. 2394 — Cap Agassiz . . .	0,5992	2,6324	8,043	4 15	1595	
2399	-	9 0	Cunius b nach aussen. (Anm.)	1,5913	1,5913	1,114	4 20	2550	O.
2400	Dec. 17.	4 25	Pico	0,5772	1,2835	6,463	3 20	1123	O.
2401	-	5 36	Pico	0,5415	1,3413	6,463	3 46	1214	
2402	-	5 50	Cap Huyghens	0,2603	4,2216	14,556	11 42	2272	
2403	-	5 58	Eratosthenes, O.-Wall aussen. (Anm.) . .	0,6089	1,2283	16,390	3 18	1228	
2404	-	6 8	Gebirge südlicher, α	0,5039	1,4120	17,272	3 9	948	
2405	-	8 0	Pico	0,3958	1,6936	6,463	4 46	1296	
2406	-	8 4	Tycho, Centralberg. S. vor der östl. Terrasse	0,1825	1,9125	6,196	5 22	727	
2407	-	8 6	Tycho, WNW.-Wall	0,6344	2,5537	6,196	7 8	3076	
2408	-	8 24	Eratosthenes, Berg η	0,7439	0,7975	16,344	2 17	701	
2409	-	8 29	Timocharis, NO.-Wallgipfel nach aussen . .	0,3327	0,9870	12,179	2 49	608	
2410	Dec. 18.	4 50	Copernicus, W.-Wallg. A. S. berührt d. Mitte	0,3265	2,7272	18,163	8 16	2106	
2411		4 54	Copernicus, SW. innere Terrasse — No. 2203	0,1781	2,6269	18,647	8 1	1181	

Anm. No. 2378. Es ward nicht der dortige Gipfel gemessen.
Dec. 16. Bei Sturm und Regen einige Male gute Luft. — No. 2384. Westl. dem inneren Krater A gegenüber.
— No. 2390. Ist der Gipfel NW. nahe am Nordcap Bradley; die Messung ist vielleicht irrig. —
No. 2395. Darüber bei Schröter. — No. 2399. S. noch von der Phase abgeschnitten. Die Distanz
1,593 trifft auf den inneren O.-Wall des Gruemberger, wie Dec. 17 ermittelt ward.
Dec. 17. Viel Gewölk, aber gute Luft. — No. 2403. Wäre A = 0,7717, dann φ = 2° 15' h = 614'. — No. 2408.
S. schien sich von der Phase zu trennen.
Dec. 18. Kurze Zeit klar und still, bei 11° R. und starkem Winde.

11*

No.	Datum.	Zeit.	Name der Gebirge.	S	A	d	?	b	
		' ''					' ''		
2412	Dec. 18.	4 58	Laplace 1. Phase schwierig	0,4003	0,8305	5.697	2 44	724	O.
2413	"	5 17	Clavius b, W.-Wall. S. bis zur Mitte . . .	0,2314	4,1065	3,291	11 44	2254	
2414	"	5 21	Longomontanus, SW.-Wallgipfel	0,3475	2,2307	4,368	6 20	1731	
2415	"	5 25	Tycho, W.-Wall. S. deckt noch die Terrassen	0,1700	4,9587	6,297	14 23	2046	
2416	"	5 30	Longomontanus, W.-Wall	0,2151	2,3145	4.557	6 57	1225	
2417	"	5 34	Longomontanus, NW.-Wallgipfel (Anm.) . .	0,4530	2,2582	4,624	6 48	2373	
2418	"	5 38	Bullialdus. S. bis zur Mitte	0,2588	2,0065	13,001	6 14	2285	
2419	"	5 42	Reinhold, W.-Wall. S. bis zum O.-Walle	0,3229	1,7613	21,670	5 27	1395	
2420	"	5 46	Werrzlbauer d, W.-Wall, halb beschattet .	0,1616	3,2117	8,024	9 30	1365	
2421	"	7 46	Blancanus, SW.-Wall, halb beschattet . . .	0,1423	1,8495	2,069	5 33	2214	
2422	"	7 50	Lahire	0,7937	0,7937	11,813	2 32	875	
2423	"	8 2	Mercator, Berg a.	0,4571	1,0771	9,609	3 24	1061	
2424	"	8 6	Lahire	0,5419	0,8585	11,813	2 43	876	
2425	Dec. 19.	4 37	Casatus, W.-Wallgipfel. S. bis zum O.-Walle	0,5588	1,6026	0,847	5 14	2387	O.
2426	"	4 41	Hainzel, NW.-Wall	0,2616	1,6384	7.755	5 50	1416	
2427	"	4 45	Delisle β, Südgipfel	0,2767	0,6941	10,761	2 33	577	
2428	Dec. 20.	5 7	Casatus, SW.-Wallgipfel	0,1528	2,2212	1,335	8 24	1643	O.
2429	"	5 12	Mersenius h, nach aussen	0,4094	1,0336	14,660	4 49	2097	
2430	"	5 19	Mersenius a, O.-Wall nach aussen = Liebig .	0,3499	0,8174	15,224	3 52	2412	
2431	"	5 22	Mersenius, W.-Wall, halb beschattet . . .	0,2099	0,9356	16,046	4 24	1097	

1856. (Olmütz.)

No.	Datum.	Zeit.	Name der Gebirge.	S	A	d	?	b	
2432	Jan. 13.	3 56	Pitiscus, NW.-Wall	0,2714	3,9100	4.443	11 21	2172	O.
2433	"	3 59	Maurius, NW.-Wall	0,6322	2,4452	1,296	7 5	1982	
2434	"	4 3	Theophilus, NW.-Wall	0,2279	3,8316	16,534	10 54	1760	
2435	"	4 7	Theophilus, W.-Wall	0,2440	3,8236	16,223	11 22	2012	
2436	"	4 10	Lindenau, W.-Wall, halb beschattet . . .	0,1573	3,0532	9,210	8 39	1595	
2437	"	4 15	Sttborius, W.-Wall	0,1658	5,0954	8,673	14 47	1832	
2438	"	4 19	Lindenau A, W.-Wall = Rothmann	0,1975	3,7878	9,796	10 48	1550	
2439	"	4 22	Zagat, W.-Wall, südlich von c	0,3495	2,2870	9,387	6 26	1136	
2440	"	4 50	Ritter, O.-Wall nach aussen	0,1205	0,7400	22,384	2 3	170	
2441	"	4 53	Ritter c, O.-Wall nach aussen	0,1901	0,7070	21,572	1 57	241	
2442	"	4 56	Ritter, O.-Wall nach aussen	0,2189	0,7756	21,851	1 9	301	
2443	"	4 59	Sabine, W.-Wall. S. bis zur Mitte	0,1545	1,4578	22,070	4 3	444	
2444	"	5 45	Prom. Ackeronia bei Plinius	0,2517	1,0192	16,371	5 23	948	
2445	"	5 48	Plinius, W.-Wall, halb beschattet	0,2010	2,3076	16,819	7 52	1138	
2446	"	5 52	Posidonius D, W.-Wall, halb beschattet . .	0,1392	4,3322	8.473	12 23	1258	
2447	"	5 55	Ader im M. Serenitatis. (Anm.)	0,1577	0,4358	10,564	1 22	116	
2448	"	6 4	Baco, W.-Wall, Niederung. S. bis zur Mitte	0,3471	1,6230	4,071	4 32	1052	
2449	"	6 7	Baco, NW.-Wall	0,5140	1,6294	4,071	4 33	1477	
2450	"	6 11	Baco, SW.-Wall	0,4739	1,5656	4,071	4 22	1317	
2451	"	6 14	Aristoteles B, O.-Wall nach aussen . . .	0,2813	0,8064	4,340	2 15	390	
2452	Jan. 14.	4 40	Stoeflerus, NW.-Wallgipfel zwischen L und a	0,7376	1,6474	7,135	4 28	1882	O.
2453	"	4 43	„ Gebirg β	0,4000	1,1584	6,816	3 8	765	
2454	"	4 47	„ Krater b, O.-Wall nach aussen . .	0,4673	1,2002	6,503	3 15	896	
2455	"	4 49	„ Krater b, W.-Wall. S. nahe am O.-Walle	0,5726	2,0596	6,503	5 36	1028	

Anm. No. 2417. S. vom O.-Walle des dortigen eingreifenden Wallkraters. — No. 2421. Hier die Luft schon schlecht.
Dec. 19. Luft unruhig, bei demselben Umständen wie Dec. 18.
Dec. 20. Luft schlecht bei — 16° R.
1856. Jan. 13. Sehr klare ruhige Luft bei — 3° R. — No. 2447. Die Ader liegt in + 34° Br. u 16° Lg.
Jan. 14. Vorzüglich heitere stille Luft.

No.	Datum	Zeit.	Name der Gebirge.	S	A	d	p	h	
2456	Jan. 14.	4 52	Manrolycus, SW.-Wallgipfel	0,3832	3,5076	6,363	9 33	1535	O.
2457	-	5 5	Jacobi, W.-Wall. S. bis zur Mitte	0,3303	2,0806	3,258	5 39	1874	
2458	-	5 8	Cuvier, W.-Wall. „ „ „	0,3398	2,1402	4,539	5 48	1335	
2459	-	5 11	Baco b, W.-Wall. „ „ „	0,1912	3,4450	4,663	9 23	1283	
2460	-	5 14	Clairaut a, W.-Wall „ „ „	0,1897	3,0796	4,919*	8 22	1129	
2461	-	5 17	Clairaut, W.-Wall	0,2258	3,1140	5,175	8 28	1350	
2462	-	5 20	Gemma, W.-Wall	0,3542	3,6394	8,735	7 51	1918	
2463	-	5 43	Caucasus a, der südwestlichste Berg = No. 222	0,3150	1,2458	10,531	3 23	683	
2464	-	5 47	Eudoxus, Berg z. Südgipfel	0,5342	1,5622	6,971	4 14	1379	
2465	-	5 51	„ „ „ Nordgipfel	0,2937	1,4946	8,973	4 3	789	
2466	-	6 4	Eudoxus, W.-Wall, halb beschattet	0,3014	3,4804	6,631	9 28	1996	
2467	-	6 7	Aristoteles, W.-Wall; Berg auf der Terrasse .	0,2066	3,4812	5,038	9 27	1389	
2468	-	6 11	Caucasus γ. S. endet am Cassini. (Anm.)	1,1979	1,4006	7,325	3 28	1916	
2469	-	6 15	Bergader in + 3° Br. u. 6° westl. Lg. .	0,1300	0,3876	10,531	1 3	84	
2470	-	8 4	Geber, W.-Wall	0,1711	4,3298	13,634	11 16	1364	
2471	-	8 6	Abenezra, W.-Wall	0,2643	3,6238	13,005	9 52	1844	
2472	-	8 10	Azophi, W.-Wall	0,4079	3,9188	12,719	10 41	1586	
2473	-	8 13	Playfair, W.-Wall	0,2945	3,4021	12,174	6 32	1331	
2474	-	8 16	Stoeflerus, Krater b, W.-Wall	0,4007	2,4064	6,503	6 32	1771	
2475	-	8 19	Licetus, W.-Wall, halb beschattet	0,4860	1,0380	5,436	5 32	1748	
2476	-	8 22	Godin, W.-Wall	0,2247	2,8228	20,590	7 42	1221	
2477	-	8 25	Agrippa, W.-Wall, halb beschattet	0,2144	3,0350	19,853	8 16	1258	
2478	-	8 28	Menelaus, W.-Wall. „	0,1125	4,6596	15,287	12 43	7036	
2479	-	8 31	Caucasus, Südcap b = Cap Faraday = No. 213	0,6473	1,3110	10,531	3 14	1283	
			(Anm.)						
2480	-	8 35	Caucasus, Berg c = No. 210	0,8829	1,3022	9,382	3 32	1527	
2481	-	8 38	Manilius, W.-Wall	0,2558	2,5712	16,094	7 0	1254	
2482	-	8 41	Cuvier, W.-Wall. „ „ „	0,2666	2,8116	4,539	7 39	1431	
2483	-	8 45	Simpelius, W.-Wall a	0,6104	2,4970	0,967	6 46	1574	
2484	-	8 48	Schomberger, W.-Wall, halb beschattet . . .	0,3486	3,1582	0,639	8 32	2068	
2485	-	9 14	Caucasus h; SW. von Theaetetus	0,9607	1,5448	9,035	4 12	1616	
2486	-	9 17	Caucasus f = No. 211	0,9626	1,4516	9,166	3 57	1882	
2487	-	9 20	Caucasus c, Südgipfel = No. 220a	0,9469	1,3988	10,378	3 49	1717	
2488	-	9 23	Caucasus c, mittlerer Gipfel	1,1040	1,3586	10,228	3 42	1796	
2489	-	9 26	Caucasus c, Nordgipfel = No. 220	0,7835	1,4816	10,028	4 2	1722	
2490	-	9 31	Caucasus, südlich bei Calippus a = No. 214 .	1,6825	1,6825	8,330	4 35	2856	
2491	-	9 33	„ Calippus a. (Anm.)	1,7030	1,7030	8,207	4 38	2929	
2492	-	9 36	„ Südcap b = No. 2479	0,4319	1,3948	10,531	3 32	941	
2493	-	9 49	Licetus, O.-Wall nach aussen	0,6564	1,2628	5,436	3 26	1239	
2494	-	9 55	Calippus a. S. jetzt in der Phase endend . .	1,7239	1,7129	8,207	4 40	2966	
2495	Jan. 15.	4 24	Schomberger, W.-Wall, halb beschattet . . .	0,2573	3,6694	0,568	9 26	1763	O.
2496	-	4 31	Simpelius, W.-Wall a, „ „	0,4375	3,1370	0,932	8 17	2543	
2497	-	4 35	Zach, W.-Wall	0,2825	3,0470	2,657	8 18	1689	
2498	-	4 39	Curtius & S. am O.-Wall Gruemberger's (?) .	1,6580	1,6580	1,715	4 38	2913	
2499	-	4 42	Alpen, Montblanc	0,8005	1,6986	6,339	4 42	2172	
2500	-	4 46	Pico A, östlich von Cassini	0,4662	1,5372	7,459	4 15	1275	
2501	-	4 49	Litius, W.-Wall, halb beschattet (dunstig) . .	0,2197	3,7048	3,871	10 4	1619	

Anm. Wegen des Caucasus ist 1854, März 6, zu vergleichen. — No. 2468 identisch mit Calippus γ. — No. 2469 ist die dortige Ostgrenze des M. Serenitatis. — No. 2479. S. nicht über die östliche Bergader hinaus. — No. 2491. S. wohl noch nicht ganz entwickelt. — No. 2494. S. jetzt frei, und seine Spitze liegt am südlichen Abhange Cassini's.

Jan. 15. Zwischen Gewölk klar und still. Alle d. nur einmal gemessen.

No.	Datum.	Zeit.	Name der Gebirge.	S	A	d	φ	h	
2502	Jan. 15.	4 54	Nasireddin, W.-Wall; halb beschattet (dunstig)	0,3223	3,3490	7,722	9 11	2131	O.
2503	„	5 3	Cap Huyghens	1,2025	1,4704	13,967	4 5	2193	
2504	„	5 7	Bradley, mittlerer Gipfel	0,4414	2,3616	13,644	6 22	1961	
2505	„	5 12	Sattel südlich vom Cap Huyghens . . .	0,7566	1,4828	14,133*	4 7	1758	
2506	„	5 17	Alpen, Südcap η = Cap Agassis	0,7617	2,3068	6,935	6 22	1616	
2507	„	5 22	Cap Huyghens	1,0834	1,6354	13,967	4 12	2489	
2508	„	5 25	Berg x, NW. nahe Cap Huyghens . . .	0,7968	1,7994	13,801*	4 58	2338	
2509	„	5 29	Calippus α	0,2945	4,6466	7,609	12 41	2666	
2510	„	5 33	Crater Pico A, O.-Wall nach aussen . . .	0,2692	0,9136	7,253	2 32	443	
2511	„	5 36	Berg Pico A, östlich von Casini . . .	0,4387	1,7478	7,459	4 50	1407	
2512	„	5 56	Huyghens. Besonders sichere Messung .	1,4647	1,7183	14,399	4 46	3033	
2513	„	6 2	Cap Huyghens	0,9358	1,7754	13,967	4 56	2576	
2514	„	6 7	Autolycus, W.-Wall, halb beschattet . .	0,2597	3,0708	10,232	8 28	1600	
2515	„	6 16	Aristillus, W.-Wall, „ „ (dunstig)	0,3042	3,0214	9,387	8 19	1819	
2516	„	6 20	Archimedes, W.-Wall, „ „	0,3420	1,7436	10,730	4 49	1229	
2517	„	6 24	Archimedes E	0,3457	1,3341	10,110	1 39	834	
2518	„	6 26	Curtius δ, S. endet im Gruemberger . . .	1,9494	1,9494	1,713	5 27	4248	
2519	Jan. 17.	5 46	Lahire	0,2202	1,6370	9,988	5 32	1082	O.
2520	„	5 49	Lambert, W.-Wall	0,1223	3,0594	10,552	10 2	1144	
2521	„	5 53	Copernicus, W.-Wallgipfel A	0,1529	4,0394	15,971	13 9	1491	
2522	„	5 56	Reinhold, W.-Wall	0,1660	3,1062	18,103	10 17	1580	
2523	„	5 58	Landsberg, W.-Wall	0,1459	1,8304	19,478	6 12	1358	
2524	„	6 2	Capuanus, O.-Wall a, nach aussen . . .	0,4351	1,5954	7,414	5 22	1877	
2525	„	6 4	Capuanus, Gebirg am Südwalle	0,4127	1,7096	7,250*	5 45	1981	
2526	„	6 8	Blancanus, W.-Wall	0,2871	2,4234	2,598	7 44	1983	
2527	„	6 11	Scheiner, SW.-Wallgipfel. Phase sehr schwierig.	0,4854	1,5134	3,115	4 48	1838	
2528	„	6 17	Scheiner, W.-Wall. S. bis zur Mitte . .	0,3601	1,5370	3,261	5 4	1531	
2529	„	6 21	Scheiner, NW.-Wallgipfel	0,6461	1,4436	3,369	4 49	2277	
2530	„	6 24	Clavius d, W.-Wall. (Anm.)	0,1491	3,9200	3,597	12 8	1004	
2531	„	6 28	Casaus, W.-Wallgipfel (Anm.) . . .	1,1273	1,4742	1,244	4 46	3073	
2532	„	6 32	Newton, W.-Wall, halb beschattet . . .	0,5540	2,4756	0,705	7 47	3252	
2533	„	6 36	Clavius b, W.-Wall	0,1845	4,8624	4,169	14 49	2029	
2534	„	6 40	Bullialdus, W.-Wall	0,1658	3,6256	9,627	11 47	1820	
2535	„	6 44	T. Mayer a, dessen O.-Wall aussen. (Anm.)	0,5067	1,0126	14,031	3 30	1268	
2536	„	6 49	Cap Laplace. S. äussert fein endend . . .	0,8897	1,0880	4,876	3 43	1828	
2537	„	6 55	Euler, O.-Wallgipfel, der Mittlere; nach aussen	0,2009	0,6786	18,314	2 22	388	
2538	„	6 59	Longomontanus, SO.-Wall nach aussen .	0,1665	1,8940	5,254	6 19	963	
2539	„	7 58	Cap Laplace	0,5700	1,1929	4,876	4 5	1696	
2540	„	8 3	Cap Laplace	0,5690	1,1709	4,876	4 2	1653	
2541	Febr. 9.	5 22	Stevinus, NW.-Wall, halb beschattet . . .	0,2613	2,5581	3,951	6 35	1672	O.
2542	„	5 26	Snellius, NW.-Wall	0,1971	2,9159	10,080	8 10	1615	
2543	„	5 29	Petavius a = Wrottesley, W.-Wall. S. bis z. Mitte	0,2148	2,5737	14,795	8 51	1820	
2544	„	5 33	M. Crisium, N.-Rand, Gebirg R. (Anm.) .	1,0872	1,1333	14,182	4 23	2590	
2545	„	5 44	„ „ „ Ader Nord von Picard d . .	0,1522	0,7595	17,113	2 51	393	
2546	„	5 48	Geminus, SW.-Wall, halb beschattet . .	0,2252	1,9107	10,326	7 40	1637	
2547	Febr. 13.	7 32	Calippus 2. (zweifelhaft)	0,3216	2,6723	6,717	7 24	1694	O.

Anm. Jan. 17. Luft etwas dunstig, aber sehr still und günstig für die Messung. — No. 2530. Es kann nicht Clavius b gewesen sein. — No. 2531. S. fiel über den Ostwall Casati hinaus gegen den innern Ostwall des östlichen benachbarten Kraters. — No. 2535. Der Hauptkrater ganz vom Schatten bedeckt, und der S. des O.-Walles von a fällt über Mayer's O.-Wall hinaus. — No. 2544. Liegt in + 22° Br. u. 52° Lg. Der mittlere von 6 Gipfeln gemessen.

Febr. 13. Viel Störung durch Wolken.

No.	Datum	Zeit.	Name der Gebirge.	S	A	d	φ	h	
		h m					° '	° '	
2548	Febr. 13.	7 38	Gr. Crater SW. von Schomberger, W.-Wall	0,3353	3,6961	0,456	9 40	2333	O.
2549	"	7 41	— Demotax	0,2800	3,5773	0,877	9 36	1951	
			Schomberger, W.-Wall						
2550	"	7 43	Simpelius, W.-Wallgipfel a	0,5371	3,1174	1,362	8 29	3148	
2551	"	7 50	Hadley	0,8577	1,8635	10,088	5 11	2597	
2552	Febr. 14.	6 2	Plato μ	0,3359	1,8656	4,077	5 28	1304	O.
2553	"	6 6	Pico A, östlich von Cassini	0,1884	2,9034	5,945	8 21	1224	
2554	"	6 9	Cap Hayghens	0,3457	3,2222	11,973	9 20	2453	
2555	"	6 12	Wolf	0,3643	1,8764	13,150	5 29	1455	
2556	"	6 17	Hadley	0,1731	5,2210	9,755	14 53	2025	
2557	"	6 20	Calippus α	0,1600	5,6593	6,208	15 55	2003	
2558	"	6 23	Theaetetus, W.-Wall, kaum halb beschattet .	0,1090	5,2180	6,870	14 46	1271	
2559	"	6 26	Autolycus, W.-Wall	0,1543	4,4088	8,731	12 43	1346	
2560	"	6 29	Aristillus, W.-Wall	0,1713	4,2331	7,795	12 7	1632	
2561	"	7 7	Pico B, mittlerer Gipfel; südlich bei Pico .	0,4314	1,0606	5,551	3 7	866	
2562	"	7 13	Moretus, Centralberg. S. auf der untern Terrasse	0,3886	1,4448	1,707	4 10	1132	
2563	"	7 59	Clavius, W.-Wallgipfel. Phase zweifelhaft .	0,8271	1,7170	3,453	5 0	2527	
2564	"	8 4	Simpelius, W.-Wallgipfel a	0,3070	4,1186	1,425	11 12	1666	
2565	Febr. 18.	11 18	Gr. Berg südlich von Casatus	0,5102	0,8810	1,508	5 48	4244	O.
2566	März 12.	8 30	Ritter b, O.-Wall nach aussen	0,1233	0,7744	17,726	2 11	189	O.
2567	"	8 33	Ritter c, "	0,1935	0,7576	17,940	2 9	215	
2568	"	8 36	Sabine, W.-Wall	0,1702	1,3662	18,461	3 52	470	
2569	"	8 40	Prom. Acherusia bei Plinius	0,2792	1,6018	13,041	4 33	883	
2570	"	8 44	Plinius, W.-Wall	0,1021	3,7686	6,051	11 30	1797	
2571	"	8 47	Manilius, NW.-Wallgipfel	0,6205	2,3960	2,475	6 54	1846	
2572	März 15.	6 30	Moretus, W.-Wall. S. nahe der Mitte ...	0,3969	1,4074	1,913	7 8	2213	O.
2573	"	6 33	Moretus, Centralberg	0,1964	1,6490	1,913	4 59	1149	
2574	"	6 36	Simpelius, W.-Wallgipfel α	0,3678	4,1900	1,671	11 51	2617	
2575	"	6 39	Curtius 8 nach aussen	0,5140	2,9230	2,591	8 40	3457	
2576	"	6 42	Clavius α. Phase sehr schwierig	0,5622	1,1744	4,660	6 37	2765	
2577	"	6 45	" Senkung nördlich bei a	0,4544	2,4036	4,859	7 18	1564	
2578	"	6 48	" W.-Wallgipfel	0,5002	2,3562	5,048	7 6	2750	
2579	"	6 51	" NW.-Wallgipfel	0,5066	2,1126	5,271	6 42	2557	
2580	"	6 54	Clavius b, O.-Wall nach aussen	0,1554	1,6256	5,569	4 56	1336	
2581	"	6 57	Gruemberger, SW.-Wallgipfel	0,6204	3,0044	1,297	5 59	2673	
2582	"	7 1	Tycho, SW.-Wall. S. bis zur Mitte	0,4074	2,2442	5,218	6 48	2155	
2583	"	7 14	" NW.-Wall. " " "	0,4744	2,2602	8,491	6 51	2492	
2584	"	7 17	" Centralberg	0,1928	1,8012	8,411	5 29	858	
2585	"	7 20	" O.-Wallgipfel nach aussen ...	0,5714	2,2782	8,411	3 53	1357	
2586	"	7 23	Tycho x, W.-Wall (östlich bei Street d) .	0,2061	1,2362	7,699	3 46	610	
2587	"	7 26	Pico	0,2531	2,1155	4,958	6 24	1306	
2588	"	7 30	Eratosthenes, W.-Wall	0,2950	2,7118	12,313	8 20	1343	O.
2589	März 17.	6 4	Casatus, SW.-Wallgipfel	0,4833	1,4157	1,756	5 11	1244	O.
2590	"	6 11	" Ein Gipfel im Südwalle. S. nach aussen	0,4401	1,1303	1,513	4 11	1603	

Anm. Febr. 14. Dunstig und sehr still bei grossem Thaufall. — No. 2562. Deutlich war das Aufsteigen des S. an den östlichen Terrassen zu bemerken; Phase ganz zweifelhaft.

März 12. Sehr klar.

März 15. Dunstige, aber doch gute Luft. — No. 2586. Nach Mädler's Charte kann ich die Lage nicht bestimmt angeben, vermuthe aber, dass entweder Street d gemessen ward, oder der östliche Nachbar, der als eingreifender Krater eines grössern Ringgebirges erscheint.

März 17. Klare stille Luft. — No. 2589. Zwei Gipfel im W.-Walle Casati, scheinen (dem Schatten nach) schief gegen Süden geneigt zu sein.

No.	Datum.	Zeit.	Name der Gebirge.	S	A	d	?	h	
		h m					° '		
2591	März 17.	6 14	Casatus, ein O.-Wallgipfel nach aussen . . .	0,5719	0,7213	1,826	2 46	1018	O.
2592	"	6 17	" W.-Wallgipfel nördl. von No. 2589 .	0,5316	1,5463	1,826	5 39	2673	
2593	"	6 19	" mittlerer W.-Wall	0,3321	1,5463	1,756	5 38	1812	
2594	"	7 12	Vitello, O.-Wall nach aussen	0,1435	1,1381	13,940	4 40	695	
2595	"	7 15	Gassendi, W.-Wall	0,1771	1,2527	18,055	4 55	895	
2596	"	7 18	Encke β oder α	0,2535	0,6083	25,051	2 16	539	
2597	"	7 22	Casatus, SW.-Wallgipfel	0,4419	1,5577	1,756	5 41	2353	
2598	März 18.	6 21	Schicard, SW.-Wall β	0,4394	0,7143	7,535	3 43	1647	O.
2599	"	6 43	Schicard, W.-Wallgipfel, etwa γ	0,3223	0,7610	8,020	3 57	1488	
2600	"	6 46	Kircher, SW.-Wallgipfel	0,3379	1,1043	3,058	5 23	2265	
2601	"	6 49	Bettinus	0,2539	1,4953	3,734	7 7	2452	
2602	März 26.	16 31	Curtius 3. Phase schwierig	0,5246	3,0851	1,016	8 55	4611	W.
2603	"	16 35	Zach, O.-Wall	0,1877	3,2426	1,720	9 37	1562	
2604	"	16 38	Jacobi, O.-Wall. S. bis zur Mitte . . .	0,1657	2,2538	3,389	7 1	1565	
2605	"	16 42	Barocius, SO.-Wallgipfel S. bis zur Mitte .	0,1844	1,7574	4,692	5 34	1720	
2606	"	16 46	Maurolycus, SO.-Wallgipfel	0,2999	2,4892	5,351	7 49	1963	
2607	"	17 13	Cuvier, O.-Wall	0,2137	2,6780	3,578	8 16	1511	
2608	"	17 18	Licetus, O.-Wall	0,1556	3,4938	4,221	10 40	1439	
2609	"	17 21	Ritter b. W.-Wall nach aussen	0,1492	0,7542	19,295	2 17	294	
2610	"	17 25	Curtius 3.	0,6191	3,0382	1,016	8 43	4397	
2611	April 8.	6 42	Boussingault C, NW.-Wall = Helmholz .	0,4229	1,7521	2,120	7 27	2304	O.
2612	"	6 45	Stevinus, NW.-Wall	0,3645	1,6054	11,179	6 14	2014	
2613	"	6 48	Stevinus, O.-Wall nach aussen	0,1692	0,9882	11,179	3 45	868	
2614	"	6 52	Stevinus, Centralberg	0,1518	1,3106	11,179	5 1	715	
2615	"	6 55	Snellius, NW.-Wall	0,2924	1,8732	12,306	7 20	1960	
2616	"	6 57	Petavius a, W.-Wall — Wrottesley . . .	0,1803	2,0484	14,128	8 3	2097	
2617	"	7 0	Langrenus, W.-Wallgipfel	0,1504	3,3064	19,367	13 41	1984	
2618	"	7 4	Burckhardt a, nach aussen	0,2089	1,1008	8,699	4 2	790	
2619	"	7 7	Burckhardt, SW.-Wall	0,1993	1,4136	8,705*	5 28	1006	
2620	"	7 11	Geminus, SW.-Wall. S. bis zur Mitte . .	0,2409	1,7880	7,937	7 3	1575	
2621	"	7 14	Bernoulli, SW.-Wall	0,2037	2,2148	7,937	8 54	1715	
2622	April 9.	8 12	Boussingault, NW.-Wall	0,1503	2,1167	2,685	7 11	1450	O.
2623	"	8 16	Boussingault, O.-Wall	0,2966	1,1740	2,685	3 50	854	
2624	"	8 20	Gr. Krater SW. bei Rogulawsky = Demonax,						
			NW.-Wall. (Anm.)	0,4806	2,1248	1,951	7 19	2690	
2625	"	8 23	Demax O.-Wall nach aussen	1,0638	1,0638	1,951	3 21	1583	
2626	"	8 26	Boguslawsky, W.-Wall	0,7874	1,2326	1,236	4 7	1814	
2627	"	8 29	Hagecius, W.-Wall a	0,4261	1,9836	4,721	6 35	2146	
2628	"	8 32	Rosenberger, W.-Wall	0,3055	1,5556	5,652	5 3	1198	
2629	"	8 35	Steinheil b, NW.-Wall	0,3064	2,3122	7,540	7 38	1872	
2630	"	8 38	Fabricius a, W.-Wall	0,3980	2,1166	8,602	6 57	2147	
2631	"	8 42	Fabricius, NW.-Wall	0,4567	1,7134	9,122	5 35	1373	
2632	"	8 45	Metius, NW.-Wall	0,3777	2,1686	10,149	7 6	2095	
2633	"	8 56	Santbech, W.-Wall, fast halb beschattet . .	0,2380	2,8936	16,467	9 35	1861	
2634	"	8 59	Gutenberg, SO.-Wall nach aussen . . .	0,5045	1,7912	11,305	5 48	2171	
2635	"	9 2	Macrobius, W.-Wall	0,1977	3,4176	10,109	11 33	1884	
2636	April 10.	6 26	Boussingault, innerer Krater, NW.-Wall . .	0,1970	3,5118	2,540	11 2	1675	O.
2637	"	6 29	Boguslawsky, NW.-Wall	0,3018	2,4448	2,028	7 32	1693	

Anm. März 12. Sehr klare stille Luft.
März 26. Mond sehr tief. Luft gut.
April 8. Luft gut. — April 9. Luft dunstig und still; gut für Messungen. — No. 2614 identisch mit No. 2548.
April 10. Anfangs sehr klar und still, dann dunstig.

No.	Datum	Zeit	Name der Gebirge	S	A	d	φ	h	
			Gr. Krater südlich bei Boguslawsky, NW.-Wall						
2638	April 10.	6 32	= No. 2624	0,3767	3,0840	1,336	9 50	1767	O.
2639	"	6 35	Derselbe, O.-Wall nach aussen	0,7903	1,6526	0,997	5 4	2454	
2640	"	6 38	Nearchus, W.-Wall	0,2586	3,0476	4,751	9 19	1817	
2641	"	6 41	Vlacq, W.-Wall	0,2427	3,4326	6,077	10 31	1946	
2642	"	6 44	Vlacq ε, W.-Wall	0,1692	3,9192	6,239	12 6	1580	
2643	"	6 47	Cap NW. bei Plinius A (Cap Chamisso) (Anm.)	0,5552	1,7752	10,466	5 17	2043	
2644	"	6 52	Krater α, NO. an Posidonius B; O.-Wall aussen	0,1953	0,8310	6,946	2 27	336	
2645	"	6 55	Posidonius, O.-Wallgipfel nach aussen . . .	0,2192	1,1928	6,304	3 12	559	
2646	"	6 58	Hercules, W.-Wall	0,1911	3,5730	3,606	11 6	1630	
2647	"	7 1	Plinius A, O.-Wall nach aussen = Dawes . .	0,4020	0,7318	10,187	2 9	500	
2648	"	7 5	Isidorus, W.-Wall ε	0,1829	3,4100	20,212	10 18	1448	
2649	"	7 8	Piccolomini, SW.-Wallgipfel	0,1474	2,7988	11,683	8 25	2175	
2650	"	7 11	" Centralberg, der östliche	0,2223	2,4360	12,900	7 17	1224	
2651	"	7 13	Altaï, Gipfel Ost von η	1,1330	1,1330	13,0*	3 19	1502	
2652	"	7 16	Pitiscus, W.-Wall. S. bis zur Mitte . . .	0,5697	2,2004	6,612	6 36	1603	
2653	"	7 19	" Centralberg	0,1710	1,7996	6,612	5 22	693	
2654	"	7 23	Hommel B, O.-Wall nach aussen. (Anm.)	0,3305	2,7758	5,716	8 25	2191	
2655	"	7 26	Hommel B, W.-Wall	0,2437	3,0454	5,716	9 17	1031	
2656	"	7 31	Cap, NW. bei Plinius A = No. 2643 . . .	0,4866	1,5756	10,966	4 40	1528	
2657	"	8 13	Theophilus, W.-Wall. S. endet am O.-Walle	0,7484	1,6501	19,261	4 53	2246	
2658	"	8 21	" südl. Centralbg. S. endet a. O.-Walle	0,5124	1,0770	19,261	3 10	672	
2659	"	10 16	" NW.-Wallgipfl. S.endet a. O.-Walle	0,6096	1,9618	19,476	5 49	2284	
2660	"	10 20	" W.-Wall. S. der Mitte nahe . .	0,5867	1,9960	19,261	5 56	1361	
2661	"	10 24	Theophilus, nördlicher Centralberg . . .	0,3601	2,4390	19,261	4 19	1082	
2662	April 11.	6 54	Gr. Krater α, O.-Wall aussen. Siehe No. 2630	0,1986	2,4862	0,704	7 16	2962	O.
2663	"	6 58	Schomberger, W.-Wall. S. bis zum O.-Walle	0,7307	1,8744	1,154	5 25	2468	
2664	"	7 2	Manzinus, NW.-Wallgipfel. S. bis zur Mitte	0,5039	2,4782	2,639	7 9	2501	
2665	"	7 6	Baco, W.-Wallgipfel. S. bis zur Mitte . .	0,4051	2,0718	6,093	5 57	1678	
2666	April 12.	6 32	Maurolycus, SW.-Wallgipfel	0,3020	3,9881	8,081	11 26	2586	O.
2667	"	6 35	Gr. Krater α, Ostwall n. aussen. (Siehe No.2662)	0,4647	2,5155	0,655	7 5	2329	
2668	"	6 38	Schomberger, W.-Wall. S. bis zur Mitte . .	0,4137	2,3507	1,159	6 40	1964	
2669	"	6 43	Calippus α. (Vielleicht der südliche Berg α)	0,5181	1,7965	5,730	5 43	2014	
2670	"	6 50	Cuvier, W.-Wall. (sehr dunstig)	0,2924	2,8149	5,540	8 8	1760	
2671	"	6 52	Simpelius, W.-Wallgipfel. S. bis zum O.-Walle	0,6400	2,9897	1,607	5 40	2360	
2672	"	6 55	Jacobi, W.-Wall. S. bis zur Mitte . . .	0,3969	2,8257	4,509	8 15	1778	
2673	"	6 59	Licetus, W.-Wall, halb beschattet	0,2047	2,2789	6,748	6 32	1885	
2674	"	7 36	Hadley	1,1524	1,4782	9,088	4 15	2347	
2675	"	7 40	Calippus 2 (nördlicher Gipfel)	0,3451	2,5001	5,730	7 20	1823	
2676	"	7 44	Aliacensis, W.-Wall, halb beschattet . . .	0,4611	2,1913	11,687	6 11	1038	
2677	"	7 48	Hipparchus, W.-Wall	0,3714	1,3617	18,047	3 55	986	
2678	"	7 52	Curtius, W.-Wall. S. endet am O.-Walle . .	0,8788	1,3737	2,483	3 57	1865	
2679	"	8 1	Simpelius α, W.-Wall	0,2220	2,3281	1,551	6 47	1126	
2680	April 13.	6 50	Gr. Krater α, O.-Wall n. aussen. (Siehe No.2639)	0,3272	3,2421	0,524	8 50	2243	O.
2681	"	6 52	Schomberger, W.-Wall	0,2427	3,4399	1,032	9 39	1876	
2682	"	6 59	Simpelius, W.-Wallgipfel 2. S. bis zur Mitte	0,3697	3,1273	1,574	8 58	1558	

Anm. No. 2643. Für die Erkennung der Phase war es noch etwas zu hell. — No. 2654. S. fällt auf den innern Westwall Hommel's und in dessen Tiefe.

April 11. Nach Gewitter kurze Zeit klar.

April 12. Viel Gewölk und Dunst; Messungen dennoch brauchbar. — No. 2678. Es ist die Stelle bei α, aber
das gegen das Innere vortretende Stück.

April 13. Anfangs klar und still, dann ungünstig.

12

No.	Datum	Zeit	Name der Gebirge	S	A	d	φ	b	
		h m							
2683	April 13.	7 2	Simpelius d, W.-Wall. S. bis zur Mitte	0,2566	2,5321	1,913	7 22	1473	O.
2684	"	7 11	Simpelius c, O.-Wall nach aussen	0,5118	1,6443	1,690	7 6	1670	
2685	"	7 14	Pico B, mittlerer Gipfel (südlich von Pico)	0,3886	0,9579	4,707	2 53	735	
2686	"	7 17	Plato, W.-Wallgipfel, der mittlere	0,6310	1,1643	2,991	3 46	1470	
2687	"	7 21	Curtius d, S. endet an Gruemberger's O.-Wall	1,6745	1,8345	2,590	5 26	3994	
2688	"	7 25	Calippus 2	0,1704	5,5715	5,735	16 8	2108	
2689	"	7 27	Pico A, östlich von Cassini	0,1864	2,9285	5,772	8 32	1268	
2690	"	7 40	Theaetetus, W.-Wall	0,1179	5,1717	6,253	15 3	1554	
2691	"	7 43	Cap Huyghens	0,3123	3,1638	10,927	9 24	2382	
2692	"	7 46	Bradley, mittlerer Gipfel	0,2321	3,8751	10,534	11 27	2217	
2693	"	7 49	Conon, W.-Wall	0,0920	4,7229	10,460	13 55	1039	
2694	"	8 2	Hadley	0,1605	5,1507	8,974	15 7	1458	
2695	"	8 6	Autolycus, W.-Wall	0,1561	4,3585	7,836	12 49	1615	
2696	"	8 12	Aristillus, W.-Wall	0,1741	4,2861	7,005	12 34	1763	
2697	"	8 16	Thebit, W.-Wall. S. bis zur Mitte	0,2184	3,1481	14,327	9 23	1635	
2698	"	8 21	Moretus, W.-Wall. S. auf d. untern O.-Terrasse	1,0213	1,4729	1,913	4 28	2470	
2699	"	8 24	" Centralberg, " " "	0,3932	0,9047	1,913	2 43	690	
2700	"	8 28	Pico	0,7831	1,0236	4,147	3 5	1227	
2701	"	9 16	Pico. (Von hier an schlechte Luft)	0,5367	1,0673	4,147	3 13	1072	
2702	"	9 31	Zach, W.-Wall	0,2191	3,4500	3,641	10 6	1756	
2703	"	9 37	Pico	0,5348	1,1453	4,147	3 28	1176	
2704	April 14.	6 32	Tycho, W.-Wall	0,2703	3,4881	7,834	13 50	2236	O.
2705	"	6 35	Simpelius, W.-Wallgipfel a	0,2074	4,2881	1,370	12 0	2169	
2706	"	6 38	Copernicus, SW.-Wall	0,4600	1,7819	14,306	5 46	2078	
2707	"	6 41	Copernicus, W.-Wall, nördlich bei A	0,4592	1,9030	14,113	6 9	1020	
2708	"	6 44	Copernicus, NW.-Wall	0,4412	1,7477	13,877	5 44	1990	
2709	"	6 48	Moretus, W.-Wall	0,3000	2,3285	1,895	7 11	1807	
2710	"	6 52	Moretus, Centralberg	0,2361	1,6979	1,895	5 19	1651	
2711	"	6 53	Cysatus, W.-Wall	0,2713	2,6389	1,570	8 9	1881	
2712	"	7 57	Gruemberger, SW.-Wallgipfel. S. b. zur Mitte	0,4214	2,4525	2,368	7 35	2563	
2713	"	7 59	Clavius, W.-Wall	0,3038	3,0753	3,984	9 35	1493	
2714	"	8 2	" NW.-Wall	0,3009	2,9671	4,396	9 18	2393	
2715	"	8 11	Clavius b, W.-Wall, halb beschattet	0,2654	3,0301	4,601	9 30	2174	
2716	"	8 13	Longomontanus, SW.-Wallgipfel. S. am O.-Walle endend	0,5527	1,5093	5,836	4 55	2008	
2717	"	8 34	" W.-Wall. S. bis zur Mitte	0,4177	1,8955	6,146	5 30	1810	
2718	"	8 37	" NW.-Wallgipfel. S. endet am O.-Walle	0,8365	1,4671	6,235	4 47	2584	
2719	"	8 40	" Centralberg	0,3132	0,7181	6,146	2 12	528	
2720	"	8 43	W. v. Hessen, SW.-Wall. S. bis zur Mitte	0,3343	1,6389	7,834	5 21	1459	
2721	"	8 46	Bullialdus, O.-Wall nach aussen	0,4247	0,6959	14,825	2 19	622	
2722	"	8 49	Reinhold, O.-Wall "	0,3939	0,5971	16,209	1 59	478	
2723	"	11 30	Copernicus, W.-Wallgipfel A	0,3494	2,5807	14,113	8 25	1515	
2724	"	11 34	Bullialdus, W.-Wall	0,3787	1,7345	14,825	5 45	1787	
2725	April 16.	11 37	Cichus, O.-Wall nach aussen	0,3467	1,4231	—	4 44	1336	
2726	April 16.	11 24	Casatus, SW.-Wallgipfel	0,2504	2,1618	1,206	8 11	2476	O.
2727	"	11 28	Mersenius b (nach Osten)	0,5033	0,8149	12,206	2 46	1682	
2728	"	11 31	Mersenius, W.-Wall. S. bis zur Mitte	0,2973	0,8807	13,365	4 4	1300	
2729	"	11 36	Mersenius, mittlere Beule	0,2738	0,5089	13,365	2 39	240	

Anm. No. 2698. Phase ganz zweifelhaft.
April 14. Bis 9ʰ gute Luft. -- No. 2716. Die Phase liess sich nur ungefähr errathen.
April 16. Sehr klare stille Luft. -- No. 2729. 14 Messungen des Schattens der innern expandirten Kraterdächer.

No.	Datum.	Zeit.	Name der Gebirge.	S	A	d	♀	h	
2730	April 16.	11 40	Aristarchus, über halb beschattet	0,1526	0,8855	10,265	4 5	744	O.
2731	.	11 45	Menealus b' (zwischen b und a)	0,4310	0,8553	12,399	3 57	1649	
2732	April 17.	7 54	Vieta ð. S. bis zum Fuße des O.-Walles . .	0,2748	0,9288	12,567	5 17	2052	O.
2733	.	7 58	Vieta, SW.-Wall	0,1669	0,9583	12,104	5 24	1372	
2734	.	8 1	Phocylides, SW.-Wallgipfel γ	0,2215	0,7101	5,525	4 4	1260	
2735	.	8 4	„ W.-Wallgipfel α	0,2415	0,6789	6,126	3 53	1378	
2736	.	8 8	Fourier, W.-Wall	0,0972	1,4745	11,973	8 4	1369	
2737	.	8 10	Vieta ζ	0,1500	0,9537	12,563	5 26	1964	
2738	.	9 37	Phocylides, N.O.-Wall ♂ (über Wargentin)	0,1138	0,3425	6,592	2 5	337	
2739	.	9 41	Vieta ð	0,2081	1,0269	12,561	5 54	1880	
2740	Mai 11.	11 9	Calippus a (zweifelhafte Messung)	1,3907	1,5913	5,935	4 39	2892	O.
2741	.	11 17	Gr. Krater a, O.-Wall nach aussen == No. 2680	0,5625	2,2519	0,464	6 34	2571	
2742	.	11 19	Schomberger, W.-Wall, S. bis zur Mitte . .	0,5814	1,9751	0,926	5 46	2274	
2743	.	11 22	Simpelius, W.-Wall α. S. endet am O.-Walle	0,6644	1,4565	1,470	4 14	1717	
2744	.	11 25	Calippus a (bessere Messung)	1,1059	1,5309	5,935	4 29	2665	
2745	.	11 29	Caucasus, Südcap b — Cap Faraday . . .	0,4044	1,3091	7,971	3 50	1038	
2746	.	11 32	„	0,4446	1,3215	6,975	3 50	1124	
2747	.	11 36	f, mittlerer Gipfel	0,7315	1,4005	6,832	4 6	1759	
2748	.	11 39	Jacobi, W.-Wall	0,4544	1,8107	4,155	5 18	1679	
2749	.	11 43	Cuvier, W.-Wall, halb beschattet	0,4187	1,8369	5,588	5 21	1636	
2750	.	11 46	Maurolycus, SW.-Wallgipßl. (Luft sehr schlecht)	0,1879	3,0810	7,505	9 2	2603	
2751	.	11 49	Gemma, W.-Wall	0,3147	3,2415	9,982	9 31	2124	
2752	.	11 53	Calippus a	0,1200	1,6001	5,935	4 41	2776	
2753	Mai 12.	7 6	Gr. Krater a, O.-Wall aussen. Siehe No. 2637	0,4786	1,4094	0,515	9 27	3357	O.
2754	.	7 9	Schomberger, W.-Wall	0,3387	2,9536	0,969	8 25	2152	
2755	.	7 12	Simpelius, W.-Wall α	0,4998	2,7441	1,370	7 54	2873	
2756	.	7 15	Curtius, SW.-Wall	0,4848	2,1312	2,021	6 12	2136	
2757	.	7 40	Curtius, NW.-Wall	0,4819	2,2754	2,342	6 37	2190	
2758	.	7 43	Pentland a, W.-Wall, halb beschattet . . .	0,8674	3,4322	2,274	9 20	1928	
2759	.	7 45	Pentland, W.-Wall, „ „	0,3006	3,3656	2,684	9 44	2242	
2760	.	7 48	Zach, W.-Wall, „ „	0,4026	2,6016	3,293	7 35	2261	
2761	.	7 51	Jacobi, W.-Wall	0,1871	4,0430	4,169	11 44	1717	
2762	.	7 53	Lilius a, W.-Wall, halb beschattet	0,2139	3,4830	4,428	10 8	1985	
2763	.	7 56	Lilius, W.-Wall, „ „	0,1543	3,1070	4,611	9 4	1774	
2764	.	7 59	Pico A, östlich von Cassini	0,3371	1,7696	5,623	5 1	1276	
2765	.	8 2	Archimedes E	0,3290	1,0518	7,996	3 6	695	
2766	.	8 7	Cap Huyghens	1,2340	1,4052	11,371	4 9	2307	
2767	.	8 8	„ „ südliche Senkung des Gebirges .	0,7185	1,4052	11,450*	4 9	1786	
2768	.	8 10	Calippus a	0,2243	4,3734	5,963	12 44	2228	
2769	.	8 49	Cap Huyghens	0,9549	1,3629	11,371	4 18	2477	
2770	.	8 54	Bradley, mittlerer Gipfel	0,1777	2,3304	10,992	6 52	1922	
2771	.	8 57	Autolycus, W.-Wall, halb beschattet . . .	0,1434	2,9730	8,200	8 44	1645	
2772	.	8 59	Aristillus, W.-Wall, „ „	0,2148	2,9106	7,323	8 33	1551	
2773	.	9 4	Huyghens	1,2469	1,6403	11,645	4 51	3021	
2774	.	9 8	Werner, W.-Wall	0,2564	3,5343	11,898	10 23	2003	
2775	.	9 14	Arzachel, W.-Wall	0,3565	2,1752	15,066	6 25	1693	
2776	.	9 17	Arzachel, Centralberg	0,2587	1,5308	15,066	4 32	864	

Anm. April 17. Sehr heitere, meist ruhige Luft.
Mai 11. Mond tief. Luft klar, aber nur wenig ruhig. — No. 2745. S. hat die östliche Bergader schon verlassen.
Mai 12. Luft gut; Mond zuletzt schon etwas tief. — No. 2753. S. fällt bis zur Mitte des östl. großen Ringgebirges γ; einen und zwei Tage vorher jedoch endet S. auf dem inneren Ostabhange von γ, der ein sehr hohes mächtiges Gebirge bildet.

12*

No.	Datum.	Zeit.	Name der Gebirge.	S	A	d	φ	b	
		h m					° '		
2777	Mai 12.	9 21	Huyghens	1,1178	1,7001	11,645	5 2	3045	O
2778	"	10 32	Huyghens	0,7969	1,7970	11,645	5 20	2683	
2779	"	10 37	Cap Huyghens	0,6653	1,8538	11,372	5 30	2444	
2780	"	10 45	Archimedes, NO.-Wallgipfel nach aussen .	0,3959	0,9131	8,481	2 43	686	
2781	"	10 53	Huyghens	0,7387	1,8264	11,645	5 26	2598	
2782	"	10 57	Huyghens	0,7764	1,8102	11,645	5 23	2667	
2783	"	11 1	Huyghens	0,7476	1,7806	11,645	5 18	2540	
2784	"	11 6	Huyghens	0,7546	1,8126	11,645	5 23	2619	
2785	Mai 13.	7 13	Laplace 1. S. sehr lang und fein	0,6301	1,1182	3,871	3 27	1327	O.
2786	"	7 57	Pico	0,2030	2,5549	4,565	7 45	1387	
2787	"	8 1	Clavius a	0,5814	1,6217	3,253	4 56	1998	
2788	"	8 4	" Gebirgs-Rand nördlich bei a .	0,5201	1,7809	3,493	5 27	2056	
2789	"	8 11	Moretus, Centralberg	0,3539	1,3877	1,619	4 13	1210	
2790	"	8 17	Simpelius, W.-Wall a	0,2998	3,6417	1,188	10 24	2534	
2791	"	8 24	Tycho, WSW.-Wall. S. bis zur Mitte . . .	0,4431	2,2809	6,935	6 59	2385	
2792	"	8 45	Clavius, NW.-Wallgipfel. (Anm.)	0,6748	1,8467	3,968	5 40	2368	
2793	"	8 49	Clavius, Gipfel südlich neben No. 2791 .	0,5308	1,8453	3,835	5 39	2193	
2794	"	8 57	Clavius, W.-Wall, Doppelgipfel	0,5339	1,8171	3,641	5 34	2165	
2795	"	9 7	Clavius d, O.-Wall nach aussen	0,3253	0,7215	3,594	2 15	341	
2796	"	9 10	Tycho, WNW.-Wall. S. bis zur Mitte . .	0,3945	2,2349	7,233	6 53	2069	
2797	"	9 13	Tycho, Centralberg	0,1704	1,7143	7,007	5 18	737	
2798	Mai 14.	7 18	Simpelius, W.-Wall a	0,1615	4,5515	1,056	12 47	1866	O.
2799	"	7 21	Cysatus, W.-Wall, halb beschattet . . .	0,1099	3,1277	2,105	9 51	1864	
2800	"	7 24	Gruemberger, SW.-Wallgipfel	0,1024	2,5947	1,925	8 10	2167	
2801	"	7 27	Moretus, Centralberg	0,1017	2,1219	1,491	6 43	1207	
2802	"	7 30	Blancanus, W.-Wall. S. berührt den O.-Wall .	0,8684	1,5741	2,631	5 10	2999	
2803	"	7 33	Clavius a, W.-Wall.	0,1966	3,0401	2,957	9 37	2151	
2804	"	7 36	Clavius a, W.-Wall, fast halb beschattet . .	0,2216	3,8865	3,924	11 21	2448	
2805	"	7 40	Bullialdus, W.-Wall, "	0,2081	2,8557	13,871	9 26	1771	
2806	"	7 53	Cap Laplace	0,5407	1,7387	4,454	5 50	2473	
2807	Juni 9.	9 11	Aristoteles, W.-Wall	0,3206	2,3646	3,689	7 8	1711	O
2808	"	9 13	Eudoxus, W.-Wall	0,4856	2,2470	3,026	6 45	2353	
2809	"	9 16	Delambre, NW.-Wallgipfel	0,3697	2,8416	19,162	8 32	2368	
2810	"	9 19	Almanon, W.-Wall	0,3118	1,7734	14,891	5 18	1211	
2811	"	9 22	Sacrobosco, W.-Wall	0,3936	2,4842	12,695	7 27	2169	
2812	"	9 25	Manzinus, NW.-Wall. S. bis zur Mitte . .	0,5502	2,2820	2,041	6 54	2693	
2813	Juni 10.	8 59	Alpen, Südcap η, Cap Agassiz	0,6943	1,2969	5,676	3 49	2550	O.
2814	"	9 1	" Senkung nördlich an η . .	0,2948	1,2950	5,5°	3 48	795	
2815	"	9 3	" nördlicher, ein kleiner Gipfel .	0,4377	1,2251	5,473	3 18	931	
2816	"	9 5	" Senkung nördlicher. (Anm.) .	0,4374	0,9858	0,54°	4 30	1311	
2817	"	9 9	Calippus a	0,3166	2,1393	6,134	9 14	2215	
2818	"	9 13	Calippus, NW.-Wall, halb beschattet . .	0,1710	2,8505	6,334	11 21	1509	
2819	"	9 17	Cuvier, W.-Wall	0,2110	2,7911	5,017	8 13	1330	
2820	"	9 19	Licetus, W.-Wall, halb beschattet . . .	0,3584	2,2791	5,825	6 43	1771	
2821	"	9 22	Jacobi, W.-Wall, " . . .	0,2459	2,3730	3,614	6 59	1268	
2822	"	9 41	Schomberger, W.-Wall, halb beschattet . . .	0,3946	2,1967	0,645	6 25	1842	

Anm. Mai 13. Zwischen Gewitterwolken mässig gute Luft. — No. 2792. In dieser Beobachtung deckte S. noch den Südwall von b.

Mai 14. Dunstige, wenig stille Luft.

Juni 9. Sehr klare, genügend stille Luft.

Juni 10. Mond tief; heitere stille Luft. — No. 2816. Diese Niederung unmittelbar südlich neben dem zweiten Hauptgipfel, von η an gerechnet.

No.	Datum.	Zeit.	Name der Gebirge.	S	A	d	?	h	
		' "					' "		
1823	Juni 10.	9 44	Simpelius, W.-Wall z. S. endet hoch am O.-Wall	0,5928	1,6730	1,087	4 54	1915	O.
1824	"	9 48	Aliacensus, W.-Wall, fast halb beschattet . . .	0,3690	2,2445	9,382	6 37	1793	
1825	"	9 51	Werner, W.-Wall, über halb beschattet	0,5473	1,5928	11,144	4 42	1704	
1826	"	9 55	Alpen η. Cap Agassis	0,5825	1,3349	5,676	3 56	1435	
1827	Juni 12.	8 30	Copernicus, W.-Wallgipfel A	0,3791	2,4962	16,189	7 50	2155	O.
1828	"	8 34	" W.-Wall	0,3793	1,4962	16,18*	7 50	1801	
1829	"	8 36	Reinhold, O.-Wall nach aussen	0,1670	0,6275	18,255	2 1	364	
1830	"	8 39	Tycho, W.-Wall	0,2558	3,7165	6,047	11 22	2424	
1831	"	8 52	Moretus, Centralberg	0,2784	1,6749	1,123	5 6	1135	
1832	"	8 54	" W.-Wall	0,1466	2,3593	1,123	7 2	1964	
1833	"	8 57	Simpelius, W.-Wall z	0,2225	4,1055	0,861	11 21	2134	
1834	"	9 1	Gruemberger, SW.-Wallgipfel	0,5110	2,1337	1,283	6 28	2950	
1835	"	9 4	Clavius α	0,1724	2,6561	2,549	8 5	2429	
1836	"	9 8	Bulliablus, O.-Wall nach aussen	0,1879	0,7304	12,499	2 20	584	
1837	"	9 11	Longomontanus, W.-Wall, Niederung	0,4701	1,5381	4,625	4 50	1642	
1838	"	9 51	" SW.-Wall S. b. z. O.-Walle	1,0679	1,4237	4,322	4 30	1604	
1839	"	9 55	Copernicus, W.-Wallgipfel A	0,3640	2,5869	16,189	8 9	2280	
1840	"	10 38	Lahire. S. scheint in der Phase zu enden . . .	0,6510	0,6510	10,376	2 6	606	
1841	Juli 12.	14 4	Curtius δ. S. überschreitet die Mitte . . .	0,8196	2,6980	1,503	7 28	3123	W.
1842	"	14 8	Zach, O.-Wall	0,2611	3,1155	2,388	8 26	2634	
1843	"	14 11	Jacobi, O.-Wall, halb beschattet	0,3973	2,3443	3,195	6 28	2823	
1844	"	14 13	Cuvier, O.-Wall	0,2989	3,1447	4,595	8 38	1903	
1845	"	14 18	Maurolycus, SO.-Wallgipfel. S. bis zur Mitte	0,4153	2,6895	6,541	7 28	2233	
1846	"	14 22	Azophi, O.-Wall	0,2237	3,1761	12,915	8 51	1415	
1847	"	14 25	Geber, O.-Wall, halb beschattet	0,2137	2,7781	13,923	7 46	1900	
1848	"	14 28	Delambre, O.-Wall, halb beschattet	0,3275	1,9679	20,433	5 32	1286	
1849	"	14 31	Barocius, O.-Wallgipfel	0,7308	2,7907	5,890	5 0	2819	
1850	"	14 34	Maurolycus, äussere westl. Terrasse nach aussen	0,3347	2,2529	6,891	3 32	793	
1851	"	14 37	Curtius δ	0,8459	2,7049	1,503	7 18	3110	
1852	Juli 13.	12 35	Caucasus c, mittlerer Gipfel	0,3803	1,6481	10,124	4 28	1115	W.
1853	"	12 39	" c, nördlicher Gipfel	0,4964	1,5345	9,917	4 13	1302	
1854	"	12 43	Autolycus, O.-Wall, halb beschattet	0,1897	3,6967	10,403	9 52	1344	
1855	"	12 46	Aliacensis, O.-Wallgipfel, halb beschattet . .	0,4254	2,5379	10,315	6 58	2260	
1856	"	12 49	Werner, O.-Wall, halb beschattet	0,4229	3,1521	11,105	8 30	2473	
1857	Aug. 10.	11 59	Curtius δ. S. bis zur Mitte	0,5608	3,8803	1,936	10 25	4298	W.
1858	"	12 2	Simpelius, O.-Wallgipfel. S. b. z. W.-Walle	0,5808	5,7421	1,051	4 50	2855	
1859	"	12 7	Jacobi, O.-Wall	0,1998	3,6527	3,714	10 5	1563	
1860	"	12 11	Baco, SO.-Wallgipfel	0,3684	2,7219	4,945	7 41	2104	
1861	"	12 12	Baco, NO.-Wallgipfel	0,4493	2,8225	5,111	7 57	1622	
1862	"	12 14	Baco, (Anm.)	0,2553	2,7721*	5,021*	7 49	1518	
1863	"	12 18	Clairaut b, O.-Wall, halb beschattet. (Anm.)	0,2160	3,3087	5,388	9 16	1535	
1864	"	12 21	Barocius a, O.-Wall. (Anm.)	0,1873	3,0821	5,734	8 40	1355	
1865	"	12 24	Curtius δ	0,5720	3,9505	1,936	10 34	4337	
1866	"	12 28	Barocius, O.-Wallgipfel	0,2741	3,7033	6,561	10 22	2475	
1867	"	12 39	Curtius δ	0,5981	3,7975	1,936	10 11	4437	

Anm. Juni 12. Besonders stille schöne Luft. — No. 1840. Lahire ist viel höher; also war das Ende des S. noch nicht
frei geworden.
    Juli 12. Sehr klar, aber nicht ganz stille Luft. — No. 1850. Es ist also nicht der hohe W.-Wall gemessen.
    Juli 13. Sehr klar.
    Aug. 10. Sehr stille klare Luft. — No. 1862. A und d sind nicht gemessen, sondern Mittelwerthe der 2 Vorigen.
    — No. 1863 in − 50° Br. und 16° Lg. — No. 1864 in − 47°,5 Br. und 18° Lg.

No.	Datum.	Zeit.	Name der Gebirge.	S	A	d	φ	h	
		' "					' "	'	
1868	Aug. 22.	13 1	Aristillus, W.-Wallgipfel nach aussen	0,5251	1,2901	7,978	3 12	1097	W.
1869	"	13 1	Aristillus, W.-Wall nach aussen	0,3867	1,2901	7,987	3 32	863	
1870	"	13 6	„ (O.-Wall, drei viertel beschattet . .	0,4761	1,2292	7,987	5 54	1854	
1871	"	13 10	Autolycus, W.-Wall nach aussen	0,3558	1,2451	8,965	3 7	607	
1872	"	13 14	Pico A, östlich von Cassini	0,4216	1,9939	6,167	5 28	1498	
1873	"	13 17	Arzachel, NO.-Wall	0,2883	1,8423	16,107	7 49	1583	
1874	"	13 20	Tycho, O.-Wall	0,2043	4,4267	7,746	12 12	1801	
1875	"	13 23	Pictet, O.-Wall	0,2400	3,1933	7,649	9 4	1551	
1876	"	13 27	Moretus, Centralberg. (Anm.)	0,5588	1,4075	1,720	3 51	1283	
1877	"	13 30	Groemberger, O.-Wall. S. bis zur Mitte . .	0,4229	2,6535	1,288	7 18	1106	
1878	"	13 33	Pico A, östlich von Cassini	0,4130	1,8733	6,167	5 7	1455	
1879	"	13 39	Orontius, O.-Wall (in — 40° Br.)	0,2545	2,5157	8,551	6 56	1379	

1857. (Olmütz.)

1880	März 4.	6 27	Pico	0,7289	1,3042	4,340	3 44	2553	O.
1881	"	6 34	Pico	0,6428	1,1921	4,340	3 25	1315	
1882	"	6 38	Pico	0,6111	1,3314	4,340	3 49	1434	
1883	"	6 42	Pico	0,5690	1,3498	4,340	3 15	1246	
1884	"	6 46	Pico	0,5483	1,2810	4,340	3 41	1253	
1885	"	7 19	Pico	0,5117	1,3430	4,340	4 0	1323	
1886	April 2.	7 1	Cap Huyghens. (Anm.)	0,8521	1,9699	11,439	5 37	1934	O.
1887	"	7 8	Huyghens	1,0948	1,8557	11,691	5 18	1475	

1858. (Olmütz.)

1888	Jan. 22.	5 35	Alpen, Südcap η. Cap Agassiz	0,6388	1,5312	5,901	4 10	1555	O.
1889	"	5 42	„ Senkung d. Geb. nördl. am η — No. 2814	0,1050	1,4383	5,689	3 55	550	
1890	"	5 46	„ Senkung südl. am folgenden Hochgipfel						
			— No. 1816	0,3606	1,2042	5,452	3 31	608	
1891	"	8 27	Pico A, östlich von Cassini	0,6742	1,3094	6,244	3 33	1307	
1892	"	8 41	Montblanc	1,2481	1,5935	4,981	4 19	2415	
1893	"	11 20	Cap Huyghens	1,2505	1,5271	12,378	4 10	1276	
1894	"	11 19	Curtius δ. S. endet in der Phase	2,0130	2,0130	2,546	5 28	4283	

Die Summe aller Höhenmessungen von 1844—1865 beträgt 3050.

Anm. Aug. 22. Luft meist unruhig. — No. 1876. Von hier an schlechte Luft. Phase bei Moretus ganz unkenntlich. S. reicht bis zum Fusse des W.-Walls.

1857. März 4. Sehr klare stille Luft.

April 2. Kurze Zeit sehr klare, ziemlich stille Luft. — No. 1886 und 1887. Die feinen Schattenspitzen schwer zu erkennen, dagegen gut ihre Lage; aber die Resultate sind dennoch unbrauchbar.

1858. Jan. 22. Luft gut bei schwachem Schneewehen.

NEIGUNGSWINKEL DER BERGFLÄCHEN.

Wenn man die Neigungswinkel von Bergflächen auf dem Monde mit grosser Genauigkeit bestimmen wollte, so wären dazu sehr umständliche Messungen und Rechnungen erforderlich. Handelt es sich aber darum, jenen Winkel nur bis auf einen oder bis auf wenige Grade sicher zu finden, um wegen der Steilheit von Bergen und Kraterwänden auf dem Monde Vergleichungen mit der Gestalt irdischer Bergformen anzustellen, so genügen dazu Beobachtungen und Rechnungen sehr einfacher Art. Nach der Höhe der Sonne richten sich die Schatten der Berge, und es leuchtet ein, dass die Neigung der Flächen eines genau kegelförmigen oder pyramidenförmigen Berges gleich dem Höhenwinkel der Sonne zu jener Zeit sein müsse, wenn an der Bergseite, die von der Sonne abgewendet liegt, die Lichtstrahlen dieser Bergfläche parallel laufen, oder mit andern Worten, wenn das Licht der auf- oder untergehenden Sonne die entsprechende Bergseite zuerst und zuletzt trifft. Dasselbe gilt von der regelmässigen Böschung eines Kraters, sowie von der Neigung oder dem Abfalle ganzer Bergketten und Hügelzüge. Für jede gegebene Zeit kann man den Höhenwinkel aller Punkte auf dem Monde berechnen, deren selenographische Längen und Breiten bekannt sind, und es würde sonach die Beobachtung nur anzugeben haben, zu welcher Zeit eine Bergfläche das erste Sonnenlicht empfängt, oder das letzte verliert. Indessen verfährt man in der Praxis doch anders und kürzer, ähnlich wie bei den Höhenmessungen. Man misst den Abstand eines Berges von der Phase zu der Zeit, da sich überhaupt die Neigung bestimmen lässt, und berechnet diesen Abstand A, ausgedrückt in Graden der Mondkugel, und φ, den Höhenwinkel der Sonne, nach bekannten Formeln. Doch ist auch dies, wenn sehr viele Beobachtungen gemacht wurden, noch zu umständlich, so dass ich meist das folgende einfache Verfahren in Anwendung brachte. Bei irgend einer Phase notire ich den Zustand von schwindenden oder beginnenden Schatten von Berg- oder Kraterwänden nach 3 Kategorien:

1) Das Halblicht, oder besser, den Halbschatten einer von der Sonne abgewandten Bergfläche, als Uebergang vom wahren Schatten zum Tageslichte oder umgekehrt, zu einer Zeit also, wenn für solche Fläche nicht mehr die ganze Sonnenscheibe sichtbar ist, wenn also ein wirklicher voller Schatten nicht erkennbar ist. Diese Beobachtung ergiebt obere Grenzwerthe oder Maxima der Neigungen, die ich in der Beschreibung der Tafeln mit M bezeichne.

2) Der wahre schwarze Schatten in seinen ersten oder letzten Spuren, durch welche für oft nur beschränkte Localitäten sich mittlere Neigungen ergeben, die ich μ nenne.

3) Wahre, aber nur kurze Schatten, die grössere Räume erfüllen, z. B. $\frac{1}{3}$ des innern Kraterraumes, oder die innern Terrassen, wodurch man untere Grenzwerthe der Neigung findet, oder Minima = m. Weiter reichen meine Beobachtungen in dieser Absicht nicht, aber für die Beurtheilung der allgemeinen Neigungsverhältnisse sind sie genügend. Bei jeder Beobachtung notirte ich die Lage der Phase nach bekannten Punkten, da sie nur ausnahmsweis, wegen der Libration, mit den Meridianen des Mondes zusammenfallen kann. I. nannte ich sodann die Länge der Phase im ungefähren Parallel jenes Berges, dessen Neigung aus dem Schatten berechnet werden sollte, und es ward L den Charten von Lohrmann oder Mädler entnommen.

Nennt man l und b die selenographische Länge und Breite eines Berges, die beiläufige Correction von b wegen der Breite des Mondes = c, so findet man den Höhenwinkel der Sonne φ, oder für unsern Zweck, gemäss der vorigen Erklärungen, den Neigungswinkel I = φ aus: sin I = sin (l — L) cos (b + c). Da nun in hohen Breiten nur selten beobachtet ward, cos b aber bis zu 20° Breite hin unwichtig ist, so kann man für die meisten Fälle I sehr leicht ermitteln.

Unter den später mitgetheilten Werthen von I wird man finden, dass nur sehr selten Steilheiten von 60° oder darüber vorkommen; sie sind dann auf geringe Strecken beschränkt. Dagegen trifft man Neigungen von 25° bis 45° sehr häufig. Die meisten Krater haben an ihrem äussern Abfalle Neigungsflächen von 3° bis 8°, während ihr innerer Absturz 25° bis 50° beträgt. Isolirte Berge wie Pico und viele ähnliche sind ungefähr so steil wie die irdischen Vulkane, aber oft genug auch weniger steil. Senkrechte Bergwände oder Kraterwälle von einiger Ausdehnung sind auf dem Monde nicht vorhanden.

SUMMEN DER IN DEN CHARTEN VON LOHRMANN, MÄDLER UND SCHMIDT VERZEICHNETEN KRATER UND RILLEN.

Eine Zählung der einzelnen Berge und Hügel ist der Natur der Sache nach nicht ausführbar. Ich habe mich daher darauf beschränkt, durch Zählung der Ringgebirgformen und der Rillen die Summen zu finden, die aber nur als Näherungen betrachtet werden dürfen. Wäre es möglich, den Mond vollständig mit Hülfe einer 600maligen Vergrösserung abzubilden, so würde man gegen 100000 Krater und wohl 500 Rillen darzustellen haben. — Unter Krater ist hier jede Ringform des Gebirges zu verstehen.

| | Krater. | | | Rillen. | | |
	Lohrmann.	Mädler.	Schmidt.	Lohrmann.	Mädler.	Schmidt.
Section I.	351	276	1432	7	12	24
II.	322	296	1393	5	10	24
III.	222	179	834	4	5	23
IV.	125	86	618	4	3	45
V.	114	153	778	6	2	11
VI.	123	155	844	2	0	11 *
VII.	234	330	900	5	7	35
VIII.	533	600	1600	11	3	22
IX.	700	747	3571	15	4	1
X.	533	425	1892	4	2	4
XI.	368	312	1365	7	7	10
XII.	213	148	878	3	0	13
XIII.	64	39	108	0	0	1
XIV.	163	229	833	1	1	9
XV.	219	187	1235	4	5	22
XVI.	202	260	1504	1	1	1
XVII.	5	20	31	0	0	0
XVIII.	74	118	310	2	1	21
XIX.	170	212	782	5	3	27
XX.	286	248	1454	6	5	27
XXI.	52	74	260	0	0	0
XXII.	598	577	1900	3	3	8
XXIII.	730	1110	5348	2	2	4
XXIV.	660	850	3082	2	1	5
XXV.	117	104	304	0	0	0
Summa:	7178	7735	32856	99	77	348

13

HÄUFIGKEIT DER CENTRALGEBIRGE.

Fasst man den Begriff dieser innerhalb sehr weiter Grenzen, so kann angegeben werden, dass nach einer beiläufigen Zählung auf meiner Charte solche Formen 400 Mal vorkommen, dass sich aber nur gegen 190 nahe einfache und meist isolirte derartige kleine Berggruppen nachweisen lassen. Die meisten wurden schon von Lohrmann und Mädler gesehen, und die Zahl der neu entdeckten Centralberge ist nur gering.

———— ——

DIE STRAHLENSYSTEME DES MONDES.

ÜBER DIE VON 1865 BIS 1874 ENTDECKTEN RILLEN

UND

ÜBER DAS ASCHFARBIGE LICHT DES MONDES..

13*

STRAHLENSYSTEME,
KRATER MIT NIMBUS, LICHTFLECKEN.

Die Frage nach der Zahl jener merkwürdigen Radiationen von hellen Lichtstreifen, welche von einzelnen Kratergebirgen auslaufen, ist nur unter gewissen Beschränkungen zu beantworten, die abhängen von der Kraft des Fernrohres, und von der Natur der Erscheinung selbst, denn diese ist vielgestaltig, und in den kleinsten Formen schwierig zu deuten. Handelt es sich um grosse, leicht sichtbare Gebilde, wie die sehr bekannten Streifensysteme des Tycho, des Copernicus und Kepler, so ist die Zahl solcher Formen gering. Zieht man aber die umglänzten Krater und Berge, sowie noch viele kleine Lichtpunkte mit in Betracht, so erlangt das Gebiet der fraglichen Erscheinungen eine erhebliche Ausdehnung. Dabei vermehren sich die Zweifel, je öfter die Analogien mit den Hauptformen zu fehlen scheinen. Man dürfte sich zunächst damit begnügen, zu bestimmen, wie viele der erwähnten Bildungen mit einem Refractor von 6 Fuss Brennweite gesehen werden können. Untersucht man stark umglänzte Krater, wie Euclides oder Lalande, so wird man finden, dass der helle Nimbus entweder aus feinen Lichtstreifen besteht, oder dass doch solche Streifen aus dem Rande des Nimbus hervortreten, und sich nach aussen verbreiten.

Sind die umglänzten Krater oder Berge sehr klein, so reicht die Kraft des Fernrohres nicht mehr aus, einzelne Streifen zu erkennen, und man bemerkt nur, dass die kleineren Formen durch Uebergänge oder Mittelstufen mit den grösseren verbunden sind, so dass man nahe dieselbe Ursache für die Entstehung Aller vermuthen darf. Der Nimbus kann auch dunkel gefärbt sein, wie bei Tycho, Aristarch und Dionysius; aber der Unterschied ist vielleicht nicht wesentlich, wenn man annimmt, dass die ungleiche Färbung des solchen Krater umgebenden Halo durch die Natur der ausgeworfenen Stoffe bedingt sei. Wegen der mässigen Erstreckung solcher Gebilde halte ich es für das Wahrscheinlichste, dass sie Analoga der vulkanischen Asche sind, die bei der Explosion des Kraters ringsum sich ablagerte, gerade so, wie dies bei den Vulkanen der Erde geschieht. Solche Stoffe können dunkle oder helle Farben haben; es ist aber für manche Fälle auch wohl möglich, und wie bei Linné sehr wahrscheinlich, dass eine flüssige schlammartige Materie sich rings um den Krater ergoss und ablagerte. Die Analogie mit der Lava irdischer Vulkane verdient am wenigsten Beachtung, und was ehemals hinsichtlich der radialen Hügelzüge um gewisse grosse Krater gefabelt wurde, zeigt auffallende

Unkenntniss der Formen, sowohl des Mondes als der Erde, und ebenso eine mangelhafte Beurtheilung der Grössen- und Höhenverhältnisse. Die Lichtstreifen des Tycho, des Copernicus u. a., die jeder Beobachter kennt, sind nicht erklärt, und wer mit der Sache vertraut ist, wird sich vor übereilten Schlüssen hüten. Auch Mädler's Hypothese, welche die Analogie der metamorphosirten Gebirge zu Hülfe nimmt, führt auf grosse Schwierigkeiten, die auffordern zum Nachdenken über die Vertheilung und Lagerung der Massen im Innern des Mondes, über die schwer verständliche radiale Richtung endogener glühender Gasströme, welche solche Metamorphose der Oberfläche des Mondes bewirken sollen. Der blosse Anblick überzeugt, dass es die Heerde der grossen Explosionen oder Eruptionen waren, welche über so bedeutende Räume hin die gewaltigen Veränderungen der Oberfläche hervorriefen, welche die Lichtstreifen darstellen. Besonders in den grauen Ebenen haben Krater wie Copernicus oder Kepler, das Mare, die graue Oberfläche geradezu absorbirt, so dicht liegen die radialen Streifen neben einander, vielfach seitlich durch Aeste netzartig unter sich verbunden, wie man im Sinus aestuum es unter günstigen Umständen sehen kann. Schon hierdurch allein kann der helle Nimbus erklärt werden, wenn eine derartige Umwandlung des Mare in angegebener Weise wirklich stattfinden sollte. Aber für viele andere Fälle scheint solche Erklärung wieder nicht zulässig.

Wären die Radiationen nur auf sehr kleine Räume beschränkt, so würde die Deutung leichter gelingen, indem die irdischen Vulkane einigermaassen die Analogie dafür darbieten. Ich selbst weiss aus vielfältiger Beobachtung an den Erscheinungen des Vulkanes von Santorin (1866 und 1868), dass in den unzähligen Eruptionen jener Zeit helle Bimsteine und weissgraue Asche einseitig ausgeworfen wurden und auf dem dunklen Kegelmantel des Berges sehr auffallende helle radiale Streifen bildeten, die, weil nach und nach an allen Seiten des Gipfels solche Ausbrüche stattfanden, zuletzt die ganze Oberfläche des Berges bedeckten, und zwar der Art, dass sie oben eine zusammenhängende weissgraue Decke bildeten, aus der tiefer unten die über 100 Meter langen hellen Linien auf schwarzgrauer Unterlage hervortraten. Diese Linien, 2—10 Meter breit, enthielten das gröbere Material, welches also den Fuss des Berges hinabrollte. Senkrecht aus gehöriger Entfernung betrachtet, würde also der Krater vom hellen Nimbus umgeben erscheinen, aus welchem ringsum sich helle Strahlen oder Streifen entwickeln.

Wer aber darf solche Analogie auf den Mond übertragen, wo bei Tycho die Streifen in 4 bis 5 Meilen Breite einige hundert Meilen weit fortziehen, ohne Rücksicht auf Berg und Thal; wer dort an ähnliche Erscheinungen denken, wenn man die Anomalien, Krümmungen, Verzweigungen der Streifen des Copernicus, Kepler und Tycho im Einzelnen kennt! Wäre auch erwiesen, dass die erumpirende Kraft des Mondes (überdies einer 5 bis 6 Mal geringern Gravitation als der irdischen unterworfen) zwei- bis dreimal grösser sei als die Kraft unserer Vulkane, so würde noch Vieles unerklärbar bleiben, besonders auch die mitunter excentrische Richtung der Streifen, wenn sie, rückwärts verlängert, den Ursprung ihrer Entstehung nicht treffen. Dass die Streifen über alle Höhen und Tiefen sich erstrecken, dass sie auf hellem Boden sichtbar sind, dass sie bei niedrigem Stande der Sonne wenig oder gar nicht bemerkt werden, an der Phase keinen Schatten haben, ist längst bekannt, und soll hier nur beiläufig in Erinnerung gebracht werden. Mädler hat alles Wesentliche umständlich erörtert.

Die Strahlensysteme erfordern ein besonderes vieljähriges Studium mit mächtigen Fernröhren. Davon war bis jetzt niemals die Rede, und an Stelle umfassender Beobachtungen haben wir Hypothesen. Diese Letztern aber, wenn sie von Nichtbeobachtern herrühren, können hier keine Beachtung finden.

Ich werde nun die Mehrzahl der leichter kenntlichen Lichtgebilde der erwähnten Art aufzählen, dabei jedoch das Phänomen sehr allgemein auffassen, und für jetzt die eigentlichen Radianten nicht von den umglänzten Kratern, und diese nicht von den scheinbaren Lichtflecken trennen. Nichts liegt mir so fern, als Systeme auszudenken und aufzustellen zu einer Zeit, da kaum der erste Anfang in diesen Studien geschehen ist. Mädler hält die 3 genannten Formen für verschieden, und die Anwendung nur schwacher Telescope bestärkt den Beobachter leicht in dieser Meinung. Indessen ist ein 6 füssiger Refractor hinreichend, um zahlreiche Uebergangsformen erkennen zu lassen. Betrachtet man nur die grössten Unterschiede, z. B. das Strahlensystem des Copernicus und einen sehr kleinen Lichtflecken wie Linné, so wird man freilich keine Verwandtschaft finden. Kennt man aber die zahlreichen Uebergangsformen, die namentlich die grössern der umglänzten Krater nachweisen, so wird man weniger geneigt sein, die Verschiedenheit als eine absolute anzusehen. Auch die Lichtflecken der kleinsten Art, mögen sie nun Krater, Berge, oder ebene Stellen sein, sind unter sich sehr verschieden. Fünf derselben, Linné, ; Posidonius, ein Fleck bei Sulp. Gallus, ein heller Fleck östlich von Alpetragius, und der Glanzpunkt im Nordwalle des Werner, kenne ich als sehr weisse Decken oder kleine wolkenähnliche Flächen, in deren Mitte eine 300malige Vergrösserung bei geringer Sonnenhöhe einen schwarzen Punkt erkennen lässt. Dass solcher Punkt ein sehr feiner Krater sei, hat zuerst Secchi am Linné nachgewiesen. Dass in den 5 obigen Formen überall nahe centrale sehr feine Krater von 100 bis 200 Toisen Durchmesser liegen, habe ich am grossen Refractor zu Berlin definitiv feststellen können. Sehr ähnliche Lichtflecken sind aber in andern Fällen nur Berge oder Hügel, selbst ganz flache Stellen, oder Theile der Ebene. An starken Vergrösserungen erscheint der Umfang dieser Flecken niemals scharf, sondern verwaschen, faserig, mit unregelmässigen Zacken und Ausläufern, und manche der ansehnlichen umglänzten Krater entwickeln ringsum aus dem Rande des Nimbus zahlreiche zarte Lichtstreifen. Die Uebergangsformen sind vorhanden, aber die Deutung kann jetzt noch nicht versucht werden. Indem ich also die thatsächlichen Uebergänge anerkennen muss, nehme ich keinen Anstand, vorläufig in dem folgenden Cataloge 100 Formen aufzuzählen, die sowohl die alten bekannten Strahlensysteme enthalten, als auch gegen 80 andere Lichtbildungen von dem verschiedenartigsten Charakter. Die topographischen Studien haben bei allen Beobachtern die fraglichen Erscheinungen weniger beachten lassen, und ich selbst habe, Weniges ausgenommen, erst im 36sten Jahre meiner Beobachtungen einige Abende dazu benutzt, um die Hauptformen zu erkennen und aufzuzählen. Mädler hat manche der auffallenden Formen nicht beschrieben oder hat sie unerwähnt gelassen, machte aber einige, die ich mit aufnehmen werde, namhaft, die bei mir bis jetzt fehlen. Unter Anwendung sehr starker Refractoren wird man noch eine Menge der kleinsten Lichtflecken bemerken, und in vielen sehr kleine Krater finden, ähnlich wie im Linné. Man wird einst vermuthlich erkennen, dass hierunter Bildungen der neuesten Zeit vorkommen, und dass Veränderungen auf kleinsten Räumen des Mondes gar nicht zu den grossen Seltenheiten gehören.

Auch die grossen Strahlensysteme müssen detaillirt gezeichnet werden, wenigstens in ihren Hauptzügen, damit man in Zukunft erfahre, ob sie Veränderungen erleiden oder nicht. Solche kann man für sehr unwahrscheinlich halten; aber die Untersuchung deshalb zu unterlassen, wäre nur eine andere Gestalt jenes bedauerlichen Dogmatismus, der unter dem Anschein der kritischen Strenge, so viel ich weiss, der Wissenschaft noch keinen positiven Vortheil gewährt hat.

Um doch einige Uebersicht zu ermöglichen, will ich die Positionen nach den 4 Quadranten der Mädler'schen Charte ordnen.

VERZEICHNISS VON STRAHLENSYSTEMEN, UMGLÄNZTEN KRATERN UND LICHTFLECKEN.

I. Quadrant, NW.-Seite.

	W. Lg.	N. Br.	
1.	2°	+ 31°	Autolycus, mit schwachem Strahlennimbus, dessen Radien östlich den Archimedes in 4 bis 5 stärkeren Bändern durchziehen. Wenig auffallend im Vollmonde, etwas besser bei abnehmender Phase sichtbar; beobachtet seit 1830.
2.	1,5	33,5	Aristillus hat ein bedeutendes feinstrahliges aber lichtschwaches System von Streifen, westlich durch den Caucasus begrenzt, südlich im Nimbus des Autolycus sich verlierend. Oestlich bei Kirch sind die Streifen im Mare imbrium gut sichtbar.
3.	4	37	Oestlich bei Theaetetus erscheint eine unbedeutende Hügelgruppe oft als helle Lichtwolke.
4.	7,5	42,5	Ein umglänzter Krater bei Cassini; es ist No. 9 Lohrmann, oder E bei Mädler.
5.	20	45	A Eudoxus, umglänzt und mit deutlichen längern Streifen, deren einer den Südwall des Aristoteles trifft.
6.	10	51,5	A Aristoteles = 19 Lohrmann, ein umglänzter Krater im Mare frigoris.
7.	8	20	Ein unvollständiger Krater im Hämus, oft als glänzender Lichtfleck auffallend.
8.	4	23	Aratus im Apennin, ein stark umglänzter Krater; westlich von ihm ein kleiner, sehr stark umglänzter Krater.
9.	12	20	Ein Lichtfleck bei Sulp. Gallus, mit centralem sehr feinen Kraterloche.
10.	9	9	Manilius, mit grossem Halo und Lichtstreifen.
11.	16	16	Menelaus, mit geringem Halo und feinen Strahlen; er liegt auf dem grossen zu Nord ziehenden Streifen des Tycho.
12.	18	17	Taquet hat einen ausgezeichneten Nimbus auf dunklem Grunde, und vielleicht sehr feine Strahlen.
13.	12	27	Linné, vormals ein Krater von 1,4 Meilen Durchmesser und gegen 170 Toisen Tiefe, jetzt ein heller Lichtfleck mit sehr kleinem Krater, der nur an grossen Telescopen erkannt wird.
14.	26	17	A Plinius ist von sehr grossem bleichen und gut begrenzten Halo umgeben.
15.	24,5	30	τ Posidonius, ein heller Lichtfleck, ähnlich dem Linné, auf der Bergader östlich von Posidonius. In ihm erkannte ich zuerst 1867 den feinen schwarzen Centralpunkt, den 1871 Dr. Vogel am grossen Refractor zu Bothkamp als Krater sah und zeichnete. 1875 im März bestätigte ich diese Wahrnehmung am 14füssigen Refractor zu Berlin.
16.	29	21,5	Oestlich bei Littrow, eine höchst glänzende Lichtwolke mit Strahlen, am Orte kleiner Krater und merkwürdiger Rillen.
17.	31	30,7	Ein umglänzter sehr heller Krater im Südwalle des Posidonius; ein weniger heller Halo um den kleinen Krater südlich von A.
18.	33	24	Ein sehr hell umglänzter Berg östlich bei Römer (es ist No. 83 bei Lohrmann).
19.	41	+ 21	Krater Ost von Macrobius, schwach umglänzt.

	W. Lg.	N. Br.	
20.	40,5	+ 21,5	Krater Ost von Macrobius, stark umglänzt.
21.	46	28	Grosser Krater A, Ost von Cleomedes, mit Nimbus und Strahlen; bei Lohrmann = No. 352°.
22.	54	28	Cleomedes A, sehr heller Nimbus mit Strahlen, die südlich auf der dunklen Ebene des Cleomedes liegen.
23.	57	22	Nordwall des Mare crisium, 2 sehr glänzende Kuppen mit Lichtstreifen im Mare und im Gebirge.
24.	46	16	Proclus, ein grosses sehr bekanntes Strahlensystem, zum Theil im Mare Crisium stark entwickelt.
25.	46	6	Taruntius mit sehr mattem Strahlennimbus auf dunklem Grunde.
26.	17	3	Dionysius, ein heller Krater mit ausgezeichnetem hellen, excentrisch gestellten Nimbus auf dunklem Grunde, aus welchem sich deutliche Strahlen entwickeln; westlich im Krater ein sehr dunkler Fleck.
27.	21	0,2	Hypatia B, ein kleiner sehr glänzender Krater auf dunklem Grunde, von hellem schmalen Nimbus umgeben.
28.	62,5	2,2	Südlich von Apollonius, ein hell glänzendes kleines Strahlensystem zwischen Hügeln.
29.	68	26	Ein grosser Lichtfleck NW. bei Eimmart, dessen Ort noch genauer zu bestimmen ist.
30.	55	33	Geminus hat ein starkes sehr bleiches Strahlensystem, das ich zuerst 1842 Aug. 15 bemerkte.
31.	51	+ 47,5	Sehr glänzender Lichtfleck mit Strahlen, N. bei Volta, auf einem Berge.

II. Quadrant, NO.-Seite.

	Ö. Lg.	N. Br.	
32.	12	+ 74	Anaxagoras mit sehr bedeutendem Strahlensysteme.
33.	13	27	Timocharis hat einen bleichen anomalen Nimbus und schwache Streifen.
34.	20	9	Copernicus, nach Tycho das auffälligste, sehr grossartig entwickelte System von zahlreichen, zum Theil gekrümmten Streifen, die am besten im Mare imbrium gesehen werden. An starken Vergrösserungen wird man es bald aufgeben, die zahllosen feinen Verzweigungen abzubilden. Gegen O. und NO. treffen manche Streifen auf die des Kepler und Aristarchus. Spuren sind im Norden noch im Sinus iridum sichtbar und bei Pico. Gegen NW. treffen andere auf die Radiationen des Autolycus und Aristillus. Der Sinus aestuum ist von ihnen gänzlich erfüllt, und ebenso das hellere Gebiet gegen Gambart, Lalande und Parry. In der innern Fläche des grossen Hauptkraters Copernicus zeigt sich bei gewisser Beleuchtung eine sehr schwache Spur der Streifen, ausgehend von der Mitte, wie im Aristarch und Plinius stattfindet, obgleich Letzterer nach aussen keine Strahlen aussendet. Die grauen kleinen Flecken um Copernicus, namentlich die im Südwesten, verdienen eine sehr sorgfältige Untersuchung.
35.	25	11	Ein ganz kleines, höchst glänzendes System von 3 Zacken, östlich bei Copernicus.
36.	22	+ 8	Eine helle Lichtwolke auf Hügeln, SO. neben Copernicus.

14

Ö. Lg.	N. Br.	
37. 18°	+1°	Gambart A, ein heller Krater mit grossem Nimbus und Strahlen.
38. 31	0,2	Landsberg A = No. 31 bei Lohrmann, ein umglänzter Krater auf dunklem Grunde. Seine südlichen Nachbarn findet man im folgenden Quadranten verzeichnet.
39. 37	0,6	Umglänzter Krater südlich von Encke.
40. 38	8	Kepler, von weitem Halo umgeben, aus dem sich, namentlich gegen Osten durch den Oceanus procellarum die ausgezeichnet deutlichen, zum Theil gekrümmten Strahlen erstrecken.
41. 37	14	Bessarion, 2 helle Krater, von denen der südliche schwach, der kleinere nördliche stark umglänzt ist auf dunklem Grunde.
42. 48,5	3,7	Ein kleiner Lichtfleck im grossen östlichen Streifen des Kepler.
43. 47	23	Aristarchus. Rings um den höchst glänzenden Krater liegt ein mehrere Meilen breiter dunkelgrauer, oft violett-grauer fleckiger Nimbus, sehr verschieden von der Farbe des Mare, und von der Farbe nördlich bei der Rille des Herodotus. Aus ihm entwickeln sich viele feine, oft wellenförmig schwach gekrümmte Lichtstreifen, die auch im Innern des Kraters sichtbar bleiben, weil dort graue Schattirungen, ähnlich denen im Zuchius, eine solche Zeichnung bilden, dass der Anschein entsteht, als läge der Anfangspunkt der Strahlen am Centralberge.
44. 34,7	27,8	Südlich von Delisle, eine ziemlich helle Lichtwolke am Orte eines Hügels.
45. 58	8	Grosser Lichtfleck bei Galilei mit kurzen Streifen.
46. 66	5	Cavalerius. Am Westwalle scheinen grosse Lichtstreifen zu beginnen, die durch den Oceanus procellarum ziehen. Ob sie wirklich dem Cavalerius angehören, ist noch nicht entschieden.
47. 77	+8	Olbers, mit bedeutendem Strahlensysteme, aber nur selten gut sichtbar.

III. Quadrant, SO.-Seite.

Ö. Lg.	S. Br.	
48. 12°	−43°	Tycho zeigt das grösste der bekannten Systeme von Lichtstreifen. Sie werden schon im kleinsten Opernglase sichtbar, keineswegs aber dem blossen Auge, wie dies Mädler von Tycho und dessen Nimbus aussagt. Den grossen Streifen, der vom Menelaus an nordwärts durch das Mare serenitatis bis zur Gegend des Thales zieht, rechne ich durchaus zur Radiation des Tycho. Es giebt noch andere auffallende Beispiele, dass ausgezeichnet helle Krater auf diesen Streifen liegen, und dazu gehören besonders 3 in demjenigen grossen Streifen, der vom Altaï an zu Fracastor und durch das Mare nectaris zieht. Alle Strahlen entstehen am äussern Rande des grauen Nimbus, der den Tycho umgiebt, und keiner ist bis zum Centralberge zu verfolgen. Der gegen Scheiner's Ostwall gerichtete Streif geht, gehörig nach NW. verlängert, nicht durch die Mitte des Tycho, sondern würde in solcher Verlängerung dessen Ostwall tangiren. Die sehr auffälligen Streifen im Mare nubium bei Bullialdus sind beiderseitig von zartem milchweissen Dufte umzogen. Durch Clavius, Blancanus, Newton, Klaproth, Casatus ziehen sie zahlreich auf hellem Gebirgslande hin, wahrscheinlich noch über den Süd-

Ö. Lg.	S. Br.	

pol hinaus. Bei niedrigem Stande der Sonne sind die Streifen zuweilen in Stücken oder Punkten noch sichtbar, wie in den Ebenen des Stoefler und Longomontanus.

49. 47° — 61° Zuchius hat ein ausgezeichnetes sehr bedeutendes Strahlensystem, das aber nur bei starker SO.-Libration gut gesehen wird, und das überdies meist auf hellem Boden liegt. Nur in der Gegend des Schiller ziehen Streifen durch merklich dunklere Flächen, die noch nicht zu den Maren zählen. Sie treten hervor aus einem dunkelgrauen, den Ringwall umgebenden Nimbus, und im Krater selbst ist der Boden bunt gezeichnet von Theilen des Grau, welches ringsum sonst gänzlich fehlt. Gegen Norden erreichen einige Streifen die des Tycho, andere durchziehen deutlich Wall und Fläche des Bailly.

50. 60 08 In Bailly a, östlich von der Mitte, ein sehr heller vielleicht faseriger Lichtfleck.

51. — — Vier starke Lichtflecke, vermuthlich Krater, SO. bei Schicard.

52. 63,5 24,4 Byrgius A, ein vorzüglich glänzendes, grosses und reich gegliedertes Strahlensystem auf hellem Grunde, dessen Beobachtung jedoch sehr günstige Umstände erfordert.

53. — — Acht oder neun helle Flecken im Osten des Hainzel; sind erst zu untersuchen.

54. 46,5 21,2 Im Westwalle des Mersenius ist ein Ausgangspunkt von 2 oder 3 Strahlen, die ostwärts durch das Innere des Kraters ziehen. Ich rechne sie nicht, wie Mädler, zum Systeme des Byrgius.

55. 45,7 19 Mersenius C, sehr umglänzt und mit kurzen Ausläufern.

56. 59 11 Vermuthlich I bei Sirsal, ein umglänzter Krater, vielleicht mit Strahlen.

57. 65 7 Westwall des Grimaldi, hat etwa 3 sehr glänzende grosse Lichtflecken.

58. 58 6 Grosser Lichtfleck, ein Krater, westlich bei Damoiseau.

59. 47,5 5,7 Flamsteed C, umglänzter Krater auf dunklem Grunde.

60. 21,2 17 Lubienietzky A, Krater mit Halo auf dunklem Grunde.

61. 23,4 14,5 Lubienietzky F, ebenso.

62. 26,1 13,8 Lubienietzky G, ebenso.

63. 28 1,5 Ost von Landsberg, Krater No. 24 Lohrm., umglänzt auf dunklem Grunde.

64. 31 2,7 Ost von Landsberg, Krater No. 27 Lohrmann, ebenso.

65. 31 2 Ost von Landsberg, kleiner Krater mit Halo.

66. 30 1,8 Ost von Landsberg, kleiner Krater mit Halo.

67. 29 7 Euclides, mit ausgezeichnetem Nimbus auf dunklem Grunde und Spuren von Strahlen.

68. 12,5 21,5 Thebit C = Profatius bei Lohrmann, grosser umglänzter Krater im Mare nubium.

69. 12 11,5 Westlich von Guericke, ein Krater mit Nimbus.

70. 16 8 Parry, im Südwalle, eine höchst glänzende Lichtwolke.

71. 11 — 13,8 Oestlich von Alpetragius, ein ausgezeichnet heller Lichtfleck von der Art des Linné. In der Mitte liegt ein sehr feiner Krater, am Südrande ein etwas grösserer. Lohrmann zeichnet den Fleck als Umgebung eines Hügels. Mädler hat ihn nicht, und spricht auch im

14*

Ö. Lg.	S. Br.	
		Texte nicht davon, sondern erwähnt nur eines dortigen kleinen hellen Kraters. Die von mir daselbst gesehenen Krater konnte Mädler's Fernrohr nicht zeigen.
72.	7 — 15	Alpetragius B, Krater mit schönem Halo auf dunklem Grunde.
73.	3 15	Alphonsus. Im SSO.-Walle ein besonders heller Lichtfleck, ein strahliger Halo.
74.	8 4	Lalande mit grossem Nimbus und deutlichen ansehnlichen Strahlen.
75.	4 — 32,7	Hell, östlich von ihm ein kleiner Krater in hellster Lichtwolke von ansehnlicher Grösse. Es ist Cassini's nuage blanchâtre. Mädler bezeichnet dieselbe Localität.

IV. Quadrant, SW.-Seite.

W. Lg.	S. Br.	
76.	50 — 32	Stevinus a, der Ausgang grosser weitverzweigter Strahlen, deren nördliche im Mare foecunditatis.
77.	58 33	Furnerius A, stark umglänzt, ein dem Vorigen ähnliches System von Strahlen.
78.	46 2	Der östliche Messier sendet gegen Osten 2 ansehnliche Lichtstreifen durch das Mare.
79.	61 8	Langrenus hat ein grosses aber sehr bleiches Strahlensystem.
80.	32 1	Censorinus, höchst glänzender Lichtfleck mit Ausläufern.
81.	26 11	Theophilus, Centralberg ist schwach umglänzt und vielleicht faserig.
82.	29 11	Theophilus A = Mädler, hat ein sehr complicirtes gegen Süd gerichtetes Strahlenwerk im Mare nectaris.
83.	10 16,5	Ein sehr hell umglänzter Krater.
84. 85. 86.	26 17	Drei ansehnliche Krater, jeder mit Nimbus, die in einander verfliessen. Sie liegen zwischen Beaumont und Cyrillus, und konnten bisher nur flüchtig notirt werden. Es sind überhaupt die Nr. 83—87 dem Orte nach noch zweifelhaft.
87.	15 12	Oestlich von Kant ein kleiner Krater mit grossem Halo.
88.	23 13	Cyrillus A, ein sehr stark umglänzter Krater.
89.	3 27	Werner. Im Nordwalle liegt ein vorzüglich heller Lichtfleck nach Art des Linné, mit etlichen sehr kleinen Kratern.
90.	8 — 7	Hipparchus D, ein umglänzter Krater mit einigen Streifen.

Diesem Verzeichnisse der von mir selbst, und mit Ausnahme weniger, erst seit 1873 flüchtig beobachteten Formen, will ich noch 10 hinzufügen, die Mädler beschreibt, und die ich bis jetzt nicht wahrgenommen habe.

91.	7 Ost. + 60	Timaeus A, ein Strahlenkrater. Da Mädler's Charte hier kein A hat, so ist wohl Epigenes a gemeint.
92.	1 Ost. + 62	Timaeus, ein Strahlensystem.
93.	11 West. + 4	Agrippa, schwache Strahlen.
94.	10 West. + 2	Godin, schwache Strahlen.
95.	29 Ost. + 23	Euler, matter Halo und Streifen.
96.	67 Ost. + 32	Lichtenberg, schwach umglänzt.
97.	8 Ost. — 2	Moestlin c, ein umglänzter Krater.

98. 16° Ost. — 9° Parry A, umglänzter Krater.
99. 19 West. — 6 Alfraganus, umglänzt mit etlichen Streifen.
100. 13 West. — 42 Im Maurolycus, der Ausgang von Lichtstreifen.

Dies unvollständige Verzeichniss, das erste der Art, kann immerhin Veranlassung werden, dass spätere Beobachter sich mit diesem Gegenstande beschäftigen. Leicht wird man den Catalog erweitern können, die Oerter mancher Punkte schärfer bestimmen, und viel umfassender, als hier beabsichtigt ward oder geschehen konnte, die Charaktere der Phänomene genauer ergründen.

RILLEN.

In meinem 1866 erschienenen Cataloge der Rillen habe ich, nach den 4 Quadranten des Mondes geordnet, die Oerter neuentdeckter Rillen angegeben, und dort mit dem 3. Febr. 1865 abgeschlossen. Die Fortsetzung derartiger Beobachtungen bis zum Juli 1874, alle am 6 füssigen Refractor zu Athen erhalten, gebe ich im Folgenden, ohne indessen die frühere Anordnung beizubehalten. Es wird die chronologische Reihenfolge genügen, da die Zahl der neuen Rillen nicht gross ist, und weil die Eintheilung meiner Charte in 25 Sectionen der frühern Gestalt des Cataloges doch nicht mehr entspricht.

1865 Febr. 9. Die grosse geschlängelte Rille nördlich bei Marius ward spurweis bei fast voller Beleuchtung gesehen. Südlich von Cardanus schien eine Rille zu liegen, aus Olbers b zu Westen in das Mare sich erstreckend. Die Libration sehr ungünstig, und so waren denn auch nur einige der westlichen Rillen bei dem Krater Lohrmann sichtbar, und Andeutungen von Rillenthälern auf dem W.-Walle des Cavalerius.

   - Febr. 12. Luft mässig gut, die abnehmende Phase im W.-Walle des Mare crisium und nahe den Westwällen des Furnerius und Endymion. Unter diesen Umständen ward folgendes beobachtet:

   1) Die früher im Furnerius gesehenen 2 Rillen wurden bestätigt.
   2) Die grosse Rille im Petavius ist ungleich breit und tief, und mündet am innern SO.-Walle in eine von Nord nach Süd ziehende Kraterfurche. Eine Fortsetzung der Rille ausserhalb des Walles existirt nicht. Aber eine flache Kraterthal-Spur östlich am Petavius, nur nördlicher als die Vorige, ist kenntlich; ihre Lage der Ersteren parallel.
   3) Es wurden die krummen Kraterrillen im Nordwalle des Vendelinus wiedergesehen.
   4) Oestlich am Walle des Langrenus, ausserhalb, neue gebogene Kraterrillen, und die schon bekannten im Mare.
   5) Nördlich vom Langrenus bis Apollonius hin merkwürdige Kraterfurchen und einfache Rillen.
   6) Eine schon von Lohrmann bemerkte Rille im N.-Walle des Mare crisium.
   7) Grosse Kraterrillen, oder derartige geschlängelte Terrassen-Thalfurchen in den Wällen des Cleomedes.
   8) Gekrümmte Rillen im Burckhardt.
   9) Sehr merkwürdige Rillen im und am Geminus.

10) Eine Rille NO. bei Burckhardt.

11) Eine breite Rille im Messala.

12) Eine tiefe krumme Rille im Struve.

Bei höchster Beleuchtung ist die Hyginus-Rille gut sichtbar, weniger leicht die grosse N. von Herodotus.

1865 März 31. Bei zumeist schlechter Luft wurden folgende Rillen mehr oder weniger sicher gesehen:

Die Rillen bei Proclus bestätigt: neue Rillen bei Macrobius, Burckhardt, Geminus, Franklin, und besonders solche im Atlas. Die Rillen NO. bei Goclenius haben zum Theil vielleicht eigene Wälle. Auch zieht wohl eine Rille in der nördlichen Ebene des Guttemberg; eine andere, doch zweifelhaft, SW. im Mare nectaris. Die Rillen SO. bei Taruntius sind Kraterfurchen.

- April 2. Eine Rille im Lindenau vermuthet, ist noch sehr zweifelhaft.
- April 3. Die meist schon bekannten Rillen N. am Apennin wurden neu gezeichnet.
- April 4. Nördlich am Aristoteles zieht eine Kraterrille. Ausser der grossen Rille im Arzachel, wurden 2 neue im Alphonsus gefunden, ferner eine neue im Walter, eine solche im Aristillus und östlich bei Archimedes.
- April 5. Merkwürdige neue Rillen sah ich in und bei Fontenelle, eine neue N. bei Reinhold, gegen Copernicus ziehend, und nicht mit einer Entdeckung Kinau's identisch. Es ward auch die östliche Krümmung der grossen Rille bei Gay-Lussac bemerkt. Endlich noch eine neue Rille bei Wurzelbauer.
- April 7. Westlich neben Schicard ward eine seither unbekannte ansehnliche Rille gefunden, aber die schlechte Luft hinderte die genaue Bestimmung. N. bei Hainzel schon April 6. Rillen vermuthet.
- April 8. Neue Rillen SW. bei Grimaldi, auch einige noch unbekannte Details bei Sirsal.
- April 9. Neue Rillen südlich von Grimaldi.
- April 11. Zwischen Eimmart und Cleomedes eine seither nicht bekannte Kraterrille.
- Mai 3. Eine schon früher gesehene Rille südlich bei Calippus ward wieder erkannt. Neue Zeichnung der Apennin-Rillen.
- Mai 4. Eine neue Rille zwischen Plato und dem grossen Alpenthale 0; es zeigte sich auch jetzt die Rille des Calippus. Eratosthenes hat in den innern Terrassen 3 Kraterfurchen, oder rillenartige Thäler. Eine neue Polarrille; zwischen Timäus und Fontenelle eine andere; ferner bei Barrow A, westlich am Epigenes, und westlich am Anaxagoras.
- Mai 6. Zweifelhaft blieb eine neue Kraterrille östlich bei Philolaus; östlicher sind solche vorhanden.
- Mai 29. Die Goclenius-Rillen boten nichts Neues dar.
- Mai 30. Kinau's grosse Rille nördlich von Posidonius zuerst gesehen, ferner Rillen in der SW.-Ecke des Mare serenitatis revidirt, und die 2 Rillen bei Torricelli. Neue Formen bei Bohnenberger.
- Mai 31. In Lindenau's O.-Walle eine Kraterrille.
- Juni 1. Bei Eudoxus Ost. und Calippus wurden frühere Rillen wieder gesehen.
- Juni 2. Kraterrillen bei Airy und Albategnius.
- Juni 3. Es ward bei Cysatus und Moretus eine ausgezeichnete und starke Rille entdeckt.

1865 Juni 4. Eine neue Rille W. bei Campanus, eine N. bei Hainzel, und Kraterrillen im O.-Walle des Hainzel.

- Juni 12. Die Juni 3 erwähnte Rille bei Cysatus ward wieder gesehen. Viele Kraterfurchen SO. bei Moretus. Wahrscheinliche Rillenformen seltsamer Art in der südlichen Ebene des Manzinus; doch liess das starke Ocular Vieles recht zweifelhaft. Die südliche der östlich von Taruntius ziehenden (vermuthlichen) Rillenformen ist wohl nur eine gegen Ost einseitig abfallende steile Wand, dagegen das nördliche Gebilde daneben eine sehr scharf eingeschnittene Furche. Viele Rillenformen im Taurus, d. h. zwischen Posidonius und A Plinius. Die Goclenius-Rillen ziehen bis zum Mare tranquillitatis. Eine Form in der westlichen Ader im Mare nectaris ist keine Rille.
- Juni 11. Eine neue Kraterrille südlich bei Reichenbach.
- Juni 17. Die Rille bei Mercator ward bestätigt. Südlich von Copernicus eine zweifelhafte Form, vermuthlich eine Kraterrille.
- Juni 27. Die Rille bei Berzelius ward bestätigt.
- Juni 28. Genaue Untersuchung der Rillen zwischen Römer und Posidonius.
- Juni 29. Bei Kant ward eine Kraterrille gesehen.
- Juni 30. Solche auch bei Katharina und Abulfeda. Eine der Rillen bei Autolycus in der Ebene, zieht sehr breit und flach gegen das Südcap des Caucasus, nicht zu verwechseln mit der dort ihr westlich parallel laufenden Bergader.
- Juli 4. Neue Aufnahme der Rillen von Pitatus bis Agatharchides. In der östlichen Abtheilung des Hainzel eine Kraterrille.
- Juli 7. Eine früher bemerkte Kraterrille im Norden des Bailly ward bestätigt.
- Juli 10. Neue Kraterrillen bei Rosenberger und a. a. O. daselbst.
- Juli 11. Rillen bei Fabricius, eine neue im Guttemberg, eine bei Goclenius.
- Juli 31. Im W.-Walle des Tycho sind Kraterrillen; die Rille zwischen Cysatus und Moretus wieder bestätigt.
- Aug. 1. Im NW.-Walle des Tycho eine Kraterrille.
- Aug. 2. Südlich bei Newton eine sehr grosse ungewöhnliche Kraterrille.
- Aug. 31. Südlich von Euler im Mare eine Rille.
- Sept. 9. Revision der Rillen im Posidonius; Spur solcher nördlicher im Palus; neue Rillen bei Littrow.
- Sept. 12. Die Rille östlich bei Archimedes ward wiedergesehen.
- Sept. 26. Das Thal westlich neben Caesar hat den Charakter des grossen Alpenthales ð.
- Sept. 27. Kraterrille SW. am Albategnius.
- Sept. 28. Wiederholte Beobachtung der Rillen und Furchen zwischen Bradley und Archimedes.
- Sept. 29. Eine starke Kraterrille zwischen den beiden grossen Kratern im Westen des Arzachel. Ein neues Rillenthal im O.-Walle des Bullialdus.
- Octob. 1. Viel neue Kraterrillen zwischen Gassendi und Letronne. Es werden einige der 1862 bei Aristarch entdeckten Rillen wieder erkannt.
- Octob. 2. Neue Kraterrillen um Schicard. Es ward eine Spur der ungewöhnlichen Rille N. bei Marius wieder erkannt, und die Spur einer Rille im Vieta bemerkt.
- Octob. 7. Die vormals bei Rheita für Rillen gehaltenen Formen scheinen Adern zu sein.

1865 Octob. 8. N. von Maraldi, 35° westl. Länge und + 22° Breite, eine kleine neue Rille. Im W.-Walle von Katharina eine lange schon früher gekannte Kraterrille; eine solche ansehnliche im NO.-Walle des Guttemberg.

- Octob. 9. Der südliche Theil der grossen Rille im Mare tranquillitatis (37° westl. Länge und 10° nördl. Breite) ist nur Bergader. Zwischen Littrow und Posidonius wurden, ausser den mir schon bekannten, 5 neue Rillen gesehen.

- Octob. 27. In dem Krater zwischen Zach und Curtius, wo in Mädler's Charte 7 steht, 6° westl. Länge und — 63° Breite sah ich eine deutliche Kraterrille durch die nicht beträchtliche Tiefe ziehen. Ob wirklich Kraterrille, oder nur reihenweis geordnete kleine Krater, war hier, wie in den allermeisten Fällen der Art, nicht zu entscheiden.

- Octob. 30. Südlich von Vitello eine Rille zwischen Kratern im Gebirge.

- Octob. 31. Rille bei Cavendish, vielleicht neu. Im N. des Mersenius eine Kraterfurche.

- Nov. 1. Genaue Untersuchung der grossen Sirsal-Rille. Ob sie durch Byrgius ziehe, ward nicht klar, da nur eine Faltung der innern Fläche des Byrgius kenntlich war, die südlicher als Bergader weiterzog.

- Nov. 2. Im Osten des Hevel liegt ein grosses Hochgebirg, an dessen westlichem Fusse in der Richtung Nord nach Süd sich eine mächtige Kraterrille hinzieht.

- Nov. 5. Am innern westlichen Fusse des Walles von Berzelius scheint eine Kraterspalte zu liegen. Im Messala ein wohl noch nicht gesehenes Kraterthal von Nord nach Süd gestreckt. Im Atlas ward eine dritte Kraterrille gefunden.

- Nov. 5. 14°. Cleomedes, W.-Wall in der Phase; der Schatten des O.-Walles erreicht noch nicht die Mitte. In der noch erleuchteten westlichen Hälfte der Ebene zeigte sich zwischen wellenförmigen Adern eine sehr flache Rille.

- Nov. 8. 13°. Ausser den schon bekannten östlichen Rillen bei Eudoxus fand ich eine neue, den äussern östlichen Terrassen parallel laufend. An der Stelle der grossen Mädler'schen Rille N. von Aristoteles sah ich (bei dunstiger Luft) nur den Zug einer Bergader.

- Nov. 22. Nördlich und südlich bei Taruntius sind zahlreich Kraterfurchen.

- Nov. 23. Im innern O.-Walle des Theophilus haben die Terrassenthäler oft kraterförmige Ausbuchtungen.

- Nov. 25. Eine Kraterrille bei Baco e.

- Nov. 27. Neue ansehnliche Rille am Fusse des äussern W.-Walles von Heinsius.

- Nov. 30. Die grosse Rille N. bei Marius ward vollständig wiedergesehen. Neue Rillen bei Billy und Hansteen. Es ward zuerst die Spur einer Rille in a Mersenius bemerkt, auch eine Rille im Osten bei Mersenius, doch blieb Manches zweifelhaft.

- Dec. 1. Die zuerst Febr. 9 bei Cardanus entdeckte Rille ward bestätigt; sie war gross und deutlich.

1866 Mai 25. Von den 1862 im Westen des Aristarch entdeckten Rillen waren einige der östlichen gut sichtbar. Am innern Ostwalle des Doppelmayer wahrscheinlich eine grosse zum Theil kraterfurchenartige Rille.

- Juli 3. 14°—15°5. Als die abnehmende Phase über Menelaus und den W.-Wall des Maurolycus zog, hatte die grosse Rille im Arzachel schon starken Schatten, und es ward die Rille im Mare östlich von Thebit sichtbar. Ich fand eine merkwürdige Kraterrille nördlich von der Ariadäus-Rille, und eine neue südlich von Conon. Südlich vom Hadley ziehen im Apennin 2 oder 3 rillenartige Thäler.

1866 Juli 23. 8ʰ. Am innern O.-Walle des Doppelmayer sind Terrassen mit kraterförmigen Buchten so gelagert, dass die Rillenform hervortritt.

- Aug. 1—22. Verschiedene Rillen gesehen und gezeichnet, doch kaum Neues darunter. Die kolossale Kraterrille S. bei Newton ward Aug. 21 beobachtet.
- Sept. 15. Südlich bei Kant eine neue Rille.
- Dec. 26. 12ʰ—16ʰ. Rillen in O. und NO. bei Theophilus im dunklen Hügellande, auch bei Kant und vielleicht in Katharina. Die nördlich von Theophilus in 25° westl. Länge und — 6°,5 Breite ist sicher zum Theil eine Kraterrille; 2 andere daselbst mögen zweifelhaft sein.

1867 Jan. 25. 14ʰ—16ʰ,5. Neue Rillen bei Sosigenes, und eine neue nördlich am Mare serenitatis, NO. von Posidonius; endlich noch eine bei Almanon. Die Oerter und Charaktere sind die Folgenden:

westl. Länge	nördl. Breite	Richtung	
22,5	37,5	W.—O.	nördlich am Mare serenitatis.
18,5	12,5	S.—N.	NO.-Ecke des M. tranquillitatis.
20,0	12,5	S.—N.	
20,5	13,5	NW.—SO.	kurz.
18	8	S.—N,	von Sosigenes zu N. ziehend.
19	südl. Breite 16,5	O.—W.	von Almanon bis b Südwall, noch zweifelhaft. Die Rille bei a Sosigenes war mir schon früher bekannt.

- Febr. 11. 2 neue Rillen am Hipparchus.
- März 11. Was ich längst vermuthete, eine Kraterrille N. bei Strabo, ward heute bestätigt.
- Mai 13. Ich fand neue Rillen östlich bei Lahire, wo solche nie gesehen und vermuthet wurden, dann neue bei Mercator, und zeichnete die Alpenrillen bei Plato, deren nördliche einen Seitenarm nach O. aussendet. Auch die von mir 1855 zu Rom entdeckte Rille im N.-Walle des Copernicus ward gesehen.
- Sept. 18. Die Jan. 25, NO. von Posidonius gefundene Rille war deutlich; sie ist weder gerade noch von gleicher Breite. Ob N. bei Plinius ausser den zwei grossen noch eine dritte kurze zwischen diesen liege, blieb zweifelhaft.
- Sept. 20. Die Hyginus-Rille, wo sie im Westen des Zuges eine Biegung macht, sendet gegen Agrippa, in der Richtung NO.—SW. einen Ausläufer, aus 2 flachen, länglichen, muldenförmigen Thälern bestehend.
- Octob. 8. 6ʰ. Im Capuanus e am innern Fusse des O.-Walles eine ausgezeichnete gekrümmte Rille.

1868 Febr. 3 wurden die Rillen des Ramsden und Hippalus wiederholt gezeichnet. Die Rille im innern N.-Walle des Copernicus erschien sehr deutlich.

- April 26, 27. Beobachtungen der Gebirgsrille 12 Meilen N. von Macrobius.
- April 27. Alle Rillen bei Posidonius, Römer, Littrow und Plinius A wurden aufs Neue gezeichnet.
- April 28. Eine geschlängelte Figur am S.-Fusse des Centralgebirges im Theophilus, vormals von mir als Rille angesehen, erschien diesmal nicht als solche.
- Mai 1. Bei Parry wurden ausser den alten noch neue gesehen.
- Mai 5. Bei Byrgius wurden alte und seither mir unbekannte Rillen gezeichnet.
- Juli 10. Die grosse Rille des Sulp. Gallus hat eine Abzweigung gegen Süden.
- Sept. 22. Genaue Aufnahme der neuen Rillen bei Ritter und Sabine.

15

1868 Sept. 23. Die Hyginus-Rille beginnt an den nördlichen Vorhöhen des Agrippa.

1869 Febr. 16, 17. Eine neue grosse gekrümmte Kraterrille ward in Gärtner aufgefunden.

- Febr. 17. Im Proclus eine Kraterrille, mit der südlichen äusseren gleichlaufend. In der W.-Ebene des Theophilus scheinen 2 feine Krater durch eine Rille verbunden; südlich von der Mitte ist keine Rille.

- Febr. 18. Im Jansen zeigte sich ziemlich sicher eine seither nicht bekannte Rille. Neue Aufnahme des Systems von Triesnecker und Ariadaeus. Im Hochlande des Caucasus erschien östlich neben Calippus die schon bekannte Rille. Auch südlicher im grossen Querthale des Gebirgs erschien eine solche, doch nicht ganz gewiss.

- März 23. Luft sehr schlecht; westlich an Kepler vielleicht eine neue Rille.

- April 16. In Gärtner ward die Febr. 16 entdeckte grosse Rille bestätigt. Sodann ward eine bedeutende Kraterrille aufgefunden, an der W.-Seite der Ader liegend, welche Theophilus mit Beaumont verbindet.

- Mai 19. Die westliche Rille im Alphonsus glich einer Bergader.

- Mai 21. Westlich bei Kepler scheint eine flache Rille zu liegen. (Siehe März 23.) Auch bei Delisle vermuthete ich eine Rille. Gezeichnet ward die Rille, welche die Richtung vom Hainzel zum Capuanus nimmt, und das System des Ramsden.

- Mai 22. Luft sehr still, Libration ungünstig; so erschienen denn von den Rillen westlich bei Aristarch nur einige der westlichen. Bei Vitello die Spur der Rille, in Fourier 3 Rillen, davon eine wohl neu; so auch bei Mersenius.

- Juli 19. Die Rille bei Kepler wird bestätigt; sie ist sehr flach geformt.

- Aug. 8. Luft sehr still; die Rillen W. bei Aristarch unsichtbar, doch zeigen sich die Krater N. bei Aristarch.

1870 Octob. 6. 7°—8°. Bei mässig guter Luft waren die Rillen westlich von Aristarch nicht sichtbar, mit Ausnahme der gekrümmten am N.-Walle des Hauptkraters, so deutlich auch die kleinen Krater N. von Aristarch gesehen wurden. Gezeichnet ward eine Kraterrille im Gebirge westlich bei Herodot.

- Nov. 30 ward die Barrow-Rille gezeichnet, und eine am südlichen Fusse des Apennin vermuthet.

1871 Febr. 25. Eine zweifelhafte Kraterrille Ost bei Piccolomini.

- April 1. In W. und NW. bei Aristarch sind keine Rillen sichtbar, ebenso Mai 30, als aber die Libration für diese Gegend sehr ungünstig wirkte.

- Mai 30. Am Capuanus neue Kraterrillen.

1872 Jan. 16. Im Maraldi eine neue Rille für sehr wahrscheinlich gehalten; eine mir früher nicht bekannte Rille zwischen Ross und Ritter gesehen.

- März 15. Bei Bürg wurden 2 Rillen sicher, und 2 andere zweifelhaft erkannt.

- März 23. Bei Cardanus und Krafft ward eine grosse Kraterrille gezeichnet.

- April 20. Die Kraterreihen und Furchen östlich im Schicard erscheinen fortgesetzt im Osten des Wallgebirges.

- Dec. 9. NO. bei Lambert wahrscheinlich eine flache Rille.

1873 April 10. Am NW.-Walle des Grimaldi eine neue Rille gezeichnet.

BEOBACHTUNGEN ÜBER DAS ASCHFARBIGE LICHT DES MONDES,
(LUMEN SECUNDARIUM).

Die Angaben, welche ich viele Jahre lang über die Erleuchtung der Nachtseite des Mondes gesammelt habe, werde ich hier zusammenstellen, da sie in Zukunft für manche Vergleichungen nützlich werden können. Der nördlichste Punkt meiner Beobachtungen war fast in 55°, der südlichste auf 36°,5 der Breite. Als Abkürzung werde ich N. gebrauchen = Nachtseite, um die Erscheinung zu bezeichnen.

1842   Juni. 16 war N. noch am Tage nach dem ersten Viertel gut am Telescope von Banks zu erkennen. (Hamburg.)

1843   Febr. 6 (Hamburg). Als die Phase im O.-Rande des Mare serenitatis lag, also nahe der Zeit der ersten Quadratur, erschien N. am 3füssigen achromatischen Fernrohr bläulich.

-    März 2. Am kleinen 2füssigen Fernrohr sah ich die sehr helle N. röthlich braun.

-    März 3 war selbt Tycho nebst Streifen in dem kleinen Fernrohre in N. sichtbar.

-    April 5. In der N. leuchtete, am lichtstarken Refractor gesehen, Aristarch so hell, dass ich ihn gleich einem Sterne der fünften Grösse schätzte, wenn dieser bei Mondschein mit freiem Auge gesehen wird.

-    Mai 1. Als der Mond unterging, war N. ohne Fernrohr sichtbar.

-    Mai 6. Phase schon am Archimedes; in N. ist nur noch Aristarch zu erkennen.

-    Mai 7. Phase im Plato; N. am Fernrohre noch bequem wahrnehmbar.

-    Mai 8.*) Phase am Longomontanus und Bulliaklus; nur mit Mühe bemerkte ich die Spur von N.

-    Mai 9. Phase am Kepler und Gassendi. N. ist jetzt durchaus unsichtbar.

1844   Jan. 21. 4ʰ5. (Hamburg.) An der feinen Sichel erschien N. sehr glänzend, und am 3füssigen Refractor ward ausser vielem Detail im Erdlichte des Mondes auch Copernicus erkannt. Die gewöhnlich und leicht sichtbaren Punkte nenne ich nicht.

-    April 25. Am Tage nach dem ersten Viertel war N. am Fernrohre leicht sichtbar.

1845   Jan. 11. (Hamburg.) Um 6ʰ war N. ungewöhnlich hell, dem freien Auge erschien das Licht gelbgrau.

-    Febr. 8. Am Kometensucher betrachtet, hatte N. ausserordentliche Helligkeit, und der Anblick der Mare und so vieler Lichtpunkte und Streifen im Erdlichte war, abgesehen von der Farbe, ganz so wie bei einer totalen Finsterniss.

1846   April 28. (Bonn.) Mond 3 Tage alt. Am 5füssigen Refractor sah ich das Erdlicht der N. graugelb, und alle bekannten Flecken und Streifen waren darin sichtbar. Am 8füssigen Heliometer erkannte ich Tycho's und Kepler's Lichtstreifen, die Ringform des Aristarch, den Grimaldi und Plato. Rückte man die helle Sichel aus dem Felde, so glich nun die Nachtseite ganz dem Vollmonde, wenn dessen Licht durch Nebel oder Cirri sehr geschwächt ist, so dass man aber noch die Einzelheiten der Oberfläche wahrnimmt. Das Erdlicht war wirklich gelb. Wäre die Farbe roth gewesen, so wäre die Aehnlichkeit mit der Totalfinsterniss vollkommen.

1847   März 18. (Bonn.) Abends hatte N. eine ganz auffallende Helligkeit. Am 5füssigen Refractor stellte ich die Sichel hinter den Ring des Kreismicrometers, und sah nun

---

*) Schon Kunowsky hat (vor 1825) das Erdenlicht noch 3 Tage nach dem ersten Viertel im Fernrohre gesehen.

15*

den ganzen Umriss des Mare crisium, als dessen W.-Wall schon von der Sonne erleuchtet war.

1848 März 7. (Bonn.) Am Kometensucher waren in dem höchst glänzenden Erdlichte sogar die Schattirungen der Mare kenntlich, selbst Plinius, aber nicht Tycho.

- Juni 26, um 14°, abnehmende Phase am Kepler. In N. war das Mare crisium nebst Proclus schwer sichtbar.

- Octob. 22, um 15°. Sichel 1° oder 2° hoch. Bei schlechtester Luft waren am schwachen Oculare alle Mare und selbst die Stelle des Proclus zu erkennen, sogar die Zacken am W.-Rande des Mare tranquillitatis.

1854 März 2. (Olmütz.) Bei zunehmender Phase beobachtete ich N. am 5 füssigen Refractor, besonders am südlichen Horne, wo 3 Berge weit hinaus in der Mondnacht leuchteten, um Schröter's Wahrnehmungen hinsichtlich der Mondatmosphäre zu prüfen. Ferner zeigte sich zwischen jenen Bergen das graue Licht am Rande, aber ich konnte es nur für die gewöhnliche Wirkung des Erdenlichtes halten. So auch bei andern Gelegenheiten.

1856 April 6. (Olmütz.) Die feine, 1° 12°5 alte Mondsichel ward in der Abenddämmerung am 5 füssigen Refractor beobachtet. Die Phase hatte das Mare Humboldtianum und den Hecatäus schon überschritten. N. erschien höchst glänzend, und ich sah darin das ganze Mare crisium, dessen W.-Rand doch der Phase schon nahe lag. Es zeigten sich Tycho's Streifen, doch nicht Tycho selbst.

- April 8. Mond 3¼ Tage alt; die Umstände sämmtlich sehr günstig. Das Erdlicht war so hell, dass die dunklen Ebenen bis nahe zur Phase hin in N. gesehen werden konnten. Ich sah nun den ganzen Ringwall des Tycho, nebst dem grauen Nimbus, und auch die gegen Süden ziehenden Streifen, den weissen Fleck bei Hell, Timocharis, Pytheas, Euler, Pico und Plato sehr leicht, den Copernicus und die Stelle des Kepler. Die Beobachtung jedoch, welche mir am Boussingault gelang, erfordert eine genaue Darstellung, weil sie, richtig gedeutet, dazu dienen wird, voreilige Schlüsse hinsichtlich atmosphärischer Phänomene auf dem Monde zu beschränken. Boussingault ist ein sehr grosser südlicher Krater, dessen merkwürdige Gestaltung nur bei günstiger Libration erkannt wird. Die Phase zog über seinen Ostwall, er war also in seinen hohen Theilen bereits erleuchtet. Der innere sehr tiefe Krater ist von einem grossen etwas excentrisch gestellten Ringwalle umschlossen. Die aufgehende Sonne beschien die für den Beobachter abgewendeten Seiten der West- und Ostwälle beide an deren Westseiten, so dass von der Erde aus nur so viel von den erleuchteten Wällen gesehen ward, als was gerade, sehr beschränkt durch die

Verkürzungen, die von der Lage am Rande abhängen, gesehen werden konnte.

In der Figur ist δ ε ein Theil des SW.-Mondrandes, α β γ die Phase, wo also die Nachtseite beginnt, zudem ist die Richtung angegeben, aus welcher die Sonne ihre Strahlen sendet, A'A ist der äussere Wall des Boussingault, B'B entspricht der optischen Längenaxe des innern tieferen Kraters. Wegen der Lage beider an der Zone des Sonnenaufganges waren die Kratertiefen ganz beschattet, und selbst der W.-Wall des B'B war vom Schatten des A'A überdeckt. Der erste

Anblick zeigte nun, dass in B'B kein wahrer tiefschwarzer Schatten vorhanden sei, sondern nur ein schwarzgraues nebelartiges Colorit, wie solches sich darstellen müsste, wenn z. B. der innere Krater B'B bis zum Rande mit Nebel erfüllt, und die Oberfläche dieses Nebels von der aufgehenden Sonne seitwärts beleuchtet wäre. In diesem Falle müsste ein Halblicht entstehen, welches die Dunkelheit der beschatteten Kratertiefe vermindert. In unserm Falle jedoch ist die folgende Erklärung vorzuziehen. Von dem Kraterwalle B'βB sehen wir das reflectirte Sonnenlicht unter einem sehr ungünstigen Winkel, denn diejenige nach Westen (links) gerichtete ganz erleuchtete innere Wand des Kraters ist unserm Anblick entzogen. Jene Wand aber ist es, die bei 8 Meilen Länge und gegen 1700 Toisen Höhe ihr von der Sonne erhaltenes Licht in die Tiefe m reflectirt, und die dortige Dunkelheit vermindert, während der Saum B'nB die Grenze angiebt, wo, entsprechend dem (nicht sichtbaren) Westwalle, die Wirkung der Reflexion gedachter Wand aufhört. Gleichzeitig aber ward nun jene Tiefe von der beinahe noch voll erleuchteten Erde beschienen, so dass 2 Lichtquellen wirksam waren, welche die Dunkelheit der Tiefe m abschwächten. Im Ganzen lag jenes Dämmerlicht so, dass sein Maximum der Lage der innern W.-Wand des Kraters B B' entsprach, in Beziehung auf das reflectirte Licht der gegenüberliegenden innern Kraterwand bei β, und auf die Lage der Erde. Wer selbst Beobachter ist, die Localität genau kennt, und die Wirkungen der Verkürzung unmittelbar durch die Anschauung erkennt, wird diese Erklärung annehmbar finden. Dass die analoge Erscheinung nicht unter denselben Bedingungen der Lage an der Phase an andern Kratern gesehen werde, ist ein zu erwartender Einwurf. Mir aber ist keine Oertlichkeit bekannt, wo alle Umstände so günstig zusammenwirken können, als bei Boussingault. Was den bequemen Einwurf anlangt, dass es „eine Täuschung" gewesen sein könne, so bemerke ich, dass ich keine Täuschung bei irgend einer Beobachtung kennen gelernt habe, und dass sich über solchen Einfluss nur mit denjenigen verhandeln lässt, mit denen man sich auf demselben Boden der praktischen Erfahrung befindet. Ist aber die gegebene Erklärung nicht die richtige, so halte ich dann für ausgemacht, dass die Tiefe des innern Kraters durch irgend eine Gas- oder Dampf-Materie erfüllt war, deren die Ränder übersteigende Oberfläche von der aufgehenden Sonne erleuchtet ward.

1857 Febr. 26. (Olmütz.) Abends 6ʰ—7ʰ. Die zunehmende Phase lag im Mare crisium, noch West von Picard. An schwacher Vergrösserung des 5füssigen Refractors fand ich N. ausserordentlich hell, so dass Proclus, schon so nahe der Phase, und die dortige Form der Ränder des Mare erkannt werden konnten. Tycho sah ich ganz, und zwar die elliptische helle Kratergestalt, umgeben von dem bekannten grauen Nimbus, von dem die Streifen ausgehen. Das aschfarbige Licht war vielmal heller als das Zodiacallicht, in welchem damals der Mond zwischen Mars und Jupiter stand.

1858 April 15. Abends, sah ich zu Olmütz, dass, als die Phase schon im westlichen Theile des Mare crisium lag, ich die ganze Fläche dieses Mare erkennen konnte, wenn ich die Mondsichel aus dem Gesichtsfelde rückte. Vergl. 1847 März 18.

1860 März 25. (Athen.) Am 6füssigen Refractor sah ich ausser den bekannten Erscheinungen des Erdenlichtes deutlich den Tycho und dessen grauen Nimbus, dann den starken südlichen Streifen, und die beiden gegen den Bullialdus ziehenden Streifen. Die weisse Wolke bei Hell, und sogar Dionysius, war kenntlich. Dabei hatte die Phase schon den Ostwall des Mare crisium überschritten.

1860 April 24. Bei sehr günstiger Luft wiederholte ich die seltene Olmützer Beobachtung (1856 April 8) am Boussingault, der, an der Phase liegend, schon etwas mehr als damals erleuchtet war. Jetzt zeigte sich im innern Krater das sehr deutliche Grau (an Stelle des tiefschwarzen Schattens), in der ganzen Fläche gleichmässig ausgebreitet. Weiter gegen die südliche Hornspitze hin zeigte einer der grossen Polar-Krater eine ähnliche Erscheinung. Ich vermuthe, dass es das Ringgebirge Demonax oder No. 17 war. (Section 23.)

  — April 25. Bei vorzüglich guter Luft. Da in Boussingault die Schatten nun sehr verringert waren, zeigte sich die gestrige Erscheinung nicht mehr, wohl aber im Demonax No. 17, der südlich von dem Boussingault gegen den Pol hin gelegen ist, und wegen extremer Libration eine günstige Lage hatte. Gestern wie heute beobachtete ich den Untergang der Mondsichel an den fernen Bergen bei Megara. Als die obere Hornspitze verschwunden war, leuchtete das Erdenlicht noch stark am Horizonte, und zwar für das freie Auge. Mit dem Kometensucher liess sich das Verschwinden des letzten Punktes der Mondsichel noch auf die Secunde angeben.

  — Aug. 14. Morgens war N. sehr hell. Besonders deutlich erschien Manilius, und Tycho's Streif bei Bullialdus.

1865 Sept. 15. (Athen.) Um 16' bei starker westlicher Libration lag die Phase am O.-Walle Gassendi. Jetzt war in N. sichtbar: Tycho, Copernicus, Plato, am hellsten Menelaus, der den Manilius übertraf. Manilius zeigte sich leichter als Plinius; Proclus wenig kenntlich; Langrenus schwächer als die Lichtknoten bei Furnerius und Stevinus. Die Luft war äusserst schlecht, d. h., stark wallend bei grosser Klarheit.

1867 Jan. 8. (Athen.) Luft sehr klar und ziemlich ruhig. Um 6' lag die Phase am Cleomedes und Furnerius. Das Erdlicht war ausserordentlich hell. Um 5' beobachtete ich die Entwickelung der Hornspitzen. Das südliche Horn endete in äusserst zarten Lichtpunkten. Die Schröter'schen Phänomene wurden aber nicht bemerkt. Das Mare crisium lag dem West-Rande sehr nahe. Bei 100facher Vergrösserung des 6füssigen Refractors sah ich in N.: (stets abgesehen von den leicht sichtbaren Punkten), bis nahe zur Phase hin, den Umriss des Mare tranquillitatis, das Mare serenitatis ganz, und darin erkannte ich zum ersten Male Bessel, was früher nie gelungen war. Ferner zeigten sich: Tycho, Censorinus, Dionysius, Timocharis, Pytheas, Euler, Plinius, T. Mayer, Pico und die Berge östlich von ihm, Seleucus und der Lichtfleck bei Galilei, nördlich bei Aristarch ein matter Lichtfleck, die Streifen Tycho's bei Bullialdus, der Lichtfleck bei Hell, endlich Grimaldi. Als um 6'.2' die Sichel durch die Kuppel verdeckt war, und die N., allein hervorragend, mit freiem Auge betrachtet ward, erschien diese sehr heller als der dichteste Theil des Zodiacallichtes, oder auch der Milchstrasse. Später, da die Sichel des Mondes soeben an den Bergen von Salamis untergegangen war, blieb für das freie Auge die N. sehr leicht sichtbar, also in weniger als 2° Höhe über dem Horizonte.

  — März 8 wiederholten sich nahe dieselben Erscheinungen, als der Mond 2½ Tage alt war.

1873 April 28. (Athen.) Abends, als die Phase noch nicht den Westrand des Mare crisium erreicht hatte, erkannte ich in N. den Tycho und dessen grösseren Streifen, sowie Grimaldi, der dem Ostrande sehr nahe lag.

Anm. 1799 Juli 7, 8, 9, Aug. 6, 7, Sept. 4, 5 und Octob. 30 sah Piazzi zu Palermo im aschfarbigen Lichte zwischen Aristarchus und Heraclides, doch näher am Letzteren, einen hellen veränderlichen Flecken, auffallender als alle Uebrigen. (Bode's Berliner Jahrbuch für 1803, pag. 179.) Hiermit zu vergleichen ist die Note am Ende des Textes zu Sect. XVIII.

BESCHREIBUNG DER TAFELN.

SECTION I.

	L.	M.	S.
Krater	351	276	1432
Rillen	7	12	24

NAMEN.

1. Hipparchus.
2. Horrox.
3. Hind.
4. Halley.
5. Albategnius.
6. Ptolemaeus.
7. Herschel.
8. Moestlin.
9. Lalande.
10. Sömmering.
11. Schröter.
12A. Chladni. (*)

12 Pallas.
13. Bode.
14. Réaumur.
15. Rhaeticus.
16. Triesnecker.
17. Godin.
18 Agrippa.
19. Boscovich.
20. Hyginus.
21. Ukert.
    Murchison.
    Hirt. (*)

A. Mare nubium. SO.-Ecke der Tafel.
B. Sinus aestuum. NO.-Ecke - -
C. Mare vaporum. NW.-Ecke - -

Anm. Die Namen: Hind, Horrox, Halley, Murchison entnehme ich den Charten des Lunar Committee (Birt). Den Namen Murchison habe ich zu spät erfahren, um ihm in meiner Charte eine Nummer zu geben. Den Namen Birt (*) habe ich erst nach Abschluss meiner Arbeit gewählt. Mit Birt bezeichne ich den kleinen Krater, welcher der scheinbaren Mitte des Mondes am nächsten liegt, 1° W. Länge und 1° N. Breite. Weiteren Nachweis giebt die folgende Uebersicht.

VERGLEICHUNG DER BEZEICHNUNGEN IN LOHRMANN'S UND MÄDLER'S CHARTEN.

bei Lohrmann:	bei Mädler:	bei Lohrmann:	bei Mädler:
C	C	49 B	d = Hind (engl. Beob.)
53	unbezeichnet	D	C
51	unbezeichnet	57	i
183 * Albategnius.	Albategnius	52. 54. 55. 56.	unbezeichnet
23	ζ	29. 30.	d
22	β	E	G
24	b	232 * F	F = Horrox (engl. Beob.)
18	δ	G	E
17. 19. 20.	unbezeichnet	59	unbezeichnet
48. 21.	unbezeichnet	60	M
233 * Hipparchus	Hipparchus	61. H. 63. J. 62.	unbezeichnet
31 * A	A = Halley (engl. Beob.)	234 * Rhaeticus	Rhaeticus

16

bei Lohrmann:	bei Mädler:	bei Lohrmann:	bei Mädler:
32	unbezeichnet	Q	A. Schröter
33	γ	283 * R	ε
87	bei F	6	a
27	ε	Schröter	bei Γ
236 * V. Réaumur	Réaumur	4. 9. 12.	unbezeichnet
26. 28. 34.	unbezeichnet	8	bei η
235 * X	bei f	282 * 7	bei k. a. c.
237 * Ptolemaeus	Ptolemaeus	5	bei B
13	A	38. O. - Pallas	Pallas
15	a	280 * Bode	Bode
42	bei x	39	a
97	γ	10. 11.	unbezeichnet
191 * Z	unbezeichnet	P	A
95	b	76	B
96	f	279 * N	unbez. = Murchison (engl. B.)
43	bei g	M = Chladni (*)	A
14	γ	278 * Triesnecker	Triesnecker
93 — 96	bei c	74	a
97. 44.	bei a	75	bei γ
98. 100. B.	unbezeichnet	L. Ukert	Ukert
γ	A	68	bei A
46	D	70	bei ä
240 * Lalande	Lalande	72	β
45	bei γ	71. 277 *. 73.	bei a
94	unbezeichnet	276 * Hyginus	Hyginus
238 * Herschel	Herschel	275 *. 2.	C
W. 89. 88. 92.	unbezeichnet	271 * Boscovich.	Boscovich
41	bei b	2 Silberschlag	Silberschlag 3
40	a	272 * Agrippa	Agrippa
239 * U	unbezeichnet	3	bei b
83	ä	36	unbezeichnet
86	d	273 * Godin	Godin
84	γ	37	A
85	A	66	b
281 * S. Moestlin	Moesting	65. 64.	unbezeichnet
47	b	I	unbezeichnet
81 Sömmering	Sömmering	67	bei d
82 T	unbezeichnet		

Die Namen: Rhaeticus, Pallas, Ukert, Sömmering, Moesting wurden von Mädler eingeführt. Moesting habe ich aber in Moestlin (Lehrer Kepler's) umgewandelt. Den Namen Schröter, den Lohrmann zuerst wählte, hat Mädler an eine andere Stelle gesetzt. Den Namen Chladni (*) bestimmte ich für Lohrmann's Charte.

HÖHENMESSUNGEN.

1. Der Berg Silberschlag β, an der linken untern Seite der Tafel, in 12° westl. Länge und 6°.5 nördlicher Breite. Alle bekannten Messungen geben die Höhe über der Ebene im Osten.

$$\varphi = 2°\ 9' \quad h = 575' \quad \text{Sr.}$$

φ		h	
3	24	961	M.
3	31	918	S.
3	42	730	S.
3	45	833	S.
3	51	801	S.
6	23	1274	S.

Schröter's (Sr.) Messung mag in diesem Falle unberücksichtigt bleiben, da das Ende des Schattens der Phase zu nahe lag. Die Uebrigen geben das Mittel:

$$\varphi = 4°\ 6' \quad h = 921' = 5526' \text{ par. Maass.}$$

In Zukunft wird man auch wohl meine letzte Messung verwerfen müssen. Bei Schröter findet sich der Berg in Tab. 62 Fig. 2 des II. Bandes nicht angegeben; doch ist es der Ort von 9. In Tab. 71 Fig. 46 fehlt der Berg ebenfalls, und es sind daselbst wieder 2 Krater gezeichnet. Dagegen ist in Tab. 73 N. 64 der Berg richtig mit seinem Schatten angegeben.

2. Agrippa = No. 18. Nach Mädler 5,88 Meilen im Durchmesser; er hat folgende Höhenunterschiede:

W.-Wall.

$$\varphi = 6°\ 42' \quad h = 1158' \quad \text{Sr.}$$

φ		h	
7	11	1194	S.
8	16	1258	S.
8	44	973	Sr.
9	19	1071	M.

O.-Wall.

$$\varphi = 7°\ 42' \quad h = 1250' \quad \text{S.}$$

φ		h	
7	50	1057	M.
9	59	1423	M.

O.-Wall aussen.

$$\varphi = 5°\ 41' \quad h = 591' \quad \text{S.}$$

Die Mittelwerthe sind hiernach die folgenden, wenn Schröter's Messungen, wie in der Regel bei der Ableitung der angegebenen Mittelwerthe, halbes Gewicht erhalten:

	φ		h	
W.-Wall.	8°	7'	1147' =	6882'
O.-Wall.	8	30	1243 =	7458.

Der O.-Wall ist also 100' höher als der W.-Wall und da er den Boden im Osten nur 591' überragt, so liegt der Grund der Kratermitte gegen 650' unter dem Niveau der umliegenden Hügellandschaft. In jener Tiefe steht das mehrgipflige Centralgebirge von kaum 600' Höhe.

3. Godin = No. 17. Durchmesser fast 5 Meilen.

W.-Wall.

$$\varphi = 6°\ 42' \quad h = 1255' \quad \text{Sr.}$$

φ		h	
6	52	1119	S.
7	41	1221	S.
8	1	1159	Sr.

O.-Wall.

$$\varphi = 6°\ 18' \quad h = 1130' \quad \text{M.}$$

φ		h	
8	10	956	S.
10	40	1704	M.

Die Mittelwerthe sind:

	φ		h	
W.-Wall.	7°	18'	1182' =	7092'
O.-Wall.	8	25	1263 =	7578.

Auch in diesem Falle ist der O.-Wall der höhere; aber die schlechte Uebereinstimmung der Angaben von Sr., M. und mir zeigt, dass die Messungen wiederholt werden müssen. In NO. von Godin liegt der Berg γ, Schröters r (Bd. II. Tab. 70 No. 48). Für diesen fand Sr. φ = 3° 34', h = 751' = 4506' gegen Ost. M hat in dieser Gegend 2 Berge mit h = 489' und 709', ohne genaue Bezeichnung des Ortes.

4. Triesnecker. 4 Meilen breit, von Sr. nicht gemessen.

O.-Wall.

$$\varphi = 6°\ 20' \quad h = 848' \quad \text{M.}$$

W.-Wall aussen.

$$\varphi = 2°\ 24' \quad h = 390' \quad \text{S.}$$

φ		h	
2	28	316	S.

16*

133

Mittel:

$\varphi = 2^\circ 26'$ $b = 353'$ — $2118'$

Wird der Wall ringsum gleich hoch angenommen, so folgt, dass der Boden des Kraters
495 Tolsen unter der Hügelebene liegt, die den
Triesnecker umgiebt.

5. Pallas = No. 12, O.-Wall $h = 699'$
nach M.

In diesem Gebiete hat nur Mädler gemessen,
und ich werde hier dessen Angaben zusammenstellen.

6. Berg SO. bei Pallas, Gipfel $\beta = 636'$
gegen Osten.

7. Berg SO. bei Pallas, Gipfel $\epsilon = 575'$
gegen Osten.

8. Schröter = No. 11, W.-Wall $\begin{cases} 818' \\ 798 \end{cases}$ westlich
n. aussen.

Dies im Süden offene Ringgebirge No. 11 hat
Mädler mit „Schröter" bezeichnet, obgleich Lohrmann bereits denselben Namen der nördlich be-
legenen Landschaft zuertheilt hatte, derselben Gegend, wo Gruithuysen seine Mondstadt gesehen
haben wollte. Die von Mädler beliebte Versetzung
des Namens halte ich für unnöthig; doch will ich
keine neue Aenderung vornehmen. Was Lohrmann
„Schröter" nannte, liegt auf meiner Tafel nördlich
vom Mädler'schen Schröter, das Gebilde F, aus
4 parallelen Wällen bestehend; es ist nur selten
als solches kenntlich, und eine Widerlegung der
Phantasien von Gruithuysen ist unnöthig. Mädler
zeichnete diese Formation am Dorpater Refractor,
und diese Abbildung findet man in: Beer und
Mädler's Beiträgen zur physischen Kenntniss der
Himmelskörper, (Weimar 1841) pag. 59 und Taf. II.
Die Zeichnung von Mädler ist sicher der meinigen
vorzuziehen, während in seiner Hauptcharte kaum
das Local wiederzuerkennen ist, und der Darstellung bei Lohrmann nachsteht.

9. Schröter F, in Mädler's Charte F, etwa
390' hoch.

10. ϑ, ein grauer Berg im Sinus aestuum
(B) = 7 Lohrmann, nach M. = 578'.

11. Daselbst nördlicher, die Ader $\epsilon \delta$
= 438' nach M.

12. Dieselbe Ader südöstlich bis n = 180'
gegen West gemessen.

13. Moestlin = No. 8.

O.-Wall aussen = 254'
W.-Wall innen = 885
O.-Wall innen = 1177

Nimmt man für die innere Höhe des Walles
ein Mittel = 1031', so läge der Boden des Kraters
777' unter der äusseren Ebene.

Südlich von Moestlin liegt der helle Krater A,

den Wichmann in Königsberg benutzte, um mit
dem Heliometer die physische Libration des Mondes zu bestimmen. In dieser Arbeit ergab sich
der Ort der Mitte des Kraters mit einer seither
nicht übertroffenen Genauigkeit. Wichmann fand:

östl. Länge = $5^\circ 13' 23''$
südl. Breite = 3 10 55

Unsicherheit selenocentrisch etwa = ± 1'40"
(Astr. Nachr. No. 631, pag. 98.)

14. Berg λ, südlich von Sömmering = No. 10.
h = 195' M.

15. Sömmering = No. 10. NW.-Wall
b = 747' M.

Derselbe Wall nach aussen h = 547' M.

16. Das unvollständige Ringgebirge R,
östlich von Sömmering. In dem westlichen Theile
fand M.:

$\delta = 432'$ } über der westl. Ebene.
$\epsilon = 475$
$\beta = 350$ eine Schätzung.

17. Lalande = No. 9, dessen Tiefe M. zu
900' schätzt. M. redet im Texte der Mappa Selenogr.
p. 306, von dem schwachen Centralberge, der von
mir nicht bemerkt ward.

18. Westlich von Lalande, β, Höhe =
439' nach M.

19. Krater A, südöstlich bei Lalande, Ostrand nach aussen = 435' nach M.

20. Der Berg p, südöstlich von A ist 265'
hoch nach M.

21. Ptolemaeus = No. 6. Für den Hoch-
gipfel im westl. Walle, η (= Lohrmann 16), haben
wir folgende Messungen, alle bei aufgehender Sonne
bestimmt, wenn der Schatten in der ebenen Fläche
des grossen Ringwalles liegt. Bei Schröter in der
ersten Tafel des zweiten Bandes heisst der Berg l.

$\varphi = 3^h 51'$ $h = 1571'$ S.
  3 52   1781   S.
  4 33   1391   M.
  4 44   1356   M.
  4 53   1391   S.
  4 53   1074   S.
  5 1   1077   S.
  7 22   1128   S.

Der Schatten selbst ist leicht und sicher zu
messen, aber der Abstand von der Phase bleibt
oft sehr zweifelhaft. Bildet man 3 Gruppen, so
hat man:

bei $\varphi = 3^h 52'$ $h = 1676' = 10056'$
    4 43   1380   8140
    5 45   1093   6558

Hiernach darf man schliessen, dass der Gipfel
kuppelförmig abgerundet, oder der mittlere Theil
der Ebene merklich tiefer sei, als der Saum der-

selben. Das Letztere ist ganz unwahrscheinlich. Die wahre Erhebung des Gipfels über der Ebene wird der Höhe des Aetna sehr nahe gleichkommen.

22. Dem Gipfel η zunächst südlich ein Gipfel ζ.

$$\varphi = 4°58' \quad h = 1664' \quad S.$$

23. Ein anderer Gipfel südlich vom Vorigen

$$\varphi = 4°17' \quad h = 849' \quad S.$$

24. Ein Hochgipfel, etwas westlich ausserhalb des Walles, wahrscheinlich nahe ϑ

$$\varphi = 4°52' \quad h = 2309' \quad S.$$
$$5\ 5 \quad 2188 \quad S.$$
$$6\ 22 \quad 2316 \quad S.$$

Mittel: $\varphi = 5°26' \quad h = 2301' = 13806'$.

Ein südl. Nachbar dieses Gipfels hat 986' Höhe nach S.

25. Gipfel im SW.-Walle:

$$\varphi = 3°58' \quad h = 1526' \quad S.$$

26. NW.-Wall nach aussen:

$$\varphi = 4°26' \quad h = 1245' \quad S.$$

27. Im Ostwalle des Ptolemaeus ward gemessen: der NO.-Gipfel bei γ.

Gegen West:

$$\varphi = 4°26' \quad h = 1586' \quad S.$$
$$5\ 39 \quad 1605 \quad S.$$

Gegen Ost:

$$\varphi = 5°46' \quad h = 1363' \quad Sr.$$

Wenn der Schatten gegen Osten fällt, bleibt er stets auf Bergen, so dass diesen gegenüber die Ebene des Ptolemaeus gegen 200' vertieft erscheint.

28. Im Ostwalle der Gipfel x. Höhe gegen Osten:

$$\varphi = 5°45' \quad h = 681' \quad Sr.$$

29. Vom Vorigen gegen Süden ein Gipfel, Höhe gegen Osten:

$$\varphi = 6°22' \quad h = 788' \quad Sr.$$

30. In der Ebene des Ptolemaeus hat der Krater A eine äussere Wallhöhe von 211' S., die Tiefe mag das Doppelte betragen; die übrigen feinen Details der Ebene zeigen Differenzen von 5 bis 10 Toisen. Die feine Kraterreihe im SO. sah ich zuerst am grossen Berliner Refractor im Mai 1853.

31. Herschel = No. 7. Durchmesser = 5.3 Meilen nach M.

W.-Wall:

$$\varphi = 6°57' \quad h = 1318' \quad Sr.$$
$$7\ 25 \quad 1335 \quad Sr.$$
$$9\ 32 \quad 1368 \quad S.$$
$$10\ 4 \quad 1048 \quad S.$$
$$10\ 28 \quad 1313 \quad S.$$

O.-Wall:

$$\varphi = 9°4' \quad h = 1809' \quad S.$$
$$11\ 22 \quad 1991 \quad S.$$
$$11\ 48 \quad 1386 \quad S.$$
$$12\ 16 \quad 1472 \quad M.$$
$$16\ 5 \quad 1792 \quad S.$$

Aus diesen Werthen erhält man das Mittel:

W.-Wall: bei $\varphi = 9°19' \quad h = 1264' = 7584'$
O.-Wall: - $\varphi = 12\ 9 \quad h = 1690 = 10140$

Der O.-Wall überragt also den westlichen um 426'. Die Unebenheit der Phase lässt sehr genaue Messungen nicht zu.

32. Die grosse Wallebene nordöstlich von Herschel, die in ihrem nördlichen Theile von einer Rille durchsetzt wird, hat nach M. in δ eine Höhe von 610 Toisen. Es ist der Gipfel, den Lohrmann mit 83 bezeichnet.

33. Hipparchus = No. 1. Durchmesser gegen 20 Meilen. Westwall, ungefähr bei a, Höhe über der inneren Fläche:

$$\varphi = 3°55' \quad h = 966' \quad S.$$
$$4\ 15 \quad 1193 \quad Sr.$$

Mittel: $\varphi = 4°5' \quad h = 1080' = 6534'$.

Die geringste westl. Höhe fand Sr. = 336'.

34. Hipparchus, Krater A = Halley = No. 4 unserer Section.

O.-Wall nach innen: 1180' M.
O.-Wall - aussen: 554 M.

35. Hipparchus, Krater d = Hind = No. 3.

O.-Wall nach innen: = 1560' M.

36. Im NW.-Walle hat ein Gipfel ? die Höhe 678' S.

37. Nordwestlich vom Hipparchus in 9½° westl. Länge und -1½° Breite liegt bei M. ein kleiner heller Krater, östlich verbunden mit dem Bergwalle λ, dessen Höhe Mädler = 966' bestimmte.

38. Albategnius = No. 5, hat 17 bis 18 Meilen in Durchmesser.

NW.-Wall über H. $\varphi = 7°48' \quad h = 1464' \quad S.$
- 5 56 1451 M.
W.-Wall über β $\varphi = 8°31' \quad h = 1443' \quad S.$
Berg westlich über β 4 37 1787 M.

39. Der Ostwall des Albategnius.

O.-Wall $\varphi = 4°24' \quad h = 1451' \quad S.$
NO.-Wall $\varphi = 6\ 43 \quad h = 1736 \quad S.$
- - 1640 M.
NO.-Gipfel $\varphi = 4\ 27 \quad h = 2294 \quad S.$
- - 2302 M.

Der Letztere, bei Lohrmann mit 18, bei Mädler und mit mir mit ϑ bezeichnet, erhebt sich also auf 2298' = 13788' über die Ebene des Albategnius, ähnlich wie ein anderer Gipfel, mehr im NO., dessen Gipfel 2301' über der Fläche des Ptolemaeus aufragt. Ich hatte einige Male den Verdacht, dass es ein und derselbe Gipfel sei, was spätere Beobachtungen entscheiden mögen. Ist dies der Fall, so liegen beide grosse Ringflächen im selben Niveau oder Abstande vom Mittelpunkte des Mondes.

40. Der Centralberg, gemessen bei aufgehender Sonne.

$\varphi = 2°26'$ $h = 687'$ S.
   2 30   742   M.
   3 7   866   S.
   3 52   557   M.
   4 44   948   Sr.
   4 45   940   S.
   4 49   850   S.
   6 10   789   S.

Auf unserer Section ist nur der nördliche Abhang des Centralberges sichtbar.

Auch hier ist der Zustand der Phase einer genauen Messung sehr hinderlich; bildet man 2 Mittel, so folgt:

$\bar{\varphi} = 2°59'$ $h = 713'$
   5 7   883 $= 5292'$.

Bei 3° Sonnenhöhe berührt der Schatten die östlichen Terrassen, bei 5° Höhe dagegen liegt sein Ende in der Ebene.

In Sect. I. sind also 55 Berghöhen gemessen.

Neigungswinkel.

Agrippa, W.-Wall	$m = 27$
- - -	$\mu = 39$
- - -	$M = 42$
- O.-Wall	$M = 46$
Godin, W.-Wall	$m = 30$
- - -	$\mu = 41$
- - -	$M = 42$
- O.-Wall	$M = 39$
Hipparchus, A d b West	$\mu = 38$
- - -	$c = M = 40$

Hipparchus, G z West	$M = 39°$
Albategnius, A West	$\mu = 34$
- - -	$M = 43$
Ptolemaeus, W.-Wall	$M = 22$
- O.-Wall	$m = 25$
- - -	$M = 50$
- Krater A West	$M = 41$
Herschel, W.-Wall	$\mu = 25$
- - -	$M = 46$
- O.-Wall	$\mu = 38$
Triesnecker, O.-Wall	$\mu = 42$
Ukert, O.-Wall	$\mu = 43$
Bode, O.-Wall	$M = 38$
Moestlin, W.-Wall	$m = 25$
- - -	$M = 36$
Lalande, W.-Wall	$M = 34$
- O.-Wall	$M = 45$

In dem Gebiete des Mondes, welches Sect. I. darstellt, sind also die inneren Abhänge der Kraterwände nur sehr selten bis 50° geneigt; 30° bis 40° Neigung sind bei mittelgrossen Kratern noch häufig, und Neigungen von 20 bis 30° gehören zu den gewöhnlichsten Erscheinungen.

Anm. Die grossen Rillen bei Hyginus wurden schon im vorigen Jahrhundert von Schröter entdeckt. Die merkwürdigen Formen bei Triesnecker sah zuerst Lohrmann, der sie zwar nicht in seiner I. Section, wohl aber in seiner Generalcharte darstellt. Müller hat die grössern ebenfalls. Die sonstigen Rillen und das feinere Detail der älteren wurden erst von mir seit 1846 erkannt, und das Nähere findet man in meinem Cataloge der Mondrillen.

(Ueber die Rillen auf dem Monde, von J. F. J. Schmidt. Nebst 3 Steindrucktafeln. Leipzig 1866, bei J. A. Barth.)

Anm. In Bode's Berliner Jahrbuch für 1829 giebt Gruithuysen Nachricht über seine Beobachtung der Landschaft Schröter; daselbst findet sich auch eine Abbildung der Hyginus-Rille.

BEMERKUNGEN.

Die Zahl aller für diese Tafel benutzten Zeichnungen ist $= 118$; die früheste datirt vom 15. Juni 1842, wobei ich für alle späteren Fälle bemerke, dass meine Uebungsbeobachtungen vom Nov. 1840 bis Mai 1842, die nach Hevel's Vorgange ganze Phasen darstellen, niemals für die grosse Mondcharte Verwendung finden konnten. Erst seit Juni 1842 zeichnete ich mit Hülfe grösserer Fernröhre. Aber diejenigen Aufnahmen, welche vorwiegend zum Entwurfe der Charte dienten, haben doch erst in Athen seit 1860 ihren Anfang genommen. Manche, besonders die Rillen betreffende Zeichnungen, erhielt ich zwischen 1846 und 1858 in Bonn, Berlin und Olmütz, die früheren zu Hamburg.

Im Folgenden werde ich nun aus meinen handschriftlichen chronologisch geordneten Beobachtungen diejenigen hersetzen, die in topographischer Hinsicht sich auf die erste Section beziehen.

1842 Aug. 28, wurden die 6 kleinen Krater, die Mädler zuerst im NW. am Ptolemaeus erkannte, am 6 füssigen Refractor der Hamburger Sternwarte gezeichnet.

- Sept. 13. Erste Zeichnung der Rille des Hyginus.

1843 März 9, ward eine Rille, oder ein rillenähnliches Thal bei Ukert gezeichnet.

1845 Aug. 22, ward die Ariadäus-Rille auf Benzenberg's Sternwarte zu Bilk gezeichnet.

1849 Jan. 31, Abd. 6ᵘ. Ptolemaeus-Fläche ist uneben, und zeigt randlose Gruben.

- März 4. Im Sinus aestuum zeigen sich 5 Krater, so deutlich wie die Meisten bei Stadius.

- März 5. Am 8 füssigen Heliometer zu Bonn erscheinen die kleinen Krater im Sinus aestuum deutlich.

1851 Jan. 11. Im Sinus aestuum wieder 5 kleine Krater, deren Oerter nach Mädler's Charte beiläufig:

$$\text{östl. Länge} = 6^{\circ} \quad \text{Breite} = +12^{\circ},5$$
$$\quad\quad\quad\quad 9 \quad\quad - \quad = +12,5 \quad 2 \text{ nebeneinander, SO.-NW.-Richtung.}$$
$$\quad\quad\quad\quad 10 \quad\quad - \quad = +13,2 \quad 2 \quad -$$

- März 11, wurden die 2 am äussersten O.-Walle des Ptolemaeus liegenden Krater gezeichnet, die bei Mädler fehlen; zwischen ihnen beginnt westlich die Rille im Davy. Lohrmann's Darstellung ist hier besser als Mädler's.

1853 Mai 14 und 15, zeichnete ich am 14 füssigen Refractor der Sternwarte zu Berlin die Rillen bei Hyginus, Triesnecker und Rhaeticus. Als über Ptolemaeus Fläche (Mai 15) die Sonne aufging, zeigte sich die Ebene durchaus mit kleinen Höhenzügen bedeckt, darunter 3 Gruben ohne Ränder, und südlich parallele Thalfurchen ohne Wälle, die doch nicht den Rillen glichen. Die Unzahl kleiner Krater darzustellen, ist mit so mächtigem Telescope nicht mehr möglich.

- Juni 13. Darstellung der Rillen bei Triesnecker; die erste Beobachtung zu Olmütz.

1854 Jan. 7, suh ich zum ersten Male Gruithuysen's „Mondfestung", die Gegend Schröter, 4 oder 5 parallele Bergwälle in sehr dunklem Hügellande.

1860 Jan. 2. Am 6 füssigen Refractor zu Athen sah ich im Sinus aestuum wenigstens 10 Krater.

- Octob. 22. In der glatten Fläche des Hipparchus zeigten sich 15 sehr kleine Krater.

1861 Febr. 17. Der Schatten des grossen Berges 3 im W.-Walle des Ptolemaeus zeigt, dass 3 Gipfel vorhanden sind. Bei Aufgang der Sonne schien es, als sei die innere Ebene schwach convex; sie war durchaus uneben, mit vielen kleinen Hügeln besetzt, deren Höhe meist nur 9—10 Toisen betragen konnte.

1862 Juli 4. Ptolemaeus Fläche zeigt bei Sonnenaufgang sich ganz mit flachen Höhlungen, eingesunkenen Blasenräumen, wie Kunowsky sie nannte, besetzt, von denen nur 3 oder 4 schwache Wälle haben.

1866 Aug. 1. Rhaeticus A hat einen Centralberg.

1868 Juni 12. Um 15 Uhr, Ptolemaeus bei Sonnenuntergang. Der Anblick der Ebene ist von der einer Mare sehr verschieden, weil sie, abgesehen von den flachen Einsenkungen, durchaus mit den kleinsten Hügeln bedeckt scheint.

- Dec. 22. Schröter F ist eine gewöhnliche Hügellandschaft, in der sich 4—5 parallele Grate am meisten auszeichneten.

1869 Mai 19. Die Rille NW. neben Schröter F ward dies Mal zuerst gesehen, oder richtiger vermuthet. F selbst konnte vollständig; denn je zuvor gezeichnet werden. Der kleine Krater im Krater a ward schon früher sehr deutlich gesehen.

1873 April 10. Der westliche Nachbar von Hipparch d, bei Mädler mit c, bei Lohrmann mit D bezeichnet, hat mitten in seiner Tiefe einen grauen Flecken. Ich habe hier und an andern Stellen meiner Charte keine Bezeichnung angegeben, weil es dazu an Raum mangelte.

1873 April 11. Lalande = No. 9 ist von sehr hellem Nimbus und von Lichtstrahlen umgeben; doch kann davon in einer topographischen Charte nur wenig dargestellt werden. Ebenso musste ich mich darauf beschränken, von den vielen Lichtstreifen des Copernicus, die den Sinus aestuum und andere Theile der Sect. I. durchziehen, nur einige hervorzuheben, und den allgemeinen Charakter der Erscheinung anzudeuten. Möstlin A hat ebenfalls Strahlen.

Anmerkung.

1851 Jan. 14. Das blaue Licht, welches ich mehrfach einzelne sehr glänzende Punkte umgeben sah, bemerkte ich am Moestlin und Lalande: No. 8 und 9.

- Jan. 16. Godin's Ringwall ist viel heller als der des Agrippa (No. 17 u. 18).

1873 April 11. Der dunkle Fleck im westlichen Nachbarkrater von Hipparch d ist nur bei hoher Beleuchtung kenntlich.

Anmerkung.

Da während der Zeichnung der 25 Sectionen (von 1867—1874) die Beobachtungen wie früher fortgesetzt wurden, so konnten zwar in den meisten Fällen die nöthigen Einschaltungen und Zusätze mit Leichtigkeit angebracht werden; aber nicht überall zeigte sich die Möglichkeit, kleine Fehler in der ersten Anlage später zu verbessern, und dies aus rein technischen Gründen. Deshalb bin ich genöthigt, auf solche Mängel, welche direct die Topographie des Mondes betreffen, selbst aufmerksam zu machen.

1) Triesnecker mit seinem Rillensysteme ist im Ganzen richtig dargestellt; aber die beiden westlichen Ausläufer x und y sind nicht glücklich gezeichnet, und müssen mehr gegen SW. gerichtet sein. (No. 16.)

2) Hyginus. Der gegen NO. ziehende Theil der Rille muss am Hyginus — No. 20 weniger scharf umbiegen, und mit dem westlichen Arme mehr eine Curve bilden. Das westliche Ende der Rille, wo es sich dem Nordwalle von No. 18 oder Agrippa nähert, hat 2 oder 3 Ausbuchtungen oder Erweiterungen, die in der Zeichnung nicht gehörig ausgedrückt wurden.

SECTION II.

	L.	M.	S.
Krater	322	296	1393
Rillen	5	10	24

NAMEN.

1. Maskelyne.
2. Torricelli.
3. Censorinus.
4. Capella.
5. Isidorus.
6. Mädler (*).
7. Theophilus.
8. Kant.
9. Hypatia.
10. Theon jun.
11. Theon sen.
12. Delambre.
13. Taylor.
14. Zöllner (*).
15. Alfraganus.
16. Dollond.
17. Descartes.
18. Sabine.
19. Ritter.
20. Dionysius.
21. d'Arrest (*).
22. Ariadaeus.
23. Silberschlag.
24. Caesar.
25. Sosigenes.
26. Ross.
27. Arago.
28. Sina (*).
29. Carrington (*).

VII. Mare tranquillitatis.

Mare nectaris, Nordrand, am linken oberen Rande der Tafel.

Anm. Die neuere englische Nomenclatur hat folgende Bezeichnungen:

Maclear = Ross A in 10°.5 westl. Länge, + 10°.5 Breite.

Schmidt = Lohrmann's No. 93, südlich bei Ritter.

Manners = A, südl. bei Arago, oder No. 27 meiner Charte.

Gwih. Dieser Name kommt 3 Mal vor, und zwar mit verschiedenen Vornamen; so hier die 2 kleinen Krater nördl. von Ritter.

Cayley = B, in 16° westl. Lg. + 5°.5 Br.

de Morgan = A, südlich vom vorigen.

Whewell → b, östlich vom vorigen.

Den Namen Mädler (*) habe ich selbst angesetzt, und zwar 1856 mit Mädler's Bewilligung. Den Namen „Sina" wählte ich zu Ehren des edlen Protectors der Athener Sternwarte, unter dessen Begünstigung es mir möglich ward, dies Werk zu vollenden. Die Namen „Zöllner" und „d'Arrest" habe ich 1875 beigefügt, früher schon „Carrington".

VERGLEICHUNG DER BEZEICHNUNGEN IN LOHRMANN'S UND MÄDLER'S CHARTEN.

bei Lohrmann:	bei Mädler:	bei Lohrmann:	bei Mädler:
173 * Theophilus	Theophilus	28	A. e
G = Mädler (*)	A	211° 27	bei b θ
23	bei ζ	11	unbezeichnet
26	bei ι	64	c
24	bei A	67. 66. 65. 63. 62.	unbezeichnet
217 * Isidorus	Isidorus	21	A
29	bei β δ	F. Torricelli	Torricelli
30	unbezeichnet	22	β
216 * Capella	Capella	20	B
			17

bei Lohrmann:	bei Mädler:	bei Lohrmann:	bei Mädler:
19	τ	90. 42	unbezeichnet
E	C	44	D
I	D	73	dα
68. 69	unbezeichnet	31	d
72	c	264* Maskelyne	Maskelyne
K. 71	unbezeichnet	14	f
219* Censorinus	Censorinus	13	e
75. 74. M. 220*	bei Bτ	12	unbezeichnet
18	ɛ	11 = Sina (*)	C
34	unbezeichnet	8	δ
221* 6	D	9. 10	unbezeichnet
222* Hypatia	Hypatia	B. 317* Carrington (*)	B
32	A	1. 17	unbezeichnet
33	bei β	C. 320* Ross	Ross
35	d	D. 321*	A = Maclear (engl. Beob.)
25	E	260* Sosigenes	Sosigenes
36	bei C	53	a
40	a	54. 55. 56	unbezeichnet
223* Delambre	Delambre	270* Caesar	Caesar
46	bei τ	60	α
228* Theon sen.	Theon sen.	58	τ
227* Theon jun.	Theon jun.	59	βα
48	ɛ	61	unbezeichnet
92. 95. 49. 50	unbezeichnet	57	bei δ
87	τ	A. 263* Arago	Arago
Q. 226* Taylor	Taylor	15	A = Manners (engl. Beob.)
R	d	268* Ariadaeus	Ariadaeus
84. 86	bei β	52	unbezeichnet
U. 91	unbezeichnet	2. 3. 4.	α. β. δ
224* Alfraganus	Alfraganus	Z	A = de Morgan (engl. Beob.)
37	δ	99	b
38	b	267* Dionysius	Dionysius
82	unbezeichnet	V. — Sabine	Sabine
P. 225* Zöllner (*)	a	W. 266* Ritter	Ritter
79. 80	unbezeichnet	93	A = Schmidt (engl. Beob.)
78	τ	94	cb = Gwilt. G. B.(engl.Beob.)
77	A	95	δ
O. Kant	Kant	97	bei α
N	b	96	bei τ
41. 43	bei Descartes	I = d'Arrest (*)	unbezeichnet
229* Dollond	Dollond	98	unbezeichnet
45	unbezeichnet	99	b = Whewell (engl. Beob.)
S. 230*	b	100	unbezeichnet
T	c	Krater südl. von 4.	B = Cayley (engl. Beob.)
89	bei α		

HÖHENMESSUNGEN.

1. Capella = No. 4 und Isidorus = No. 5 bewirken den Eindruck, dass beide nicht gleichzeitig entstanden seien. Entweder entstand Capella später und zerstörte oder verdrängte den Westwall des Isidorus, oder der Letztere, falls seine Eruption als die spätere angesehen wird, vermochte nicht den Ostwall von Capella zu überwinden. Den ersteren Fall halte ich für den mehr wahrscheinlichen, wobei indessen nichts der Ansicht entgegen steht, dass beide Eruptionen, wenn man sich dieselben in Form aufsteigender Blasen vorstellt, sogar gleichzeitig sein konnten, dass aber die grössere Kraft auf Seiten von Capella lag. Mädler zeichnet beide sehr charakteristisch, und fast eben so gut Lohrmann. Diesem gelang aber die Darstellung der nördlich von Capella liegenden Landschaft besser als Mädler. Auch meine Zeichnung der Gegend zwischen Capella und Censorinus = No. 3 lässt viel zu wünschen übrig. Die Höhen bei Mädler sind nach dem Texte pag. 362 nicht genügend zu enträthseln, da 1 und 3 verwechselt scheinen. Nach dem Cataloge der Höhen findet man das Richtige; man muss aber zufolge der Note zu No. 530 dieser Beobachtung nur das halbe Gewicht geben, und 3 = 919 Toisen Ulgen, welche Zahl im Höhenverzeichnisse für den Isidorus nicht gefunden wird.

Capella.

W.-Wall.	O.-Wall.
$\varphi = 6° 52'$ h = 912' S.	$\varphi = 8° 24'$ h = 1584' M.
10 41 1805 Sr.	Anm. Im Werke von Mäd-
W.-Wall aussen.	ler p. 363 § 396 erste Zeile
$\varphi = 3° 8'$ h = 671' S.	lese man östlicher anstatt westlicher.

Giebt man der Beobachtung von Sr. das Gewicht = 1, so ist W.-Wall bei $\varphi = 8° 8'$ h = 1209' = 7254'.
O.-Wall bei $\varphi = 8$ 24 h = 1584' = 9504'.
Demnach ist also der Ostwall 375' höher als der westliche Wall, und dieser liegt (wenn ich nur meine Beobachtung berücksichtige), 912' über der Tiefe, 671' über dem westlichen Hügellande, so dass der Boden des Kraters etwa 240' vertieft erscheint gegen die Umgebung.

2. Isidorus = No. 5.

W.-Wall:

$\varphi = 8° 43'$	h = 1803'	Sr.
9 5	1310	M.
10 18	1448	S.
11 57	1286	M.
14 11	1145	S.
14 33	2082	M.
14 39	1501	M.

O.-Wall:

$\varphi = 6° 22'$	h = 750'	S.
9 37	890	M.

Wird der Beobachtung von Sr. und der Angabe h = 2082 M. das Gewicht ½ ertheilt, so hat man:
W.-Wall: $\varphi = 11° 58'$ h = 1446' = 8676'.
O.-Wall: $\varphi = 8$ 0 h = 820' = 4920'.
Was hier W.-Wall des Isidorus heisst, ist der O.-Wall von Capella. Demnach ist also der gemeinschaftliche Mittelwall bei weitem der höchste. Er ist 375' höher als der W.-Wall von Capella, 501' höher als der O.-Wall von Isidorus. Von Isidorus gegen Norden fehlen uns Höhenmessungen.

3. Die Tiefe von No. 2 = Torricelli schätzt Mädler = 300'. Dieser Doppelkrater ist bei Mädler richtiger gezeichnet als bei Lohrmann, der den östlichen Theil auffallend klein darstellt; vorausgesetzt, dass sich hier seit 50 Jahren nichts geändert hat.

4. Den W.-Wall von 2, NW. bei Censorinus = No. 3, also am Aequator das Gebirg in 35° westlicher Länge, findet M. = 974' über der westlichen Ebene.

17*

5. **Maskelyne** — No. 1 nur von M. gemessen, der die östliche Tiefe = 699' findet, die äussere Höhe des W.-Walls über dem Mare = 210'. Bei ringsum gleicher Wallhöhe würde also der Boden des Kraters 489' unter dem Mare liegen.

Der Doppelkrater m in 28° westl. Länge und + 7,2 Breite fehlt bei Mädler. Lohrmann hat den grösseren der beiden. Vergl. darüber die späteren Anmerkungen.

6. **Ross** — No. 26, nach M. 3,5 Meilen im Durchmesser.

W.-Wall: φ = 7° 19' h = 637' Sr.
  - 14 44 = 807 S.
Mittel: φ = 12° 16' h = 750' = 4500'.

Der Wall mag das Mare gegen 350' überragen, der Boden also gegen 400' tiefer als die Ebene liegen.

7. **Krater A**, der südöstliche Nachbar von No. 26 ist bei mir, Lohrmann und Mädler ohne Centralberg. Mädler bemerkt aber im Texte zu seiner Charte, dass solcher Centralberg vorhanden sei.

W.-Wall nach aussen: h = 442' M.

8. **Arago** — No. 27, Durchmesser 4 Meilen nach M.

W.-Wall: φ = 6° 22' h = 837' M.
  - 15 24 994 S.
Mittel: φ = 10° 53' h = 915' = 5490'.

9. **Ader** in 22°3 Länge und + 6' Breite; h = 158' M. und h = 165' S., Mittel = 161'. Südlicher finde ich die Höhe = 115' und westlich bei dem Krater A, dem Nachbarn von No. 27, ist h = 82' S.

Kleiner Krater zwischen No. 27 und No. 18 in 20,8 Länge und + 3 Breite. O.-Wall aussen: = 183' S. Die schwachen Hügel nördlich bei A haben nur 50'.

10. **Sosigenes** = No. 25.

W.-Wall: φ = 7° 19' h = 584' Sr.
W.-Wall aussen: 1 59 466 S.

11. **Sosigenes a**, der südwestliche Nachbar.

W.-Wall aussen: φ = h = 248' S.

Mädler, der hier keine Höhen maass, giebt dem Sosigenes 3 Meilen Durchmesser.

12. **J. Caesar** = No. 24. In diesem Gebiete hat nur Mädler gemessen. Die Höhe des SO.-Gipfels a zu Osten = 762'; die Höhe in NW. bei β = 828' über der Innern Fläche.

13. **Dionysius** = No. 20, ein sehr heller Krater mit Nimbus und Strahlensystem. Bei hoher Beleuchtung erkennt man am innern südwestlichen Fusse des Walles einen dunklen Flecken. W.-Wall: φ = 17° 10' h = 1158' S., sehr schwierig. Mädler maass nicht, sondern schätzte die Tiefe nur = 600'.

14. **Sabine** = No. 18.

W.-Wall: φ = 3° 52' h = 470' S.
  - 4 3 444 S.
  - 5 54 414 M.
Mittel: φ = 4° 36' h = 443' = 2658'.
Die äussere Höhe mag 200' betragen.

15. **Ritter** = No. 19.

W.-Wall: φ = 5° 8' h = 620' M.
O.-Wall aussen: 2 9 302 S.;
es ist hier ein Gipfel im SO.-Walle.

16. **Krater c**, nördlich an Ritter = No. 19.

O.-Wall aussen: φ = 1° 57' h = 241' S.
  - 2 9 225 S.
Mittel: φ = 2° 3' h = 233' = 1398'.

17. **Krater b**, nördlich vom vorigen.

O.-Wall aussen: φ = 2° 3' h = 170' S.
  - 2 11 189 S.
W.-Wall aussen: 2 27 294 S.
Mittel: φ = 2° 7' h = 180' = 1080'.

Der nördliche Nachbar von b wird 100' äussere Höhe erreichen.

18. **Hypatia** = No. 9 nur von Mädler gemessen, der den innern östlichen Wall 1161' hoch fand.

19. **Delambre** = No. 12, 7 Meilen im Durchmesser.

W.-Wall.

φ = 8° 32'	h = 2368'	S.
8 49	2110	S.
9 10	2280	S.
9 48	2151	S.
10 1	1809	S.
10 6	1917	S.
10 29	2341	M.
14 10	1705	S.

O.-Wall.

φ = 5° 2'	h = 1246'	M.
5 32	1286	S.
6 52	1183	M.
7 3	1190	S.
9 39	1270	S.

Mittel, W.-Wall: φ = 9° 5' h = 2227' = 13362'
  - 11 13 1943 = 11658
O.-Wall: φ = 6 49 h = 1235 = 7410.

Wenn für den Westwall die Sonne 9° Höhe erreicht hat, geht der Schatten durch die Mitte der Tiefe. Der Schatten des Ostwalles dagegen berührt die Mitte des Kraters, wenn die Sonne noch 61° hoch steht; der Westwall ist also 1000' höher als der Ostwall.

20. **Beide Theon**, No. 10 und No. 11, sind sehr tief, aber nicht gemessen. Für den Berg γ, im Osten der beiden Krater, finde ich h = 492' gegen W.

21. Taylor = No. 13. Wegen Unebenheit des Innern und Schwierigkeit der Phase bleiben die Messungen unsicher.

W.-Wall: φ = 8° 3' h = 999' S.
  8 3 1358 S.

Mittel: = 1178' = 7068'.

Da Mädler den westlichen Abfall des West-Walles = 919' findet, so wäre Taylor 200' vertieft. Die innere Höhe des O.-Walles erhielt Mädler = 1104'. (Nach p. 351 des Textes zu Taylor a gehörig.)

22. Taylor a, das grosse Ringgebirge NO. von Taylor.

W.-Wall: φ = 3° 15' h = 1315' S.
  - 4 15 1635 S.
  - 6 24 1739 S.
      919 M.
      822 M.

Anm. In Mädler's Höhenverzeichnisse ist 919' die äussere westliche Höhe des Taylor; in diesem Verzeichnisse findet sich die Angabe 822' nicht, die nach p. 351 zu Taylor a gehört.

Mädler findet also nur die Hälfte der von mir gemessenen Höhen. Da aber von beiden Zahlen Mädler's sich in seinem Cataloge der Höhen nur eine findet, so ist es wohl erlaubt, sie vorläufig zu übergehen. Dann ist das Mittel meiner Angaben:

φ = 4° 38' h = 1573' = 9438'.

Den Ostwall setzt M = 1104', aber auch diese Zahl findet man nur im Text, nicht im Cataloge der Höhenmessungen.

23. Alfraganus = No. 15, mit Nimbus und Strahlen.

W.-Wall: φ = 15° 34' h = 1423' S.
  18 55 1241 S.

Mittel: φ = 17° 15' h = 1332' = 7992'

Bei dem geringen Durchmesser von 3 Meilen eine sehr bedeutende, schroffe Tiefe.

24. Kant = No. 8 am oberen Rande des Blattes.

W.-Wall innen:

φ = 10° 59' h = 1105' S.
  11 37 1140 S.
  16 54 1274 S.

W.-Wall aussen:

φ = 5° 26' h = 1702' S.
  9 30 1469 S.
  9 53 1079 S.
  9 57 1315 S.

Mittel:

W.-Wall innen: φ = 13° 10' h = 1173' = 7038'
W.-Wall aussen: 8 41 1391 = 8346.

Daraus folgt, dass der Kraterboden diesmal höher liegt, als das Bergland, welches bei sinkender Sonne der Schatten im Westen trifft. Ist die Sonnenhöhe nur noch 5° 30', so trifft der Schatten eine kleine Ebene, und über dieser ragt der W.-Wall 1700' empor, und der Boden des Kraters liegt 500' höher als die Ebene.

O.-Wall innen:

φ = 5° 28' h = 1781' S.
  10 45 1788 S.
  11 29 1752 S.

Mittel: φ = 9° 14' h = 1774' = 10644'.

Also ist der O.-Wall 600' höher als der W.-Wall, und liegt 2200' oder mehr als 13000' höher als die Ebene im Westen.

25. Kant A, das hohe Cap links, oder westlich von Kant; der gegen Westen fallende Schatten bleibt stets im Hügellande NO. von Theophilus. Alle Messungen bei sinkender Sonne.

φ = 4° 4' h = 1986' S.
  4 16 2235 M.
  4 17 2223 S.
  4 25 2145 S.
  4 29 2376 S.
  5 13 1757 S.
  5 24 1962 S.
  8 18 1891 S.
  8 52 1600 S.
  9 38 1430 S.
  10 55 1559 S.
  15 39 1269 S.

Mittel: φ = 4° 18' h = 2103' = 13158'
  5 18 1859
  8 35 1747
  10 41 1495
  15 39 1269

Bei Sonnenuntergang endet der Schatten nahe dem äusseren NO.-Walle des Theophilus = No. 7. Weiter östlich liegt er im verhältlich ebenen Lande, und erst bei φ = 14° und 16° liegt er auf dem ansteigenden Fusse des Gebirges. Der Gipfel muss eine gewölbte, nicht scharfe Figur haben.

Von dem Hochgipfel A zieht das Gebirge nordwärts mit Höhen von 1300 bis 1500 Toisen gegen den Alfraganus oder No. 15, besetzt mit manchen hohen Gipfeln, unter denen γ die grösste Höhe zu erreichen scheint. Zwei isolirte Berge bei ζ und das Gebirge η wurden auch von mir gemessen.

Nordgipfel von A = 2075' 1 S.
γ = 2721 3 S.
ζ = { 790 1 S.
      263 } Schätzung.
η = 1252 1 S.

Eine der Messungen ergab für γ 3000', vielleicht nicht zu stark. Ist mein γ identisch mit Mädler's γ, so muss im Osten sehr hohes Land sein, da Mädler die östliche Höhe zu 821' bestimmte. Wo Mädler's ε liegt, kann ich in meinem Exemplare der Mappa Selenographica nicht erkennen. γ ist also ein höchst bedeutender Berg, wenigstens 16300 Par. Fuss hoch, und so dem Ararat und den grossen mexikanischen Vulcanen vergleichbar.

26. Südlich an Kant erhebt sich ein Bergzug, dessen Höhe über der westlichen Ebene wie folgt bestimmt ward.

$$\varphi = 5°35' \quad h = 1355' \; S.$$
$$9 \; 42 \qquad 1508 \quad S.$$
$$10 \; 12 \qquad 1397 \quad S.$$
$$10 \; 57 \qquad 1300 \quad S.$$

Mittel: $\varphi = 9°6' \quad h = 1390' = 8340'.$

Bei 5½° Sonnenhöhe endet der Schatten in dem Krater b, der westlicher gegen den Theophilus hin liegt, und von dem unsere Section nur die nördliche Hälfte darstellt.

27. Dollond = No. 16. Lohrmann stimmt hier nicht besonders mit Mädler, und mir ist auch nicht alles nach Wunsch gelungen. Zahlreiche Hügel im Westen haben nach M. nur 100' Höhe. Das breite Gebirge an der Westseite des Ringgebirgs b, im Norden von Dollond, hat nach Mädler 1449', wenn bei sinkender Sonne $\varphi = 3°30'$; eine andere Messung Mädler's unter denselben Umständen giebt h aber nur = 915', so dass hier die Beobachtung wiederholt werden muss.

28. Theophilus. Da über die Hälfte des grossen Ringgebirges dieser Section angehört, so sollen sämmtliche Höhen desselben hier ungetrennt zusammengestellt werden. Bei abnehmender Phase ist die Lichtgrenze viel günstiger; bei zunehmendem Lichte werden die Messungen sehr unsicher wegen Unebenheit der Phase.

W.-Wall-Mitte:

$$\varphi = 4°53' \quad h = 2246' \; S.$$
$$4 \; 51 \qquad 1756 \quad S.$$
$$4 \; 56 \qquad 1764 \quad S.$$
$$5 \; 22 \qquad 1881 \quad S.$$
$$5 \; 40 \qquad 1949 \quad S.$$
$$5 \; 56 \qquad 2362 \quad S.$$
$$7 \; 53 \qquad 2885 \quad M.*$$
$$7 \; 55 \qquad 1985 \quad S.$$
$$8 \; 1 \qquad 2024 \quad S.$$
$$8 \; 5 \qquad 2026 \quad S.$$
$$8 \; 22 \qquad 1700 \quad S.$$
$$8 \; 24 \qquad 1793 \quad S.$$
$$8 \; 27 \qquad 1880 \quad S.$$
$$8 \; 36 \qquad 2604 \quad S.$$
$$8 \; 36 \qquad 1858 \quad S.$$
$$9 \; 37 \qquad 1553 \quad S.$$
$$11 \; 24 \qquad 2012 \quad S.$$
$$12 \; 31 \qquad 2245 \quad S.$$

O.-Wall-Mitte:

$$\varphi = 5°57' \quad h = 1924' \; S.$$
$$7 \; 23 \qquad 2504 \quad M.$$
$$7 \; 33 \qquad 2050 \quad S.$$
$$7 \; 34 \qquad 2074 \quad S.$$
$$7 \; 40 \qquad 2334 \quad S.$$
$$8 \; 8 \qquad 2323 \quad S.$$
$$9 \; 31 \qquad 2240 \quad M.$$
$$10 \; 3 \qquad 2495 \quad M.$$
$$10 \; 5 \qquad 2696 \quad S.$$
$$10 \; 23 \qquad 2479 \quad S.$$
$$10 \; 25 \qquad 2421 \quad S.$$
$$13 \; 3 \qquad 2320 \quad S.$$
$$13 \; 38 \qquad 2104 \quad S.$$

Diese Messungen d. Ostwalles bestätigen, dass bei sinkender Sonne die Lage der Phase sich viel sicherer finden lässt.

Die mit (*) bezeichnete Messung des Westwalls von Mädler lautet in seinem Höhen-Cataloge 2885, im Texte der Selenographie p. 359 dagegen 2852.

SW.-Wall:

$$\varphi = 7°23' \quad h = 1545' \; S.$$
$$7 \; 44 \qquad 2540 \quad S.$$
$$8 \; 4 \qquad 1770 \quad S.$$
$$8 \; 6 \qquad 1879 \quad S.$$

NW.-Wall:

$$\varphi = 4°49' \quad h = 2384' \; S.$$
$$5 \; 8 \qquad 1790 \quad S.$$
$$7 \; 22 \qquad 2255 \quad S.$$
$$8 \; 1 \qquad 2685 \quad M.$$
$$8 \; 2 \qquad 2159 \quad S.$$
$$8 \; 5 \qquad 1815 \quad S.$$
$$8 \; 20 \qquad 2430 \quad S.$$
$$8 \; 40 \qquad 1830 \quad S.$$
$$10 \; 54 \qquad 1760 \quad S.$$

SW.-Wall aussen:

$$\varphi = 2°41' \quad h = 830' \; S.$$
$$2 \; 54 \qquad 721 \quad S.$$

SO.-Wall:

$$\varphi = 5°22' \quad h = 2326' \; S.$$
$$5 \; 35 \qquad 2175 \quad S.$$
$$7 \; 4 \qquad 1871 \quad S.$$
$$7 \; 27 \qquad 2115 \quad S.$$

NO.-Wall:

$$\varphi = 5°35' \quad h = 2292' \; S.$$
$$5 \; 41 \qquad 2177 \quad S.$$
$$6 \; 39 \qquad 1238 \quad S.$$
$$7 \; 29 \qquad 1856 \quad S.$$

W.-Wall aussen:

$$\varphi = 4°1' \quad h = 407' \; S.$$

NW.-Wall aussen:

$$\varphi = 2°53' \quad h = 418' \; S.$$
$$2 \; 53 \qquad 571 \quad S.$$
$$3 \; 11 \qquad 578 \quad S.$$
$$3 \; 18 \qquad 477 \quad S.$$

29. Die Centralberge im Theophilus.

Der nördliche Centralberg:

gegen West:

$$\varphi = 3°55' \quad h = 875' \; S.$$
$$4 \; 4 \qquad 884 \quad S.$$
$$4 \; 9 \qquad 1077 \quad S.$$
$$4 \; 53 \qquad 925 \quad S.$$
$$5 \; 33 \qquad 1035 \quad S.$$
$$5 \; 38 \qquad 1104 \quad S.$$
$$5 \; 47 \qquad 1027 \quad S.$$
$$6 \; 15 \qquad 1240 \quad S.$$
$$7 \; 51 \qquad 985 \quad S.$$

gegen Ost:

$$\varphi = 3°11' \quad h = 666' \; S.$$
$$4 \; 19 \qquad 1082 \quad S.$$
$$6 \; 37 \qquad 1572 \quad S.$$

Der südliche Centralberg:

gegen West:

$$\varphi = 4°12' \quad h = 831' \; S.$$
$$4 \; 16 \qquad 1039 \quad S.$$
$$4 \; 16 \qquad 852 \quad S.$$
$$4 \; 59 \qquad 775 \quad S.$$
$$5 \; 36 \qquad 907 \quad S.$$
$$5 \; 51 \qquad 788 \quad S.$$
$$6 \; 15 \qquad 920 \quad S.$$
$$7 \; 47 \qquad 793 \quad S.$$

gegen Ost:

$$\varphi = 3°10' \quad h = 672' \; S.$$
$$3 \; 11 \qquad 603 \quad S.$$
$$3 \; 44 \qquad 740 \quad S.$$
$$6 \; 9 \qquad 810 \quad M.$$
$$6 \; 14 \qquad 909 \quad S.$$

Die grossen Abweichungen dieser schwierigen Beobachtungen sind zum Theil nur scheinbar, da das Ende der Schatten bald auf dem Boden des Kraters, bald auf den doppelten und dreifachen inneren Terrassen lag. Deshalb sind folgende Mittelwerthe zu bilden:

Der nördliche Centralberg:

Höhe gegen W.

$$\varphi = 4°1' \quad h = 945'$$
$$5 \; 28 \qquad 1023$$
$$7 \; 3 \qquad 1112$$

Höhe gegen O.

$$\varphi = 3°11' \quad h = 666'$$
$$5 \; 28 \qquad 1327$$

Der südliche Centralberg:

Höhe gegen W.		Höhe gegen O.	
$\varphi = 4° 15'$	$h = 907'$	$\varphi = 3° 22'$	$h = 672'$
5 29	823	6 12	859
7 1	856		

Bei aufgehender Sonne, wenn $\varphi = 3°2$, fallen die Schatten beider Berge auf die östlichen Terrassen, über denen ihre Gipfel sich 600—700 Toisen erheben. Ist $\varphi = 5°—6°$, so liegt das Ende der Schatten im Kraterboden; man findet nun die Maxima der Höhendifferenzen, und dass der nördliche Berg der höhere sei. Aehnlich verhält es sich mit der Lage der Schatten bei sinkender Sonne. Die Maxima der Höhen über der Mitte des Kraters setze ich:

nördl. Centralberg $= 1154' = 6924'$
südl. Centralberg $= 861 = 5166$
östliche Terrasse $= 488 = 2928$
westliche Terrasse $= 289 = 1734$.

Werden für den Hauptwall des Theophilus Mittelwerthe gebildet, so lässt sich annehmen:

W.-Wall	$\varphi = 4° 54'$	$h = 1922'$	3 Beob.	
	5 39	2064	3 -	
	7 58	2230	3 -	$= 13380'$
	8 29	1967	5 -	
	11 11	1937	3 -	
SW.-Wall	7 33	2042	2 -	$= 12252'$
	8 5	1825	2 -	
NW.-Wall	4 58	2087	2 -	
	7 52	2228	4 -	$= 13368'$
	8 30	2130	2 -	
	10 54	1760	1 -	
O.-Wall	7 7	2153	4 -	
	8 26	2299	3 -	
	10 14	2523	4 -	$= 15138'$
	13 20	2212	2 -	
SO.-Wall	5 28	2250	2 -	$= 13500'$
	7 15	1993	2 -	
NO.-Wall	5 38	2234	2 -	$= 13404'$
	7 14	1547	2 -	
W.-Wall aussen	4 1	467	1 -	
SW.-Wall -	2 49	775	2 -	$= 4650'$
NW.-Wall -	3 4	511	4 -	

Aus diesen Mittelwerthen erhellt, dass die Wälle des Theophilus den Boden des Kraters gegen 2400' oder 14400' überragen müssen, dass sie aber nur 500—800 Toisen höher liegen, als die benachbarten Ebenen, und dass der Boden des Kraters gegen 1700' oder 10200' unter der Ebene liege. Aus dieser Tiefe erheben sich die Centralberge, ohne das Niveau der Ebene mit ihren Gipfeln zu erreichen; sie bleiben noch bis 600' darunter.

30. Theophilus A = Mädler(*), nahe westlich am Theophilus.

O.-Wall:			W.-Wall:		
$\varphi = 8° 57'$	$h = 1428'$	S.	$\varphi = 15° 6'$	$h = 903'$	S.
11 15	954	M.	W.-Wall aussen:		
11 43	1206	S.	$\varphi = 2° 9'$	$h = 627'$	S.
11 45	1238	S.	4 21	504	M.
15 2	1747	S.			

Mittelwerthe:

O.-Wall: $\varphi = 11° 44'$ $h = 1332' = 7992'$
W.-Wall: 15 6 903
W.-Wall aussen: 3 15 565

Wird die mittlere Wallhöhe über der Tiefe $= 1113'$ gesetzt, so liegt der Kraterboden 552' unter der Ebene und 1100' bis 1200' höher als Theophilus Tiefe.

Theophilus B in Mädler's Höhen-Cataloge No. 671 mit $\varphi = 9° 58'$ und $h = 830'$ lässt sich in Mädler's Charte nicht nachweisen, und wird auch im Texte nicht erwähnt. Es ist vielleicht A gemeint, und dann die Angabe mit einer ähnlichen von mir wohl vereinbar.

Neigungswinkel.

Capella W.	$M = 52°$, Böschung der
	$m = 31$ Rille.
- O.	$m = 29$
Isidorus W.	$M = 51$
	$m = 29$
— innerer Krater O.	$m = 30$
Torricelli O.	$\mu = 36$
Theophilus W.	$M = 50$
	$\mu = 45$
- O.	$\mu = 39$
— westl. Terrasse	$\mu = 32$
— östl. Terrasse	$\mu = 30$
— Centralberg W.	$M = 58$
-	$m = 35$
Sabine W.	$M = 52$
-	$m = 38$
Ritter W.	$M = 52$
-	$m = 36$
b und c W.	$M = 52$
-	$m = 36$
Arago W.	$M = 52$
-	$\mu = 40$
- O.	$m = 24$
Ross W.	$M = 52$
-	$\mu = 40$
Kant W.	$M = 52$
- O.	$\mu = 46$
- O.	$m = 26$
Taylor W.	$M = 45$

Taylor a. W.	$M = 50°$	Alfraganus W.	$M = 51°$
Delambre W.	$m = 28$	- -	$\mu = 46$
Dionysius W.	$M = 50$	Theon W.	$M = 48$
- -	$m = 34$	- -	$m = 29$

BEMERKUNGEN.

Für die Herstellung dieser Tafel haben mir 151 Aufnahmen aus den Jahren 1842—1874 gedient. Den handschriftlichen Notirungen entnehme ich noch das Folgende:

1842 Aug. 25. Die erste brauchbare Darstellung der Gegend nördlich von Theophilus.

1843 März 6. 7?5 war im Theophilus ein Theil des Schattens bräunlich gefärbt, wie früher Aehnliches im Copernicus gesehen ward.

1851 Jan. 9. Die nördlich von No. 17 = Descartes liegende Hügelfläche ist mit vielen kleinen Kratern besetzt.

- Jan. 20. Dieselbe Gegend ist ungewöhnlich hellglänzend, und hat auf weissem Grunde vielleicht bläulichen Schimmer.

- Febr. 15. Dionysius hat wie Aristarch einen sehr eigenthümlichen grauen Nimbus, an dessen Rande Lichtstreifen beginnen. Auf unserer Tafel ist Dionysius = No. 20. Auch Hypatia B hat Nimbus.

1853 Mai 14. Am 14 füss. Refractor zu Berlin wurden einige der Rillen bei Ritter und Sabine gezeichnet.

1862 Juni 16. Das äussere radiale Hügelsystem des Theophilus enthält eine so grosse Menge der kleinsten Hügel und Krater, dass man, selbst bei Anwendung von nur 300maliger Vergrösserung, eine genügende Darstellung für unmöglich erklären muss.

1865 Febr. 1 ward die Rille nördlich bei No. 2 oder Torricelli bemerkt; eine Note zu 1853 Sept. 22, lässt erkennen, dass ich damals schon diese Rille kannte; es heisst aber nur: „eine bogenförmige Rille nördlich von Theophilus" ohne nähere Angabe.

Der Krater in No. 5 oder Isidorus ist doppelt; dies scheint die erste Beobachtung zu sein. Im Theophilus, zwischen dem Centralberge und dem östlichen Wallkrater liegen je 2 Doppelkrater oder Rillenformen.

1867 Jan. 25. In dieser Nacht wurden neue Rillen bei Sosigenes = No. 25 gesehen, die man in meinem Cataloge nicht findet.

1868 April 28. Ein Gebilde südlich vom Centralberge des Theophilus erschien als Hügelzug. Früher schien es oft eine gebogene Rille zu sein.

1869 Febr. 17. In der westlichen Tiefe des Theophilus liegen 2 sehr kleine Krater, zwischen diesen werden mächtige Telescope vielleicht eine Rille erkennen, welche die Krater verbindet.

1872 Jan. 16 ward die Quer-Rille entdeckt, welche südlich bei Sosigenes eine schon früher bekannte Rille schneidet.

Südlich von Jansen lag ein deutlicher tiefer Krater, den Lohrmann zeichnet, der aber bei Mädler fehlt. Vergl. 1874 Juni 20. Er war 1872 März 15 sehr auffallend, — 0,9 e; ebenso März 16, als er noch halb beschattet war.

1873 April 10 ward SO. im Dionysius = No. 20 ein zweiter kleiner schwarzgrauer Punkt bemerkt. Viel Grün im Mare tranquillitatis.

1874 Juni 20. Der scharfe Krater im Mare tranquillitatis in 28" W. Länge und + 8° Br. ist im Durchmesser = 0.95 e. e der nordwestliche Nachbar neben No. 28 (Sina*).

Anmerkung.

Die 2 starken Rillen, welche von Ariadaeus anfangend, westlich an Dionysius vorbei gegen Ritter ziehen, hat zuerst Gruithuysen entdeckt, und zwar schon einige Jahre vor 1825. (Bode's Jahrbuch für 1828, pag. 105.) Dass sie aber bis zum Mare nectaris laufen, ist ein Irrthum.

SECTION III.

	L.	M.	S.
Krater	222	179	834
Rillen	4	5	23

NAMEN.

1. Menelaus.
2. Taquet.
3. Prom. Acherusia.
4. Cap Chamisso. (*)
5. Plinius.
6. Dawes.
7. Jansen.
8. Vitruvius.
9. Maraldi.

R = Ross, südl. von No. 5.

10. Littrow.
11. Lemonnier.
12. Hencke. (*)
13. Posidonius.
14. Bond. G. P.
15. Kirchhoff. (*)
16. Römer.
17. Bunsen. (*)
18. Bessel.

Posid. C = Luther (*)

— Mare tranquillitatis; Südseite der Tafel.
IX. Mare serenitatis.
— Lacus somniorum, NW. bei Posidonius No. 13.
— Mare vaporum, Süd von No. 1 oder Menelaus.
Haemus, das südliche Grenzgebirge des Mare serenitatis, von No. 3 dem Prom. Acherusia bis No. 1 Menelaus, und weiter gegen Osten bis zum Apennin.
Taurus, das Gebirge an der linken oder westlichen Seite des Mare serenitatis, zwischen No. 13 Posidonius und No. 16, Römer.

Anm. Die vom Lunar Comittee gewählten Namen sind: Argaeus, Dawes, Daniell, Bond, Chacornac, Maury. In 2 Fällen musste ich sie übergehen, da sie mit früher von mir angesetzten Namen zusammentreffen, die ich seit 1860 in Lohrmann's Charte anbringen liess. Die neuen von mir eingeführten Namen sind:

Cap Chamisso (*) in 28° westl. Länge und + 19° Breite.
Hencke(*) „ 31 „ „ „ + 35.5 „
Bunsen(*) „ 45 „ „ „ + 30 „
Luther (*) „ 23,5 „ „ „ + 33 „
Kirchhoff(*) „ 38 „ „ „ + 32.5 „

VERGLEICHUNG DER BEZEICHNUNGEN IN LOHRMANN'S UND MÄDLER'S CHARTEN.

bei Lohrmann:	bei Mädler:		bei Lohrmann:	bei Mädler:
1. 2. 3. 5. 6	unbezeichnet		324°	unbezeichnet
316° Jansen	Jansen		G. 61	bei E
8	unbezeichnet		35	A
C. 320° Ross	Ross		62	bei A
J2	A		34	unbezeichnet
55	unbezeichnet		323° Menelaus	Menelaus
9. 53. 57. 60	unbezeichnet		F	b

13

bei Lohrmann:	bei Mädler:	bei Lohrmann:	bei Mädler:
322* Taquet	Taquet	81	a
31. 33. Pr. Acherusia	Γ. Pr. Acherusia	P	unbezeichnet
13	e	354* Römer	Römer
12. 13	unbezeichnet	47	unbezeichnet
11	δ	76	bei δ
319* Plinius	Plinius	O	d
30	β	T = Kirchhoff (*)	d
10	unbezeichnet	91	c
318*	A = Dawes (engl. Beob.)	81	unbezeichnet
38 Cap Chamisso (*)	a	N. 77	unbezeichnet
39. 40. 41. 42	unbezeichnet	78. 79. 80	unbezeichnet
313* Vitruvius	Vitruvius	92. bei Bunsen (*)	unbezeichnet
36	unbezeichnet	U. 393*. 93	unbezeichnet
H	A	396*. 88. 89	unbezeichnet
63. 64. 65	unbezeichnet	94	b
1	bei Γ	95	bei α
43. 44	unbezeichnet	Y. 398*	G = G. P. Bond (engl. Beob.)
312* 45	bei a	100	bei ζ
353* M	unbezeichnet	29	η
74	I	28	z
73. 75	unbezeichnet	85	unbezeichnet
70	k	399* Posidonius	Posidonius
71	l	50	A
68. 83	unbezeichnet	49	bei B
L. 72.	bei f	17	unbezeichnet
K. 355* Littrow	Littrow	16	T
66. 67	unbezeichnet	C = Luther (*)	unbezeichnet
74	B	401*	bei E
69	a	22	B
359* Bessel	Bessel	54	K
20	e	52. 53. E	unbezeichnet
21	unbezeichnet	18. 25. 26	unbezeichnet
19	A	D = Hencke (*)	C = Daniell (engl. Beob.)
15	unbezeichnet	27	I
358* Lemonnier	Lemonnier	Z. 397*	B = Maury (engl. Beob.)
48	unbezeichnet	395*	unleserlich
86. 87	unbezeichnet	99	bei B
S. 357*	F = Chacornac (engl. Beob.)	96. 97. 98.	bei e d
R	b	V	f
Q. 356*	unbezeichnet		

Anm. Lohrmann's Berg 38 hat in Mädler's Charte keine Bezeichnung. Aber im Texte der Mappa Sel. pag. 221, und im Höhen-Cataloge No. 56 ersieht man, dass Vitruv a gemeint sei. Nach No. 1080 der Höhen ist aber 1310 anstatt 1310 zu lesen.

1. Vitruvius = No. 8.
   O.-Wall:

$$\varphi = 5° 6' \quad h = 723' \text{ M.}$$
$$6\ 12 \quad686 \text{ M.}$$

Mittel: $\varphi = 5° 39'$ h = 705' = 4230'.

2. Das westliche, beulenförmig aufgetriebene Hügelland d.

$$\varphi = 1° 52' \quad h = 471' \quad \text{S. gegen O.}$$
$$2\ 21 \quad585 \quad \text{M. „ W.}$$
$$2\ 58 \quad453 \quad \text{M. „ W.}$$

3. Maraldi = No. 9 von keinem Beobachter vermessen. Nur die beulenförmige Stelle im Norden, bei Lohrmann mit 43, bei mir mit b bezeichnet, ward einmal bestimmt:

$$\varphi = 2° 24' \quad h = 464' \quad \text{M. gegen W.}$$

4. Die merkwürdige Berggruppe, welche von Nr. 8 oder Vitruvius in NO.-Richtung gegen das Mare serenitatis zieht, zeigt glänzende Gebilde auf dunklem Grunde, und ist der Lage wegen schwierig zu vermessen. Nur das mächtige, gegen das Mare vorspringende Cap 4 gestattet ziemlich gute Messungen. Hierfür haben wir folgende Angaben, und zwar Höhen gegen Osten.

φ =	h =		p =
3° 9'	1343'	S.	1
3 21	1355	M.	1
3 33	1662	S.	1
3 52	1235	S.	1
3 57	1593	Sr.	0,5
4 40	1528	S.	0,5
5 17	2043	S.	0,5
5 17	1320	M.	1
5 22	1441	S.	1
5 28	1497	S.	1
5 50	1442	S.	1
6 26	1251	M.	1
6 55	916	S.	1
13 6	881	S.	1
14 28	1796	Sr.	0,5

Dieses Cap hat in Mädler's Charte keine Bezeichnung. Aus dem Texte aber erhellt, dass es Vitruv α sei. Der Absturz gegen Norden ist nicht so schroff, wie Schröter glaubte. Bildet man Mittelwerthe nach den Gewichten p, so folgt:

$$\varphi = 4° 30' \quad h = 1461' = 8766'$$
$$9\ 38 \quad1128$$

so dass man mit gutem Grunde annehmen darf, der Gipfel sei nicht spitz, sondern kuppelförmig abgerundet.

Gegen Westen ist die Messung kaum zulässig; man hat:

$$\varphi = 4° 28' \quad h = 1164' \quad \text{S.}$$
$$5\ 27 \quad914 \quad \text{M.}$$

und das Mittel dieser beiden Angaben:

$$\varphi = 4° 58' \quad h = 1039'.$$

In diesem Falle bleibt der Schatten stets im Berg- und Hügellande.

5. Littrow = No. 10. Von hier bis zum Posidonius sind die Messungen bei zunehmendem Monde gut ausführbar, wenn die Schatten in das Mare fallen. Ein Berg, entweder der nördliche Nachbar des Cap No. 4, oder der Vorsprung bei B, östlich von Littrow oder No. 10 ward bestimmt:

$$\varphi = 4° 9' \quad h = 1752' \quad \text{S. gegen Osten.}$$

Die Lage des Berges bleibt zweifelhaft, aber ich werde den höchsten Gipfel gewählt haben.

O.-Wall des Littrow nach aussen über dem Mare:

$$\varphi = 5° 39' \quad h = 1241' \quad \text{S.}$$

Gebirge a, nördlich von No. 10 oder Littrow; gegen Ost gemessen:

$$\varphi = 3° 52' \quad h = 1198' \quad \text{M.}$$
$$4\ 1 \quad1272 \quad \text{M.}$$
$$4\ 28 \quad1129 \quad \text{M.}$$
$$4\ 50 \quad1005 \quad \text{M.}$$

Mittelwerth:

$$\varphi = 4° 18' \quad h = 1151' = 6906'$$

18*

6. Lemonnier — No. 11. Hauptwall über dem Mare gegen Osten:

φ = 4° 6' h = 1012' S.
   4 46   1413   M.
   5 50   1133   M.

Mittelwerth: φ = 4° 54' h = 1186' = 7116'
Es ist Mädler's α, welcher Buchstabe in der M. S. fehlt.

7. Hügel im Mare, am Orte des fehlenden SO.-Walles von Lemonnier (= A):

φ = 2° 3' h = 484' M.

8. Die von A gegen S. ziehende Ader:

φ = 2° 4' h = 131' M.

9. Krater F = Chacornac, der südliche Nachbar des Posidonius:

O.-Wall h = 861' M.
SW.-Wall h = 1210 M.

10. Posidonius. Ueber die Erscheinung, welche vormals der Centralkrater A dargeboten hat, vergl. Schröter's selenotop. Fragm., Bd. 1, p. 704, woselbst die Beob. von 1791 Nov. 1. Meine darauf bezüglichen Wahrnehmungen folgen später in den Anmerkungen.

W.-Wall.

φ = 4° 18' h = 836' S.
   4 38   1253   M.
   4 44   1210   M.
   5 38   891   M.

Hier ward wohl nicht immer derselbe Gipfel gemessen. Als Mittel mag gelten:

φ = 4° 9' h = 1048'.

Die Höhe dieses Walles nach aussen findet M. = 514', so dass also die innere Fläche gegen 500' niedriger als das westliche Bergland wäre.

O.-Wall nach aussen, über dem Mare:

φ = 3° 32' h = 460' SO.-Wall.
   3 40   496   Sr. OSO.-Wall,
   2 50   496   M. O.-Wall,
   3 32   559   S. O.-Wall,
   3 16   433   Sr. NO.-Wall.

Im Mittel lässt sich für die äussere Höhe des Ostwalles 500', für die innere Höhe = 1100' annehmen.

Centralkrater A:

φ = 13° 57' h = 584' Sr.
   16 36   629   Sr.
Mittel: φ = 15° 16' h = 606'.
Die äussere östliche Höhe setzt Schröter = 315', und zwar bei φ = 9° 30', was nicht zulässig ist.

Wallkrater B:

φ = 15° 21' h = 1478' Sr.
   17 56   1716   Sr.
Mittel: φ = 16° 38' h = 1597' = 9582',
eine gewiss schwierige, jedenfalls gewagte Messung.

Krater M, nördlicher Nachbar von B:

φ = 14° 43' h = 1619' Sr.
   17 38   1408   Sr.
Mittel: φ = 16° 11' h = 1513' = 9078'
Auch hier gilt die vorige Bemerkung. Für B und M ist die Höhe des W.-Walles über der Tiefe gemeint.

Krater N, östlicher Nachbar von M:
φ = 16° 36' h = 681' Sr. Die westliche Tiefe.

Krater P, NO. bei Posidonius; bei Mädler ohne Bezeichnung; bei Lohrmann hat er die Zahl 17. Dessen westliche Tiefe:

φ = 14° 54' h = 1035' Sr.

Krater C = No. 12 = Hencke (*), bei Lohrmann = D. Für den W.-Wall hat man:

φ = 4° 18' h = 836' S.

Mädler's Messungen vermag ich nicht aufzuklären. No. 51 seines Catalogs giebt φ = 3° 13' h = 2568' für die äussere W.-Höhe, was unmöglich ist; liest man 256,8 oder 568, so erhält man zulässige, und was 256 allein betrifft, wahrscheinliche Höhen. Aber die No. 632 des Catalogs giebt unter denselben Umständen für der äusseren W.-Wall = 779', was sehr zu bezweifeln ist.

Krater C = Luther (*) östlich vom Vorigen, bei Mädler ohne Bezeichnung.

W.-Wall:

φ = 3° 19' h = 880' S.
   10 56   522   Sr.
W.-Wall aussen:
φ = 2° 30' h = 178' S.
O.-Wall aussen:
φ = 1° 49' h = 243' M.
   1 55   290   Sr.

Die Mittelwerthe sind etwa folgende:
westliche Tiefe   bei φ = 5° 51' h = 761'
äussere Höhe West -   2 30   178
äussere Höhe Ost -   1 51   259
Der Boden des Kraters liegt also gegen 600' unter der Ebene.

Bergader südlich vom Krater C:
φ = 0° 33' h = 41' M.

11. Römer = No. 16, bei 5° Sonnenhöhe wird der Ostwall vom Schatten des Westwalles befreit; bei etwa 10° Höhe berührt der Schatten des Westwalles die Mitte des Kraters.

W.-Wall:

φ = 5° 37' h = 1254' S.
   9 28   1947   M.
   11 36   1440   Sr.
   13 53   1810   M.

O.-Wall:

φ = 5° 21' h = 921' S.
   10 30   1315   S.

Bevor neue Messungen vorliegen, lässt sich annehmen:

W.-Wall = 1750' = 10500'
O.-Wall = 1200' = 7200'

Centralberg:

$\varphi = 11°8'$ h = 832' Sr.

Berg i, westlich von Römer oder No. 16:

h = 924' S. gegen Westen.

Berg e, nordwestlich von Römer:

h = 1327' S. gegen Westen.

Nordcap des Gebirges e:

h = 1486' S. gegen Westen.

Krater A, nördlich von Römer oder No. 16,
O.-Wall:

$\varphi = 5°42'$ h = 582' M.

Weiter im Norden, wo westlich von No. 13 oder Posidonius die lange Rille bei I endet, liegt das Gebirge w; dafür hat man:

$\varphi = 3°21'$ h = 1055' S. gegen Osten.

• 12. Bessel = No. 18, bei Lohrmann = B, der ansehnlichste Krater in der Ebene des Mare serenitatis.

W.-Wall innen:

$\varphi = 7°50'$ h = 531' Sr.
12 41   774   S.
13 21   601   M. •

W.-Wall aussen:

$\varphi = 2°1'$ h = 313' S.
2 14   359   S.

O.-Wall aussen:

$\varphi = 1°26'$ h = 249' M.
1 38   249   M.
1 43   141   Sr.
2 21   167   S.
3 0   159   Sr.

Für den O.-Wall ist es ausgemacht, dass die grossen Unterschiede durch einen hervorragenden Gipfel erklärt werden. Mädler hat für den W.-Wall im Texte, pag. 231, die Zahl: h = 619', die im Höhen-Cataloge fehlt.

Mittel:

W.-Wall innen $\varphi = 11°59'$ h = 656' = 3936'
W.-Wall aussen   2 7   336   2016
O.-Wall aussen   1 57   204   1224

Der Boden des Kraters liegt 320' unter dem Mare.

Ein kleiner Krater NO. von Bessel, entweder e, oder der nordöstliche Nachbar von A, ward zwei Mal sehr schwierig gemessen.

W.-Wall aussen:

$\varphi = 0°42'$ h = 66' S.
0 58   111   S.

Mittel:

$\varphi = 0°50'$ h = 88' = 528'

Krater A, NW. von Bessel oder No. 18.
W.-Wall aussen:

$\varphi = 1°33'$ h = 176' M.

Unter der grossen Zahl von Bergadern im Mare serenitatis erheben sich sehr viele nicht bis zur Höhe von 100'. Die grosse gekrümmte, zum Theil doppelt, drei- und vierfach gegliederte Ader, hat nach M. 85 Meilen Länge. Südöstlich dem Posidonius oder No. 13 gegenüber, hat sie in γ einen hellen Lichtfleck, der sich gut dem ehemaligen Krater Linné in seinem jetzigen Aussehen vergleichen lässt. Der beiderseitige Abfall des Zuges ist von geringer Neigung, und nur selten 10°. In der Breite bei + 18°,5 ist h = 100', in γ = 150' nach Mädler.

Für den Gipfel in Breite + 25° hat man:

$\varphi = 1°43'$ h = 276' S.

Der Rücken, aus welchem dieser aufragt, h = 193' S.

13. Plinius = No. 5, Durchmesser 7 Meilen.

W.-Wall:

$\varphi = 6°33'$ h = 840' M.
7 52   1138   S.
8 50   800   S.
9 0   983   Sr.
9 49   1142   Sr.
14 25   726   Sr.

O.-Wall:

$\varphi = 8°7'$ h = 1417' S.
8 48   1367   S.
9 25   1346   S.
11 23   984   M.
11 44   1650   M.

W.-Wall aussen:

$\varphi = 1°58'$ h = 213' Sr.
2 45   544   S.

O.-Wall aussen:

$\varphi = 0°53'$ h = 106' M.
2 36   292   Sr.

Man sieht, die Messungen stimmen nicht besonders; doch rührt dies theilweis her von schwach hervortretenden Gipfeln und von der Unsicherheit der Phase. Als Mittel nehme ich an:

W.-Wall, Tiefe $\varphi = 8°52'$ h = 933' = 5598'
O.-Wall, Tiefe   9 53   1353   8118
W.-Wall aussen   2 29   434   2604
O.-Wall aussen   1 27   168   1008

Der W.-Wall ist jedenfalls der höhere, und der Kraterboden liegt wenigstens 600' unter dem Mare. Schröter's Angabe: $\varphi = 9°0'$ h = 983' liegt verstreut in Sel. Fragm., Bd. I., p. 211, in der Anmerkung unten.

14. Plinius A = Dawes = No. 6, der westliche Nachbar von Plinius.

W.-Wall:

$\varphi = 10°35'$ $h = 885'$ Sr.
11 43 676 S.

O.-Wall aussen:

$\varphi = 2°9'$ $h = 500'$ S.
3 8 339 M.

Die Mittelwerthe sind:

W.-Wall, Tiefe $\varphi = 11°20'$ $h = 746' = 4476'$
O.-Wall, aussen 2 38 419 2514
so dass der Kraterboden 327' unter dem Mare liegt.

Schröter's Messung findet sich im Capitel über Vitruvius, Bd. I., Tab. XI., Fig. 2 A. und § 145, pag. 211.

15. **Prom. Acherusia** = No. 3, NO. bei Plinius.

Höhe gegen Osten:

$\varphi = 4°33'$ $h = 883'$ S.
4 42 756 M.
5 23 948 S.

Mittel:

$\varphi = 4°53'$ $h = 862' = 5172'$
Weiter im SO. hat Γ die Höhe $h = 1381'$ M.

16. **Gipfel $\varkappa$**, östlich von Menelaus oder No. 1:

$\varphi = 3°45'$ $h = 1038'$ M.
3 50 875 M.
4 6 914 S.
4 26 1019 S.
6 10 788 S.

Mittel:

$\varphi = 4°27'$ $h = 933' = 5598'$

17. **Taquet** = No. 2.

W.-Wall nach aussen:

$\varphi = 1°56'$ $h = 262'$ S.

18. **Menelaus** = No. 1.

W.-Wall:

$\varphi = 7°40'$ $h = 1027'$ M.
9 55 1257 Sr.
11 4 1019 S.
12 3 849 M.
12 43 1036 S.

O.-Wall:

$\varphi = 10°27'$ $h = 1169'$ Sr.

W.-Wall aussen:

$\varphi = 3°58'$ $h = 678'$ S.

Mittel:

W.-Wall: $\varphi = 10°46'$ $h = 1013' = 6078'$
Der Kraterboden liegt gegen 335' unter dem Mare.

Mädler giebt pag. 229 eine Höhe = 866'; aber diese gehört nach pag. 112 des Höhen-Catalogos zum Alphonsus.

Dem Ringgebirge b, südwestlich neben Menelaus, wird von Sr. eine westliche Tiefe = 761' zugeschrieben, und dem Krater A, östlich von Plinius, eine Tiefe = 938'. Doch ist bei Letzterem eine Irrung möglich.

Neigungswinkel.

Menelaus, W.-Wall	M = 46°	
"	µ = 33	
" O.-Wall	M = 48	
"	m = 29	
Plinius, W.-Wall	M = 55	
"	µ = 42	
" O.-Wall	M = 41	
"	µ = 36	
Bessel, W.-Wall	M = 48	
"	µ = 35	
" O.-Wall	m = 26	
Posidonius, oberer W.-Kamm	M = 62	
" allg. W.-Wall	M = 49	
" SW.-Wall	M = 42	
" O.-Wall	m = 28	
" Krater A, O.-Wall	M = 44	
dortige kleine Krater	M = 44	
Ross, W.-Wall	M = 52	
Römer, W.-Wall	M = 46	
" O.-Wall	m = 27	
Taquet, -	M = 44	

106 Aufnahmen dienten zur Darstellung von Section III.

BEMERKUNGEN.

1842 Aug. 25. Wenn bei abnehmendem Monde die Phase über die Ostwälle von Posidonius und Lemonnier zieht, so erscheint die innere Ebene des Letzteren völlig beschattet. Da diese nun im Osten offen ist, und dort an Stelle des O.-Walles sich nur sehr schwache Adern finden, so ist zu glauben, dass jene Fläche tiefer als das Mare liege.

1848 Febr. 9. (Bonn.) Der Krater A in Posidonius, nahe der Phase, hatte gewöhnlichen Schatten, ebenso Febr. 10 und Juli 7.

1848 Juli 7. Der Krater nördlich in Römer schien mir bei Mädler zu klein gezeichnet. Die grüne Farbe des Mare oft auffallend; zuerst sah ich solche am 8. Mai 1843.

1849 Jan. 6. Der Krater A im Posidonius hat gewöhnlichen schwarzen Schatten.

- Febr. 11. Um 10 Uhr, bei schlechter Luft und noch tiefem Stande des Mondes, fiel mir auf, dass A im Posidonius sich anfänglich nur undeutlich als ein heiter Fleck darstellte, während die nördlichen Wallkrater bei B, halb beschattet, sehr deutlich als Krater erschienen. Etwas später glich A einer ganz flachen Einsenkung, die nur matten grauen Halbschatten hatte. So fand es einst auch Schröter. In den folgenden 27 Jahren bemerkte ich Aehnliches nicht wieder.

- Febr. 27. A Posidonius mit gewöhnlichem Schatten.

1851 Febr. 6. A Posidonius beschattet wie die Nachbarkrater.

- März 16. Der Krater G oder No. 14 = Bond, westlich von Posidonius, hat bei hoher Beleuchtung im Innern eine graue Farbe, als reiche bis dahin das Grau des Palus somniorum.

1854 März 12. Spuren eines Strahlennimbus zeigen sich um Menelaus.

1862 Mai 6. Plinius hat in der Mitte 2 deutliche kleine flache Krater mit rauhen anomalen Wällen.

1866 Nov. 24. Das grüne Colorit des Mare erstreckt sich auch auf den dunklen Saum der Ebene.

- Dec. 5 lag im Norden des Taquet ein grosser matter Lichtring, grösser als Plinius; eine Reihe von Lichtflecken im Mare, die solche Figur bilden, ohne einem wirklichen Ringgebirge anzugehören.

1868 Juni 1. Bei hoher Beleuchtung ist die SW.-Grenze des Mare tief dunkel stahlgrau; das Innere des Sulp. Gallus sehr dunkel.

1869 Febr. 17 ward eine Rille im Jansen gesehen.

1870 Juni 4. Posidonius A normal beschattet.

1873 April 6. Im Vollmonde zeigte Plinius 4 von der Mitte gegen den Wall ziehende Lichtadern.

Anm. Die 2 kleinen Krater, mitten im Plinius, kannte Gruithuysen schon im Jahre 1822. Siehe dessen Sel. Fragm. I, pag. 592, Anm. Wie er von 30 Fuss dicken Schichten an den Mondbergen reden kann, die wenigstens 3000' haben, ist schwer begreiflich.

SECTION IV.

	L	M.	S.
Krater	125	86	618
Rillen	4	3	45

NAMEN.

1. Eratosthenes.
2. Timocharis.
3. Hamilton (*).
4. Feuillé (*).
5. Archimedes.
6. Autolycus.
7. Aristillus.
8. Theaetetus.
9. Linné.
10. Sulp. Gallus.
10—11. Haemus.
11. Cap Fresnel (*).
11a. Hadley.
12. Aratus.

13. Conon.
14. Bradley.
15. Huyghens.
— Cap Huyghens.
15A. Ampère (*).
16. Serao (*).
17. Wolf.
11—18. Apennin.
19. Marco Polo.
20. Manilius.
21. Caucasus.
21b. Cap Faraday (*).
ϰ. Wallace.

P. Palus putredinis.
IX. Mare serenitatis.
X. Mare imbrium.
XI. Sinus aestuum.
XII. Mare vaporum.

Anm. Da ich bereits 1856 die Namen „Mädler" und „Beer" für Lohrmann's Charte gewählt hatte, so konnte ich jetzt die dafür von den
englischen Beobachtern bestimmten Oerter nicht benutzen, für welche
ich nun die Namen „Hamilton" und „Feuillé" ansetze. Meine Bezeichnungen: Cap Fresnel, Cap Faraday, Ampère, Serao datiren von
1856, und sind 1862 in Lohrmann's Charte aufgenommen. Den
Namen „Wallace" wählte ich erst 1875, und gab ihn dem Ringwalle
ϰ in 9° östl. Länge und + 20° Breite.

VERGLEICHUNG DER BEZEICHNUNGEN IN LOHRMANN'S UND MÄDLER'S CHARTEN.

bei Lohrmann:	bei Mädler:	bei Lohrmann:	bei Mädler:
6	A	89	bei η
7	ε	92. 93	bei A
8	C	90	bei β
4. 326° Manilius	Manilius	91	unbezeichnet
9	bei D	325° Sulp. Gallus	Sulp. Gallus
10	ϑ	ι	ε
11. 12	unbezeichnet	88	ʃ
80	B	W. 80. 87	bei ι
79. 327°	unbezeichnet	A. Linné	Linné
81	⁖	2. 14	unbezeichnet

154

bei Lohrmann:	bei Mädler:	bei Lohrmann:	bei Mädler:
83. 84. 85	unbezeichnet	20. 21	π, λ
360* Cap Fresnel (*)	unbezeichnet	25	?
361* Hadley	Hadley	24	bei A
362* Aratus	Aratus	26. G. 27	unbezeichnet
363* Conon	Conon	367* Timocharis	Timocharis
Q	A	45	unbezeichnet
76	bei a	364* Bradley	Bradley
69. 72. 73. 77	unbezeichnet	68 (?) Marco Polo	Marco Polo
15. 16. 18. 19	unbezeichnet	66	ß
17	ß	328* N	unbezeichnet
C	unbezeichnet	67	unbezeichnet
94	unbezeichnet	61. 62	bei γ
95. 96. V. Cap Faraday (*)	unbezeichnet	329*	unbezeichnet
403*	unbezeichnet	13	C
404* Theaetetus	Theaetetus	330* Huyghens	Huyghens
100	bei a	— Cap Huyghens (*)	unbezeichnet
97	bei ß	56 Ampère (*)	A
406* Autolycus	Autolycus	38	γ
405* Aristillus	Aristillus	331* Setao (*)	A ß
34. 36	unbezeichnet	1. Wolf	Wolf
35	b	49	bei E
408* Kirch	α. ß. Kirch	48	γ
46	a	332* Eratosthenes	Eratosthenes
33	d	47	?
32	bei C	51	bei γ
407* Archimedes	Archimedes	53. 59. 60	unbezeichnet
44	?	39	A
31	bei a	42 Wallace (*)	?
30	A	41	γ
H 366* { Hamilton (*) / Feuillé (*)	B	40	fehlt
28. 43	unbezeichnet	43	unbezeichnet
29	bei E	365*. 22. 37.	unbezeichnet

HÖHENMESSUNGEN.

1. Haemus, der SO.-Rand des Mare sereni-tatis. Die Hauptmasse, bei Lohrmann mit W. be-zeichnet, liegt östlich von S. Gallus oder No. 10, in 12°5 westl. Länge, + 20°5 Breite. Die Messungen, wenn die Schatten nach Westen fallen, lassen die eigentlichen Gipfel nie sicher unterscheiden.

$\varphi = 3°30'$ $h = 1340'$ in S.-West   S.
3 51   1726 S.-Gipfel   S.
4 4   1126 N.-Gipfel   S.
4 9   1597 S.-Gipfel   S.
7 48   1250   M.

Hier mag es genügen, 1240' und 1660' als 2 zulässige Mittelwerthe anzunehmen. Folgt man dem Bergrande gegen Norden, so hat man:

2. $\varphi = 4°35'$ $h = 1022'$ Berg a   M.
3 48   795   - b   M.
4 41   2241   - c   M.
4 37   1627   - d   M.
6 9   1514   - -   M.
6 48   1564   - -   S.

Mittel für d:
$\varphi = 5°51'$ $h = 1568' = 9108'$.

Die Oerter dieser Berge sind ungefähr folgende:
a westl. Länge = 8,5   + 24°5 Breite.
b -   -   8,0   + 27   -
c -   -   5,5   + 28   -   = No. 11.
d -   -   4,5   + 25   -

3. Hadley = No. 11a. Höhen gegen Osten gemessen.

$\varphi = 3°58'$ $h = 2139'$ S.
4 8   2249   Sr.
4 15   2317   S.
4 49   2368   M.
5 11   2597   S.
5 27   1855   S.
6 24   2451   S.
8 44   1652   S.
9 23   2016   S.

$\varphi = 10°14'$ $h = 2055'$ Sr.
11 22   1684   S.
13 40   1975   Sr.
14 39   1759   S.
14 53   2025   S.
15 7   1958   S.

Mittelwerthe:
$\varphi = 4°41'$ $h = 2260' = 13560'$
9 7   1958
14 42   1923

Der Schatten bleibt stets im Hügellande, und daher ein Theil der Unterschiede erklärlich. Die Gestalt der Phase aber erklärt die Unsicherheit der Messungen hier und in den meisten andern Fällen in erster Linie. Der Gipfel des Berges ist kuppelförmig.

4. Nordcap des Apennin, nördlich von Hadley = Cap Fresnel. (*)
$\varphi = 3°12'$ $h = 1184'$ S.
4 58   1171   M.
6 47   1294   S.

Mittel: $\varphi = 4°59'$ $h = 1216' = 7296'$.
Wahrscheinlich hierher gehört Mädler's φ, mit $h = 1331'$.

5. Hügel s, nördlich vom Vorigen, doch ist nicht sicher, welcher der dortigen Hügel gemessen ward.

$\varphi = 1°37'$ $h = 355'$ S.

6. Conon = No. 13.
W.-Wall innen:
$\varphi = 8°8'$ $h = 510'$ Sr.
12 36   870   S.
13 55   1039   S.

O.-Wall innen:
$\varphi = 17°18'$ $h = 1162'$ S.

Schröter maass bei zu geringer Sonnenhöhe, und der Schatten ward vom Ostwalle aufgefangen. Die W.-Tiefe setze ich 955' bei $\varphi = 13°15'$.

7. Ein Berg südlich bei Hadley, gegen O. gemessen.

$$\varphi = 4^\circ 42' \quad h = 2154' \quad S.$$
$$7\ 36 \qquad 1974 \quad S.$$
$$8\ 45 \qquad 1966 \quad Sr.$$

Mittel: $\varphi = 7^? 1' \quad h = 2049' = 12264'$.

8. Cap im Norden von Conon = 13; der Schatten stets auf Bergen und Hügeln.

$$\varphi = 5^\circ 42' \quad h = 3069' \quad S.$$
$$6\ 35 \qquad 2560 \quad S.$$
$$11\ 37 \qquad 2642 \quad S.$$

Mittel: $\varphi = 7^\circ 58' \quad h = 2757' = 16542'$.

9. Bradley oder No. 14. Die grosse Ausdehnung des mächtigen Bergwalles nöthigt, die verschiedenen Gipfel von einander zu unterscheiden. Dies ist aber, mit Ausnahme des NW.-Caps, kaum möglich. Der Schatten liegt stets auf Bergen und Hügeln, und die wahre Höhe über dem Mare imbrium wird nicht gefunden. Fällt der Schatten gegen Westen, so bleibt er stets im Gebirge und dann ist:

bei $\varphi = 4^\circ 54' \quad h = 1735' \quad S.$

Ich nehme an, dass sich die folgenden Höhen auf das grosse NW.-Cap beziehen; Schatten gegen O. gerichtet.

$$\varphi = -\ 4^\circ 18' \quad h = 2521' \quad S.$$
$$+\ 5\ 1 \qquad 2088 \quad M.$$
$$5\ 40 \qquad 2002 \quad S.$$
$$6\ 28 \qquad 1961 \quad S.$$
$$6\ 52 \qquad 1922 \quad S.$$
$$7\ 30 \qquad 2586 \quad Sr.$$
$$7\ 38 \qquad 2091 \quad M.$$
$$8\ 9 \qquad 2495 \quad Sr.$$
$$9\ 34 \qquad 2122 \quad M.$$
$$10\ 13 \qquad 2130 \quad S.$$
$$11\ 27 \qquad 2117 \quad S.$$
$$15\ 58 \qquad 1818 \quad S.$$
$$16\ 11 \qquad 2036 \quad S.$$

Die erste Messung geschah, als der Gipfel zuerst in der Nachtseite erleuchtet ward, und die Rechnung ist nach der schon von Hevel angewandten Methode. Ich setze das Mittel:

$$\varphi = 7^\circ 51' \quad h = 2149' = 12894'.$$
$$16\ 5 \qquad 1927$$

Die wahre Höhe über dem Mare ist gewiss = 2500' = 15000'.

10. Ein Gipfel, westlich dem Nordcap des Huyghens nahe, oder vielleicht selbst das Ostcap des Bradley.

$$\varphi = 4^\circ 58' \quad h = 2338' \quad S = 14028'.$$

11. Huyghens = No. 15, das Nordcap. Der gegen W. fallende Schatten bleibt stets in der Ebene des Mare imbrium, und trifft nur schwache Bergadern.

$\varphi =$	$h =$	$p =$	
$4^\circ 5'$	2193'	1	S.
4 9	2307	1	S.
4 11	2302	1	S.
4 31	2593	0,5	S.
4 32	2489	1	S.
4 33	2403	1	M.
4 38	2477	1	S.
4 47	2385	0,5	S.
4 49	2597	0,5	S.
4 56	2576	1	S.
5 10	2410	0,5	S.
5 25	2531	0,5	S.
5 27	2367	0,5	S.
5 30	2444	1	S.
5 37	2249	1	M.
5 40	2445	1	S.
5 46	2403	0,5	S.
6 55	2379	1	S.
6 59	2517	1	S.
7 22	2191	1	M.
7 41	2655	1	S.
7 58	2581	1	S.
8 16	2307	1	M.
8 24	2595	1	S.
8 31	2455	1	S.
8 41	2214	1	S.
9 18	2194	1	S.
9 20	2453	1	S.
9 24	2382	1	S.
10 33	2338	1	S.
11 42	2399	1	S.
11 42	2272	1	S.
13 38	1818	1	S.

Diese Angaben lassen sich zu folgenden Mittelwerthen vereinigen:

$$\varphi = 4^\circ 29' \quad h = 2416' = 10\ \text{Beob.}$$
$$5\ 32 \qquad 2393 \qquad 7\ -$$
$$7\ 23 \qquad 2465 \qquad 5\ - \quad = 14790'$$
$$8\ 51 \qquad 2371 \qquad 7\ -$$
$$11\ 19 \qquad 2336 \qquad 3\ -$$

Das Maximum wird nahe 14800 par. Fuss, oder der Höhe unseres Montblanc fast gleich. Der Gipfel kann nur sehr wenig abgerundet sein.

12. Huyghens = No. 15, der Hauptgipfel mit dem Krater.

$$\varphi = -\ 5^\circ 0' \quad h = 3374' \quad p = 0,5 \quad Sr.$$
$$-\ 5\ 5 \qquad 3500 \qquad 0,5 \quad Sr.$$
$$+\ 4\ 26 \qquad 2626 \qquad 0,5 \quad S.$$
$$+\ 4\ 46 \qquad 3033 \qquad 1 \quad S.$$
$$+\ 4\ 47 \qquad 2920 \qquad 1 \quad M.$$
$$+\ 4\ 48 \qquad 3158 \qquad 0,5 \quad S.$$
$$+\ 4\ 51 \qquad 3021 \qquad 1 \quad S.$$
$$5\ 1 \qquad 3419 \qquad 0,5 \quad Sr.$$
$$5\ 2 \qquad 3045 \qquad 1 \quad S.$$

19*

<table>
<tr><td>φ = + 5° 4'</td><td>h = 2771'</td><td>p = 1</td><td>M.</td></tr>
</table>

φ = + 5° 4'	h = 2771'	p = 1	M.
5 18	2540	1	S.
5 18	2475	0,5	S.
5 20	2683	1	S.
5 22	2639	1	S.
5 23	2821	0,5	S.
5 23	2667	1	S.
5 23	2619	1	S.
5 26	2598	1	S.
5 32	2786	0,5	S.
5 33	2880	0,5	S.
6 25	2800	1	S.
7 7	3082	0,5	Sr.
7 30	2776	1	M.
7 31	2778	1	S.
7 47	2725	1	S.
13 29	1488	1	S.
13 54	1960	1	S.

Die beiden ersten Messungen machte Schröter, indem er das erste Aufleuchten des Gipfels in der Mondnacht wahrnahm, und den Abstand von der Phase bestimmte. Die übrigen sind gewöhnliche Messungen des Schattens, der meist in der Ebene liegt, aber zu gewissen Zeiten auch lange auf der Bergader im Osten verweilen kann.

Als Mittelwerthe gelten die folgenden:

φ = − 5° 2'	h = 3137'	2 Beob.	= 20622'
+ 4 57	2846	10	= 17376
5 24	2685	8	
7 17	2806	5	
13 41	1721	2	

Die erste Angabe mag dahingestellt bleiben; sie giebt dem Huyghens 20622 par. Fuss Höhe, so dass er den Chimboraço überträfe. Die andern zeigen Erhebungen über dem Mare Imbrium von mehr als 17000', also den Gipfeln unseres Caucasus gleich. Bei Sonnenhöhen grösser als 10° trifft der Schatten die Ebene nicht mehr, sondern liegt schon auf der östlichen Terrasse des Gebirges.

13. Berg östlich neben Huyghens, wahrscheinlich das N.-Cap der Masse A, Lohrmann's 64 = Ampère (*).

φ = 4° 56'	h = 1698'	S.
5 46	1914	M.
6 5	1718	S.

Mittel: φ = 5° 36' h = 1777' = 10662'.

14. Zu Gebirge A, zu einem mehr östlichen Gipfel, gehört folgende Messung:

φ = 3° 44' h = 1648' M.

15. Sodann ein Berg des Apennin am Sinus aestuum in östl. L. 5.5 + 13° Br.

φ = 3° 4' h = 1215' M.

16. Wolf, die Bergmasse No. 16 bis No. 17.

φ = 3° 51'	h = 1570'	S.
3 54	1939	Sr.
3 56	1886	M.
3 57	1774	S.
4 38	1565	M.
5 29	1455	S.
8 49	1850	Sr.

Mittel: φ = 4° 42' h = 1691' = 10146'.

Weiter östlich No. 17 hat das Gebirge nahe dieselbe Höhe, ist aber für die Messung ungünstig gelegen.

Fallen die Schatten des nördlichen Randes der Apenninen gegen Westen, so treffen sie stets hohes Bergland. So findet man unter solchen Umständen für Huyghens: φ = 3° 35' h = 844', so dass also die Rillen und Kraterthäler westlich bei Huyghens 2000' über dem Mare liegen.

17. Marco Polo = No. 19. In dieser Gegend hat Mädler 2 Höhen zu 575' und 866' bestimmt.

18. Manilius = No. 20.

W.-Wall.

φ = 4° 42'	h = 965'	S.
7 0	1254	S.
8 24	1483	Sr.
8 47	1130	S.
9 24	1173	M.
14 9	986	S.
15 9	1296	S.

O.-Wall.

φ = 9° 59' h = 1251' S.

O.-Wall aussen:

φ = 1° 39'	h = 345'	Sr.	SO.-Gipfel
1 49	349	S.	
2 53	670	S.	NO.-Gipfel
3 18	423	S.	

Mittel:

Die erste Messung schliesse ich aus, weil der Schatten am Ostwalle lag.

W.-Wall:	φ = 10° 40'	h = 1197' = 7182'
SO. aussen:	1 46	348
NO. aussen:	3 5	546

Der Boden des Kraters liegt gegen 800' tiefer als die Ebene.

19. Berg 22, westlich neben Manilius.

φ = 2° 36'	h = 743'	S.
2 48	873	M.
2 51	1026	S.

Mittel: φ = 2° 45' h = 881' = 5286'.

20. Berg 3, östlich von Manilius.

φ = 2° 56'	h = 366'	S. zu Ost
1 46	315	M.

Mittel: φ = 2° 21' h = 340' = 2040'.

21. Eratosthenes = No. 1.

W.-Wall innen:

φ = 3° 52'	h = 1523'	p = 0,5	Sr.
5 35	1450	1	M.
6 13	989	0,5	S.
6 18	1363	1	M.
7 1	1273	1	S.
7 17	1125	0,5	Sr.
7 23	1470	1	S.
7 31	1826	0,5	M.
8 4	1232	1	S.
8 20	1343	1	S.
9 14	1532	1	S.

O.-Wall innen:

φ = 8° 0'	h = 1475'		S.
10 17	2250		S.
16 26	2472		M.

O.-Wall aussen:

φ = 3° 18'	h = 1228'	p = 1	S.
3 51	992	1	M.
4 8	1166	1	M.
4 16	944	1	M.
4 17	985	1	S.
4 59	906	1	S.
5 12	994	1	S.
5 20	921	0,5	Sr.
6 27	930	1	S.

Mittelwerthe:

W.-Wall: φ = 5° 39' h = 1356'
7 16 1400 = 8436'
8 33 1369.

Mittel aus allen Messungen für den W.-Wall:
φ = 7° 0' h = 1377' = 8262'.

Da eine Messung Mädler's die äussere Höhe des W.-Walles bei φ = 3° 20' zu 510' bestimmt, so wäre der Krater 867' tiefer als die Ebene.
O.-Wall: φ = 13° 21' h = 2361' = 14166'.
Für die äussere Höhe des O.-Walles hat man:
φ = 3° 58' h = 1063'
5 31 940

oder im Mittel h = 1001', so dass die Tiefe im Osten gegen 1360' unter der dortigen Ebene läge. Hieraus würde sich ergeben, dass der nordöstliche Theil des Sinus aestuum nahe 500' höher läge als die Ebene im Osten des Eratosthenes.

Im Mittel ist also der Kraterboden 1113' niedriger, als das umgebende Niveau der Fläche.

22. Timocharis = No. 2.

O.-Wall innen:

φ = 12° 46'	h = 1482'	S.
14 6	1131	M.

W.-Wall innen:

φ = 9° 25'	h = 1169'	Sr.
10 10	1050	M.
10 16	1180	S.
10 26	1012	S.
10 53	1035	S.
13 29	1116	Sr.

O.-Wall aussen:

φ = 2° 0'	h = 526'	Sr.
2 17	559	M.
2 47	505	S.
3 7	583	M.
3 30	443	Sr.

O.-Wallgipfel aussen:
φ = 2° 49' h = 608' S.

W.-Wall aussen:
φ = 3° 36' h = 540' Sr.

Mittel:

W.-Wall	φ = 10° 38'	h = 1084'	= 6504'
O.-Wall	13 26	1306	7836
W.-Wall aussen	3 36	540	3240
O.-Wall aussen	2 44	533	3198

mittlere Vertiefung des Kraterbodens unter dem Mare = 658', oder wenn auf den östlichen Gipfel Rücksicht genommen wird = 621'.

23. Archimedes = No. 5.

W.-Wall innen:

φ = 3° 16'	h = 770'	S.
4 1	939	M.
4 38	700	M.
4 49	1129	S.
4 55	885	M.
7 46	719	M.

W.-Wall aussen:

φ = 3° 17'	h = 750'	S.
3 51	606	M.
3 53	922	S. SO.-Gipfel.

O.-Wall innen:

φ = 4° 19'	h = 1204'	S.
5 22	1064	S.
5 45	930	S.

O.-Wall aussen:

φ = 2° 44'	h = 849'	M.	in SO.
2 51	671	M.	
2 35	778	M.	in NO.
2 56	790	S.	
2 43	686	S.	
3 28	744	S.	in O.
5 16	520	M.	
4 10	1107	Sr. O.-Gipfel.	

Hiernach sind die Mittelwerthe:

	φ	h	
W.-Wall	4'54'	857'	= 5142'
W.-Wall aussen	3 40	759	4554
O.-Wall	5 9	1668	6408
O.-Wall aussen	3 25	746	4476

Die innere Fläche des Archimedes liegt also gegen 100' niedriger als die westliche Ebene und 300' niedriger als die östliche Ebene.

24. Bergzug in SW. am Archimedes, Lohrmann's 31.

$$φ = 3°12' \quad h = 1153' \quad M.$$
$$3\ 51 \quad 814 \quad S.$$
Mittel: $φ = 3°31'$ $h = 983'$.

25. Berg E im Norden von Archimedes, gegen Osten gemessen.

φ	h	
3°6'	695'	S.
3 15	700	M.
3 16	671	S.
3 39	834	S.
3 56	884	S.
4 14	733	M.
5 31	443	Sr.

Derselbe Berg E, Höhe gegen Westen.

$$φ = 3°22' \quad h = 812' \quad S.$$
$$3\ 51 \quad 843 \quad S.$$

Bleibt Schröter's Messung unberücksichtigt, so sind die Mittel:

gegen Osten $φ = 3°34'$ $h = 753' = 4518'$
- Westen $\quad 3\ 36 \quad 827 \quad 4962$.

26. Berg A, südlich von Archimedes, 5'5 Ost + 23'5 Breite.

$$φ = 1°55' \quad h = 496' \quad Sr.$$
$$2\ 3 \quad 506 \quad M.$$
$$2\ 24 \quad 467 \quad M.$$
Mittel: $φ = 2°10'$ $h = 488' = 2928'$.

27. Berg γ östlich bei Archimedes.

$$φ = 3\ 16' \quad h = 370' \quad M.$$
Gegen Ost gemessen.

28. Krater C, NW. bei Archimedes.
O.-Wall aussen:

$$φ = 4\ 27' \quad h = 583' \quad Sr.$$

29. Doppelkrater 3 und 4 = B, in SO. des Archimedes.
W.-Wälle:

$$φ = 10°3' \quad h = 309' \quad Sr.$$
$$10\ 3 \quad 265 \quad Sr.$$
Ich halte beide Krater für tiefer.

30. Krater E, in SO. von Archimedes, in + 25' Breite, 7 5 östl. Länge, es ist der kleinere westliche Krater gemeint und dessen Wallhöhe über dem östlichen Fusse.

$$φ = 3°35' \quad h = 619' \quad M.$$

31. Berge bei Autolycus, Berg γ, SW. von Autolycus.

$$φ = 2°58' \quad h = 485' \quad S.$$
$$3\ 31 \quad 581 \quad S.$$
Mittel: $φ = 3°14'$ $h = 533'$ zu Westen $= 3198'$.

32. Berg β, südlich vom Vorigen.

$$φ = 3°54' \quad h = 714' \quad S.$$
$$4\ 22 \quad 996 \quad S.$$
Mittel: $φ = 4°8'$ $h = 855'$ zu Westen $= 5130'$.

33. Autolycus = No. 6.
W.-Wall innen:

φ	h	
8°8'	1437'	Sr.
8 28	1600	S.
8 44	1645	S.
8 53	1200	M.*
9 33	1414	S.
10 21	1408	Sr.
11 52	1651	S.
12 43	1546	S.
12 49	1615	S.

W.-Wall aussen:

φ	h	
3°7'	697'	S.
3 35	748	M.
4 17	821	S.

O.-Wall innen:

φ	h	
6°28'	1420'	S.
7 57	1337	M.
9 12	1484	S.
9 52	1344	S.
10 1	1488	S.
10 38	1267	S.*
14 9	1482	M.

O.-Wall aussen:

$$φ = 3°11' \quad h = 1001' \quad Sr.$$

Werden die beiden mit * bezeichneten Angaben vorläufig übersehen, so werden die Mittelwerthe folgende:

	φ	h	
W.-Wall	10°29'	1556'	= 9336'
O.-Wall	9 37	1420	8556
W.-Wall aussen	3 40	755	4530

Der Boden des Kraters liegt also 800' unter der westlichen Ebene.

34. Aristillus = No. 7.
W.-Wall innen:

φ	h	p	
4°53'	1538'	p = 1	S.*
8 19	1819	1	S.
8 23	1569	0,5	Sr.
8 32	1280	1	M.
8 33	1551	1	S.
8 57	1325	0,5	S.
9 0	1586	1	S.
10 10	1287	0,5	S.
11 8	1480	1	M.

W.-Wall innen:
φ = 11° 18' h = 1657' p = 1 S.
12 7 1632 1 S.
12 34 1763 1 S.

W.-Wall aussen:
φ = 3° 20' h = 792' M.
3 32 863 S.
4 22 941 S.

W.-Wallgipfel nach aussen:
φ = 3° 32' h = 1097' S.

O.-Wall innen:
φ = 5° 54' h = 1854' S.
6 15 1504 S.
7 26 1889 S.
8 9 1758 M.
10 13 1513 S.
14 10 1730 M.

O.-Wall aussen:
φ = 1° 58' h = 430' S. in SO.
2 34 620 S. NO.-Gipfel.
2 53 539 S. O.-Wall.
2 59 1125 Sr.*

Mittelwerthe, bei denen die mit * bezeichneten für jetzt nicht berücksichtigt werden:
W.-Wall φ = 10° 2' h = 1561' = 9384'
W.-Wall aussen 3 45 865 5190
O.-Wall 8 41 1708 10248
O.-Wall aussen 2 28 530 3180.

Hiernach wäre die Vertiefung unter der westlichen Ebene = 699', unter der östlichen = 1178', im Mittel = 939'.

35. Theaetetus = No. 8.
W.-Wall innen:
φ = 11° 30' h = 1134' M.
13 2 1672 Sr.
13 56 1201 M.
14 24 1156 S.
14 46 1271 S.
15 3 1554 S.
Mittel: φ = 13° 51' h = 1300' = 7800'.

O.-Wall innen:
φ = 9° 29' h = 817' S. wahrscheinlich verfehlt.

O.-Wall aussen:
φ = 2° 37' h = 583' M.
2 44 565 S.
3 5 521 M
3 43 505 Sr.
3 29 507 M.*
Mittel: φ = 2° 52' h = 549' = 3294',
wobei die letzte Beobachtung ausgeschlossen.

Der Kraterboden liegt gegen 750' unter der Ebene.

36. Krater b, östlich neben Aristillus.
Aeussere Wallhöhe:
φ = 1° 2' h = 186' zu West. Sr.
2 2 266 - Ost. Sr.
2 35 133 - Ost. Sr.
Mittel: φ = 1° 53' h = 195' = 1170'.

37. Berggruppe bei Kirch, nördlich von Archimedes, + 34°5 Breite.
Im Süden beginnend, unterscheide ich die Gipfel α, α₁, β, β₁, γ.

α φ = 2° 29' h = 743' M. zu West.
α₁ 2 20 516 M. - Ost.
α₂ 2 22 595 S. - Ost.
β 2 3 579 S. - -
β₁ 2 20 666 M. - West.
β₂ 2 36 830 M. - -
β₃ 2 26 790 M. - -
β₄ 2 36 867 M. - Ost.
γ 2 0 390 M. - West.

38. Ader östlich neben diesen Bergen.
φ = 1° 51' h = 53' Sr. zu Ost.

39. Caucasus = No. 21. Von diesem östlichen Grenzgebirge des Mare serenitatis erscheint auf Section IV. nur der südliche Theil. Um die gemessenen Punkte wiederzuerkennen, werde ich zwar die beiläufigen Oerter angeben, doch wird der künftige Beobachter die letzte Entscheidung nur nach eigener Anschauung der Schatten treffen können.

Im Süden beginnend, sind es folgende Gipfel:
a, Länge W. = 8,0 Breite = + 36,8, inselartig isolirt im Mare.
b, - - 6,5 - 35,7, Südcap, fast isolirt.
c, - - 7,2 - 34,5, mittl. Gipfel d. gr. Masse.
d, - - 6,7 - 34,5, Hügel östlich von c.
e, - - 7,2 - 34,1, Südcap der folg. Masse.
f, - - 7,2 - 35,4, Hauptgipfel derselben.
g, - - 7,2 - 35,7, nördl. Nachbar von f.
i, - - 6,7 - 35,5, östlicher ein Hügel.
h, - - 7,5 - 35,7, Gipfel W. v. Theaetetus.
n, - - 7,0 - 36,2, zwischen h u. Theaetetus.
θ, - - 7,5 - 34,5, westl. in d. Gruppe No. 21.

Berg a = 94 Lohrmann.
zu Ost.
φ = 2° 19' h = 593' S.
2 27 551 S.
3 23 683 S.
4 44 630 S.
zu West.
φ = 1° 45' h = 397' S.
4 28 590 S.
Mittel, zu Ost φ = 3° 13' h = 614' = 3684'.
- - West 3 6 493 2958.

Berg b.

zu Ost:

$\varphi = 3° 7'$ h = 1167' S.
3 17   841   S.
3 32   941   S.
3 34   1283 S.
3 50   1038 S.
3 56   1041 S.
4 20   949   S.
5 9   877   Sr.

zu West:

$\varphi = 3°14'$ h = 969' = 5814'
6 4   683

Mittel, zu Ost $\varphi = 3°45'$ h = 1026' = 6156'
- - West 4 39   826   4956.

Berg c, der südliche Gipfel.

zu Ost:

$\varphi = 3°49'$ h = 1767' S.
3 51   1701 S.
4 14   1746 M.
4 18   1388 S.*
5 10   1172 M.
8 6   979   S.

zu West:

$\varphi = 3°57'$ h = 1482' M.
5 39   493   S.*

Die Schattenspitze hier und in andern Fällen so fein, dass sie nur selten in ganzer Länge erkannt wird. Werden 2 Angaben mit * ausgelassen, so ist vorläufig:

Mittel zu Ost $\varphi = 3°58'$ h = 1738' = 10428'
- 6 38   1075
- - West 3 57   1482 = 8892

Berg c, der mittlere Gipfel = d.

zu Ost:

$\varphi = 3° 4'$ h = 1211' S.*
3 42   1796 S.
3 43   1654 S.
5 9   1231 Sr.
7 8   1305 S.
8 3   1194 S.

zu West:

$\varphi = 4°28'$ h = 1115' S.
5 45   1243 S.

Mittel, zu Ost $\varphi = 3°43'$ h = 1725' = 10350'
- - - 5 6   1246
- - West 5 6   1179 = 7074

Berg d, der nördliche Gipfel.

zu Ost:

$\varphi = 3°25'$ h = 1141' S.*
4 2   1722 S.
4 20   1576 S.
8 20   1178 S.*

zu West:

$\varphi = 4°13'$ h = 1302' S.
6 4   1305 S.

Mittel, zu Ost $\varphi = 4°11'$ h = 1649' = 9894'
- - West 3 7   1303   7818

Berg f.

zu Ost:

$\varphi = 3°40'$ h = 1711' S.
3 55   1720 S.
3 57   1882 S.
4 6   1759 S.
4 58   1658 S.
5 9   1771 Sr.
8 4   1146 S*.

zu West:

$\varphi = 3°44'$ h = 1733' S.
4 18   956   Sr.*

In Schröter's letzter Messung endete der Schatten im Gebirge.

Mittel zu Ost $\varphi = 4°13'$ h = 1753' = 10524'.
6 Beob.

Nach Westen ist nur eine Beobachtung, welche nahe dieselbe Höhe ergiebt.

Berg e. Nur an der Ostseite gemessen.

$\varphi = 3°11'$ h = 1128' S.
3 18   1252 S.
3 32   1527 S.
3 50   1124 S.
4 23   1080 S.
5 25   895   Sr.
7 45   742   S.

Mittel, gegen Osten:

$\varphi = 3°39'$ h = 1222' = 7332'
6 58   793.

Berg g, zweifelhaft dem Orte nach, zu Ost.

$\varphi = 3°40'$ h = 1393' S.
3 40   1306 S.
3 55   1720 S.

Hügel i gegen Osten.

$\varphi = 1°58'$ h = 366' S.

Bergader in 7°5 Lg. + 27°5 Br.

$\varphi = 0°46'$ h = 32' S.

Bergader in 5.5 Lg. + 30.5 Br.

$\varphi = 0°58'$ h = 75' S.
1 3   84   S.

Mittel: $\varphi = 1° 1'$ h = 80'

Berg h gegen Osten.

$\varphi = 3°38'$ h = 1666' S.
4 12   1616 S.

Mittel: $\varphi = 3°55'$ h = 1641' = 9846'.

Dieser Berg h kann sehr wohl mit g identisch sein.

Berg p gegen Osten.

$\varphi = 5°12'$ h = 1363' S.
5 43   992   Sr.

Alle diese Messungen sind unsicher wegen der zu grossen Feinheit der Schattenspitzen; sie zeigen aber, dass die östliche Fläche des Mare serenitatis höher liegt als der Palus putredinis, wie folgende Zahlen erkennen lassen:

Erhöhung geschlossen

aus	a =	121^t
-	b =	200
-	c =	256
-	d =	305
-	d' =	346

a zählt hier eigentlich nicht mit, da dieser Berg noch ganz im Mare serenitatis liegt, zeigt aber wenigstens die Abdachung des Mare gegen Osten. Die 4 andern Berge geben im Mittel an, dass der ONO.-Theil des Mare 277^t höher liege als der Palus putredinis. Ganz im Osten, in 5°5 Länge und + 30°5 Breite ist die Ader, welche dort das Mare abschliesst, 80^t höher als der Palus.

Die folgenden Messungen beziehen sich auf Berge im Caucasus, welche dem westlichen Abfalle des Gebirges gegen das Mare serenitatis angehören, und die nur bei abnehmendem Monde von mir bestimmt wurden.

λ, ein Hügel, schon im Mare, bei Lohrmann No. 96.
ϰ, in 8° Lg. + 33° Br. NO. von λ.
ι, etwas nördlicher als ϰ.
θ, in 9°2 Lg. + 33°2 Br.
η, wenig nördlicher, bei Lohrmann No. 99.
ζ, bei Lohrmann Z.
ε, bei Lohrmann No. 98.
δ, nahe Lohrmann No. 100.

Höhen gegen Westen:

λ,	? = —	h = 400^t	S.*
ϰ,	4° 16'	559	S.
ι,	3 32	541	S.
θ,	2 51	1105	S.
θ,	4 5	1197	S.
η,	3 25	1140	S.
ζ,	3 40	1632	S.
ε,	4 3	1582	S.
δ,	4 24	1859	S.

Mittel θ: φ = 3° 28', h = 1151^t = 6906^t.

Möglicherweise ist δ und ε mit einem der früher gemessenen Gipfel identisch.

Neigungswinkel.

Manilius, W.-Wall		M =	50°
-	-	μ =	36
-	-	m =	29
-	O.-Wall	μ =	37
Autolycus, W.-Wall		M =	49
-	-	μ =	37
-	-	m =	27
Aristillus, W.-Wall		M =	48
-	-	μ =	37
-	-	m =	26
-	O.-Wall	μ =	37
Wolf zu Ost		μ =	34
Huyghens zu Ost		M =	40
-	-	m =	27
Bradley	zu Ost	μ =	39
-	West	μ =	31
einzelne Stellen		M =	42
Hadley zu Ost		μ =	32
einzelne Gipfel nördlich		M =	53
Caucasus zu Ost		M =	46
-	West	M =	33
Eratosthenes, W.-Wall		M =	40
-	-	m =	20
-	O.-Wall	M =	45
Conon, W.-Wall		μ =	31
-	O.-Wall	μ =	40
Timocharis, W.-Wall		μ =	35
-	O.-Wall	μ =	41
Aratus, W.-Wall		μ =	33
Theaetetus, W.-Wall		M =	46
-	-	m =	30
-	O.-Wall	M =	42
-	-	m =	32
Archimedes, W.-Wall		M =	49
-	-	m =	42
-	O.-Wall	μ =	41
-	No. 3, W.-Wall	M =	38
-	No. 4,	M =	36
-	E, O.-Wall	M =	48
-	C, O.-Wall	μ =	42
Kirch, Berge α, β		μ =	31

162 Aufnahmen wurden zur Darstellung der IV. Section benutzt.

*

BEMERKUNGEN.

1842 Juni 16. Die erste Hamburger Beobachtung des Apennin am stärkeren Fernrohre. Die folgenden 33 Jahre haben mich hinlänglich darüber belehrt, dass unter Anwendung von 300- bis 400maliger Vergrösserung eine genaue und ganz erschöpfende Darstellung dieser Region nicht ausführbar sei.

20

1842 Juli 16. Der Apennin ward am 4 füssigen Refractor gezeichnet, in der Abbildung erscheint Aratus 4 bis 5 Mal kleiner im Durchmesser als Conon.

- August 28 ward am 6 füssigen Refractor der Centralkrater des Timocharis erkannt.

1843 Mai 8 zeigten sich im Archimedes 4 schwer sichtbare Lichtstreifen.

1848 Febr. 12. Huyghens Schatten beweist, dass vom Nordcap an bis zum südlichen Ende des Rückens 6 Gipfel auf der Bergmasse liegen, davon eine niedrige Kuppe in dem Sattel, der das Nordcap vom Uebrigen trennt.

- März 17. Im Vollmonde erscheint das Innere des Aristillus durch graue Flecken eigenthümlich schattirt.

1849 Febr. 3. Das Innere des Timocharis ist ganz uneben, der Centralberg ein Krater.

- März 4. Der Timocharis Mitte bezeichnet sicher ein kleiner Krater.

1850 Dec. 20. Aristillus hat ein deutliches Radialsystem von Lichtstreifen, welche westlich den Caucasus treffen, östlich über Kirch hinausziehen, und südlich den Autolycus umgeben, der ebenfalls solche Streifen zu haben scheint. Diese heben in ihrer Gesammtwirkung viel von dem Grau des Mare imbrium auf, welches nur zwischendurch gelegentlich sichtbar bleibt.

1851 Jan. 17. im Vollmonde, bald nach einer Finsterniss, wurden die Stellen näher untersucht, welche blauen Schimmer zeigen. Dazu gehört Timocharis; Manilius, an sich schon hell, ist von hellem Nimbus umgeben, und dieser schimmerte bläulich.

- Jan. 20. Timocharis zeigt westlich, gegen den Südrand des Archimedes gerichtet, das Stück eines weissgrauen Nimbus.

1853 Mai 16 sah ich den Apennin am 14 füssigen Refractor der Berliner Sternwarte, und fand viele Rillen, die erst später zu Athen genauer gezeichnet wurden. Timocharis erscheint, hinsichtlich der äussern Formbildung des Walles, wie eine Nachbildung der Krater Aristillus und Autolycus, besonders auch wegen der radialen Stellung der äussern Hügelreihen, wie Mai 17 sich ergab.

1854 März 12. Manilius hat ausser dem Nimbus auch die Spur radialer Lichtstreifen.

1855 Nov. 1. Im Ostwalle des Archimedes ist bei sinkender Sonne eine ganz niedrige Stelle, eine Art Pass oder Einschnitt, leicht an dort fehlendem Schatten kenntlich. Da nun, wie Mai 12 bemerkt ward, bei steigender Sonne an jener Stelle ein äusserer Schatten sich zeigte, so scheint es, dass die innere Fläche des Archimedes höher liege, als die östliche äussere Ebene.

1858 April 21. Als für Archimedes die Sonne 5° hoch stand, erschien die innere Fläche uneben; 2 graue furchenartige parallele Streifen zogen durch die Ebene von NW. nach SO., deren Verlängerung auf Aristillus gerichtet war. Nördlich 2 oder 3 kleine Hügel, westlich ein feiner Punkt, etwa ein Krater. Die im Vollmonde hier sichtbaren hellen Streifen sind indessen auf den Autolycus gerichtet.

1860 Jan. 2. Archimedes innere Fläche war durchaus glatt.

- April 28. In Archimedes Fläche erkennt man Unebenheiten.

1861 Juni 18. Timocharis Centralkrater ausgezeichnet scharf sichtbar.

- Juni 27. Der helle Punkt in Archimedes NO.-Fläche ist ein sehr feiner Krater.

1864 April 14. Als die Sonne über Archimedes Fläche aufging, sah ich in NO. 3 oder 4 Hügel; zwei davon schienen Krater zu sein.

- Juli 3. Durch Schätzung ward gefunden:

Conon 0,5 Autolycus.   Conon 0,9 Theaetetus.
Conon 0,75 Timocharis.   Conon 1,2 Pytheas.
Conon 0,85 Lambert.   Conon 3,0 Aratus.

Im Aristillus liegen einige Krater.

1866 Aug. 1. Wegen Conon, der heute elliptisch und mit einem Centralberge erschien, machte ich für die Grössenverhältnisse folgende Schätzungen:

Conon 3,0 Aratus.   Conon 0,55 Autolycus.
Conon 0,7 Manilius.   Conon 0,6 Timocharis.

1867 Jan. 25. Am Innern NO.-Rande des Archimedes liegt ein sehr feiner Krater.

- Mai 11. Oestlich bei Lahire ward im Mare eine Rille entdeckt.

- Mai 14. In Archimedes Fläche liegen wenigstens 3 kleine Krater.

1867 Juni 22. Oestlich von Wolf, also im Gebirge zwischen Wolf und dem Eratosthenes liegt ein starker sehr auffallender Krater, der bei Mädler wohl angedeutet ist, der aber bei Lohrmann (am Orte der Zahl 39) fehlt. Er liegt in einer Thalschlucht, ist fast so gross als Aratus, und gleich an Grösse dem Krater am Westrande des Sinus aestuum. Weniger auffallend kömmt er schon vor in meinen Zeichnungen von 1842 und 1843. Er ward (1867) am 22. Juli ebenso gesehen wie Juni 22.

- Aug. 20. Oestlich von Theaetetus und südlich von der Mitte des Cassini war ein starker Lichtfleck, der mir diesmal auffiel. Er liegt am Orte einer von Lohrmann gezeichneten Hügelgruppe, die Sept. 6, der Phase nahe, gut sichtbar war. Bei Mädler ist die Gruppe so schwach dargestellt, dass sie sich, wenigstens in meinem Exemplare der M. S., kaum erkennen lässt.

1868 Mai 11. Bei abnehmender Phase zeigte sich der NO.-Wall des Manilius als Doppelkrater sehr augenfällig. Es war dort der Wall doppelt, und umschloss kraterförmige Thäler.

- Juni 3. Das anomale Ringgebirge χ = Wallace (*), NW. von Eratosthenes, in 9° östl. Länge und + 20° Breite, hat am äussern Ostwalle bei x zwei sehr dunkle Stellen, die von Juni 1—7 sichtbar blieben. Juni 10, um 14 Uhr, als die abnehmende Phase über Plinius zog, waren sie nicht mehr sichtbar; ebenso erschienen sie nicht mehr Juni 11 und Juli 10.

- Juni 10. Conon, bei Mädler zu klein gezeichnet, ward der Grösse wegen folgendermaassen verglichen: Conon 0,75 Timocharis. Conon 0,95 Theaetetus. Aratus 0,8 A Archimedes.

- Juli 10. In Archimedes NO.-Fläche ein deutlicher kleiner Krater.

- Juli 27. Archimedes, der Phase nahe, zeigt mehrfache Unebenheiten der Fläche.

- Octob. 27. Das Ringgebirge χ = Wallace (*), nördlich von Wolf, war am äussern Ost- und NO.-Walle sehr dunkel gefärbt, und zwar bei hohem Stande der Sonne, als die Phase schon Aristarch überschritten hatte. (S. Juni 3.)

1869 Juli 28. Conon 2,5 Aratus, hinsichtlich des Durchmessers.

1870 Mai 9. Auffallend war die birnförmige Kraterhalbildung im N.-Walle des Theaetetus.

- Juli 4. Manilius O.-Wall ist gespalten und zeigt dort ein Kraterthal mit 3 Hauptabtheilungen.

1871 Jan. 20. Das Ringgebirge χ = Wallace (*), nördlich von Wolf, hat an der äussern Ostseite dunkelgraue Umsäumung; die Phase bereits bei Euler. Jan. 26, als die abnehmende Phase dem Westrande des Mare crisium nahe lag, erschien jener dunkle Saum nicht mehr.

- Dec. 9. In NO. bei Lambert vermuthete ich eine flache Rille.

Anm. Den sehr feinen Krater im nordöstlichen Theile der Ebene des Archimedes sah schon Gruithuysen vor dem Jahre 1825. (Bode's Jahrbuch für 1818, pag. 105.)

LINNÉ = No. 9.

Nachdem ich im October 1866 bemerkt hatte, dass Linné (Sect. IV. No. 9) nicht mehr in der Gestalt gesehen werde, wie ihn vormals Lohrmann und Mädler darstellten, gab ich darüber den ersten Bericht in einem Sendschreiben an Haidinger, welches man gedruckt findet in den Sitzungsberichten der Kaiserl. Akademie d. W. zu Wien, 1867, Bd. LV., II. Abth. Febr. — In Folge dieser Mittheilung ward die Aufmerksamkeit vieler Beobachter auf diesen Gegenstand gelenkt, und ich selbst benutzte jede günstige Gelegenheit, die Beobachtungen über den Linné fortzusetzen. In grösserem Umfange denn zuvor werde ich nun meine eigenen Wahrnehmungen, die mehr als ein Drittheil des Jahrhunderts umfassen, im Folgenden zusammenstellen. Als Vergleichungspunkte dienen die 3 kleinen Krater A, B, C in NW. von Linné, welcher selbst durch L. bezeichnet werden soll.

L. = 11,5 westl. Länge; 27,8 nördl. Breite.
C = 13,8 - - 32,2 - -
B = 15,2 - - 30,5 - -
A = 16,5 - - 29,0 - -

Ein anderer Punkt zur Vergleichung ist die kleine weisse Wolke γ, östlich bei Posidonius, in 24° W. Länge, und + 19,5 Breite = Lohrmann's No. 16.

20 *

Linné war vormals, der Grösse nach, der dritte im Range unter den Kratern in der Ebene des Mare serenitatis; er war nur wenig kleiner als Sulp. Gallus oder No. 10 unserer Sect. IV. Lohrmann und Mädler wählten ihn für ihre selenographischen Messungen als Fixpunkt erster Ordnung, und zwar maassen sie seine Abstände vom Mondrande, als er sehr nahe der Erleuchtungsgrenze lag. Dies ist jetzt unmöglich, und wenn auch Linné bei Auf- oder Untergang der Sonne als feinster Hügel kenntlich sein sollte, so würde Niemand diesen, sondern jeden beliebigen andern Punkt als Fixpunkt erster Ordnung wählen, dessen Haupteigenschaft die leichte, unzweifelhafte Sichtbarkeit sein muss. Bei hoher Beleuchtung ist Linné auch jetzt gut sichtbar als helle weisse Wolke, aber unter solchen Umständen ward sein Ort von Lohrmann und Mädler nicht bestimmt.

1841 Febr. 27. Beob. zu Eutin mit einem 8 oder 10 Mal vergrössernden Fernrohre; die zunehmende Phase zog durch den Caucasus. In meiner Zeichnung der ganzen Phase erscheint L. nicht, aber auch Bessel und S. Gallus sind nicht dargestellt. In 3 folgenden Phasen erkennt man wohl einige Lichtstreifen im Mare, aber nicht L.

- März 27. Die zunehmende Lichtphase bei Aristillus; beobachtet ward am 4füssigen Dollond, 15—20mal. Vergrösserung. Bessel ist gezeichnet nebst 2 andern Kratern im östlichen Mare, aber nicht L.

- April 1. Phase schon am Sinus iridum; in der Zeichnung kann einer der Lichtflecken als L. gelten.

- April 27. Phase bei Caucasus und Manilius; Beob. am 4füssigen Dollond. Zwei Punkte deuten auf die dem L. gegen NW. benachbarten kleinen Krater B und C; ein dritter darf für L. gehalten werden.

- Mai 27. Phase über Aristillus; L. nicht gezeichnet, obgleich andere Punkte im Mare angegeben wurden.

- Mai 28. Phase am Eratosthenes; eine sehr ausführliche, die ganze Lichtgrenze darstellende Zeichnung nebst dem Colorit der westlichen Gegenden bei hoher Beleuchtung stellt auch das Mare serenitatis mit seinen Lichtstreifen dar; L. erscheint darin aber nicht.

- Sept. 5. Abnehmende Phase im westlichen Theile des M. serenitatis; der Ort des L. schwach in der Zeichnung angedeutet.

- Sept. 6. Abnehmende Phase durch Caesar, so dass Bessel schon nicht mehr sichtbar. L. fehlt in der Zeichnung; von den NW.-Nachbarn ist einer in der Lichtgrenze kenntlich.

- Nov. 20. Die zunehmende Phase hat den Caucasus östlich überschritten; Bessel ist angegeben, L. nicht.

- Dec. 2. Morgens, die abnehmende Phase geht durch Atlas. Wenig genau dem Orte des L. entsprechend, ist deutlich ein Krater gezeichnet.

- Dec. 2. Abends, die abnehmende Phase durch Capella. Ganz am Orte des L. ward deutlich ein Krater gezeichnet, ein Viertel kleiner als Bessel.

- Dec. 3. Morgens, die abnehmende Phase um Posidonius; ganz die vorige Zeichnung. Unzweifelhaft war damals, an kaum 20facher Vergrösserung, L. als Krater zu erkennen.

1842 Jan. 3. Morgens, die abnehmende Phase durch Eudoxus und Sulp. Gallus. L. musste der Lichtgrenze sehr nahe sein, ward aber nicht gezeichnet. Febr. 16 und 17 lag die Phase so, dass für mich L. unbemerkt bleiben musste.

Hier enden die Eutiner Beobachtungen mit dem schwachen Fernrohre. Im Folgenden werden nun die Hamburger Beobachtungen mitgetheilt. Juni 1842 bis April 1845. Es wurden Telescope von 80- bis 300maliger Vergrösserung benutzt, ein schwaches auf Hohenfelde, die stärkeren auf der Sternwarte zu Hamburg.

- Juli 14. Die zunehmende Phase am Caucasus; beobachtet mit 88mal. Vergrösserung. Zwischen Bessel und der Ostgrenze des Mare sind ausser S. Gallus noch 4 feine Krater gezeichnet, von denen keiner L. ist.

- Sept. 13. An 88mal. Vergrösserung ward L. als Krater gezeichnet, L. = ¼ Sulp. Gallus. Meine Zeichnung No. 97 giebt 18 Krater im Mare serenitatis, darunter auch die NW.-Nachbarn des L.

- Sept. 25. Abnehmende Phase über S. Gallus; an 88mal. Vergrösserung sind A, B, C in der Phase angegeben; sonach darf L. in meiner Zeichnung No. 114 nicht gesucht werden.

1843 Mai 9. Die Phase schon im Mare humorum. Es wurden bei so hoher Beleuchtung die Krater im Mare serenitatis gezeichnet, und es wurden in No. 270 mit 88mal. Vergrösserung deren 22 dargestellt. Unter diesen erscheint L. unzweifelhaft als Krater; aber kaum halb so gross als S. Gallus.

1843 Aug. 17. Um 13 Uhr zeichnete ich am 6 füssigen Refractor der Hamburger Sternwarte; die abnehmende Phase ging über S. Gallus. Ich habe den ganzen östlichen Theil des Mare abgebildet, und zwar mit allen Schatten. L. musste in der Phase selbst liegen, und musste höchst unbedeutend sein, um meiner Beobachtung entgehen zu können. Dies Bild findet man in meinem Buche „der Mond", Tab. II.

- Sept. 6 und 9. Eine in Tusche ausgeführte Abbildung des Mare serenitatis bei hoher Beleuchtung. Unter den Lichtpunkten erscheint L. viel kleiner als der helle Fleck γ, östlich von Posidonius.

In den nun folgenden 23 Jahren finde ich weder in den Zeichnungen, noch in den topographischen Notirungen irgend etwas über den Linné vermerkt. Er fehlt auch in der langen Reihe meiner Höhenmessungen zu Olmütz, obgleich mit Vorliebe die kleinen Krater in freien Ebenen zu solchen Messungen ausgewählt wurden.

Auch bei Gelegenheit meiner Beobachtungen der Mondfinsternisse 1842 Jan. 26, 1843 Dec. 6, 1844 Mai 31, 1844 Nov. 24, 1848 März 19, 1849 März 8, 1851 Jan. 17, ist niemals von L. die Rede, wobei jedoch zu bemerken ist, dass ich so kleine Gegenstände nicht beachtete, denn der Krater Bessel ist der kleinste Lichtpunkt, dessen Berührung mit dem Erdschatten ich einige Male damals beobachtet habe. So ward ferner in der Totalfinsterniss des 6. Jan. 1852 der Eintritt des S. Gallus notirt, aber nicht L., auch nicht 1856 Octob. 13, 1858 Febr. 27, 1860 Febr. 6, 1863 Juni 1. Da aber nach 1866 die Aufmerksamkeit auf L. gerichtet war, wird er auch bei Gelegenheit der späteren Finsternisse erwähnt, so 1869 Jan. 27, 1870 Juli 12, da L. im Erdschatten kaum heller als γ Posidonius erschien. 1871 Jan. 6 ward L. nicht beachtet, 1872 Mai 22, 1873 Nov. 4 war er während der Finsterniss in gewöhnlicher Weise sichtbar.

Aus Allem schliesse ich, dass seit 1853 der Linné nicht mehr als Krater erschien, wenn er der Phase nahe lag, und ich habe in sicherer Erinnerung, dass ich zur Zeit der Höhenmessungen (1853—1858 zu Olmütz) mehrmals an L. dachte mit dem Vorsatze, die Höhe zu messen, ohne mein Vorhaben auszuführen. Erst 1866 Octob. 16 ward das Verschwinden des einst eine Meile breiten und gegen 1000 Fuss tiefen Kraters von mir zu Athen bemerkt.

1866 Octob. 16. 7ʰ, nach dem ersten Viertel, lag bei günstiger Beleuchtung am Orte des L. nur eine kleine weissgraue Wolke. Die Nachbarn A, B, C zeigten sich als scharfe noch theilweis beschattete Krater, und unter den damaligen Umständen hätte L., wäre die alte Form noch vorhanden gewesen, sich höchst deutlich als noch stark beschatteter Krater darstellen müssen. Die kleine Wolke glich sehr einer ähnlichen, östlich bei Posidonius, auf dem Rücken der dortigen grossen Bergader, die, bei Mädler mit γ bezeichnet, in 24° West Länge und 30° Nord Breite liegt.

- Octob. 18. 7ʰ. L. = γ Posidonius nach Grösse und Helligkeit; ein blosser Lichtfleck.
- Nov. 14. 6ʰ. L. ganz ähnlich wie Octob. 16. A, B, C erschienen als höchst deutliche Krater, L. eine Lichtwolke, grösser als A.
- Nov. 17. 6ʰ. L. sehr wenig lichtschwächer als γ Posidonius, ein Lichtfleck ohne Kraterform. Die Lage ward genau gezeichnet; die Phase hatte schon den Sinus iridum erreicht.
- Nov. 19. 4ʰ5–6ʰ. L. sehr wenig schwächer als γ Posidonius, ein Lichtfleck. Auch jetzt noch, bei so hoher Beleuchtung, erschienen A, B, C deutlich als Krater. A, der südliche, ist der kleinere.
- Nov. 22 und 23. Abends, nach dem Vollmonde, L. wie früher, ein Lichtfleck, ein heller Punkt von weissem Nimbus umgeben, etwas schwächer als γ Posid. Die 3 Nachbarn A, B, C noch als weisse Kraterringe kenntlich. Als
- Nov. 23. 8ʰ5 bei abnehmender Phase die Krater bei Posidonius und selbst Bessel die ersten Schattenspuren zeigten, war L. nur eine weisse Lichtwolke.
- Nov. 24. Die meisten Krater im Mare hatten bereits Schatten, nur L. war ein Lichtfleck.
- Nov. 25. 9ʰ—13ʰ. Luft klar aber wenig ruhig; die abnehmende Phase über Macrobius. L. ein weisser nebliger Fleck wie γ Posid., alle Krater des Mare mit Schatten.
- Nov. 27. 21ʰ5, also am Tage; die abnehmende Phase bei Menelaus. An schwacher Vergrösserung des 6 füssigen Refractors war S. Gallus leicht sichtbar; von L. aber bemerkte ich keine Spur.

1866 Dec. 13. 6ʰ. Die erste gute Beobachtung des L. an der Phase, als für ihn die Sonne seit längerer Zeit bereits aufgegangen war. Am Orte des L. erschien nun ein feiner Hügel, im Durchmesser 0,25 B, und an Höhe gegen 4 Mal niedriger als die äussere Wallhöhe von B. Da diese höchstens 80 Toisen betragen kann, so wäre die Höhe des Hügels = 20ᵗ. Er ward 3 Stunden lang beobachtet.

- Dec. 14. 4ʰ2. Klare unruhige Luft. Die Sonnenhöhe am L. über 13°. L. war nun eine helle weisse Wolke, grösser und heller als γ Posid. A, B, C sehr scharfe Kraterformen, C noch tief beschattet.
- Dec. 16. 5ʰ. L. als Lichtwolke = γ Poskl.; von seinen Nachbarkratern völlig verschieden.
- Dec. 25. 14ʰ5, abnehmende Phase durch Atlas. Alle Krater des Mare schon scharf als solche kenntlich, nur L. ein Lichtfleck.
- Dec. 26. 12ʰ—14ʰ. Höchst klare ganz stille Luft; abnehmende Phase im Westrande des Mare serenitatis. L. ein Lichtfleck. Von 14ʰ5—16ʰ sah ich darin mit 500facher Vergrösserung einen feinen schwarzen Punkt, dessen Durchmesser = $\frac{A}{5.5}$, wobei ich A = $\frac{Bessel}{6.5}$ bestimmte. Der Durchmesser der weissen Wolke L. = 0,75 S. Gallus. Ich halte den schwarzen Punkt für ein walloses Kraterloch. Nach der Schätzung hatte A = 1750ᵗ Durchmesser, und das Kraterloch 320ᵗ, wohl noch etwas zu gross geschätzt. Um 16 Uhr war die Sonnenhöhe am Linné = 15ʰ9.
- Dec. 27. 13ʰ—19ʰ. Luft meist sehr still, aber schon dunstig. Um 13ʰ zog die abnehmende Phase über Bessel. L. jetzt ein kleiner Lichtfleck, an Grösse = A, kein Schatten innen noch aussen. Um 18ʰ2—19ʰ2 im Abstande von 4° oder 5° von der Phase, L. ein kleiner Lichtfleck, kleiner als A; keine Kraterform, westlich vielleicht eine Spur von Schatten.

1867 Jan. 13. Abends. Phase schon jenseits Plato. L. ein Lichtfleck, weniger hell als γ Posid. Alle Krater des Mare sehr scharf kenntlich, besonders A, B, C.
- Jan. 15. 7ʰ. L. merklich lichtschwächer als γ Posid., eine Lichtwolke.
- Jan. 16. 7ʰ. L. als Lichtfleck wenig schwächer als γ Posid.
- Jan. 17. Bei hoher Beleuchtung L. ein Lichtfleck. Alle Krater des Mare, den dunkeln Bessel ausgenommen, viel schärfer begrenzt als L.
- Jan. 18. L. etwas kleiner und lichtschwächer als γ Posid., ebenso Jan. 19.
- Jan. 24. 12ʰ—17ʰ. L. ein Lichtfleck mit mattem Lichtschweife gegen Westen, etwas heller und grösser als γ Posid. Letzterer der abnehmenden Phase schon nahe; die dunkeln Flecken im Mare, nördlich von L. nahe wie vormals.
- Jan. 25. 13ʰ5—16ʰ5 abnehmende Phase im westlichen Saume des Mare serenitatis. Luft vorzüglich günstig. Beob. an 500maliger Vergrösserung. L. ein ziemlich matter Lichtfleck, westlich mit schwachem Anhange. Mitten ein äusserst feiner schwarzer Punkt, östlich neben diesem eine feine Kuppe. Beide je 200—300 Toisen im Durchmesser haltend, oder wohl noch weniger.
- Febr. 10. 4ʰ5—6ʰ. Höchst klare und recht stille Luft. Zwischen 8ʰ und 9ʰ, als die Luft schlecht geworden war, ging für L. die Sonne auf. Aber kein Krater erschien, sondern nur ein feiner Hügel von viel geringerem Durchmesser als A, B oder C.
- Febr. 11. Sehr klare stille Luft, Phase am Aristillus. L. eine matte Lichtwolke ohne Spur einer Kraterform, geringer als γ Posid.; an Durchmesser vielmal kleiner als S. Gallus. Etwas westlich von der Mitte liegt ein sehr feiner Hügel, heller als die weisse Wolke, der an seiner Ostseite sehr schwachen Schatten zeigt. Das ist der Hügel, der gestern zuerst in der Phase sichtbar ward.
- Febr. 12. 6ʰ. L. eine matte Lichtwolke, geringer als γ Posid.; ebenso Febr. 13.
- Febr. 14. L. als Lichtfleck sehr wenig geringer als γ Posid.; Febr. 15. L. fast = γ Posid., so auch Febr. 16.
- Febr. 18. Im Vollmonde erscheint L. nach Grösse und Helligkeit geringer als γ Posid., der eigentliche Kern der Wolke ist nahe = B.
- Febr. 23. Abnehmende Phase. Um 15ʰ ist L. als Lichtwolke ansehnlich heller und grösser als B.
- März 15. 6ʰ5. L. als Lichtfleck etwas schwächer als γ Posid.
- Mai 10. 7ʰ—8ʰ. Luft sehr schön, Phase über Calippus und Hadley. L. scheint sehr verändert. Bei ziemlich grossem Abstande von der Phase ist an seinem Orte ein auffallend heller und schattenwerfender Hügel, halb so breit als A, und nach dem Schatten zu schliessen, wohl

70 Toisen hoch; östlich daneben 2 kleine helle Punkte. Von der weissgrauen Wolke erscheint kaum eine Spur.

1867 Mai 11. Abends, Luft still. L. ein weisser Lichtfleck, etwas matter als γ Posid., in ihm ein feiner schwarzer Punkt am Orte des gestrigen Hügels. Aber auch in γ Posid. liegt ein solcher schwarzer Punkt, ungeachtet so grosser Entfernung von der Phase, so dass ich für beide Fälle dort Kraterlöcher annehmen muss; (dafür haben Dr. Vogel's Beobachtungen 1871 zu Bothkamp, und später meine eigenen, 1875 am grossen Refractor zu Berlin, die volle Bestätigung geliefert.)

- Mai 12. Abd. L. ein matter Lichtfleck, etwas geringer als γ Posid. — Mai 13. L. nahe = γ.
- Mai 14. Abd. L. nahe gleich γ Posid., westlich ihm nahe ein sehr kleiner Lichtfleck; ähnlich Mai 15.
- Mai 23. 13ʰ. Abnehmende Phase im westlichen Theile des Mare. L. ein kleiner Lichtfleck = 0,6 S. Gallus = 0,45 Bessel, hinsichtlich des Durchmessers.
- Mai 24. 14ʰ. L. auf 2ʰ der abnehmenden Phase nahe; aber die Luft so schlecht, dass ich nur eben den Ort erkannte, ohne zu unterscheiden, ob es ein Lichtfleck oder ein Hügel sei. Durchmesser = 0,25 S. Gallus.
- Juni 8. Um 9ʰ war L. in der zunehmenden Phase noch nicht sichtbar.
- Juni 9. Abd. L. eine sehr unbedeutende kleine trübe Wolke, kaum 0,5 S. Gallus, mit feinem westlich von der Mitte gestellten Hügel, der kaum merklichen Schatten zeigte. Phase an Aristillus West-Wall.
- Juni 14. L. etwas schwächer als γ Posid.
- Juni 22. 11ʰ5—13ʰ5. Die abnehmende Phase hatte Bessel noch nicht erreicht. Luft still, aber selten ganz klar. L. ein weisser Punkt = 0,33 S. Gallus, ohne allen Schatten.
- Juli 8. 7ʰ5. Phase am Caucasus. L. ein sehr kleiner Hügel mit Schattenspur, Durchmesser = 0,2 B. Auch ist östlich ein Hügel, oder ein Fragment des ehemaligen Ostwalles.
- Juli 9. 8ʰ. L. unter den benachbarten Kratern nur ein heller Lichtfleck.
- Juli 22. 15ʰ. Luft sehr unruhig. L. liegt genau in der Curve der Zone des Sonnen-Unterganges, und erscheint als unbedeutender Lichtpunkt.
- Aug. 7. 8ʰ. L. seit 24 Stunden erleuchtet; die Phase hat den Aristillus überschritten. L. ein unbedeutender Lichtfleck, in dessen westlichem Theile ein sehr feiner Hügel mit etwas Schatten, 1" bis 2" gross; der schwarze Punkt erschien zuweilen krater- oder lochförmig.
- Aug. 8. 6ʰ5—8ʰ5. L. ein matter Lichtfleck, merklich schwächer als γ Posid.; ebenso Aug. 9.
- Aug. 17. 8ʰ5, abnehmende Phase durch Cleomedes. L. als Lichtfleck ansehnlicher als A, B, C, sonst fast = γ Posid.
- Aug. 20. 11ʰ und 15ʰ. Luft sehr unruhig; abnehmende Phase über Bessel. A = 0,33 B. L. ein matter Lichtfleck, etwas kleiner als S. Gallus, mit sehr feinem weissen Kerne, dessen Grösse = 0,1 S. Gallus.
- Sept. 5. Abends. Luft nie ruhig. Phase am Hadley. L. erschien als sehr kleiner matter Hügel, der an sehr grossen Telescopen wohl als feiner Krater von 1" Durchmesser sich darstellen dürfte. Ich fand: L. = 0,33 A. A = 0,4 B. B = 0,5 C. C = 0,4 Bessel. S. Gallus = 0,8 Bessel.
- Sept. 6. L. ein Lichtfleck merklich matter als γ Posid. — Sept. 7. L. = γ Posid.
- Sept. 18. Abnehmende Phase über γ Posidonius. L. als weisse Wolke = 0,5 S. Gallus.
- Sept. 19. 12ʰ5. Luft sehr schlecht. L. der Phase schon auf 1° oder 1ʰ5 nahe, erscheint als kleiner Hügel, ohne Halo oder Nimbus; L. = 0,1 S. Gallus. L. = 0,5 A.
- Octob. 4. 6ʰ2—8ʰ5. Luft meist schlecht. Kurz vor 7ʰ erhielt L. das erste Licht. Um 8ʰ lag er innerhalb der Phase, als sehr feiner Hügel von 1" bis 1ʰ5 Grösse scheinbar kleiner als Jupiters Monde.
- Octob. 18. 12ʰ. Abnehmende Phase westlich neben Bessel. L. ein weisser Fleck mit hellerem Kernpunkte; das Ganze viel kleiner als S. Gallus. A, B, C mit ihrem starken Schatten höchst augenfällig.
- Nov. 3. Abends, zunehmende Phase im Caucasus. L. ein sehr feiner Hügel mit sehr schwacher Schattenspur.

1868 Febr. 1. Zunehmende Phase bei Archimedes; Luft ganz schlecht; L. ein Lichtfleck.

- Febr. 3. Luft sehr still, schon hohe Beleuchtung. In L. Lichtwolke ein sehr feines schwarzes Kraterloch, und dies hatte $0{,}17 \left(\frac{A+B}{2}\right)$ im Durchmesser. — Febr. 4. L. ein weisser Lichtfleck.

- Febr. 29. Luft klar und still. Um 8ʰ oder schon früher trat die Lichtgrenze an L. Dieser erschien als ganz kleiner niedriger Hügel; L. = 0,33 A. L. = 0,25 B.

- März 31. L. fern von der Phase, war als Lichtfleck weniger hell, und kleiner als γ Posid.

- April 28. Um 9ʰ waren die dem L. westlich nahen Hügelzüge schon erleuchtet, er selbst aber noch unsichtbar.

- April 29. Abends. L. als matter gegen 2 Meilen breiter Fleck, darin ein schwer sichtbarer kleiner Hügel, etwas westlich von der Mitte gestellt, fast schattenlos. Sonnenhöhe dort 11° bis 12°. Luft nicht ruhig.

- Mai 1. L. ein Lichtfleck. — Mai 2. L. ein lebhaft schimmernder Fleck.

- Mai 5, 6, 7, 8. L. wie gewöhnlich, wenig verschieden von γ Posid.

- Mai 11. Abnehmende Phase über Posidonius; L. als Lichtfleck viel heller als die stark beschatteten A, B, C.

- Mai 12. L. der Phase schon sehr nahe; Luft sehr ruhig; L. vielleicht dreitheilig, mit kleinem Hügel.

- Mai 28. Abends. Sonnenhöhe am L. etwa 8°. L. ein matter Lichtfleck. Aehnlich Mai 29 und Juni 1.

- Juni 10. 13ʰ—15ʰ. Luft selten still; abnehmende Phase bei Plinius. L. ein kleiner weisser Nebelfleck. A, B, C deutliche Krater.

- Juni 14. 14ʰ. L. in der Phase; ein feiner Lichtpunkt, dessen Verschwinden ich um 14ʰ 56ᵐ m. Athener Zeit notirte.

- Juni 16. Vor 9ʰ ging die Sonne am L. auf. Die Luft noch genügend gut. L. erschien als ganz kleiner Hügel; L = 0,2 B. Um 10ʰ2, nahe an der Phase, war der Hügel fast schattenlos, so dass er kaum 20' Höhe hatte.

- Juni 27. L. ein Lichtfleck, darin ein sehr feiner Hügel.

- Juni 28 und Juli 1. L. ähnlich γ Posid. und ähnlich dem Lichtfleck östlich bei Alpetragius.

- Juli 10. 14ʰ8. Abnehmende Phase über Bessel; L. ein sehr feiner schattenloser Lichtpunkt, rings von mattem Nimbus umgeben. Der innere Punkt = 0,1 B. Mit Hülfe der 600maligen Vergrösserung kam ich zu der Ansicht, dass dieser Punkt ein äusserst kleiner Krater sei, an Grösse ¼ bis ⅕ des vormaligen Durchmessers von L.

- Juli 27. Zunehmende Phase an Archimedes. L. ein matter Lichtfleck.

- Aug. 24. 7ʰ5. Die Phase hat L. seit einigen Stunden überschritten; Luft sehr gut. L. erscheint als sehr markirter heller Hügel und, was ich seither nie sah, mit spitzem fast 10″ langem Schatten, so dass er 60–70 Toisen Höhe haben konnte, oder wohl noch mehr. Durchmesser = 0,5 A.

- Sept. 23. Phase am Caucasus. L. ein matter Fleck, darin ein sehr kleiner deutlicher Hügel.

- Sept. 24. Phase bei Archimedes; L. ein matter Lichtfleck mit heller Mitte, und dort sicher ein feiner schwarzer Punkt, der ein Kraterloch der kleinsten Art anzeigt.

- Sept. 25. L. ein Lichtfleck. — Sept. 26. L. = γ Posid.

- Octob. 22. 6ʰ. L. an der Phase, ein feiner Hügel.

- Octob. 26. 7ʰ. L. ein runder Lichtfleck, gleich oder heller als γ Posid., ebenso Octob. 27.

- Dec. 22. 6ʰ5. Luft sehr still; Phase bei Plato. L. ein Lichtfleck mit sehr feinem dunklen Punkte darin; bei so hohem Stande der Sonne kann es nur der Schatten eines sehr engen Kraterloches sein.

- Dec. 26. L. fast gleich γ Posid. nach Grösse und Helligkeit.

1869 Febr. 18. Zunehmende Phase bei Cassini. L., an sehr starken Vergrösserungen betrachtet, erschien als ganz kleiner Hügel mit geringer Schattenspur; der Nimbus höchst matt. Die Krater A, B, C bilden gegen L. den stärksten Gegensatz in der Erscheinung.

- Febr. 19. Da die gestrige Schattenspur noch sichtbar, = 0,17 A, so musste es ein Kraterloch sein.

- Febr. 20. An 600facher Vergrösserung erkenne ich L. offenbar als feinen halbbeschatteten Krater, dessen Grösse = 0,17 A.

- März 23. L. ein schlecht begrenzter Lichtfleck, kleiner und etwas schwächer als γ Posid.; ähnlich April 21, 22.

1869 Mai 17. 6°8–7°5. L. bei Sonnenaufgang und etwas später, ein sehr kleiner schattenwerfender Hügel. — 0,5 A.
- Mai 18. 6°5–9°5. Phase am Ptolemaeus. L. ein sehr kleines dunkles walliloses Loch — 0,17 A.
- Mai 19. L. erscheint sehr deutlich als kleines dunkles Kraterloch ⇔ 0,2 A.
- Mai 20. Im Lichtflecken des L. sicht man den dunklen Punkt nicht mehr.
- Mai 27. Zwei Tage nach dem Vollmonde ist L. ein gewöhnlicher Lichtfleck.
- Juni 16. Phase am Calippus. L. ein Lichtfleck, darin wohl ein dunkler feiner Punkt.
- Juli 15. 7°–9°. Phase am Calippus. L. höchst günstig beleuchtet, ein feiner scharfer Hügel mit sehr geringem Schatten, der auf nur 20' Höhe schliessen lässt.
- Juli 17. 7°–9°5. Luft gut, Phase bei Eratostbenes. L. hat das Aussehen eines schwach ausgeprägten flachen Kraters der kleinsten Art, in sehr hellem Nimbus. Durchmesser = $0,5 \left(\frac{A+B}{2} \right)$.
- Juli 19. L. als Lichtfleck der Grösse nach — γ Posid. aber lichtschwächer. — Juli 20. L. nahe gleich γ Posid.
- Juli 28. 16°. Abnehmende Phase am Posidonius. L. ein Lichtfleck.
- Sept. 14. Am 6füssigen Refractor der Kaiserlichen Sternwarte zu Wien beobachtete ich L. als bekannten Lichtflecken.
- Oct. 12. (Wien.) Phase am Autolycus. L. eine weissgraue Wolke mit hellem Mittelpunkte, an dessen Ostseite man eine Spur des Schattens gewahrt.
- Dec. 10. Phase östlich bei dem Caucasus. L. ein ziemlich matter kleiner Lichtfleck, doch unter dieser Beleuchtung augenfälliger als die Nachbarkrater A, B, C.
1870 Mai 7. Hier beginnen wieder die Beobachtungen zu Athen. Abends lag die Phase am W.-Walle des Cassini. Luft still aber dunstig. L. schwer kenntlich, ein kleiner Hügel, vielleicht schattenlos, von schwachem Nimbus umgeben. Daneben erscheinen A, B, C als sehr bedeutende Objecte.
- Mai 9. L. ein heller Punkt mit weniger heller Umgebung.
- Mai 14, Vollmond. L. kleiner und lichtschwächer als γ Posid., 4 oder 5 Meilen westlich von L. ein sehr feiner heller Punkt.
- Juni 5. 8°–9°. Phase am Caucasus. L. sehr bestimmt ein ganz kleiner runder Hügel, — 0,17 B mit wenig Schatten.
- Juni 6. L. eine sehr matte kleine Lichtwolke, die Juni 7 merklich schwächer als γ Posid.
- Juni 8. L. als weisser Fleck nahe so hell als γ Posid.; ebenso Juni 10. Am 11. Juni L. schwächer und kleiner als γ Posid.
- Juni 19. 11°5. Luft sehr gut; abnehmende Phase westlich neben L., der als kleiner gut sichtbarer Hügel ohne merklichen Schatten sich darstellt, nicht viel kleiner als A. In dieser Lage, nahe vor Sonnenuntergang, war der Halo oder Nimbus nicht sichtbar.
- Juli 4. Um 10°5 als L. sehr nahe in der Phase liegen musste, war er an 15–20facher Vergrösserung eines kleinen Fernrohrs nicht kenntlich. (Später ward, wie gewöhnlich am 6füssigen Refractor beobachtet.)
- Juli 5. L. ein sehr kleiner Hügel, umgeben von mattem Nimbus; kaum Spur eines Schattens.
- Juli 6. L. ein kleiner matter Lichtfleck.
- Aug. 8. 8°5. Bei hoher Beleuchtung, L. ein starker Lichtfleck — γ Posid.
- Sept. 4. L. ein weisser Punkt.
- Sept. 14. 13°5. L. noch weit von der Phase, ein Lichtfleck — γ Posid. Durchmesser — 4"5 micrometrisch bestimmt.
- Oct. 14. 13°7. Luft sehr klar und still; abnehmende Phase am Posidonius. L. ein mässiger Lichtfleck mit innerem dunklen Punkte = 0,2 A, der auf eine Vertiefung deutet.
- Oct. 31. 5°0–7°5. Gute Luft, Phase am Cassini. L. ein matter Lichtfleck mit feinem hellen Hügel darin, dessen Schattenspur kaum merklich.
- Nov. 10. 8°. Abnehmende Phase bei Strabo. L. — γ Posid. eine weisse Wolke.
- Nov. 30. 5°5. Phase am Hipparchus. L. ein Lichtfleck.
- Dec. 29. 7°0. Phase am Cassini. L. ein matter Lichtfleck mit kleinem Hügel. — Dec. 30. L. ein weisser Fleck.

21

1871 Jan. 5. Ein Tag vor Vollmond, L. ein Lichtfleck.
- Jan. 28. Phase bei den Alpen. L. ein matter Lichtfleck.
- Febr. 2. L. ein heller Fleck, doch schwächer als γ Posid.; 6 Meilen westlicher ein sehr schwacher Lichtfleck, der noch Febr. 3 und Febr. 4 erkannt ward.
- Febr. 26. Phase am Caucasus, Luft sehr günstig. L. ein sehr deutlicher Hügel mit kleinem nicht messbaren Schatten. Durchmesser = 0.5 A.
- Febr. 27. Phase bei Archimedes. L. ein deutlicher kleiner Hügel in heller Umgebung; ein Schatten noch merklich, nur einen Hügel, nicht einen Krater andeutend.
- März 28. Phase am Aristillus. L. ein matter Lichtfleck. — März 31. L. ähnlich dem γ Posid.
- April 1 und 4. L. vom gewöhnlichen Aussehen, als weisser Lichtfleck.
- April 26. 8°. Phase am Calippus. L. ein feiner Hügel.
- April 27. 8°. L. ein Lichtfleck, darin ein äusserst feiner schwarzer Punkt.
- April 29. 8°. L. ein Lichtfleck, aber noch ist der schwarze Punkt darin sichtbar.
- Mai 1. L. nur Lichtfleck.
- Mai 26. 7.7. Phase am Caucasus. L. eine matte lichte Stelle mit fast schattenlosem Hügel.
- Mai 30 und Juni 1. L. ein Lichtfleck.
- Juni 24. Phase am Caucasus. L. ein sehr kleiner Hügel.
- Juli 23. 9.2. Mond tief, Luft schlecht, L. in der Phase, ein sehr feiner Lichtpunkt.
- Juli 26. 8.7. Phase schon bei T. Mayer. L. ein Lichtfleck mit der Spur des feinsten dunklen Punktes darin.
- Aug. 23. 7.5. Phase an Archimedis O-Wall. In L.'s Lichtwolke ein feiner schwarzer Punkt.
- Sept. 20. 7°. L. genau in der Phase, ein scharfer kleiner Hügel.
- Sept. 21. 6.7. L. ein grauer Fleck in dunkleren Mare, mit einem Hügelpunkte darin.
- Sept. 30. L. ein Lichtfleck.
1872 Jan. 20. 6°. L. erscheint als kleine weisse Wolke; Phase bei Euler.
- Jan. 26. Abnehmende Phase am W.-Rande des Mare crisium. L. ein scharfer Lichtpunkt.
- Febr. 18. Phase bei Copernicus. L. eine kleine Wolke.
- März 16. 8°. Phase im Caucasus. L. ein sehr feiner Hügel mit kleinstem Schatten. Der excentrisch liegende Nimbus kaum merklich. — April 14. 9.0 war L. in der Phase noch nicht sichtbar.
- April 16, 18, 19. L. wie gewöhnlich, ein kleiner Lichtfleck.
- Mai 13. 8.5. Phase am Aristillus. L. ein kleiner grauer Fleck. Luft nicht günstig; ähnlich Mai 18.
- Juli 14. 9°. Phase bei Copernicus. L. ein Lichtfleck, ebenso Aug. 11, 13, und oft im September und October.
- Dec. 9. 7°—9°. Phase östlich bei Copernicus. L. ein starker Lichtfleck mit deutlichem schwarzen Kraterpunkte in der Mitte. A, B, C hatten noch schwachen Schatten.
1873 März 6. 7°. Phase bei Aristillus. L. ein unbedeutender kleiner Lichtfleck. Er hatte sich März 3 als kleiner Hügel gezeigt, als die Phase am Caucasus lag.
- März 11, nahe Vollmond; ein kleines Fernrohr von 30maliger Vergrösserung zeigt L. deutlich als Lichtpunkt.
- März 14. 7.7. Bei hoher Beleuchtung erscheint L. (am 6füssigen Refractor) als scharfer kleiner Lichtfleck.
- April 4. 8°. Phase am Caucasus. L. ein unbedeutender weissgrauer Fleck.
- April 10. 8°. L. ein kleiner heller Punkt, ebenso April 11.
- April 16. 14°. Abnehmende Phase bei Römer. L. ein Lichtpunkt, sehr unbedeutend gegen A, B, C.
- Mai 3. 8.5. Phase am Caucasus. L. der Phase nahe, zeigte sich, ungeachtet der dunstigen Luft, doch deutlich als kleiner runder Hügel, aber ohne merklichen Schatten.
- Mai 5. L. ein Lichtfleck.
- Juni 2. 7.7. Phase östlich am Caucasus. L. ein feiner Hügel im hellgrauen Nimbus.
- Juni 6. 8°. Phase bei Schiller. L. ein ansehnlicher Lichtfleck, an Grösse = γ Posid., doch etwas lichtschwächer.
- Juli 4. 8°. Phase bei Landsberg. L. ein gewöhnlicher Lichtfleck, ebenso Aug. 8.
- Oct. 3. 7°. L. ein gewöhnlicher Lichtfleck.
- Oct. 27. 6°. L. der Phase nahe, ein deutlicher kleiner Hügel mit schwachem Schatten, sehr viel kleiner als A, B, C.

1873 Nov. 27. 6°. Phase bei Archimedes. L. ein matter Lichtfleck mit einem schwarzen Punkte darin.
- Dec. 27. 5°5. Phase am Eratosthenes. L. ein grauer Lichtfleck mit sehr feinem schwarzen Punkte in der Mitte.
1874 April 23. 7°. Phase östlich am Caucasus, Luft sehr unruhig. Im weissgrauen Halo des L. ein feiner Hügel.
- Mai 6. 15°. L. der Phase schon nahe, erscheint als deutlicher Lichtfleck.
- Mai 22. 8°. Phase im Caucasus. L. ein sehr kleiner weisser Hügel mit kaum merklichem Schatten, in nur wenig heller Umgebung.
- Juni 22. Phase an Davy; L. wenig schwächer als γ Posid., vielleicht mit feinem schwarzen Punkte.
- Juni 25. 8°. Phase im O.-Wall des Mare Humboldtianum. L. = γ Posid. ein Lichtfleck.
- Juli 21. Phase am O.-Walle des Ptolemaeus. L. ein Lichtfleck.

Hier enden vorläufig meine Wahrnehmungen über den Linné. Im März 1875 habe ich am grossen Refractor der Sternwarte zu Berlin genaue Beobachtungen erhalten, welche zeigen, dass der schwarze Punkt in der Lichtwolke des L. wirklich ein umwallter Krater der kleinsten Art ist, ebenso wie der Punkt in γ Posidonius, und in dem Lichtfleck im Osten des Alpetragius. Vor mir hatte schon Secchi den kleinen Krater in L. erkannt, ebenso Dr. Vogel am grossen Refractor zu Bothkamp. Es war diesem schon 1871 März 29 gelungen, auch in dem dunklen Punkte in γ Posidonius, die wirkliche Kraterform zu erkennen.

Während also von 1821 bis 1836, selbst bis zu 1843, mit gewöhnlichen Fernröhren von 100maliger und geringerer Vergrösserung der Krater Linné als solcher leicht gesehen, und selbst, wenn er in der Phase lag, als Fixpunkt erster Ordnung für selenographische Zwecke vermessen werden konnte, ist er nun (seit wenigstens 10 Jahren) so verändert, dass seine Sichtbarkeit in der Phase selbst nur mit starken Instrumenten möglich wird, und dass zur Erkennung der wahren Kraterform des centralen Punktes der Lichtwolke die mächtigsten Refractoren unserer Zeit in Anwendung gebracht werden müssen.

Ueber den Krater Linné ist seit 1867 mancherlei gedruckt worden, darunter verschiedentlich Unnöthiges, besonders von Personen, die sich zum ersten Male mit derartigen Beobachtungen beschäftigten. Ich habe keine Veranlassung gefunden, meiner ersten Abhandlung über diesen Gegenstand ein Wort hinzuzusetzen oder zu entziehen. Von den Mittheilungen über Linné will ich einige notiren.

1. J. Schmidt. Ueber die gegenwärtige Veränderung des Mondkraters Linné. LV. Band der Sitzungsber. der K. Akad. zu Wien. Febr.-Heft. 1867.
2. Mädler, Notiz über Linné in Kölner Zeitung. 1868, No. 321. I. Blatt.
3. Tacchini im Bull. met. di Palermo. 1868 Agosto.
4. Mädler's Brief an Tacchini im Bull. met. di Palermo. 1868 Sept.
5. Flammarion in Astr. Nachr. No. 1646.
6. Klein   -   -   -   1635.
7. Schjellerup   -   -   -   1655.
8. Tempel   -   -   -   1656.
9. J. Schmidt   -   -   -   1631.

Gross ist die Zahl der Notizen in englischen Zeitschriften, und es wird in Zukunft vielleicht von Interesse sein, Alles Vorhandene zusammenzustellen, und ein mittleres Resultat abzuleiten.

SECTION V.

	L.	M.	S.
Krater	114	153	778
Rillen	6	2	11

NAMEN.

1. Eratosthenes.	7. Gay-Lussac.	X. Mare Imbrium.
2. Timocharis.	8. Tob. Mayer.	XIII. Oceanus procellarum.
3. Carlini.	9. Bessarion.	K. Karpathen, von 7 bis 8.
4. Lambert.	10. Euler.	
5. Lahire.	11. Diophantus.	
6. Pytheas.	12. Delisle.	

Anm. Die neuern in England bestimmten Namen sind die folgenden:

Miss C. Herschel	in 31° östl. Länge und + 34° Breite,
Harbinger mis.	„ 42 „ „ „ + 26,5 „
Brayley	„ 37 „ „ „ + 20,7 „
Ich habe 1875 hinzugefügt:	
Heis (*)	„ 32 „ „ „ + 32 „

VERGLEICHUNG DER BEZEICHNUNGEN IN LOHRMANN'S UND MÄDLER'S CHARTEN.

bei Lohrmann:	bei Mädler:	bei Lohrmann:	bei Mädler:
332* Eratosthenes	Eratosthenes	38. 39	bei e
49	ζ	335* L.	C (Anm. 1)
50	αB	35- 37	unbezeichnet
48	a	34	η
47	b	38. 33	e η
46	unbezeichnet	32. 31	μ
45	ι	336* Tob. Mayer	Tob. Mayer
333* (43) Gay-Lussac	Gay-Lussac	T	a
M	A	36	ζ
42	η	25	b
44	, b	26	z
41	s	27. 23	unbezeichnet
40	γ. ν	337* E. Bessarion	Bessarion

174

bei Lohrmann:	bei Mädler:	bei Lohrmann:	bei Mädler:
24	B	368* Lambert	Lambert
1	fehlt (Anm. 2)	2	Γ
334* K	C	367* Timocharis	Timocharis
t	unbezeichnet	3	unbezeichnet
369* Pytheas	Pytheas	4	D
371* Euler	Euler	5	B
29. 28	unbezeichnet	409* A. — Carlini	Carlini
374* 20	β	7	C
21	B	6	unbezeichnet
375* D	A — Brayley (engl. Beob.)	8	a
22	C	411* B	C = Miss C. Herschel (engl. Beob.)
18	fehlt	9	ζ
19	e	410* F. — Heis (*)	b
17	T } Harbinger mts. (engl. Beob.)	10	d
16	A }	12	a
G	A	412* C	A
373* H. — Diophantus	Diophantus	13	
372* Delisle	Delisle	15	unbezeichnet
11	β	14	b
370* Lahire	Lahire		

Anm. 1. Lohrmann's L = Mädler's C = C d Schmidt, ist auf den 3 Charten in schlechter Uebereinstimmung.
Anm. 2. 1, südlich von Euler: ob der Krater bei Mädler fehlt, kann streitig sein, da man aus den schwachen Hügeln der Mappa Selenogr. wohl ein ungefähres Ringgebilde sich vorstellen könnte. Lohrmann zeichnet den Krater zu scharf, und meine Charte wird ihn richtiger darstellen.

HÖHENMESSUNGEN.

Die Höhen des Eratosthenes und Timocharis findet man bei Sect. IV.

1. Gebirge 22, südlich an Eratosthenes; Mittelhöhe.

$\varphi = 3°45'$ h = 1470' gegen Ost. Sr.

2. Das Südcap von 22, wo bei Lohrmann 50 steht, oder nahe bei Mädler's Stadius a; gegen O. gemessen.

$\varphi = 3°\ 9'$	h = 948'	S.
3 16	692	M.
3 32	652	M.
3 55	698	S.
4 0	751	M.
4 17	818	S.

Da der Berg eine scharfe Spitze hat, so kann bei kleinem φ der sehr feine Schatten oft nicht erkannt werden.

Mittel: $\varphi = 3°41'$ h = 760' = 4560'.

3. Berge östlich von Eratosthenes, der westliche τ, zu Ost gemessen.

$\varphi = 1°56'$	h = 507'	S.
2 36	509	M.
3 2	436	S.

Mittel: $\varphi = 2°31'$ h = 484' = 2904'

4. Berg η, gegen Osten gemessen.

$\varphi = 2°\ 4'$	h = 576'	M.
2 13	660	M.
2 14	632	S.
2 17	703	S.
3 7	664	Sr.
3 22	862	S.
3 27	800	S.
4 14	726	S.

Auch hier bleibt die feinste Schattenspitze oft verborgen und erscheint nur bei sehr guter Luft.

Mittel: $\varphi = 2°51'$ h = 705' = 4230'.

Sehr nahe die Höhe des Attischen Parnes.

5. Karpathen = K. Zwischen Gay-Lussac und T. Mayer, ein Berg in 16°7 O. Länge und 15° N. Breite:

h = 400' M.

Berg östlich bei No. 7:

bei $\varphi = 3°52'$ h = 857' M.

Nordcap in 22°5 Länge und 15°5 Breite:

$\varphi = 3°40'$ h = 634' M.

Nordcap in 24° Länge und 16° Breite:

$\varphi = 9°41'$ h = 1100' M.

Im Texte setzt M. hier 990', welche Zahl im Catalog der Höhen fehlt.

6. Gay-Lussac A, der südliche Nachbar von No. 7. M. findet den Durchmesser = 3,2 Meilen.

$\varphi = 11°29'$	h = 682'	M.
11 51	815	M.

Mittel: $\varphi = 11°40'$ h = 748' = 4488'.

Der grössere Hauptkrater scheint weniger tief zu sein.

7. T. Mayer = No. 8. Der W.-Wall ist so hoch, dass sein Schatten bei Sonnenaufgang den östlichen Wall überdeckt, und östlich vom Hauptkrater in der Ebene endet. Messungen zu solcher Zeit entscheiden also Nichts über die Tiefe des Kraters.

W.-Wall, zu O. gemessen:

$\varphi = 3°\ 0'$	h = 1083'	S.
3 30	1268	S.
3 41	1356	S.
13 35	1521	M.

O.-Wall:

$\varphi = 5°42'$ h = 416' Sr.

In den 3 ersten Messungen fiel der Schatten über den O.-Wall hinaus.

Mittel dafür: $\varphi = 3°24'$ h = 1236' = 7416'.

Mädler's Messung allein kann die Tiefe nicht sicher bestimmen. Doch mag der Boden des Kraters 300' unter der Ebene liegen.

8. Berg α, im SO. des T. Mayer oder No. 8.

Gegen Osten gemessen:

$\varphi = 3° 25'$ h = 778' S.
3 34 629 M.
4 1 629 M.
5 8 615 M.
Mittel: $\varphi = 4° 2'$ h = 663' = 3978'

Gegen Westen:

$\varphi = 4° 50'$ h = 929' M.

9. Berg B in NO. von No. 8, zu Osten gemessen.

$\varphi = 3° 39'$ h = 520' M.

10. Hügel SO. vom Berge C.

$\varphi = 1° 27'$ h = 151' M.

Wo in Mädler's Charte γ steht, muss ν gelesen werden. Es ist Lohrmann's No. 32, NW. von Tob. Mayer. In meiner Charte stand schon γ, als ich den Fehler bei M. bemerkte.

11. Krater C in 26°5 Länge und 11°5 Breite.

W.-Wall aussen:

$\varphi = 1° 47'$ h = 275' Sr.

12. Berg δ, NO. vom Vorigen; zwischen C und Tob. Mayer.

Gegen W. gemessen:

$\varphi = 3° 3'$ h = 1249' Sr.

13. Euler = No. 10 nach M. 4,1 Meilen breit.

W.-Wall aussen:

$\varphi = 1° 41'$ h = 248' Sr.
1 45 413 M.
2 28 338 M.

W.-Wall innen:

$\varphi = 8° 11'$ h = 1073' S.
10 56 863 M.
13 12 999 M.

O.-Wall aussen:

$\varphi = 1° 41'$ h = 381' S.
1 54 O.-Gipfel 342 S.
2 22 O.-Gipfel 388 S.
5 31 177 M.

O.-Wall innen:

$\varphi = 8° 23'$ h = 1487' Sr.
10 47 797 S.

Berg δ, östlich von Euler.

$\varphi = 2° 13'$ W.-Gipfel h = 634' S. zu W. gem.
2 47 S.- 388 S. - O.
3 7 N.- 569 S. - O.

Hiernach setze ich für Euler im Mittel:

W.-Wall aussen $\varphi = 1° 58'$ h = 333'
- - innen 10 46 978
O.-Wall aussen 1 59 370 (ohne M.)
- - innen 9 35 1142

Westliche Tiefe unter dem Mare = 645'
Oestliche - - - 772
Mittel = 708' = 4248'

Für den Berg β genügt es, bis mehr Messungen vorliegen, die Höhe = 530' anzunehmen.

14. Berg in 35°2 Länge und 21°3 Breite.

h = 276' M.

15. In Euler's Nähe der Berg β, gegen O. gemessen.

$\varphi = 2° 15'$ h = 575' S. } S.-Gipfel.
2 26 378 Sr. }
2 26 486 Sr. }
2 19 633 S. } N.-Gipfel
2 55 569 M. }
Mittel: $\varphi = 2° 10'$ h = 509' = 3054' S.-Gipfel
2 35 578 = 3468' N.-Gipfel

16. Berg γ, südlich von Euler.

$\varphi = 1° 33'$ h = 327' Sr. zu W. gemessen.
2 36 381 Sr. der NW.-Gipfel
2 49 826 S. zu O. gemessen.

Die Messung von S. bezieht sich auf den S.-Gipfel.

17. Krater B, SO. von Euler, 35° Länge, 20°5 Breite.

W.-Wall innen:

$\varphi = 13° 22'$ h = 451' Sr.

O.-Wall aussen:

$\varphi = 0° 52'$ h = 106' Sr.

Die östliche äussere Höhe giebt M. = 222', doch findet sich die Zahl nicht im Höhencataloge.

18. Krater A, östlich vom Vorigen.

W.-Wall innen:

$\varphi = 11° 42'$ h = 583' Sr.
23 14 1973 S.

Meine Messung jedenfalls sehr gewagt, und noch zweifelhaft, ob dieser Krater gemeint sei.

19. Pytheas, nach M. 2,5 Meilen breit und sehr hell = No. 6.

W.-Wall innen:

$\varphi = 11° 40'$ h = 752' Sr. } unvereinbar.
12 24 1922 Sr. }

W.-Wall aussen:

$\varphi = 2° 32'$ h = 375' M.
2 38 434 S.
3 8 378 M.
Mittel: $\varphi = 2° 46'$ h = 390' = 2376'.

O.-Wall aussen:

$\varphi = 2° 44'$ h = 460' S.
2 46 386 M.
2 48 344 S.
Mittel: $\varphi = 2° 46'$ h = 400' = 2400'.

Der Boden des Kraters liegt wenigstens 300' tiefer als das Mare.

20. Ader in 17° Lg. und 21°2 Br. gegen W. gem.

$\varphi = 1° 33'$ h = 129' M.

21. Hügel in 23°7 Länge und 19°5 Breite zu O. gemessen.

$$\varphi = 2^\circ \; 5' \quad h = 165^t \quad M.$$

22. Lambert — No. 4. Nach M. 3,8 Meilenbreit.

O.-Wall aussen:

$$\varphi = 1^\circ 55' \quad h = 369^t \quad S.$$
$$ 1 \; 56 \quad 274 \quad M.$$
$$ 2 \; 9 \quad 251 \quad S.$$

Mittel: $\varphi = 2^\circ \; 0' \quad h = 298^t = 1788'.$

W.-Wall innen:

$$\varphi = 7^\circ 46' \quad h = 1240^t \quad Sr.$$
$$ 8 \; 47 \quad 935 \quad S.$$
$$ 9 \; 14 \quad 930 \quad M.$$
$$ 9 \; 25 \quad 891 \quad S.$$
$$ 9 \; 58 \quad 1128 \quad S.$$
$$ 10 \; 2 \quad 1144 \quad S.$$
$$ 12 \; 1 \quad 1568 \quad Sr.$$

Ohne Schröter's letzte Messung hat man das Mittel: $\varphi = 8^\circ 57' \quad h = 965^t$
$$ 10 \; 0 \quad 1136 = 6816^t.$$

W.-Wall aussen:

$$\varphi = 2^\circ 36' \quad h = 391^t \quad M.$$
$$ 2 \; 42 \quad 387 \quad S.$$
$$ 3 \; 12 \quad 362 \quad M.$$

Mittel: $\varphi = 2^\circ 50' \quad h = 380^t = 2280'.$
Demnach liegt der Kraterboden 756^t tiefer als das Mare.

23. Hügel Γ, NW. von Lambert.

Gegen Westen:

$$\varphi = 1^\circ 12' \quad h = 197^t \quad M.$$
$$ 3 \; 56 \quad 470 \quad M.$$

Gegen Osten:

$$\varphi = 2^\circ 46' \quad h = 624^t \quad M.$$
$$ 3 \; 0 \quad 561 \quad S.$$

Für die gegen Osten gemessene Höhe findet sich das Mittel:

$$\varphi = 2^\circ 53' \quad h = 592^t = 3552'.$$

M. bezeichnet seine Angabe, b = 197^t, als zweifelhaft.

24. Berg Lahire — No. 5, ONO. von Lambert.

Gegen Osten:

$$\varphi = 2^\circ \; 6' \quad h = 609^t \quad S.*$$
$$ 2 \; 23 \quad 875 \quad S.$$
$$ 2 \; 43 \quad 753 \quad Sr.$$
$$ 2 \; 43 \quad 876 \quad S.$$
$$ 3 \; 15 \quad 820 \quad S.$$
$$ 3 \; 31 \quad 807 \quad S.$$
$$ 3 \; 57 \quad 912 \quad S.$$
$$ 4 \; 5 \quad 834 \quad S.$$
$$ 4 \; 42 \quad 974 \quad S.$$
$$ 4 \; 43 \quad 744 \quad Sr.$$
$$ 4 \; 45 \quad 881 \quad S.$$
$$ 5 \; 32 \quad 1082 \quad S.$$
$$ 5 \; 49 \quad 803 \quad S.$$

Gegen Westen:

$$\varphi = 2^\circ 20' \quad h = 726^t \quad Sr.$$
$$ 3 \; 45 \quad 833 \quad Sr.$$
$$ 4 \; 47 \quad 914 \quad S.$$
$$ 6 \; 59 \quad 798 \quad M.$$

In der ersten Angabe S.* ward der Schatten noch von der Phase abgeschnitten. Die sehr feine Schattenspitze wird nur bei guter Luft sicher erkannt.

Mittel:

$$\text{zu Ost} \quad \varphi = 3^\circ \; 7' \quad h = 848^t$$
$$\text{— —} \quad 4 \; 57 \quad 899 = 5394'$$
$$\text{zu West} \quad 3 \; 2 \quad 779$$
$$\text{— —} \quad 5 \; 53 \quad 856 = 5136'.$$

Allgemeines Mittel: h = 865^t = 5190'. Im Texte bei Mädler ist Lahire übergangen, wo pag. 265 von ihm hätte die Rede sein sollen.

25. Diophantus — No. 11.

W.-Wall innen:

$$\varphi = 8^\circ 43' \quad h = 505^t \quad Sr.$$
$$ 13 \; 28 \quad 1036 \quad S.$$
$$ 15 \; 18 \quad 1426 \quad S.$$

Ohne die Angabe von Sr. ist das Mittel:

$$\varphi = 14^\circ 23' \quad h = 1231^t = 7386'$$

O.-Wall aussen:

$$\varphi = 1^\circ 55' \quad h = 399^t \quad M.$$
$$ 2 \; 19 \quad 350 \quad S.$$
$$ 2 \; 22 \quad 496 \quad S.$$

Mittel: $\varphi = 2^\circ 12' \quad h = 415^t = 2490'.$
Wäre der Wall ringsum gleich hoch, so würde der Kraterboden 816^t unter dem Mare liegen.

26. Delisle — No. 12.

W.-Wall innen:

$$\varphi = 9^\circ \; 4' \quad h = 931^t \quad M.$$
$$ 12 \; 54 \quad 1525 \quad S.$$

Mittel: $\varphi = 10^\circ 59' \quad h = 1228^t = 7368'.$

O.-Wall innen:

$$\varphi = 8^\circ 43' \quad h = 620^t \quad Sr. \text{ gewiss viel zu gering.}$$

W.-Wall aussen:

$$\varphi = 1^\circ 12' \quad h = 181^t \quad S.$$
$$ 2 \; 7 \quad 274 \quad S.$$

Mittel: $\varphi = 1^\circ 39' \quad h = 227^t = 1362'.$

O.-Wall aussen:

$$\varphi = 1^\circ 31' \quad h = 310^t \quad S.$$
$$ 1 \; 57 \quad 357 \quad S.$$
$$ 2 \; 26 \quad 151 \quad M.$$

Mittel ohne M.: $\varphi = 1^\circ 44' \quad h = 333^t = 1998'.$
Der Boden des Delisle liegt 900^t bis 1000^t unter dem Mare.

27. Krater C in 33° Länge und 34° Breite.

W.-Wall aussen:

$$\varphi = 1^\circ 53' \quad h = 366^t \quad S.$$
$$ 2 \; 11 \quad 455 \quad S.$$

Mittel: $\varphi = 2^\circ \; 2' \quad h = 410^t = 2460'.$

O.-Wall aussen:
φ = 1° 59' h = 282' S.

28. Berg α, östlich neben Delisle.

φ = 1° 57'	h = 428'	S.	Südgipfel.
1 57	479	S.	Nordgipfel.
2 40	660	S.	Südgipfel.
3 18	593	M.	

Mittel: φ = 2° 28' h = 540' zu Osten = 3240'.
Der Berg β, SO. von Delisle, hat ähnliche Höhe.

29. Hügel γ, NW. von Delisle, Ost vom Krater C, gegen Osten gemessen.
φ = 1° 42' h = 202' M.

30. Carlini = No. 3, dessen W.-Wall innen.
φ = 6° 52' h = 309' Sr. viel zu geringe.

31. Krater D, westlich von Carlini.
W.-Wall aussen:
φ = 1° 28' h = 292' M.
Mädler's μ ist nicht nachweisbar.

32. Berg ε, oder Mairan φ, in unserer Section rechts unten, zu O. gemessen.

φ = 2° 24'	h = 646'	S.
2 41	573	M.
2 48	488	M.
2 49	521	M.
3 15	426	S.

Mittel: φ = 2° 47' h = 531' = 3186'.

33. Berg ζ, nördlich vom Vorigen, zu O. gemessen.

φ = 2° 41'	h = 809'	M.
2 53	878	S.
3 11	896	M.
3 32	1039	M.

Mittel: φ = 3° 4' h = 905' = 5430'.

34. Berg η Aristarchus, am rechten Rande der Tafel, zu O. gemessen.

| φ = 2° 41' | h = 681' | S. |
| 2 43 | 981 | M. |

Mittel: φ = 2° 42' h = 831' = 4986'.
In M.'s Höhencataloge No. 356 steht irrig 9° 43' anstatt 2° 43', und im Texte p. 279 irrig h = 982' anstatt 981'.

35. Berg ϑ, nördlich vom Vorigen, zu O. gemessen.

φ = 2° 36'	h = 875'	M.
2 39	831	S.
2 58	928	S.

Mittel: φ = 2° 44' h = 878' = 5268'.

36. Berg ι, dessen N.-Gipfel zu O. gemessen.

| φ = 3° 37' | h = 1322' | S. |
| 4 38 | 1147 | S. |

Mittel: φ = 4° 7' h = 1235' = 7410'.

Neigungswinkel.

Tob. Mayer, O.-Wall	M = 48'
- - W.-Wall	μ = 38
T. Mayer A, O.-Wall	μ = 47
- - W.-Wall	μ = 38
Bessarion, O.-Wall	μ = 55
dessen N.-Nachbar, O.-Wall	μ = 55
Lambert Γ, zu Westen	μ = 29
Lahire, westlich	M = 35
-	μ = 31
Gay-Lussac, W.-Wall	μ = 37
- - A,	m = 31
- - A,	M = 47
Pytheas, W.-Wall	M = 45
-	μ = 35
-	m = 29
Lambert, W.-Wall	M = 43
-	μ = 31
-	m = 28
Euler, W.-Wall	μ = 31
-	m = 21
- O.-Wall	M = 38
Delisle, W.-Wall	μ = 30
- O.-Wall	M = 46
- b u. c -	M = 42
Diophantus, O.-Wall	M = 45
- a, W.-Wall	μ = 32
- b,	μ = 32
Carlini, W.-Wall	μ = 39
- O.-Wall	M = 46

BEMERKUNGEN.

1842 Juni 17, die erste Darstellung der Karpathen.

 - Aug. 27. Die meisten der kleinen Krater bei Stadius, oder zwischen Eratosthenes und Copernicus, konnten von Lohrmann und Mädler nicht gesehen werden. Ich sah am 6füssigen Refractor der Hamburger Sternwarte deren so viele, dass ich eine genaue Zeichnung für unausführbar hielt.

1843 April 10 ward der nördliche Nebenkrater des Delisle b nicht gezeichnet.

22

1843 Mai 9. Schröter's Krater E, N. an Pytheas, dunkelgrau, gut sichtbar. — Phase an Kepler und Gassendus.

- Sept. 17 zählte ich am 6 füssigen Refractor wenigstens 90 Krater östlich bei Eratosthenes.

1846 Juli 3. Zu Bonn am 5 füssigen Refractor war bei guter Luft die Zahl der Krater am vorhingedachten Orte zu gross, um sie genau darstellen zu können.

1849 Jan. 4. Am 5 füssigen Refractor bei sehr guter Luft. Bei Stadius sind die Krater gruppen- und reihenweis geordnet, an 6 Stellen die Uebergangsformen zur Rille zeigend. Zu den Radial-Hügelreihen des Copernicus haben sie keine deutliche Beziehung. Gegen N. oder gegen die Karpathen hin zeigen diese Hügelreihen sich oft als feine weisse Linien, aber doch verschieden von den Lichtstreifen. Sie erscheinen auch als schmale Thalformen mit einseitigen Schatten-spuren. Am starken Oculare lassen sich in ihnen kraterförmige Erweiterungen bemerken.

- Febr. 2. Der Schröter'sche kleine Krater am N.-Fusse des Pytheas war leicht kenntlich, auch am 2 füssigen Fernrohre (siehe 1843, Mai 9); er erschien kleiner als Schröter's v. Bei L. und M. fehlt er. Schröter fand ihn 1794 Sept. 4. (Bd. II., § 633, pag. 89, Tab. LXXII. No. 56).
   Schröter's v = Mädler's a. Die Radialhügel N. von Copernicus, oder die bei Gay-Lussac, haben wieder das Aussehen von Rillenthälern.

- Febr. 3. Im Gay-Lussac liegen Hügel und wallose Gruben. Lamberts Centralberg hat offenbar eine Kraterform. Diesmal ward sicher auch der kleine Krater NO. bei Lambert gesehen.

- März 4. Die Krater bei Eratosthenes und Stadius sind durchaus unzählbar. Im Stadius allein waren deren gegen 50, östlicher auf nahe gleichem Raume ebenfalls 50, und in der Reihe gegen Norden etwa 100. Der Krater b, NW. bei Delisle, hat in seinem N.-Rande einen sehr deut-lichen eingreifenden Krater, der bei M., nicht aber bei L. fehlt. Ich fand ihn deutlicher als seine kleinen Nachbarn. Schon Febr. 3 hatte ich ihn bemerkt. Er fehlt bei Schröter, Bd. I., Tab. XIX, pag. 294, wo θ = b Mädler. Meine Charte giebt d (SW. bei b) im richtigen Ver-hältnisse zu b, ebenso Lohrmann. Aber bei Schröter und Mädler ist er zu klein gezeichnet. (Note von 1874.)

- März 5. Der Krater im N.-Rande von Delisle b sehr auffallend, und ebenso auffallend, dass M. ihn übersehen konnte.

1851 Jan. 13. Derselbe Krater leicht sichtbar.

- Jan. 14. Nördlich von Gay-Lussac wurden 2 kleine Krater gesehen in 22° Länge und + 16° Breite. Richtung Beider SO.-NW.

- Febr. 10. Luft sehr gut; beobachtet an 300 maliger Vergrösserung des 5 füssigen Refractors. Oestlich von Eratosthenes sind wenigstens 120 kleine Krater kenntlich; dazwischen noch viel kleinere angedeutet. Copernicus C (am obern Rande der Tafel) ist ebenso gross als Hortensius und Milichius.

- Febr. 12. Der Krater C, NW. von Delisle, hat einen Centralberg (33° W. Länge und 34° N. Breite).

- Febr. 13. Bessarion und dessen Nachbar B, sowie Carlini (= No. 3), haben Centralberge.

1853 Mai 16. Am 14 füssigen Refractor der Berliner Sternwarte erschien der Raum bei Stadius ganz durchlöchert von feinsten Kratern, wie ein Sieb, so dass die genaue Darstellung aller Details dieser Gegend an einem so grossen Fernrohre ganz unmöglich wird.

- Mai 17. Mit demselben Refractor prüfte ich die Radialfurchen nördlich von Copernicus, (also bei Gay-Lussac) und die Karpathen. Sie haben zum Theil den Charakter der Rillen, ohne ihnen ganz zu gleichen.

- Mai 18. Oestlich im Tob. Mayer liegt ein Doppelkrater.

1854 Nov. 20. 8¾. Die Schatten zweier Hügel in Delisle a sind nicht parallel.

1862 Jan. 19. (Athen.) Euler = No. 10 erschien sehr elliptisch mit scharfen Ecken in NW. und SO.

1865 Juni 4. Der Krater im Tob. Mayer (No. 8) ist doppelt; der nördliche von Beiden ist der kleinere.

- Dec. 29. Der kleine Krater östlich nahe Diophantus, (dicht über der Zahl 11), ward an diesem Abende gesehen. Die Zeichnung No. 1069 hat aber den Beisatz, dass diese Situation nach der Beobachtung, aus dem Gedächtnisse entworfen ward. Da ich ihn auf meine Charte ge-bracht habe, wird er später wohl anderweitig beglaubigt sein.

1867 Jan. 25. Der Berg Γ, westlich bei Lambert, merkwürdig intensiv leuchtend, heller als Lahire, und mehr gelb-röthlich; die abnehmende Phase lag im westlichen Theile des Mare serenitatis.

1867 Mai 13 wurden die neuen Rillen östlich bei Lambert gesehen.
- Mai 14. Labire's Gipfel hat einen kleinen Krater.
1868 Mai 30. Der in der Phase liegende Berg Γ Lambert strahlt ähnlich einem Sterne der ersten Grösse.
- Juni 1 wurden besonders die Lichtstreifen im Mare imbrium gezeichnet.
- Juli 10. Im Pytheas ein feiner Centralberg auf grauem Grunde. (Schon früher gesehen).
1870 Sept. Euler ist elliptisch und kleiner als Lambert.
- Oct. 6. Ein dunkelgrauer Fleck südlich bei Gay-Lussac in 20°7 Länge und 12°2 Breite. (Schon 1868 Juli 10 gesehen).
1872 Dec. 9 ward die Rille NO. bei Lambert gesehen.

Zur Darstellung der Section V. haben 128 Aufnahmen gedient.

SECTION VI.

	L.	M.	S.
Krater	123	155	844
Rillen	2	0	11

NAMEN.

1. Copernicus.
2. Stadius.
3. Gambart.
4. Reinhold.
5. Hortensius.
6. Milichius.
7. Encke.
7a. Kepler.
8. Landsberg.
9. Euclides.
10. Fra Mauro.
11. Parry.
12. Bonpland.
R. Riphaeus.

IV. Mare nubium.
VIII. Oceanus procellarum.

Anm. Dieser Section habe ich nur den Namen „Kunowsky" beigefügt.
Es ist der Krater Lohrmann 25 = Mädler c, südöstlich neben
Landsberg.

VERGLEICHUNG DER BEZEICHNUNGEN IN LOHRMANN'S UND MÄDLER'S CHARTEN.

bei Lohrmann:	bei Mädler:	bei Lohrmann:	bei Mädler:
46 Guericke	Guericke	34. 35	B
50	A	36	Γ
51	γ	37	g
47	A	43	θ
48	ζ	243.* 33	bei ι
242* Parry	Parry	29	ι
49 Bonpland	Bonpland	31	K
241* Fra Mauro	Fra Mauro	32 Euclides	Euclides
52	β	38	μ
53	η	244*	bei a
54	ζ	41	fehlt
55	E	58	B
56	f	59	H
60	unbezeichnet	289* Landsberg	Landsberg
44	A	26	unbezeichnet
45	unbezeichnet	25 = Kunowsky (*)	c
42	d	27	d

bei Lohrmann:	bei Mädler:	bei Lohrmann:	bei Mädler:
24	B	288° Reinhold	Reinhold
30	nicht bezeichnet, oder	23	γ
	fehlt vielmehr bei M.	19	δ
285° Gambart	Gambart	18	nicht bezeichnet
286°	A	291°	A
284° a	B	15	a
284° b	C	17	b
8	d	16	d
4	c	293° Encke	Encke
1 Stadius	Stadius	14	b
2	ε	20	der Krater fehlt
F	nicht bezeichnet	21. 22	nicht bezeichnet
5	ζ	290° Hortensius	Hortensius
287° Copernicus	Copernicus	10	c
B	B	9	nicht bezeichnet
A	A	292° Milichius	Milichius
6	A	12	A
11	B	B	b
7	A	13	η

HÖHENMESSUNGEN.

1. Copernicus — No. 1.

W.-Wallgipfel:

φ = 5° 26'	h = 2111'	S.
5 58	2027	S.
5 59	1924	M.
6 7	2104	S.
6 8	1922	S.
6 8	2182	S.
6 19	2057	S.
7 50	2355	S.
8 9	2480	S.
8 16	2106	S.
9 14	1921	S.
9 49	1801	S.
9 58	1604	M.
10 35	2061	S.
11 21	2428	S.*
11 40	1642	S.
13 9	1491	S.
15 45	1082	S.

Bei φ = 5°5 liegt das Ende des Schattens auf den innern Terrassen des O.-Walles, bei 7° bis 8° in der Mitte, später in der westlichen Kraterfläche, und von φ = 12° bis 15° auf den innern westl. Terrassen, nur eine Angabe mit * bleibt ausgeschlossen:

Mittel: φ = 6° 1'	h = 2047'	
8 5	2314	= 13884'
9 40	1775	
11 7	1851	
14 27	1286	

SW.-Wall:

φ = 5° 0'	h = 1784'	S.
5 15	1878	S.
5 21	1585	S.

Mittel: φ = 5° 12' h = 1749' = 10494'.

W.-Wall:

φ = 7° 14'	h = 1337'	Sr.
7 50	1801	S.
9 33	1492	S.

Mittel: φ = 8° 24' h = 1585' = 9510'.

NW.-Wallgipfel:

φ = 5° 34'	h = 2085'	S.
5 43	1973	S.

Mittel: φ = 5° 38' h = 2029' = 12174'.

NW.-Wall:

φ = 5° 38' h = 1499' S.

SW.-Terrasse innen:

φ = 8° 1'	h = 1181'	S.
10 54	1115	S.

Mittel: φ = 9° 27' h = 1148' = 6888'.

W.-Terrasse innen:

φ = 11° 20' h = 937' S.

NW.-Terrasse innen:

φ = 10° 49' h = 1081' S.

O.-Wall:

φ = 5° 8'	h = 1999'	M.
6 59	1497	Sr.
7 50	1493	M.
9 6	1709	S.
9 12	1619	M.

Mittel: φ = 7° 43' h = 1682' = 10092'.

O.-Wallgipfel aussen:

φ = 2° 16'	h = 658'	S.
2 30	846	S.

Mittel: φ = 2° 23' h = 752' = 4512'.

NO.-Gipfel aussen:

φ = 2° 41' h = 469' S.

O.-Wall aussen:

φ = 2° 39'	h = 413'	M.
2 43	511	S.

Mittel: φ = 2° 41' h = 462' = 2772'.

Aeussere NO.-Terrasse aussen:
$\varphi = 2° 41'$ $h = 469'$ S.

Der Kraterboden des Copernicus liegt wenigstens 1220' tiefer als das umgebende Terrain ausserhalb der äusseren Terrassen.

Der W.-Gipfel überragt gegen 700' den dortigen Hauptwall, und 1100' die obere innere Terrasse.

Die Centralberge; der östliche, gegen O. gemessen:

$\varphi = 3° 52'$ $h = 213'$ S.
3 37 364 S.
3 37 378 S.

Mittel: $\varphi = 3° 42'$ $h = 328' = 1968'$.

Der westliche, zu W. gemessen:

$\varphi = 2° 38'$ $h = 303'$ S.

Die Gipfel dieser Hügel liegen also gegen 900' unter der mittlern Oberfläche des Mondes, und 2000' unter dem Gipfel der W.-Höhe des Walles.

2. Gambart = No. 3. W.-Wallgipfel aussen:
$\varphi = 2° 22'$ $h = 359'$ M.

3. Reinhold = No. 4.
W.-Wall:

$\varphi = 5° 27'$ $h = 1395'$ S.
6 0 1355 Sr.
7 11 1378 M.
7 44 1347 S.
7 51 1562 M.
8 22 1367 S.
8 31 1284 S.
8 56 1350 S.
8 58 1327 S.
9 56 1445 S.
10 17 1580 S.

Mittel:

$\varphi = 5° 38'$ $h = 1382'$
7 35 1419
8 42 1332
10 6 1512 = 9072'.

Das allgemeine Mittel ist:
1398' = 8388'.

O.-Wall:

$\varphi = 8° 40'$ $h = 995'$ M.
11 4 1206 M.

Mittel: $\varphi = 9° 52'$ $h = 1100' = 6600'$.

O.-Wall aussen:

$\varphi = 2° 0'$ $h = 369'$ S.
2 17 301 Sr.
2 36 377 S.

Mittel: $\varphi = 2° 18'$ $h = 359' = 2151'$.

Der Boden des Kraters liegt 741' unter der östlichen Ebene.

4. Landsberg = No. 8.
W.-Wall:

$\varphi = 5° 34'$ $h = 885'$ Sr.
6 12 1358 S.
8 32 1089 Sr.
11 42 1511 M.

Mittel: $\varphi = 8° 19'$ $h = 1285' = 7710'$.

W.-Wall aussen:

$\varphi = 2° 41'$ $h = 567'$ Sr.

O.-Wall:

$\varphi = 6° 29'$ $h = 1160'$ S.
9 43 1254 S.
10 57 1104 M.

Mittel: $\varphi = 9° 3'$ $h = 1173' = 7038'$.

O.-Wall aussen:

$\varphi = 2° 13'$ $h = 467'$ M.
2 46 394 S.
2 52 457 S.
2 58 423 S.
3 27 303 M.

Mittel: $\varphi = 2° 51'$ $h = 409'$,
oder, wenn Mädler's letzte Angabe ausfällt,
$\varphi = 2° 42'$ $h = 435' = 2610'$.

Die Vertiefung westlich = 718',
-       östlich 738

Mittel = 728', also ganz wie bei Reinhold.

Krater C, SO. bei Landsberg.
$\varphi = 1° 5'$ $h = 324'$ M. O.-Wall aussen.
2 22 296 M. W.-Wall aussen.
Ader in 31° östl. Lg. = 3°,8 Br.
$\varphi = 0° 43'$ $h = 81'$ M.

5. Berg γ, westl. von Kepler oder 7a, rechts unten in der Tafel.
$\varphi = 2° 9'$ $h = 328'$ M. gegen Osten.
Berg θ, NW. von Encke in 34° Lg. + 6° Br.
$\varphi = 2° 43'$ $h = 364'$ M. gegen Osten.

6. Encke = No. 7.
W.-Wall:
$\varphi = 4° 35'$ $h = 283'$ M.

7. Krater A, NW. von Encke.
O.-Wall aussen:
$\varphi = 3° 29'$ $h = 242'$ M.
Berg 3 Mellen S. von γ.
$\varphi = 1° 48'$ $h = 311'$ M.

8. Milichius = No. 6.
W.-Wall:
$\varphi = 2° 36'$ $h = 488'$ M.
O.-Wall aussen:
$\varphi = 2° 37'$ $h = 317'$ M.
Krater A, SO. von Milichius.
O.-Wall aussen:
$\varphi = 2° 17'$ $h = 496'$ M.
W.-Wall aussen:
$\varphi = 4° 33'$ $h = 487'$ Sr.

Berg γ im Norden, gegen Tob. Mayer, zu
Sect. V. gehörig.

φ = 2 26′ h = 478′ M. gegen Osten.

9. Hortensius — No. 5.

φ = 1° 17′ h = 221′ Sr. W.-Wall aussen.
   2 26   317   S. O. -

10. Euclides — No. 9.

φ = 1° 34′ h = 278′ M. Euclid, O.-Wall aussen.
  2 4   217 M. Γ gegen Osten.
  2 8   146 M. zu Ost, in 33 7 Lg. — 9 8 Br.
  2 16   285 M. ζ zu Ost.
  2 37   247 M. s zu Ost.
  2 55   377 M. J zu Ost.
  3 14   430 M. zu Ost, in 27 Lg. — 5 2 Br.

11. Guericke, Gebirge in 13 8 Lg. — 9 3 Br.,
links oben im Bilde.

φ = 1° 52′ h = 471′ M. gegen Westen.

12. Fra Mauro, in NW., Berg ζ.

φ = 3° 6′ h = 953′ M. gegen W.
  5 32   540 M. - O.
Berg H, nördlich von Fra Mauro.
φ = 3° 30′ h = 500′ M. gegen W.

13. Parry.

φ = 1° 21′ h = 256′ M. W.-Gipfel zu O. (im Texte
                      bei M. steht 257′.)

  3 12   421 M. s zu West.
  3 22   543 M. SW.-Wall zu West.
  4 25   761 M. B zu West.
  2 30   665 M. zu Ost, in 15 8 Lg. — 8° 4 Br.
  2 11   582 M. zu Ost, in 16 2 Lg. — 8 1 Br.

In M.'s Texte steht p. 311 anstatt 665′ die Zahl
655′.

Ein Krater B nach Mädler in 13° Ost — 7 7 Br.,
er fehlt auch bei Lohrmann.

Neigungswinkel.

Copernicus, W.-Wallgipfel zu Ost			M = 49°
-	W.-Wall		M = 42
-	-		μ = 31
-	W.-Terrassen	-	M = 48
-	-	-	m = 24
-	O.-Wall	zu West	M = 56
-	-	-	μ = 36
-	O.-Terrassen	-	M = 67
Doppelkrater A, W.-Wall innen			M = 38
Centralberge des Copernicus			μ = 22
Kleine Krater bei Stadius			m = 20
-	-		M = 49
Reinhold, W.-Wall			M = 45
-	-		μ = 37
-	-		m = 29
-	O.-Wall		M = 43
-	-		μ = 38
Landsberg, W.-Wall			M = 42
-	-		m = 25
-	O.-Wall		M = 45
Gambart, W.-Wall			μ = 29
-	O. -		M = 36
Euclides			M = 44

BEMERKUNGEN.

1842 Juli 16. Zu Hamburg die erste genauere Beobachtung des Copernicus. Juli 17 die zweite.

- Aug. 28 wurden am 6füssigen Refractor der Sternwarte die Details vom Walle des Copernicus und seine Terrassen gezeichnet. Es ward der kleine Krater bei δ, SW. von Parry gesehen.

- Sept. 13. Als die Phase den W.-Wall des Copernicus erreicht hatte, erschienen die westlichen Kraterreihen mit der 88maligen Vergrösserung ganz wie Bergadern.

- Oct. 13. 7ʰ lag der Schatten des hohen Westgipfels von Copernicus auf den innern östlichen Terrassen. Er war auffallend verwaschen und von röthlich-brauner Farbe. So erschien nur diese Schattenspitze am sehr guten Fernrohre von Banks.

1843 Aug. 20. Aus einer Schattenzeichnung des Riphaeus oder R, westlich von Euclides, erhellt, dass die höchsten Gipfel bei 2 und 3 liegen. Es ward ein Centralberg gesehen im Krater A Encke, in 32 5 Lg. und + 3° Br. Dann ein feiner Krater westlich von Kepler in 32 5 Lg. und + 9 7 Br., den ich in meine Charte nicht aufnahm, weil er in allen späteren Zeichnungen fehlt. Jene Beobachtung geschah am 6füssigen Refractor.

1846 Juli 3 zu Bonn, am 5füssigen Refractor sah ich in der innern Fläche des Copernicus 24 Hügel, die Centralberge mitgerechnet.

1849 Febr. 2. Copernicus in der Phase, so dass bereits alle östlichen äusseren Terrassen erleuchtet waren. Ich maass Passagen des ganzen Kratersystems nach doppelten Ubschlägen, und fand folgende Durchmesser:

Von der äussern westl. bis äussern östl. Terrasse   = 15,5 Meilen.
Hauptwall, von W.—O.   = 11,1 -
Durchmesser der innern Fläche   = 6,6 -

Diese Messungen geschahen in der Richtung O.—W., und sind also noch mit der Wirkung der Verkürzung behaftet. Wäre gerade die mittlere Libration gewesen, so würde die gesuchte Vergrösserung der Werthe einfach durch secans 20° erfolgen, und die verbesserten 3 Werthe wären dann = 16,5, 11,8 und 7,0 Meilen. — Im Jahre 1859 hat Herr Tempel zu Venedig das ganze System des grossen Kraters Copernicus sehr schön lithographisch dargestellt, mit allen Schatten und Halbschatten.

1849 März 4. Im Stadius zählte ich 50 Krater.

1850 Dec. 14. Ein Punkt östlich von Copernicus in 26° Lg. und + 11° Br. ist von besonderer Helligkeit.

1851 Jan. 13. Bei hoher Beleuchtung zeigt die innere Fläche des Copernicus blauen Schimmer, nicht aber der Ringwall selbst; ähnlich Tycho's innere Fläche. Es ward an dem sehr vorzüglichen 5füssigen Refractor der Bonner Sternwarte beobachtet. So auch Jan. 14.

- Jan. 16. In Copernicus Südwalle sind 2 kleine schwarze Flecken; der östliche ist der grössere. Die Schatten waren dort längst verschwunden. Reinhold und dessen Nachbar A sind dunkel in der Tiefe, viel dunkler als Landsberg. (Diese Bemerkung gehört wohl zu Jan. 14.)

- Jan. 17. Noch sieht man in der innern Fläche des Copernicus ein schwaches blaues Licht, und besonders deutlich sah ich solches auf dem dunkeln Nimbus des Aristarchus. Wo es sich sonst noch erkennen liess, sah ich es nur in Kraterflächen. So war es dies Mal, einige Stunden nachdem diese Gegenden eine Finsterniss erlitten hatten. Im Copernicus zieht ein grauer, keilförmiger Streif von der Mitte bis zum Nordwalle.

- Febr. 10. Das bläuliche Licht erscheint nur auf den äussern grauen östlichen Terrassen des Copernicus. Der Hauptwall ist im Ganzen sehr nahe kreisförmig, und die Anomalien betreffen zumeist den Ostwall. Mädler hat den grossartigen Krater in seiner Charte sehr entstellt. Lohrmann hat ihn wenig besser gezeichnet. Auch meine Darstellung ist nicht genügend, denn die Regelmässigkeit ist zu gross, und die Verkürzung nicht hinreichend berücksichtigt.

- Febr. 11. Copernicus C (Tab. V) hat mit Hortensius und Milichius dieselbe Grösse. Im Krater c, östlich bei Landsberg, sah ich den Centralberg, den schon Lohrmann wahrnahm.

- Febr. 13, 14. Auf dem ganz schattenlosen Südwalle des Copernicus liegen 2 dunkelgraue Punkte, der grössere östlich.

- Febr. 15. Ausser obengedachten 2 Punkten sah ich im Südwalle des Copernicus noch 3 kleinere, und gegen SW., in der Richtung auf Gambart, einen hellen Punkt, umgeben von einem dunkelgrauen Nimbus, der selbst in grauer Ebene liegt. Der Ort ist: östl. Lg. 19 5, nördl. Br. 6,5; das Object ist in meiner Originalzeichnung No. 474 mit m bezeichnet.

- Febr. 16. Es zeigt sich schon Schatten in den östlichen Terrassen des Copernicus; die dunkeln Flecken im Südwalle nicht mehr sicher kenntlich, wohl der eben erwähnte dunkle Fleck m.

- März 12. Die Krater im Fra Mauro gut sichtbar; März 11 bei aufgehender Sonne sah ich sie nicht, wohl aber viele Hügel daselbst. L. und M. haben dies zum Theil deutlichen Krater nicht bemerkt. Parry A mit Centralberg, ebenso April 10 gesehen.

1853 Mai 17. Am Berliner Refractor ward ein Stück vom Ringwalle des Copernicus gezeichnet. Die innere Fläche ist nirgends eben.

- Mai 18. (Berlin.) Rings um den Copernicus, in grossem Umfange bis Kepler hin, ist die Zahl der kleinen und kleinsten Krater enorm. Am Fusse der innern Terrassen, nördlich und südlich, gewahrt man bei guter Luft kleine Krater.

1854 Juli 4. (Olmütz.) Wenn die zunehmende Phase den Ostwall des Copernicus überschritten hat, erscheinen bald auch die äussern östlichen Terrassen erleuchtet. Dann sieht man, wie rings um den Hauptwall des grossen Kraters alle äussern Terrassen als aufgeblähte Massen sich darstellen, die nach der Explosion in erhöhter Lage stehen geblieben sind.

1855 März 27. Am 14füssigen Refractor der Sternwarte des Collegio romano zu Rom zeichnete ich einen Theil des Copernicus, und sah auch die kurze Rille im innern nördlichen Abhange. Die Zeichnung betraf besonders die Gliederung des Ostwalles.

1860 Jan. 2. (Athen.) Copernicus und Eratosthenes Ostwälle zeigen nahe dieselbe Formbildung.

1861 Juni 18. In der südlichen Ebene des Copernicus liegen 2 oder 3 feine Krater.

23

1862 April 12. Copernicus, Arzachel, Theophilus, Moretus, auch noch Tycho und Piccolomini sind Formen von sehr verwandtem Charakter; dazu rechne ich noch Pythagoras und 2 grosse Krater am SO.-Rande des Mondes.

- Juni. Bei stiller klarer Luft ist am Athener Refractor die Darstellung zahlloser Krater um den Copernicus ganz unmöglich. In der nördlichen Kraterebene sieht man 4 oder 5 sehr kleine Gruben.

- Juli 6 konnte auch am 6füssigen Refractor die zu Rom entdeckte Rille, nördlich im Copernicus, deutlich gesehen werden.

1866 Aug. 21. Auf der inneren West-Terrasse des Copernicus liegt ein sehr deutlicher kleiner Krater, und zwar am östlichen Fusse des hohen Wallgipfels, wenigstens 1200 Toisen tiefer als dieser.

1867 Jan. 14. Im Westwalle des an der Phase liegenden Copernicus scheint jedes Thal, jede Schlucht, Rillen oder Kraterformen zu haben.

- Febr. 16. Der grüne Schimmer der Mare ist selbst den Lichtstreifen des Kepler und Copernicus eigen.

1868 Juni 3. In Copernicus Südwalle ist nur ein dunkler runder Fleck sichtbar; die Phase war schon am Grimaldi.

- Juli 10. Im Südwalle des Copernicus, der schon Schattenspuren hat, ist keiner der dunklen Flecken sichtbar. Doch sieht man gut den starken schwarzgrauen Flecken weiter nördlich, gegen Gay-Lussac hin.

1869 Juli 20. Als die Phase den Aristarchus überschritten hatte, zeigte sich im Südwalle des Copernicus ein dunkler Punkt, ebenso der grössere dunkle Fleck nördlich vom Copernicus.

1873 April 10. Phase am Grimaldi; der schwarze Punkt im Südwalle des Copernicus war grünlich. SW. von Copernicus bis zur Gegend des Gambart sah ich, also bei sehr hoher Beleuchtung, gegen 30 sehr kleine schwarzgraue Punkte, die durchaus nicht Schatten sein konnten. Zwei derselben lagen im SO.-Walle des Gambart. Sie fehlten in der Krater-Region zwischen Stadius und Copernicus. Die Höhe der Sonne war 52° bis 55° daselbst. Es waren Analoga solcher Punkte, die ich schon im Südwalle des Copernicus, dann SW. neben ihm, und südlich bei Gay-Lussac gesehen hatte. Der graue Fleck zwischen Copernicus und Gambart, m genannt, hatte einen weissen Kern, der zur andern Zeit als Krater erkannt wurde. Sie wurden zwar gezeichnet, aber in meiner Charte erscheinen sie nicht, weil es seither nicht gelang, die Oerter festzustellen. Die meisten liegen in 15° Lg. und + 6° Br.

- April 11. Auf Gambart's SO.-Walle war nur ein dunkler Punkt; die andern kleinen Punkte noch gut sichtbar.

- April 16. 14ʰ. Abnehmende Phase bei Römer; die April 10 gesehenen dunklen Punkte bei Gambart sind fast gar nicht kenntlich, vielleicht aber nur wegen ungünstigen Zustandes der Luft.

Anm. Die äussersten West-Terrassen des Copernicus haben 13° bis 24° Abfall; in den Kesselthälern des O.-Walles kommen Neigungswinkel bis 42° vor.

113 Aufnahmen wurden zur Zusammenstellung dieser Section VI. benutzt.

SECTION VII.

	L.	M.	S.
Krater	234	330	900
Rillen	5	7	35

NAMEN.

1. Gassendi.
2. Bullialdus.
3. Agatharchides.
4. Doppelmayer.
5. Vitello.
6. Hippalus.
7. Campanus.
8. Mercator.
9. Ramsden.
10. Capuanus.
11. Cichus.
12. Hesiodus.
13. Wurzelbauer.
14. Pitatus.
15. Kies.
16. Lubienietzky.
17. Guericke.

IV. Mare nubium.
V. Mare humorum.
VI. Palus epidemiarum.
VIII. Oceanus procellarum.

Anm. Von neuen Bezeichnungen Seitens der englischen Beobachter ist „Lee" zu bemerken, in 40° östl. Länge und — 30° Breite.

Von mir ist der Name „Opelt" (*) gewählt, zu Ehren der beiden Männer dieses Namens, die sich um die Redaction und Herausgabe des Lohrmann'schen Werkes grosse Verdienste erworben haben. Die Ringfläche Opelt (*) ist = Lohrmanns C, in 17°,5 östl. Länge und — 16° Breite. Da Mädler die Lohrmann'schen Namen „Profatius" und „Munosius" nicht aufnahm, unterliess ich es ebenfalls.

VERGLEICHUNG DER BEZEICHNUNGEN IN LOHRMANN'S UND MÄDLER'S CHARTEN.

bei Lohrmann:	bei Mädler:	bei Lohrmann:	bei Mädler:
96° Wurzelbauer	Wurzelbauer	71	d
Q	d	72	e
65	b	R	d
66. 67. 68	unbezeichnet	99° Capuanus	Capuanus
70	d	73. 74. 85	unbezeichnet
69	a	55	a
98° Cichus	Cichus	54	a
58	c	53	a
59	h	S. Ramsden	Ramsden
60	e	84	g
P. 64	unbezeichnet	75. 86	unbezeichnet
57	7	T	A
56	bei ß	82	e

23*

bei Lohrmann:	bei Mädler:	bei Lohrmann:	bei Mädler:
83	unbezeichnet	I.	ε
148* Vitello	Vitello	46	bei ζ
79	E.0	41	unleserlich
80	B	42	f
81. 87	bei δγ	39	bei f
U	D	98. 100	unbezeichnet
100* V	b	99	I
88	c	197* Gassendi	Gassendi
89	f	40	unbezeichnet
94	bei A ζ	31	x
Z	ζη ⇒ Lee (engl. Brob.)	32	ı
91	d	38	a
X	d	K. 146* Agatharchides	Agatharchides
90. 92. 93	unbezeichnet	33	η
W	A	35. 36. 37	unbezeichnet
Y	bei c	194* Lubienietzky	Lubienietzky
149* Doppelmayer	Doppelmayer	4	F
96	C	23	D
97	D	34	a
78	B	195* I	c
76. 147.* 77	unbezeichnet	10. 24.	unbezeichnet
43. 44. Hippalus	Hippalus	C. 193* ⇒ Opelt (*)	ε C
48	A	11	D
50	ζ	17	ʒ
49	γ	9	unbezeichnet
144* Campanus	Campanus	12	unbezeichnet
143* Mercator	Mercator	192* D	B
51	unbezeichnet	E. Guericke	Guericke
142* Kies	Kies	14	bei B
N	A	13	C
62	B	16	x
63. 8	unbezeichnet	18	A
138* Pitatus	Pitatus	20	ʒ
139* Hesiodus	Hesiodus	21	i
61	A	22. 26	unbezeichnet
137* Profatius	C	F	B
140* Munosius	ι ζ	G	C
6	D	25	unbezeichnet
2. 3. 5	unbezeichnet	11	C
1	B	27	B
B	C	196* Morinus	D
A	A	30	fehlt
141* Bullialdus	Bullialdus	29	E
45	bei δ	28	unbezeichnet

HÖHENMESSUNGEN.

1. Wurzelbauer.
W.-Wall innen:
φ = 3° 31' h = 860' M.
   9 53   862 M.
Mittel: φ = 6° 42' h = 861' = 5166'.
Wurzelbauer d.
W.-Wall:
φ = 9° 30' h = 1265' S.
   9 51   1081 S.
   12 6   1428 S.
   12 27   1221 M.
Mittel: φ = 10° 58' h = 1249' = 7494'.
2. Cichus.
W.-Wall innen:
φ = 6° 37' h = 1170' S.
   7 38   969 S.
   9 3   1135 S.
   9 17   1317 S.
   9 32   1384 M.
   9 49   1262 M.
Mittel: φ = 8° 39' h = 1206' = 7236'.
O.-Wall innen:
φ = 9° 31' h = 1469' M.
O.-Wall aussen:
φ = 3° 16' h = 973' S.
   4 28   924 S.
   5 39   1256 S.
   5 49   1158 S.
   6 1   1123 S.
   8 23   808 M.
Mittel: φ = 3° 52' h = 948'
   5 50   1179 = 7074'.
Der Kraterboden mag gegen 430' tiefer liegen als die östliche Ebene.
3. Kies.
O.-Wall aussen, SO.-Gipfel:
φ = 2° 52' h = 265' Sr.
   3 7   382 M.
Mittel: φ = 3° 0' h = 343' = 2058'.

O.-Wall aussen, O.-Gipfel:
φ = 2° 12' h = 303' Sr.
4. Bullialdus.
W.-Wall aussen:
φ = 3° 15' h = 821' S.
W.-Wall innen:
φ = 5° 28' h = 1202' Sr.
   6 14   1285 S.
   6 19   1344 S.
   6 52   1118 S.
   7 40   1420 S.
   8 3   1493 S.
   8 11   1360 S.
   8 33   1402 M.
   8 37   1589 S.
   8 42   1626 S
   9 26   1772 S.
   9 38   1500 S.
   10 4   1509 S.
   11 47   1820 S.
Mittel: φ = 6° 20' h = 1251'
   -   8 18   1482
   -   10 13   1650 = 9900'.
Bei φ = 8° 37' gilt h für einen unbedeutenden Gipfel des W.-Walles.
O.-Wall innen:
φ = 6° 24' h = 1428' M.
   8 58   1378 M.
   9 43   1838 S.
   11 6   1515 M.
Mittel: φ = 9° 3' h = 1547' = 9282'.
O.-Wall aussen:
φ = 2° 0' h = 442' Sr.
   2 18   758 M.
   2 28   530 Sr.
   2 30   584 S.
   3 17   529 S.
Mittel: φ = 2° 35' h = 589' = 3534'.

Der westliche Theil des Kraterbodens liegt also 829', der östliche Kraterboden 965' unter dem Mare; im Mittel 919'.

Bullialdus C.

O.-Wall aussen:
$$\varphi = 1°21' \quad h = 191' \quad Sr.$$

W.-Wall innen:
$$\varphi = 5°50' \quad h = 433' \quad Sr.$$
$$11 \ 10 \qquad 972 \quad M.$$

Mittel: $\varphi = 8°30' \quad h = 792' = 4752'.$
Vertiefung ungefähr 600'.

Bullialdus B.

$\varphi = 2°48' \quad h = 427' \quad M.$ O.-Wall aussen.
$\quad\quad 3 \ 16 \qquad 496 \quad S.$ W.-Wall aussen.
$\quad\quad\quad\quad\quad\quad 810 \quad M.$ W.-Wall innen.

Vertiefung 314'. Die Zahl 810 ist in Mädler's Cataloge der Höhen unter Theophilus aufgeführt. Ich entnehme sie dem Texte der M. S., pag. 308.

Bullialdus A.

$\varphi = - - \quad h = 648' \quad M.$ W.-Wall innen; fehlt im Höhencataloge bei Mädler, findet sich aber im Texte.

Bullialdus F, nördlich von C.

$\varphi = 2°2' \quad h = 333' \quad M.$ O.-Wall aussen. Er fehlt bei Lohrmann und auch bei Schröter, Tab. LI. LII.

5. Guericke = No. 17.

$\varphi = 1°59' \quad h = 343' \quad M.$ S.-Gipfel gegen West.
$\quad\quad 3 \ 10 \qquad 321 \quad M.$ O.-Wall.

6. Thebit C = Lohrmann's Profatius.

$\varphi = 16°58' \quad h = 1007' \quad S.$ O.-Wall innen.
$\quad\quad 9 \ 30 \qquad 629 \quad Sr.$ O.-Wall aussen.

Vertiefung = 378'.

7. Lubienietzky.

$\varphi = 1°59' \quad h = 151' \quad M.$ W.-Wall.
$\quad\quad 5 \ 11 \qquad 503 \quad M.$ Berg m, SO. von Lub.
$\quad\quad 6 \ 3 \qquad 328 \quad M.$ W.-Wall von a, NO. von Lubienietzky.

Die Stelle bei m fehlt in Mädler's Charte; sie ist mit μ bezeichnet, als Specialcharte dem Texte zu (pag. 310 beigegeben. Hier setzt Mädler 329 anstatt 328, der Angabe des Höhencataloges.

8. Agatharchides = No. 3.

$\varphi = 6°24' \quad h = 570' \quad M.$ W.-Wall.
$\quad\quad 2 \ 4 \qquad 370 \quad M.$ W.-Wall aussen.
$\quad\quad 3 \ 13 \qquad 378 \quad M.$ - -
$\quad\quad 2 \ 46 \qquad 703 \quad M.$ Gipfel a zu Ost.
$\quad\quad 3 \ 26 \qquad 496 \quad M.$ W.-Wall bei m.
$\quad\quad 3 \ 25 \qquad 761 \quad M.$ Berg n, SO. von No. 3.
$\quad\quad 7 \ 12 \qquad 706 \quad M.$ derselbe.
$\quad\quad 4 \ 7 \qquad 853 \quad S.$ Krater f, W.-Wall. Er liegt am Mare humorum; der Schatten des W.-Walles überdeckte ganz den O.-Wall.

Für n ist das Mittel: $\varphi = 5°18' \quad h = 733' = 4398'.$

9. Berg B₂ im Mare humorum, NW. von Vitello.

$\varphi = 3°8' \quad h = 1010' \quad S.$
$\quad\quad 3 \ 10 \qquad 1034 \quad M.$
$\quad\quad 3 \ 13 \qquad 1057 \quad S.$
$\quad\quad 3 \ 29 \qquad 908 \quad M.$
$\quad\quad 3 \ 53 \qquad 1142 \quad M.$

Mittel zu O. gemessen:

$\varphi = 3°23' \quad h = 1030' = 6180'.$

Berg B₂ zu W. gemessen, wo der Schatten Berge trifft.

$\varphi = 4°53' \quad h = 950' \quad M.$

Ein südlicher Gipfel im W.-Wall des Mare humorum, in = 27,7 Breite.

$\varphi = 2°6' \quad h = 652' \quad S.(*)$
$\quad\quad 2 \ 55 \qquad 751' \quad M.$
$\quad\quad 3 \ 17 \qquad 751' \quad S.$

Mittel, zu O. gemessen, ohne S.*:

$\varphi = 3°6' \quad h = 751' = 4506'.$

Meine erste Messung gehört wohl zu einem andern Berge.

Nordcap des Berges B₂, bei B.

$\varphi = 3°3' \quad h = 503' \quad S.$
$\quad\quad\quad\quad\quad\quad 600 \quad M.$ Eine Schätzung.

10. Campanus.

W.-Wall innen = 700' M. Eine Schätzung.

O.-Wall innen:
$\varphi = 6°21' \quad h = 950' \quad S.$
$\quad\quad 11 \ 19 \qquad 1021 \quad M.$

Mittel: $\varphi = 8°45' \quad h = 985' = 5910'.$

11. Mercator.

W.-Wall innen:
$\varphi = 4°47' \quad h = 917' \quad S. = SW.-Wall.$
$\quad\quad 5 \ 21 \qquad 667 \quad M. = W. \quad $ "
$\quad\quad 5 \ 34 \qquad 694 \quad M. = W. \quad $ "
$\quad\quad 9 \ 7 \qquad 718 \quad M. = SW. \quad $ "

Mittel:
$\varphi = 6°57' \quad h = 832' = 4992'. \ SW.-Wall.$
$\quad\quad 5 \ 27 \qquad 680 = 4080' \quad W.-Wall.$

Berg a, südlich bei Mercator, zu Ost gemessen:

$\varphi = 3°24' \quad h = 1061' \quad S.$
$\quad\quad 3 \ 31 \qquad 1068 \quad S.$
$\quad\quad 3 \ 54 \qquad 1134 \quad S.$
$\quad\quad 5 \ 5 \qquad 1019 \quad M.$

Mittel: $\varphi = 3°58' \quad h = 1070' = 6420'.$

12. Capuanus.

O.-Wall-Mitte, aussen:
$\varphi = 3°0' \quad h = 1208' \quad M.$
$\quad\quad 3 \ 9 \qquad 1259 \quad M.$
$\quad\quad 5 \ 32 \qquad 1370 \quad S.$

Mittel: $\varphi = 3°54' \quad h = 1279' = 7674'.$

SO.-Wallgipfel aussen:

$\varphi = 3°55'$ h = 1517'   S.
   5 22   1877   S.
   5 45   1981   S.
   7 41   1544   M.

Mittel: $\varphi = 5°41'$ h = 1730' = 10380'.

NO.-Wall aussen:

$\varphi = 5°18'$ h = 1175'   S.

Der Schatten des SO.-Walles findet nicht freie Ebene.

Berg p, östlich von Capuanus,
   zu Ost gemessen:

$\varphi = 2°6'$ h = 275'   M.

13. Ramsden = No. 9.

$\varphi = 2°34'$ h = 287'   M.   W.-Wall aussen.
   2 56   346   S.   SW. - -

Für das Gebirge N. von Ramsden hat Mädler die Höhen 760' und 456'; erstere fehlt im Cataloge. Man findet dort wohl die Zahl 761', die aber dem Agatharchides gilt. Die Zahl 456' bezieht sich jedoch auf φ Plato.

14. Vitello = No. 5.

O.-Wall aussen:

$\varphi = 2°51'$ h = 908'   S.
   3 23   681   Sr.
   3 36   739   M.
   3 49   693   S.
   3 56   860   S.
   4 40   695   S.
   6 49   864   M.

Mittel: $\varphi = 4°13'$ h = 785' = 4710'.

Vitello, Centralberg, der den innern kleinen Wall überragt:

$\varphi = 4°3'$ h = 265'   Sr.

15. Doppelmayer = No. 4.   Centralberg.

zu O. gemessen:

$\varphi = 1°22'$ h = 266'   S.
   1 54   168   S.
   3 32   504   M.
   3 47   313   M.

Mittel: $\varphi = 2°45'$ h = 333' = 1998'.

Pag. 319 giebt Mädler dem Berge 381', während das Mittel seiner beiden Messungen 408' sein müsste. Ich halte 504' für irrig. Ohne sie ist das Mittel:
$\varphi = 2°21'$ h = 265' = 1590'.

$\varphi = 1°31'$ h = 335'   M.   Berg α.
   3 6   112   M.   - δ.
   1 20   106   M.   Krater Vitello D,
                O.-Wall aussen.

α westlich, δ nördlich von Vitello. Eine Stelle in der dortigen Ader hat nach M. 50'.

$\varphi = 0°58'$ h = 106'   Sr.   NO.-Wall d, Doppelmayer, aussen. Daselbst ein Hügel von 9'. Sr.

16. Berg Gassendi m,
   zu Ost gemessen:

$\varphi = 4°10'$ h = 554'   M.

Krater D. Gassendi, der bei Lohrmann Morinus heisst.

O.-Wall aussen:

$\varphi = 2°17'$ h = 360'   M.

Berg k Gassendi, westlich von No. 1 oder Gassendi.

Höhe gegen Osten:

$\varphi = 2°2'$ h = 528'   M.

Der Krater D, westlich von Bullialdus, wird bei niedrigem östlichen Stande der Sonne nur als Berg gesehen, weil der O.-Wall viel höher als der W.-Wall ist, und letzteren dann überschattet. Mädler's Erklärung ist die richtige. Das Hügelland SO. von Guericke (No. 17) bei k A, und der Rille r hat Mädler 1836 Mai 24 am Dorpater Refractor besonders gezeichnet, ohne die Rille zu bemerken. (Siehe in Mädler's Selenographie die letzte Tafel.)

151 Aufnahmen dienten zur Darstellung der Sect. VII.

Neigungswinkel.

Bullialdus, W.-Wall	M =	33°
-	W.-Terrasse	m = 28
-	O.-Wall	M = 40
-	-	μ = 35
-	- aussen	μ = 5
-	A, B, C, W.-Wall	M = 35
-	- - -	m = 28
-	- - - O.-Wall	M = 40
-	- - -	μ = 34
Thebit C, O.-Wall		M = 55
-		μ = 44
Campanus, O.-Wall		M = 41
-	A, -	m = 41
Capuanus, O.-Wall		μ = 38
-	A, -	m = 38
Hippalus A, Ost		m = 41
Ramsden A, Ost		m = 41
Cichus, O.-Wall		μ = 38
Lubienietzky, B und C, Ost		m = 45
Wurzelbauer, W.-Wall		μ = 24
-		m = 15

BEMERKUNGEN.

1842 Juli 18. Die erste Zeichnung des Mare humorum. Es ward auch jetzt wie später die grünliche Farbe der Ebene bemerkt.

1843 Mai 9. Zwischen den beiden grossen Tychonischen Streifen im Mare nubium zeigte sich ein dritter sehr feiner, parallel dem westlichen.

- Aug. 20 zeichnete ich am 6füssigen Refractor zu Hamburg die Rillen bei Hippalus. Die grosse östliche Rille habe ich so dargestellt, dass sio in den Agatharchides mündet, allmählich mit kraterförmigen Ausbuchtungen sich erweiternd.

- Sept. 17 sah ich den Centralkrater im Hesiodus, den Schröter schon 1794 Sept. 4 bemerkte, der aber bei Lohrmann und Mädler fehlt.

1849 Jan. 4 wurden zu Bonn die neuen merkwürdigen Rillen bei Ramsden entdeckt, ebenso neue zwischen den grössern Rillen des Hippalus.

- Febr. 3. Bei M. sind die innern Terrassen des Bullialdus zu schwach gezeichnet. Die Krater B und C daselbst sind in der Tiefe uneben. In Campanus nordöstlicher Fläche ein beschatteter Krater mit grauem Walle, augenfälliger als der Centralberg. Er fehlt bei Sr., L. und M.

- März 4. Des Hesiodus Centralkrater sehr hell und deutlich.

- März 25. Im Campanus, SW. von der Mitte, ein augenfälliger Punkt, den ich nicht sicher als Krater erkannte.

1851 April 12. Die der Phase nahen sonst hellen Localitäten östlich von Campanus und südlich von Vitello waren jetzt nur wenig heller als das Mare humorum und mit grünlichem Anfluge.

1853 Mai 18. Am 14füssigen Refractor zu Berlin zeigte sich, dass der Boden des Kraters m, NW. bei Ramsden, völlig von einem nur wenig kleineren Krater ausgefüllt ist. Dieselbe Erscheinung sah ich im Krater A, der in den SW.Wall des Hesiodus eingreift. Es wurden auch die 2 kleinen Krater im Mercator gefunden.

1854 Oct. 13. Am Refractor zu Olmütz erscheint in Hesiodus A ein die Tiefe erfüllender zweiter Kraterring.

1857 Dec. 27 ward der kleine Krater am westlichen Fusse des Centralberges im Vitello gesehen; im Campanus 2 fast gleich grosse feine Krater.

1861 Juni 17 (Athen) ward der sehr feine Krater im Cichus gesehen, sowie der Centralberg in Cichus e, NW. vom Cichus.

- Mai 2 zeichnete ich den kleinen Krater im Vitello, am westlichen Fusse des Centralberges. Meine Charte giebt seinen Ort nördlicher, oder es ist ein anderer.

1862 Juli 5. Südlich von Guericke B, in 15' Lg. — 16° Br. notirte ich eine Rille, die meine Charte später als Hügelzug darstellte.

- Juli 6. Campanus hat 3 beulenförmige Stellen in der Fläche.

1868 Dec. 23. Der Ostwall des Bullialdus besteht aus Kraterthälern, wie die des Arzachel und Copernicus.

1871 Mai 26 ward die Rille SW. bei Vitello gefunden.

1873 April wurden die Lichtstreifen des Tycho und Lichtflecken im Mare nubium gezeichnet.

SECTION VIII.

	L.	M.	S.
Krater	533	600	1600
Rillen	11	3	22

NAMEN.

1. Alphonsus.
1*. Davy.
2. Alpetragius.
3. Arzachel.
4. Thebit.
5. Albategnius.
6. Parrot.
7. Airy.
8. Playfair.
9. Apianus.
10. Lacaille.
11. Blanchinus.
12. Purbachius.
13. Regiomontanus.

14. Pitatus.
15. Gauricus.
16. Hell.
17. Lexell.
18. Walter.
19. Werner.
20. Aliacensis.
21. Krusenstern (*).
22. Abenezra.
23. Nonius.
23*. Kaiser (*).
24. Gemma Frisius.
25. Poisson.
26. Azophi.

IV. Mare nubium.
P. Prom. Aenarium.

Anm. Neue, vom Lunar Committee gewählte Namen sind folgende:

Donati	in 6° westl. Länge und	— 20,5
Faye	„ 4 „ „	— 21,2
Delaunay	„ 3 „ „	— 22,0
Lassell	„ 7,5 östl. „	— 15,5
Ball	„ 8,5 „ „	— 36,0

Ich habe angesetzt:

Krusenstern (*)	in 6° westl. Länge und	— 26,0
Kaiser (*)	„ 7 „ „	— 37,0

VERGLEICHUNG DER BEZEICHNUNGEN IN LOHRMANN'S UND MÄDLER'S CHARTEN.

bei Lohrmann:	bei Mädler:	bei Lohrmann:	bei Mädler:
85* Gemma Frisius	Gemma Frisius	87* Kaiser (*)	d
43. 44	unbezeichnet	41	A
K.	d	H. 88* Nonius	Nonius
45	h	89* Aliacensis	Aliacensis
46	unbezeichnet	50. 10	unbezeichnet
L. 86* Poisson	Poisson	37	b
51	d	35. 36	unbezeichnet
47	e	90* Walter	Walter
49	bei f	39	b
I. 42. 48	unbezeichnet	129* Werner	Werner
			24

bei Lohrmann:	bei Mädler:	bei Lohrmann:	bei Mädler:
55	A	78	unbezeichnet
130* Blanchinus	unbezeichnet	76	b
56	bei H	189* Alpetragius	Alpetragius
N = Krusenstern (*)	unbezeichnet	9	bei ?
128* Apianus	Apianus	8	?
53	a	6	D
63	unbezeichnet	Prom. Aenarium	Prom. Aenarium
64	c	2	B
()	d	190* B	a = Lassell (engl. Beob.)
65	f	3	C
66	d	A = Davy	Davy
P	A	1. 5	unbezeichnet
127* Playfair	Playfair	4	e
67	a	137* C = Profatius	C
125* Azophi	Azophi	136* D	B
126* Abenezra	Abenezra	6—7	D ? A
68	e	7	A
59. 61. 69	unbezeichnet	134* Thebit	Thebit
T	A = Donati (engl. Beob.)	10	A
S	B = Faye (- -)	74	unbezeichnet
R	f2 = Delaunay(- -)	58	unbezeichnet
60	e	73	e
131* Lacaille	Lacaille	132* Purbachius	Purbachius
71	C	57	g
70	unbezeichnet	11	bei K
72	bei g	12	b
168* U	c	13	unbezeichnet
79. 80. 81	unbezeichnet	135*	B
98	a	M	C
97	unbezeichnet	133* Regiomontanus	Regiomontanus
185* V	unbezeichnet	31	bei a ?
W = Airy	Airy	34	bei ?
182* X	C	35	bei ?
92	d	38	d
83	unbezeichnet	91* G = Lexell	Lexell
181* Y	b	26	unbezeichnet
91	A	27	a
84. 90	unbezeichnet	94* Hell	Hell
85	A	28	C
86. 89	unbezeichnet	30	B
88	d	32	g
87	C	29	bei E
94	E	14. 15	unbezeichnet
93. 96	unbezeichnet	138* Pitatus	Pitatus
183* Albategnius	Albategnius	16	C
95	A	17. 18. 21. 22	unbezeichnet
Z. 184* Parrot	Parrot	23	b
99	?	95* Gauricus	Gauricus
188* Alphonsus	Alphonsus	19	a
100	unbezeichnet	24. E.	unbezeichnet
187* Arzachel	Arzachel	93. F	B = Ball (engl. Beob.)
75	A		

HÖHENMESSUNGEN.

1. Aliacensis oder No. 20.
W.-Wall innen:

$\varphi = 5° 22'$ h = 2037'   M.
  5 49   1887   S.
  6 18   2038   S.
  6 37   1793   S.
  7 45   1742   S.
  8 36   1706   M.
  9 11   1557   S.
  9 18   1926   S.

Mittel: $\varphi = 6° 1'$ h = 1939' = 11634'
  8 43   1733.

O.-Wall innen:

$\varphi = 6° 4'$ h = 2490'   M.
  6 29   2348   S.
  6 50   2387   M.
  6 54   1770   S.
  6 58   2260   S.

Mittel: $\varphi = 6° 39'$ h = 2251' = 13566'.
Der O.-Wall ist also 312' höher als der W.-Wall.

2. Werner oder No. 19.
W.-Wall innen:

$\varphi = 4° 42'$ h = 1704'   S.
  5 57   1982   S.
  7 20   1983   S.
  7 36   1831   S.
  7 58   1659   S.
  11 41   2026   S.
  12 4   1934   S.
  12 7   1890   S.

Mittel: $\varphi = 5° 19'$ h = 1843'
  7 38   1824
  11 57   1950' = 11700'.

W.-Wall aussen:

$\varphi = 3° 16'$ h = 765'   S.
  4 31   1048   S.

Mittel: $\varphi = 3° 53'$ h = 906' = 5436'.
Grösste Vertiefung unter der Oberfläche = 1044'
= 6264'.

O.-Wall innen:

$\varphi = 5° 44'$ h = 2213'   S.
  6 34   2033   S.
  7 5   2344   S.
  8 9   2321   S.
  8 12   2600   M.
  8 30   2473   S.
  8 35   2150   S.
  9 54   2376   S.
  11 1   2385   M.
  13 31   1978   M.
  14 13   2254   S.
  16 32   2269   S.
  16 35   1960   S.

Mittelwerthe:

$\varphi = 6° 28'$ h = 2497' = 14982'
  8 21   2438
  10 27   2380
  13 52   2116
  16 33   2114

Centralberg, zu Ost gemessen:

$\varphi = 2° 26'$ h = 715'   M.

Hier muss φ verschrieben oder verdruckt sein, da bei solcher Sonnenhöhe der Berg noch ganz im Schatten des W.-Walles liegt, und erst bei $\varphi = 4°$ oder 5° sichtbar wird. Sein Gipfel liegt gegen 300' unter dem mittleren Niveau des Mondes, 1100' unter dem W.-Walle, 1700' unter dem O.-Walle, welcher Letztere um 550' den W.-Wall überragt.

3. Playfair = No. 8.
W.-Wall innen:

$\varphi = 6° 32'$ h = 1331'   S.
  8 24   1217   S.
  8 35   1302   M.

Mittel: $\varphi = 7° 50'$ h = 1283' = 7698'.

O.-Wall innen:

$\varphi = 5° 41'$ h = 617'   M.

Mädler hat No. 1042 des Höhencataloges noch h = 1882', welche Angabe wohl nicht hierher gehört.

24*

4. Apianus = No. 9.
W.-Wall innen:

φ = 5° 2' h = 1023' S.
  5 10   1477   M.

Mittel: φ = 5° 6' h = 1250' = 7500'.
O.-Wall innen:

φ = 6°38' h = 1305' M.
  7 18   868   M.
 10 26   1424   M.

Mittel ohne die zweite Angabe:
φ = 8°32' h = 1465' = 8790'.

5. Walter = No. 18.
W.-Wall innen:

φ = 4°23' h = 1326' M.
  5 51   1201   S.
  7 48   1572   M.
  9 10   1495   M.

Mittel: φ = 6°48' h = 1423' = 8538'.
NW.-Wall innen:

φ = 4°19' h = 1594' M.
  5 13   1514   S.
  5 59   1884   S.

Mittel: φ = 5°10' h = 1664' = 9984'.
O.-Wall innen:

φ = 8°58' h = 805' Sr. ist wohl verfehlt.

NO.-Wall aussen:

φ = 8°22' h = 1044' M.
Centralberg gegen Osten:
φ = 2°28' h = 823' Sr.
  2 36   800 S.
  3 25   964 S.
  3 52   1012 S.
  3 52   838 S.
  4 0   812 S.
  5 44   773 M.

Mittel: φ = 3°48' h = 865' = 5190'.
Krater n im W.-Walle des Walter, (No. 10, Lohrm.).
W.-Wall innen:
φ = 12°51' h = 1302' S.
Krater E im NO.-Walle des Walter,
W.-Wall innen:
φ = 16° 5' h = 708' Sr.

6. Regiomontanus = No. 13.
Centralberg gegen Westen:
φ = 2°18' h = 467' S.
W.-Wall innen:
φ = 7°50' h = 994' M.

7. Purbachius = No. 12.
φ = 4° 1' h = 1097' M.
  5 46   1118   S.
  7 5   1266   M.

Mittel: φ = 5°37' h = 1160' = 6960'.
Die erste Messung betrifft einen Gipfel im SW.-Walle.

Krater m = Lohrmann's No. 11, im äussern NO.-Walle des Purbachius.
O.-Wall aussen:
φ = 8°15' h = 1122' M.
Krater D, der nördl. Nachbar von Lohrmann's M, am äussern SO.-Walle des Purbachius.
W.-Wall innen:
φ = 15°49' h = 859' Sr.

8. Thebit = No. 4.
W.-Wall innen:

φ = 6°17' h = 1407' M.
  6 43   1539   M.
  7 12   1493   S.
  7 35   1438   M.
  7 46   1603   Sr.
  8 17   1246   S.
  9 7   1313   M.
  9 23   1635   S.
 14 10   1221   M.
 17 40   1948   Sr.

Mittel: φ = 7° 2' h = 1484' = 8904'
 10 14   1354
ohne die letzte Beobachtung. Die zweite Messung bezieht sich auf einen schwachen Gipfel.
Thebit A.
O.-Wall aussen:
φ = 2°22' h = 738' M.
W.-Wall innen:
φ = 16°40' h = 1752' Sr.
Berg A², SO. von Thebit.
zu Ost gemessen:
φ = 3°54' h = 301' Sr.
Krater B, im Osten von Thebit.
W.-Wall innen:
φ = 13°12' h = 930' Sr.
Krater B. O.-Wall aussen:
φ = 1°31' h = 328' Sr.
  1 45   327 M.
  3 50   446 M.

Mittel: φ = 2°33' h = 375' = 2250'.
Wall zwischen Thebit und Purbachius = n
gegen Osten:
φ = 7° 7' h = 1665' Sr.
P = Prom. Acnarium.
gegen Ost gemessen:
φ = 2°36' h = 345' Sr.
         300 M. Schätzung.
Steile Wand 33. Ost von Thebit.
gegen Ost gemessen:
φ = 1°37' h = 93' S.
  2 34   71   S.
  2 39   183 S.
  8 22   157 M.

Mittel der 2 letzten Messungen: h = 170' = 1020'.

Mädler's φ = 8° 22' kann nicht richtig sein, und ebenso wenig meine erste Beobachtung.

9. Davy = 1*.

h = 700¹ M. β im SW.-Walle, Schätzung.
543 M. O.-Wall aussen.

φ = 2° 26' h = 593¹ M. - -
4 0 493 M. - -
2 49 515 M. Berg C zu Ost.

C liegt südlich von Davy, westlich von dem Lichtflecken dd.

10. Alphonsus = No. 1.

φ = 6° 9' h = 1100¹ M. NW.-Wall innen.
7 47 973 Sr. - -
3 2 866 M. O.-Wall innen.
3 16 972 S. - -
2 45 833 S. SW.-Wall aussen.
4 49 584 Sr. O.-Wallg. aussen.
7 49 301 Sr. SW.-Wall ?
2 23 609 M. Centralberg zu Ost.
4 31 732 S. zu West.

11. Alpetragius = No. 2.

W.-Wall innen:

φ = 8° 45' h = 1379' S.
12 23 1882 M.
12 29 2301 Sr.
13 47 1372 S.

Mittel: φ = 11° 46' h = 1652¹ = 9912'.

O.-Wall innen:

φ = 10° 33' h = 937¹ S.

O.-Wall aussen:

φ = 2° 11' h = 590¹ S. SO.-Gipfel.
2 19 490 S. SO.-Wall.
2 22 450 S. NO.-Wall.

Centralberg, zu Ost gemessen:

φ = 11° 57' h = 1106¹ Sr.
Kann nicht richtig sein.

Krater a, Ost von Alpetragius.

O.-Wall aussen:

φ = 3° 6' h = 147¹ M.

12. Arzachel = No. 3.

W.-Wall innen:

φ = 4° 53' h = 2125¹ M.
5 10 1698 S.
6 46 1295 M.
8 21 1739 S.

Mittel: φ = 6° 18' h = 1714¹ = 10284'.
Die zweite Beob. betrifft den NW.-Wall.

O.-Wall innen:

φ = 5° 28' h = 1659¹ S.
7 48 1583 S.
8 46 1529 S.

Mittel: φ = 7° 21' h = 1590¹ = 9540'.
Die beiden ersten Messungen beziehen sich auf den NO.-Wall.

O.-Wall aussen:

φ = 3° 36' h = 945¹ M.

Centralberg, Ostseite:

φ = 3° 2' h = 505¹ Sr.
3 22 502 S.
3 23 606 S.
5 15 790 S.
5 57 889 S.
6 18 990 S.
6 47 944 S.
7 28 768 M.
13 23 1185 Sr.

Mittel ohne die letzte Beobachtung:

φ = 3° 18' h = 544¹
5 36 839
6 51 901 = 5406'.

Centralberg, Westseite:

φ = 3° 4' h = 782¹ S.
3 58 718 S.

Mittel: φ = 3° 31' h = 750¹ = 4500'.

Der Kraterboden liegt östlich 645¹ unter dem mittleren Niveau; der W.-Wall ist 124¹ höher als der O.-Wall, und der Gipfel des Centralberges überragt die äussere Ebene um 256¹.

13. Lexell = No. 17.

SW.-Wall innen:

φ = 4° 13' h = 1206¹ M.

14. Hell = No. 16.

W.-Wall innen:

φ = 8° 22' h = 1548¹ Sr.
15 44 839 M.

Mittel: φ = 13° 17' h = 1075¹ = 6450'.

O.-Wall aussen:

φ = 2° 5' h = 407¹ Sr.

Hell C, SW. von Hell.

O.-Wall aussen:

φ = 1° 4' h = 135¹ Sr. der Gipfel.
1 4 45 Sr. der Wall.

Ein Hügel, östlich von C.

φ = 0° 27' h = 27¹ Sr.

Der Krater, SW. an C.

O.-Wall aussen:

φ = 1° 4' h = 135¹ Sr.

15. Gauricus.

φ = 5° 58' h = 747¹ M. W.-Wall innen.
6 7 1455 M. O.-Wall innen.

16. Pitatus = No. 14. Berg n im Westen:

φ = 2° 45' h = 745¹ M.

17. Nonius = No. 23.

φ = 5° 10' h = 1217¹ M. W.-Wall innen.
7 13 854 M. W.-Wall von d.
7 39 925 M. O.- - -

d ist 23* meiner Charte = Kaiser (*).

18. Gemma Frisius. O.-Wall.

φ = 10° 13′ h = 2172′ M. O.-Wall von d, innen.
      7 7   1356 S. W.-Wall von d, innen.
     10 14   1388 S. O.-Wall von d, innen.

Hier ist ein Zweifel und es steht zu vermuthen, dass die erste Angabe zu Nonius d = No. 23° meiner Charte gehört.

19. Blanchinus — No. 11.

φ = 9° 1′ h = 1087′ M. O.-Wall innen.

20. Lacaille = No. 10.

φ = 4° 34′ h = 1521′ M. SW.-Wall innen.
      8 36   1816 Sr. W.- .

Der SW.-Wall entspricht dem NO.-Walle des Blanchinus. Sr. hat im Lacaille des Mittelwalles h = 797′, und für Krater e den W.-Wall h = 699′.

21. Airy = No. 7. Berg z in SO., zweifelhaft.

φ = 6° 14′ h = 537′ M. zu Ost.

22. Poisson = No. 25.

φ = 5° 34′ h = 1148′ M. O.-Wall innen.

23. Albategnius — No. 5. Krater A.

φ = 3° 6′ h = 392′ S. W.-Wall aussen.
      3 23   504 M. W.-Wall innen.
      6 40   1744 S. O.-Wall innen.

Der Boden von A liegt 112′ unter der Ebene des Albategnius.

24. Abenezra — No. 22.
W.-Wall innen:

φ = 8° 14′ h = 1227′ M.
      9 52   1844 S.
     11 17   1709 M.
     11 46   1648 S.

Mittel: φ = 10° 58′ h = 1734′ = 10404′.

Die erste Beobachtung bleibt ausgeschlossen.
W.-Wall aussen:

φ = 5° 30′ h = 595′ S.
SO. und NO.-Wall innen:

φ = 6° 43′ h = 1239′ S.

Vertiefung = 1139′ = 6834′.

Neigungswinkel.

Thebit A, W.-Wall	μ = 34°	M = 42	
- A, O.-Wall	M = 47		
- B, -	M = 51		
- C, -	M = 55		
- W.-Wall	m = 27	M = 43	
im Osten die Wand 33	M = 40		

Purbachius, W.-Wall	m = 21°	
-	μ = 25	
Regiomontanus, W.-Wall	m = 22	
- -	μ = 24	
Hell, W.-Wall	m = 37	
- O.-Wall	M = 46	
- -	μ = 37	
Werner, W.-Wall	M = 40	
-	μ = 32	
-	m = 28	
- oberer Saum	m = 23	
- O.-Wall	M = 39	
Aliacensis, W.-Wall	M = 41	
-	μ = 33	
-	m = 29	
- oberer Saum	m = 24	
- O.-Wall	μ = 37	
-	m = 28	
Apianus, O.-Wall	μ = 34	
Playfair, O.-Wall	μ = 35	
Alpetragius, W.-Wall	M = 47	
-	μ = 27	
-	m = 18	
- O.-Wall	M = 50	
-	m = 26	
Albategnius A, W.-Wall	m = 29	
-	μ = 34	
- O.-Wall	M = 43	
Gemma, W.-Wall	M = 33	
-	m = 23	
- westl. Terrasse	μ = 23	
- Centralgebirge	M = 32	
Alphonsus, W.-Wall	μ = 26	
-	m = 21	
- O.-Wall	m = 25	
- innerer Kraterpic	M = 50	
Arzachel, W.-Wall	μ = 26	
- W.-Terrasse	μ = 21	
- O.-Wall	M = 48	
- Centralberg zu Ost	μ = 40	
- - West	μ = 38	
Walter, W.-Wall	μ = 30	
-	m = 26	
- Nordkrater O.-Wall	μ = 31	
Lexell, W.-Wall	m = 23	
Pitatus, W.-Wall	m = 18	
- -	μ = 26	
Gauricus, W.-Wall	m = 17	
- -	μ = 25	

BEMERKUNGEN.

1842 Juni 15. Die erste für Tafel VIII. nutzbare Zeichnung.

1843 März 8 und 9. Die lange steile Wand 33, östlich von Thebit, ist niedriger als die Hügel an ihrem südlichen Ende. Der weisse Fleck dd, östlich von Alpetragius, nahe der Phase liegend, erschien als kleiner Hügel, vermuthlich wegen des (viel später darin entdeckten) kleinen Kraters.

- Mai 7. Phase östlich bei Davy; im Alphonsus zeichnete ich nur den grauen Flecken am innern SO.-Walle.

- Sept. 17. am 6füssigen Refractor sah ich die Centralberge in den Wallkratern westlich und östlich im Walle des Pitatus, die, wie es scheint, so zweifelhaft blieben, dass ich später nur den östlichen in der Charte darstellte. Die lange steile Wand 33, östlich von Thebit, die jetzt von Osten her beleuchtet ward, zeigte sich als gerader weisser Strich ohne allen Schatten an der Westseite. Damals hatte die Phase den Thebit schon verlassen.

1849 Febr. 3. Es zeigen sich in der Tiefe des Alpetragius dunkle Flecken, ähnlich den 4 oder 5 grauen Flecken in der Ebene des Alphonsus.

- März 8, nach einer partialen Finsterniss, erscheint des Alpetragius Tiefe gleichmässig hell mit einem Glanzpunkte am Orte des Centralberges. Mädler zeichnet den Centralberg zu klein, und hat auch die Terrassen nicht.

1851 Febr. 21. Die Mitte der bellen weissen Stelle, westlich vom Krater Hell = No. 16 lag bei einem kleinen Krater in 4° östl. Länge und 32°7 südl. Breite. Mädler hat denselben Ort, 3,7 Ost und — 33° Breite.

- März 12 sah ich den feinen Krater, der südlich im Walle von Arzachel A liegt, und nördlich von A noch einen kleinen Krater.

1853 Mai 16 zeigte der 14füssige Berliner Refractor die geschlängelte Rille in der westlichen Ebene des Arzachel. Schon Lohrmann sah eine Spur derselben. Nach 1853 habe ich sie oft wiedergesehen. Es wurden Mai 16 auch die Rillen im Alphonsus entdeckt. In des Alphonsus Ebene waren 3 graue Flecken, in SW., NW. und O.; die Phase hatte den Davy schon überschritten. Oestlich bei Thebit viele kleine Krater. Die ausserordentliche Menge kleiner Krater zwischen Ptolemaeus und Thebit ist mit so starken Instrumenten nicht mehr darstellbar.

1854 Oct. 9 Morgens, erschien (am Refractor zu Olmütz) der Centralberg des Alphonsus sehr hell und ganz als Krater, da er (bei abnehmender Phase) an der Ostseite Schatten zeigte; er war nur wenig kleiner als Arzachel A. Alphonsus hatte 4 graue Flecken.

- Oct. 10. Der Centralkrater im Alphonsus bestätigt sich nicht.

- Oct. 30. In der NW.-Ebene des Pitatus eine Rille, die später (zu Athen) als Kraterreihe erkannt ward.

1862 Mai 7 wurden neue sehr feine Krater im Arzachel gefunden. Im Alphonsus liegt ein grauer Fleck, und zwar ein grosser, im Westen; ein kleinerer östlich von der Mitte; ein mässig grosser in SW.

- Juli 5. Der östliche der beiden Wallkrater des Thebit, x, zeigt entweder einen Centralberg oder eine graue Wolke. Auch Juli 6 sah ich die etwas unklare Erscheinung. Sie liegt dem W.-Walle nahe.

1863 Febr. 17. Im Lexell 3 kleine Krater bei der Mitte und im NO. eine Rille.

1866 Aug. 20. Der W.-Wall des Davy = No. 1* scheint durch den eingreifenden Krater A hindurchzuziehen.

1868 Mai 12. Im Alphonsus ein doppelter Fleck in NW., ein grauer einfacher kleiner Fleck in W., ein ansehnlicher grauer Fleck in SW., und noch ein vierter in OSO.; nichts östlich östlich von der Mitte.

- Juni 12. Regiomontanus Ebene reich an kleinen Hügeln. Der Lichtfleck dd, Ost von Alpetragius, unbedeutend.

- Juni 28. Derselbe weisse Fleck dd, der Phase nahe, erscheint nicht hügelartig.

- Juni 29. In Thebit x sehe ich wieder, wie schon oft, bei aufgehender Sonne ein wolkenähnliches Gebilde zwischen dem W.-Walle und der Mitte. Ich vermuthe, dass es ein von W. zu O. sich abdachendes Gebirge sei, welches Halblicht zeigt, wenn die Sonne dort aufgeht.

1868 Juli 10. An der innern O.-Seite scheint Alpetragius einen Krater zu haben.

1869 Mai 19. Die westliche Rille im Alphonsus, die gewiss eine solche ist, erschien ähnlich einer Ader.

1873 Mai 5 fehlt im Alphonsus der graue Fleck östlich von der Mitte. Es wird doch wohl nur der kleine Fleck gemeint sein, nicht der grosse am Ostwalle. Auch 2 der Lohrmann'schen Flecken im Westen fehlen.

- Juni 6. Alphonsus hat 3 grössere und 2 kleine graue Flecken.

- Juni 22. Die Ebene südlich von Thebit B liegt höher als die Ebene N. von B, wie sich bei Aufgang der Sonne erkennen lässt. Alphonsus, der Phase nahe, hat 2 graue Flecken SW. und O.

Aus 133 Aufnahmen wurde die VIII. Section zusammengesetzt.

SECTION IX.

	L.	M.	S.
Krater	700	747	3575
Rillen	15	4	1

NAMEN.

1. Neander.	15. Abenezra.
2. Stiborius.	16. Azophi.
3. Piccolomini.	17. Descartes.
4. Fracastor.	18. Sacrobosco.
5. Beer (*).	19. Fermat.
6. Beaumont.	20. Pons.
7. Theophilus.	21. Lindenau.
8. Cyrillus.	22. Celsius (*).
9. Katharina.	23. Pontanus.
10. Polybius.	24. Gemma Frisius.
11. Tacitus.	25. Zagut.
12. Abulfeda.	26. Rabbi Levi.
13. Almanon.	27. Riccius.
14. Geber.	28. Rothmann (*).

III. Mare nectaris.

R. R. R.   Altaï.

Anm. Den Namen „Beer" hatte ich schon 1856 für Lohrmann's Charte bestimmt und werde ihn nun beibehalten. Die Lage der für diese Section von mir eingeführten Namen ist folgende:

Beer (*)   in 34,5 westl. Länge und 17,7 südl. Breite.
Celsius (*)   „ 21   „   „   „ 33,5 „   „
Rothmann (*)   „ 27,7   „   „   „ 31   „   „

VERGLEICHUNG DER BEZEICHNUNGEN IN LOHRMANN'S UND MÄDLER'S CHARTEN.

bei Lohrmann:	bei Mädler:	bei Lohrmann:	bei Mädler:
35	bei Rheita	H	unbezeichnet
36	bei δ	1	A
33. 34	unbezeichnet	45	unbezeichnet
75* Neander	Neander	76* Stiborius	Stiborius
37	unbezeichnet	44	C
31	e	42. 43. 49	unbezeichnet
28. G	unbezeichnet	78* K	A
39	f	50	b
38	unbezeichnet	51	unbezeichnet
30	g e	52	C (Riccius)

25

203

bei Lohrmann:	bei Mädler:	bei Lohrmann:	bei Mädler:
53	A	11	g
54	unbezeichnet	13	d
56	unbezeichnet	18	A
55	c	25	c
79* L. = Lindenau	Lindenau	116* Fracastor	Fracastor
57	e	9	unbezeichnet
81* Zagut	Zagut	D	d
80* Rabbi Levi	Rabbi Levi	80	A
58. 61	unbezeichnet	79	bei b
60	unbezeichnet	119* Polybius	Polybius
59 = Celsius (*)	unbezeichnet	81	e
63	f	82	fehlt
62	g	V	c
65	unbezeichnet	121* X = Fermat	Fermat
64	c	89	unbezeichnet
M	b	122* Sacrobosco	Sacrobosco
66	a	Y	F
85* Gemma Frisius	Gemma Frisius	88	F
Q	f	87	bei 7
O	b	125* Azophi	Azophi
70	d	180* Geber	Geber
69	c	92	B
67	unbezeichnet	Z	b
P	b	178* Almanon	Almanon
68	c	176* Tacitus	Tacitus
124* Pontanus	Pontanus	95	unbezeichnet
86	d	93	b
85	unbezeichnet	91	bei 7
123* R	unbezeichnet	90	E
72	unbezeichnet	96	unbezeichnet
71	b	175* Katharina	Katharina
84 Pons	Pons	83	A
73	c	W	C
120* S	C	100	b
75	h	4	bei e
118.* 74	unbezeichnet	5. 6. 7	e—B
117* Piccolomini	Piccolomini	3	bei 7
77	unbezeichnet	172* C = Beaumont	Beaumont
T	bei A. b	8	C
78	e	A = Beer (*)	E
41	c	14	fehlt
40	unbezeichnet	1	unbezeichnet
114* F	A	173* Theophilus	Theophilus
29	unbezeichnet	174* Cyrillus	Cyrillus
20. 22	unbezeichnet	2	bei d
21	B	B	e
26. 27	bei C	99	A
15. 17	unbezeichnet	177.* 97. 98	unbezeichnet
113.* 16	bei A	— Descartes	Descartes
115.* E	b	95	B
12	C	179* Abulfeda	Abulfeda

HÖHENMESSUNGEN.

1. Cyrillus = No. 8 nur von mir gemessen.
SW.-Wall. Mädler's ε, oder der O.-Wall von B, gemessen über der Tiefe des Cyrillus.

φ = 5° 43'   h = 1836' S.
    5 49   2457   S.
    5 52   1976   S.
    5 56   2054   S.
    6 20   2137   S.
Mittel: φ = 5° 56' h = 2092' = 12552'.

W.-Wall:
φ = 6° 0'   h = 1230' S.
    6 18   1094   S.
Mittel: φ = 6° 9' h = 1162' = 6972'.

O.-Wall aussen:
φ = 2° 52' h = 852' S.
    3 9   629   S.
Mittel: φ = 3° 0' h = 740' = 4440'.

Wallgebirg B, südwestlich an Cyrillus.
W.-Wall bei c, nach aussen über dem Mare:
φ = 4° 13' h = 1615' S.
    4 30   1859   S.
    5 7   1935   S.
    5 11   1546   S.
    5 17   1419   S.
Mittel: φ = 4° 52' h = 1675' = 10050'.

O.-Wall desselben innen, oder der SW.-Wall des Cyrillus, über der Tiefe von B:
φ = 6° 43' h = 1295' S.

Südlicher Centralberg.
zu Ost gemessen:
φ = 4° 15' h = 771' S.
    4 31   984   S.
    4 40   1040   S.
Mittel: φ = 4° 29' h = 932' = 5592'.

2. Katharina = No. 9.
W.-Wall:
φ = 4° 37' h = 2415' M.
    4 49   1235   S.
    5 43   1374   S.
Mittel ohne M.:
φ = 5° 16' h = 1305' = 7830'.
NW.-Wallgipfel:
φ = 5° 50' h = 2726' M.
NO.-Wall ?:
φ = 9° 19' h = 1545' S.
    9 27   1292   M.
Mittel: φ = 9° 23' h = 1418' = 8508'.
O.-Wallgipfel:
φ = 4° 11' h = 2007' S.
    4 16   1899   S.
Mittel: φ = 4° 13' h = 1953' = 11718'.

3. Tacitus = No. 11.
W.-Wall:
φ = 5° 54' h = 914' S.
    12 25   1627   M.
Mittel: φ = 9° 9' h = 1270' = 7620'.

4. Abulfeda = No. 12.
SW.-Wallgipfel:
φ = 4° 41' h = 1740' S.
    4 59   1610   S.
    7 55   1910   S.
    8 42   2151   S.
    9 19   1882   S.
    9 53   1712   S.
   10 55   1693   S.
Mittel: φ = 8° 3' h = 1818' = 10008'.
W.-Wallgipfel:
φ = 5° 22' h = 1620' S.
    6 52   1600   M.
    7 56   1468   S.

25*

W.-Wallgipfel:

$\varphi = 8°\,46'$ $h = 1769'$ S.
  9 38   1310   S.
  10 29   1409   S.
  11 10   1306   S.

Mittel: $\varphi = 8°\,36'$ $h = 1502' = 9012'$.

W.-Wall:

$\varphi = 4°\,37'$ $h = 1227'$ S.
  5 0   1146   S.
  7 13   1249   S.
  10 31   1162   M.

Mittel: $\varphi = 6°\,30'$ $h = 1196' = 7176'$.

O.-Wall:

$\varphi = 5°\,10'$ $h = 1568'$ M.
  5 17   1187   S.
  6 1   1100   M.
  6 41   919   S.

Mittel: $\varphi = 5°\,47'$ $h = 1193' = 7158'$.

5. Almanon = No. 13.

W.-Wall:

$\varphi = 3°\,45'$ $h = 1174'$ S.
  5 18   1211   S.
  5 47   1074   S.
  6 38   1034   S.
  9 9   1229   S.
  10 30   1173   S.
  11 13   1025   S.
  11 25   924   M.

Mittel: $\varphi = 5°\,22'$ $h = 1123' = 6738'$.
  10 34   1088

O.-Wall:

$\varphi = 4°\,10'$ $h = 645'$ S.
  4 43   602   M.

Mittel: $\varphi = 4°\,26'$ $h = 623' = 3738'$.
Der O.-Wall ist also 500' niedriger als der W.-Wall.

6. Geber = No. 14.

W.-Wall:

$\varphi = 8°\,30'$ $h = 1218'$ S.
  8 42   1361   S.
  8 54   1570   S.
  9 41   1521   S.
  10 2   1352   M.
  10 20   1494   S.
  10 23   1197   S.
  11 16   1364   S.

Mittel: $\varphi = 8°\,57'$ $h = 1417' = 8502'$.
  10 30   1352

O.-Wall:

$\varphi = 5°\,30'$ $h = 1233'$ S.
  5 54   1052   S.
  7 46   1290   S.

Mittel: $\varphi = 6°\,23'$ $h = 1192' = 7152'$.
Der O.-Wall 225' niedriger als der W.-Wall.

---

7. Azophi = No. 16.

W.-Wall:

$\varphi = 7°\,49'$ $h = 1255'$ S.
  8 30   1767   S.
  9 3   1507   S.
  9 14   1682   S.
  10 35   2274   M.
  10 41   1586   S.

Mittel: $\varphi = 9°\,19'$ $h = 1678' = 10068'$.

W.-Wall aussen:

$\varphi = 4°\,56'$ $h = 622'$ S.

O.-Wall:

$\varphi = 6°\,5'$ $h = 1511'$ S. Gipfel.
  6 23   1561   S.
  6 48   902   M.
  8 51   1415   S.

Mittel ohne M.:

$\varphi = 7°\,6'$ $h = 1496' = 8976'$.

Die Vertiefung des Kraters also 1056'.

8. Sacrobosco = No. 18.

W.-Wall bei α.

$\varphi = 4°\,57'$ $h = 1601'$ S.
  5 7   1780   M.
  6 48   1985   M.
  7 27   2169   S.
  7 33   1846   M.
  8 18   1338   S.

Mittel ohne die letzte Beobachtung:

$\varphi = 6°\,22'$ $h = 1876' = 11256'$.

W.-Wall aussen:

$\varphi = 5°\,7'$ $h = 1087'$ S.

Vertiefung gegen 800'. Es ward hier der südliche Gipfel des W.-Walls gemessen.

9. Zagut = No. 25.

SW.-Wall: $h = 1500'$ M. Schätzung.

W.-Wall des innern Kraters c:

$\varphi = 6°\,26'$ $h = 1136'$ S.

10. Lindenau = No. 21.

W.-Wall:

$\varphi = 4°\,48'$ $h = 1240'$ S.
  7 32   1340   S.
  8 39   1595   S.
  9 4   1342   M.
  9 8   976   S.
  10 36   845   M.

Mittel ohne die erste Beobachtung:

$\varphi = 9°\,0'$ $h = 1220' = 7320'$.

O.-Wall:

$\varphi = 9°\,16'$ $h = 1856'$ M.

also 636' höher als der W.-Wall.

11. Krater A in NW. — No. 28.
W.-Wall:
φ = 10° 48' h = 1550' S.
12 52   1383   M.
Mittel: φ = 11° 50' h = 1466' = 8796'.
O.-Wall:
φ = 6° 20' h = 1092' M.

12. Rabbi Levi — No. 26.
W.-Wall:
φ = 4° 12' h = 1325' S.

13. Gemma Frisius — No. 24.
W.-Wall:
φ = 6° 11' h = 2179' S.
7 27   1961   S.
7 51   1918   S.
9 31   2324   S.
9 41   2381   S.
9 44   2531   S.
9 49   2190   S.
10 32   2196   M.
12 43   2030   M.
Mittel: φ = 7° 10' h = 2019'
9 41   2381 = 14286'.
11 37   2113
W.-Wallgipfel:
φ = 6° 0' h = 2648' S.
6 41   2824   S.
6 44   2664   S.
Mittel: φ = 6° 28' h = 2712' = 16272'.
Krater f in NW., dessen W.-Wall:
φ = 5° 8' h = 1136' S.

14. Piccolomini — No. 3.
W.-Wall:
φ = 5° 51' h = 1207' S.
6 3   1251   S.
6 58   1138   S.
9 41   1538   M.
Mittel: φ = 7° 8' h = 1283' = 7698'.
SW.-Wall aussen:
φ = 3° 52' h = 604' S.
SW.-Wall:
φ = 5° 59' h = 1951' S.
6 30   1858   S.
8 25   2175   S.
Mittel: φ = 6° 58' h = 1995' = 11970'.
In SW. ist also die Vertiefung = 1391'.
SO.-Wall:
φ = 6° 36' h = 2431' M.
6 50   2302   S.
7 8   2155   S.
7 33   1763   S.
8 0   2427   M.
9 16   2038   S.

SO.-Wall:
φ = 9° 22' h = 2046' S.
9 41   2176   M.
Mittel: φ = 8° 3' h = 2167' = 13002'.
Centralberg
zu Ost:
φ = 3° 13' h = 652' S.
4 16   623   S.
4 53   759   S.
5 35   797   S.
7 17   1224   S.
8 13   1343   S.
8 58   1140   S.
9 29   708   S.
zu West:
φ = 4° 50' h = 949' S.
5 40   1055   S.
6 9   914   S.
6 26   669   S.*
7 38   1013   S.
7 53   1046   S.
Mittel für den Centralberg:
zu Ost:
φ = 4° 29' h = 708' S.
8 29   1104
zu West:
φ = 5° 33' h = 973' ohne (*)
7 45   1030
Es ist für den Centralberg h = 1105' = 6630'
bei φ = 8° anzunehmen. Sein Gipfel liegt 283'
unter dem allgemeinen Niveau und 1000' tiefer als
der Wall.
Krater A, NW. von Piccolomini.
W.-Wall:
φ = 11° 27' b = 1140' S.

15. Stiborius — No. 2 südlich von No. 3.
W.-Wall:
φ = 9° 39' h = 1579' S.
10 43   1739   S.
11 48   1891   M.
14 35   1224   S. (*)
14 48   1891   M.
Mittel ohne (*):
φ = 11° 44' b = 1775' = 10650'.
O.-Wall:
φ = 4° 8' h = 1190' M.
7 11   890   S.
8 27   1141   S.
Mittel: φ = 6° 35' b = 1074' = 6444'.

16. Neander — No. 1.
O.-Wall:
φ = 5° 35' h = 737' S.
7 57   1434   S.
8 41   1246   M.

Mittel ohne die erste Angabe:

$\varphi = 8^\circ 20'$ $h = 1340^t = 8040'$.

SO.-Wall:

$\varphi = 7^\circ 25'$ $h = 1139^t$ S.

$\varphi = 4^\circ 31'$ $h = 1300^t$ S. Ein Berg a. NW.-Rande von No. 1.

4 14	1845	S. Berg südlich von No. 1.
3 46	1709	S. Pic in Nord von No. 1.
5 49	2243	S. Berg in SW. bei η.
6 47	2032	S. Berg NW. an No. 1.

$\varphi = 5^\circ 7'$ $h = 1402^t$ M. Berg ϵ.

6 48   1375   M. - δ.

Mädler's δ und α in der Charte nicht zu finden, oder α muss ϵ sein.

17. Polybius = No. 10.

W.-Wall:

$\varphi = 9^\circ 25'$ $h = 1213^t$ M.

O.-Wall:

$\varphi = 6^\circ 9'$ $h = 1045^t$ S.

9 32   963   M.

Mittel: $\varphi = 7^\circ 50'$ $h = 1001^t = 6024'$.

Die W.-Seite 200^t höher als die O.-Seite.

18. Altai β, Südgipfel η zu West:

$\varphi = 4^\circ 16'$	$h =$ 1739^t	S.
4 49	1963	S.
4 56	2067	S.
5 41	1952	S.
6 0	1887	S.
6 11	2255	S.
6 24	2156	S.
6 42	2220	M.
8 8	1957	S.
9 5	1933	S.
11 22	1800	S.
12 9	1887	S.
13 47	2023	S.
15 32	1617	M.

Mittel: $\varphi = 4^\circ 55'$ $h = 1930^t$

6 19	2129	= 12774'
8 36	1945	
13 12	1832	

Altai β, der Nordgipfel, zu West:

$\varphi = 4^\circ 52'$	$h =$ 1877^t	S.
5 10	2120	S.
6 7	1833	S.
12 9	1127	S.*

Mittel ohne (*):

$\varphi = 5^\circ 23'$ $h = 1943^t = 11658'$.

Altai η gegen Osten gemessen:

$\varphi = 3^\circ 19'$ $h = 1502^t$ S.

Derselbe η zu W. gemessen, als der Schatten auf den äussern W.-Terrassen des Piccolomini lag:

$\varphi = 4^\circ 35'$ $h = 1925^t$ S.

Altai ϵ, östlich vom S.-Walle Katharina, der vorletzte N.-Gipfel.

Höhe gegen Westen:

$\varphi = 4^\circ 15'$ $h = 1149'$ S.

5 14   962   S.

Mittel: $\varphi = 4^\circ 44'$ $h = 1055^t = 6330'$.

19. Fracator = No. 4.

W.-Wall:

$\varphi = 2^\circ 36'$ $h = 341^t$ S.

NW.-Wall:

$\varphi = 2^\circ 55'$ $h = 507^t$ S.

SO.-Wall:

$\varphi = 3^\circ 33'$	$h =$ 1423^t	M.
3 40	1253	M.
3 48	1318	M.

Mittel: $\varphi = 3^\circ 40'$ $h = 1331^t = 7986'$.

O.-Wall:

$\varphi = 3^\circ 38'$	$h =$ 1188^t	M.
3 48	1125	M.
3 58	1018	M.
4 13	1280	M.
5 17	844	S.

Mittel: $\varphi = 4^\circ 11'$ $h = 1091^t = 6546'$.

NO.-Wall:

$\varphi = 3^\circ 28'$	$h =$ 719^t	S.
3 36	815	M.
3 43	811	M.
5 31	610	S.

Mittel: $\varphi = 4^\circ 7'$ $h = 739^t = 4434'$.

$\varphi = - -$ $h = 500^t$ M. NO.-Cap, Schätzung.

$\varphi = 0^\circ 47'$ 85   S. innere Beule bei n } zu

1 7   170   S. Pic auf n } Ost.

20. Beer(*) = No. 5.

O.-Wall aussen:

$\varphi = 1^\circ 38'$ $h = 231^t$ S.

2 14   207   S.

Mittel: $\varphi = 1^\circ 56'$ $h = 219^t = 1314'$.

W.-Wall aussen:

$\varphi = 2^\circ 22'$ $h = 235^t$ S.

Die westlichen Adern im Mare 100^t bis 200^t hoch.

21. Beaumont = No. 6.

NW.-Gipfel aussen:

$\varphi = 2^\circ 5'$ $h = 523^t$ S.

2 18   423   S.

Mittel: $\varphi = 2^\circ 11'$ $h = 473^t = 2838'$.

O.-Wall innen:

$\varphi = 3^\circ 32'$	$h =$ 782^t	S.
3 54	809	S.
6 15	963	M.

Mittel: $\varphi = 4^\circ 34'$ $h = 851^t = 5106'$.

Pic in SW. nach aussen gemessen:

$\varphi = 3^\circ 38'$ $h = 1698^t$ S.

Ader p. N. von Beaumont, zu W. bei p gemessen.		
φ = 1°49'	h = 212'	S.
1 56	243	S.
Mittel: φ = 1°52'	h = 227' = 1362'.	

147 Aufnahmen liegen der Section IX. zu Grunde.

Neigungswinkel.

Piccolomini. W.-Wall	M =	50°
.	μ =	43
. Centralberg zu W.	m =	27
Cyrillus, O.-Wall	m =	21
. Centralberg zu O.	M =	53
Beaumont, 2 NW.-Krater	μ =	45

Beaumont, kl. Krater, zu W.	M =	60°
- - - - O.	μ =	37
Polybius, W.-Wall	M =	48
- O.-	μ =	36
Beer, O.-Wall	m =	29
- d, -	m =	34
Katharina, O.-Wall	m =	22
Tacitus, O.-Wall	m =	27
Gemma, W.-Wall	M =	33
- W.-Terrassen	μ =	23
Lindenau, W.-Wall	M =	43
Geber, -	M =	39
Abenezra, -	M =	39
Almanon, -	M =	42
Abulfeda, -	M =	41

BEMERKUNGEN.

1842 Juni 13. Die erste brauchbare Darstellung des Mare nectaris.

- Aug. 25. Wenn die abnehmende Phase schon im Fracastor liegt, kann der Tychonische Lichtstreifen, der von Altaï β nach Fracastor zieht, noch gesehen werden.

- Oct. 23. Abnehmende Phase am W.-Walle des Fracastor. Dieser zeigte nun deutlich die innere Fläche expandirt; in der Mitte etliche kleine Hügel.

- Nov. 8. Im Südkrater C an Katharina sah ich einen Centralberg, den spätere Beobachtungen nicht mehr angeben, so dass ich ihn nicht aufnahm. Theophilus macht den Eindruck, dass er später als Cyrillus entstanden sei.

1847 Juli 31. Bonn. Ausser dem reichen Detail des Walles von Theophilus ward noch südlich von der Mitte ein gekrümmter Zug gezeichnet, den ich in späterer Zeit für eine Rille hielt. Der Raum nördlich und östlich bei Piccolomini ist derart von kleinen und kleinsten Kratern durchlöchert, dass eine genaue Zeichnung unmöglich erscheint. Von NO.- bis NW.-Cap des Fracastor zieht der Saum des Mare nectaris, deutlich vom helleren Grau der innern Fläche des Fracastor geschieden. Im Süden ist diese Fläche am hellsten. (So schon 1844 Oct. 29).

1851 Jan. 9. Die beiden Krater am NW.-Rande des Beaumont, die Lohrmann zeichnet, und die bei Mädler fehlen, sah ich leicht und kannte sie schon 1842. SW. vom Theophilus liegen im Mare 2 kleine dunkle Flecken, wie unvollkommene halbbeschattete Krater; sie bleiben bei hohem Stande der Sonne als dunkle Flecken sichtbar und ich habe sie wohl schon früher gekannt. Der westliche ist de grössere. (Vergl. 1873).

- Febr. 6 und 7. SW. von Theophilus im Mare ein unförmlicher schwarzgrauer Fleck.

- Febr. 17. Beer = No. 5 zeigte in der Tiefe ein graues Colorit, schwächer, doch ähnlich dem stärker ausgebildeten Colorit in andern Kratern bei Colombo.

1853 Sept. 21. Abnehmende Phase am W.-Rande des Mare nectaris. Von N. durch O. bis Beaumont und Fracastor ist die Ebene granulirt von kleinen Kratern und gänzlich durchlöchert.

1854 Dec. 26. In der Ebene des Abulfeda = No. 12 sah ich 3 Stunden lang 2 sehr deutliche weisse nebelartige Flecken, die nicht Erhebungen waren.

1860 April 25. Die Mitte des Mare nectaris ist vom Ansehn der Oberfläche einer groben Feile, so rauh wegen unzähliger kleiner grauer Hügel und Krater. Der Athener Refractor zeigte dies bei sehr ruhiger und klarer Luft.

- Aug. 22. Theophilus hat in der innern Süd-Terrasse einen deutlichen kleinen Krater.

1862 Juni 16. Der Raum östlich von Piccolomini und die Ostseite des Mare nectaris siebartig durchlöchert von zahllosen Kratern der kleinsten Art.

1865 Febr. 1. Im Theophilus, östlich von der Mitte, und unter dem östlichen Wallkrater, liegen in der Tiefe je zwei Doppelkrater oder Stücke von Kraterrillen.

- Nov. 22. Die innern Ost-Terrassen sind von Kraterrillen oder Kraterthälern durchfurcht.

1867 Jan. 11. In der westlichen Tiefe des Theophilus ein sehr deutlicher kleiner Krater.

1868 Febr. 29. Für die Darstellung des feinen Details in und um Cyrillus bereitet ein nur 6 füssiges Fernrohr schon unbesiegbare Schwierigkeiten. In Theophilus westlicher Tiefe liegen einige sehr feine Krater. Auch am südlichen Fusse der Centralberge wird wohl ein kleiner anomaler Krater sein.

- April 28. Der gekrümmte Höhenzug in der südlichen Tiefe des Theophilus ist sicher keine Rille. So auch Sept. 22.

1869 Febr. 17. Es schien, als ob 2 kleine Krater in der westlichen Tiefe des Theophilus durch eine Rille verbunden wären.

1873 April. Die früher erwähnten Flecken SW. von Theophilus sind ähnlich denen bei Copernicus, helle Kerne mit sehr dunklem Nimbus.

210

SECTION X.

	L.	M.	S.
Krater	533	425	1892
Rillen	4	2	4

NAMEN.

1. Furnerius.	12. Ansgarius.
2. Stevinus.	12*. Lapeyrouse.
3. Reichenbach.	13. Vendelinus.
4. Snellius.	14. Colombo.
5. Petavius.	14*. Magelhaens.
6. Hase.	15. Bohnenberger.
7. Palitzsch.	16. Cook.
8. Legendre.	17. Santbech.
9. W. Humboldt.	18. Biot.
10. Hecataeus.	19. Borda.
11. Behaim.	

II. Mare foecunditatis.
III. Mare nectaris.

A n m. Von Seiten des Lunar Committee sind folgende neue Namen eingeführt worden:

Wrottesley, grosser Krater in 56° Lg. und — 24° Br.

Adams	„	„	„ 67	„	„ — 32	„
Phillips	„	„	„ 72.5	„	„ — 26	„
Mclure		Krater	„ 49	„	„ — 15.5	„
Crozier			„ 51	„	„ — 15	„
Bellot			„ 49.5	„	„ — 14.5	„

Im Jahre 1856 habe ich den Namen „Monge" auf Lohrmann's Charte gebracht, in meiner Charte ihn zu bezeichnen jedoch übersehen. Es ist d, der Südost-Nachbar von Cook oder von No. 16.

VERGLEICHUNG DER BEZEICHNUNGEN IN LOHRMANN'S UND MÄDLER'S CHARTEN.

bei Lohrmann:	bei Mädler:	bei Lohrmann:	bei Mädler:
72* Furnerius	Furnerius	71*	d = Adams (engl. Benh.)
1	B	65 Legendre	Legendre
7	e	W. Humboldt (106*)	W. Humboldt
5	i	106*	A
3	A	66	bei A = Phillips (engl. Beob.)
4	c	64	b
6	g	62 Palitzsch	a Palitzsch
79	bei E	76 Hase	Hase
74	c	67	?
70	b	63	bei c
77	bei ?	68	b
78	e	105*	β b γ

26

bei Lohrmann:	bei Mädler:	bei Lohrmann:	bei Mädler:
69 Hecataeus	Hecataeus	10	e
75 Behaim	Behaim	12	a
160	bei a	110*	b
161* Ansgarius	Ansgarius	14	C
162*	bei b e	13	bei d
72	A	111* Borda	Borda
73	a	113*	A
74	unbezeichnet	20 Biot	Biot
163*	c d	19	A
165* Vendelinus	Vendelinus	18	nahe γ
43	e	57	β
41	A	21	b
48	bei β	116* Monge (*)	d
164*	i c γ	112* Santbech	Santbech
49	h	24	bei ε
52	bei a	23 - 25	bei d
51	E	26 Cook	Cook
53	B	168* Colombo	Colombo
50	f	29	b
47	bei γ	28	c
42	bei G	27	bei B
54	B	40	c = Mclure (engl. Beob)
55	bei η	39	d = Crozier (- -)
107* Petavius	Petavius	167.* 38	B = Bellot (- -)
56	:	41	δ
63	um d Petav.	37	c
59	A	36	a
60	δ	170* Magelhaens	Magelhaens
108*	a = Wrottesley (engl. Beob.)	31	a
109* Snellius	Snellius	30	a
73 Stevinus	Stevinus	35 Pyrenaeen	A β
16	b	171* Bohnenberger	Bohnenberger
17	b	34	e
11	a	33	c
Reichenbach	Reichenbach	32	D

A a m. Bei Lohrmann steht der Name „Magelhaens am 170" zu weit nach links, wozu der Mangel an Raum nöthigte; er bezieht sich auf den grossen Krater rechts neben der Schrift.

Der Name „Pyrenaeen" rührt von Mädler her, findet sich aber nicht in dessen Charte, sondern erwähnt im Texte pag. 369. Auch in meiner Charte habe ich den Namen nicht besonders bezeichnet, der also dem westlichen Randgebirge des Mare nectaris zukömmt.

HÖHENMESSUNGEN.

--- --- ---

1. **Furnerius** = No. 1.

O.-Wall zu West gemessen:

$\varphi = 4°56'$ $h = 1265^t$ S. SO.-Wall β.
   4 57   1300   M.   -   -
   5 41   1300   S.   -   -
$\varphi = 4°21'$ $h = 1602^t$ S. SO.-Ecke.
   4 50   1637   S.   -
$\varphi = 5°15'$ $h = 1588^t$ S. γ, Nordgipfel.
   6 22   1581   M.   -   -
$\varphi = 4°2'$ $h = 1786^t$ M. Gipfel nördlicher.
   5 30   1895   S.   -   -
   5 53   1772   S.   -   -

Für diese auf die innere Fläche bezogenen Höhen hat man folgende Mittelwerthe:

$\varphi = 5°11'$ $h = 1288^t$ der SO.-Wallgipfel $\beta = 7728'$
   4 35   1620   die SO.-Ecke $= 9720$
   5 48   1585   γ, Nordgipfel $= 9510$
   5 15   1818   nördlicher Nachbar $= 10908$

2. **Stevinus** = No. 2.

NW.-Wall:

$\varphi = 5°42'$ $h = 1242^t$ S.
   6 14   2010   S.
   6 35   1672   S.
   6 40   926   S.

Mittel: $\varphi = 6°18'$ $h = 1462^t = 8772'$.

O.-Wall.

$\varphi = 4°49'$ $h = 1392^t$ M.

SO.-Wall:

$\varphi = 5°37'$ $h = 1930^t$ S.
   8 36   1797   M.

Mittel: $\varphi = 7°7'$ $h = 1863^t = 11178'$.

O.-Wall aussen:

$\varphi = 3°45'$ $h = 868^t$ S.

Centralberg zu Ost:

$\varphi = 4°42'$ $h = 493^t$ S.
   5 1   715   S.

Mittel: $\varphi = 4°51'$ $h = 604^t = 3624'$.

Die Vertiefung $= 724'$, so dass der Gipfel des Centralberges noch unter dem äussern Niveau der Ebene liegt.

3. **Snellius** = No. 4.

NW.-Wall:

$\varphi = 5°57'$ $h = 1316^t$ S.
   7 2   1432   S.
   7 20   1960   S.
   8 10   1615   S.
   8 33   1013   S. (*)
   10 37   1572   S.

Mittel ohne S. (*):

$\varphi = 7°49'$ $h = 1579^t = 9474'$.

O.-Wall:

$\varphi = 4°33'$ $h = 1201^t$ M.
   6 42   933   M.

Mittel: $\varphi = 5°37'$ $h = 1067^t = 6402'$.

Snellius a, Krater NO. von Snellius.

W.-Wall:

$\varphi = 5°22'$ $h = 1047^t$ M.

4. **Reichenbach** = No. 3.

NW.-Wall:

$\varphi = 12°55'$ $h = 1676^t$ S.

O.-Wallgipfel α:

$\varphi = 6°9'$ $h = 1833^t$ M.

derselbe α nach aussen:

$\varphi = 10°35'$ $h = 1904^t$ S.
   11 46   1388   S.

Mittel: $\varphi = 11°10'$ $h = 1646^t = 9876'$.

Reichenbach, Nordkrater a.

W.-Wall:

$\varphi = 12°44'$ $h = 1343^t$ S.
   14 2   988   S.

Mittel: $\varphi = 13°23'$ $h = 1165^t = 6990'$.

5. **Borda** = No. 19.

W.-Wall:

$\varphi = 11°9'$ $h = 1521^t$ S.

16*

Berg a, westlich von Borda, zu W. gemessen.

$\varphi = 5° 51'$ $h = 1723'$ M.

6. Biot = No. 18.

$\varphi = 3° 42'$ $h = 1022'$ M. a zu West.

a ist bei M. nicht im Texte p. 368 zu finden. Nur im Höhenkataloge ist diese Beobachtung notirt. Vielleicht ist a am SW.-Walle des Cook gemeint.

7. Santbech = No. 17.

W.-Wall:

$\varphi = 4° 55'$	$h = 1285'$	S.
6 27	1530	M.
8 47	1520	S.
9 35	1861	S.

Mittel: $\varphi = 7° 26'$ $h = 1549' = 9294'$.

NW.-Wall:

$\varphi = 5° 31'$ $h = 1311'$ S.

SO.-Wall:

$\varphi = 5° 43'$ $h = 1694'$ S.

O.-Wall:

$\varphi = 5° 42'$	$h = 1306'$	S. (*)
6 23	2244	M.
9 37	1698	M.
10 18	2207	M.

Mittel ohne S. (*):

$\varphi = 8° 46'$ $h = 2050' = 12300'$.

W.-Wall aussen:

$\varphi = 3° 19'$ $h = 554'$ S.

Vertiefung = 995' = 5970'.

Das Gebirge südlich von Santbech, zu O. gemessen.

$\varphi = 3° 54'$ $h = 1674'$ S.

8. Krater b südlich von Cook oder No. 16.

W.-Wall:

$\varphi = 10° 0'$ $h = 872'$ S.

W.-Wall aussen:

$\varphi = 4° 7'$	$h = 658'$	S.
4 17	853	S.

Mittel: $\varphi = 4° 12'$ $h = 755' = 4530'$.

Gebirg a, SW. am vorigen Krater b, zu W. gemessen.

$\varphi = 3° 53'$	$h = 1508'$	S.
4 24	1504	S.
4 27	1559	S.
5 44	1256	S.(*)

Mittel ohne S.(*):

$\varphi = 4° 15'$ $h = 1524' = 9144'$.

Krater b.

O.-Wall:

$\varphi = 4° 30'$	$h = 407'$	S.
5 27	488	S. in SO.
6 40	1363	S. - -

Krater A, westl. von Santbech oder No. 17.

O.-Wall:

$\varphi = 7° 6'$ $h = 1481'$ S.

Krater d, NW. von Santbech.

W.-Wallgipfel:

$\varphi = 11° 35'$ $h = 1119'$ S.

M. schätzte ihn 1200'.

Berg δ, südlich von Santbech, zu O. gemessen:

$\varphi = 4° 14'$ $h = 633'$ M.

9. Cook = No. 16.

SW.-Wall:

$\varphi = 4° 11'$ $h = 492'$ M.

10. Bohnenberger = No. 15.

$\varphi = 3° 15'$	$h = 880'$	S. O.-Wall aussen.
3 7	796	S. Berg β zu Ost.
3 27	528	S. Berg r, N. von β, zu Ost.
7 19	1004	M. Berg γ zu Ost.

11. Petavius = No. 5.

$\varphi = 6° 42'$	$h = 1006'$	M. W.-Wall innen.
4 16	1693	M. O.-Wall in NO.
5 36	1854	S. - - - O.

Centralberg gegen W. gemessen.

$\varphi = 3° 35'$	$h = 677'$	S.
3 41	1278	S.
4 17	1359	S.
4 25	588	S.

Centralberg gegen O. gemessen.

$\varphi = 4° 25'$ $h = 874'$ M.

Petavius a = Wrottesley.

NW.-Wall innen:

$\varphi = 7° 0'$	$h = 1495'$	S. W.-Wall?
8 3	2097	S. NW.-Wall
8 51	1820	S. - -
10 51	1453	S. - -
11 58	2019	S.

Mittel: $\varphi = 9° 21'$ $h = 1777' = 10662'$.

O.-Wall innen:

$\varphi = 6° 48'$	$h = 1382'$	M.
9 0	1728	S.
10 38	2175	S.

Mittel: $\varphi = 8° 48'$ $h = 1702' = 10372'$.

Krater B, NO. von Petavius.

O.-Wall:

$\varphi = 8° 47'$ $h = 1933'$ S.

12. Hase a, zu W. gemessen.

$\varphi = 5° 34'$	$h = 1908'$	S.
7 17	1840	S.
8 27	1904	S.
13 11	1840	M.

Mittel: $\varphi = 8° 37'$ $h = 1873' = 11238'$.

Hase a zu O. gemessen.

$\varphi = 14° 8'$ $h = 922'$ S.

Vertiefung = 951' = 5706'.

Hase.

W.-Wall innen:

$\varphi = 12° 12'$ $h = 1152'$ S.

13. Vendelinus = No. 13.
O.-Wall, südlich von α, zu W. gemessen.
  h = 895' S. Schätzung.
φ = 3° 45'   1291   S.
  O.-Wall α nach Innen:
φ = 4° 21' h = 1271' S.
    5 30   1104   S.
    5 45   1477   S.
Mittel: φ = 5° 12' h = 1284' = 7704'.
  O.-Wall, Nord von α:
  h = 716' S. Schätzung.
φ = 3° 54'   1422   S.
  O.-Wallgipfel α:
φ = 3° 48' h = 1607' S.
    5 56   1807   S.
Mittel: φ = 4° 52' h = 1752' = 10512'.
  O.-Wall:
φ = 3° 56' h = 730' M.
  O.-Wall, ein Gipfel:
φ = 4° 41' h = 841' M.
Vendelinus B, der südliche Krater.
  O.-Wall:
φ = 6° 5' h = 1538' S.
  W.-Wall:
φ = 7° 45' h = 1113' M.
Vendelinus A, der nördliche Krater.
  W.-Wall Innen:
φ = 14° 15' h = 1063' S.
  W.-Wall aussen:
φ = 4° 32' h = 936' S.
  O.-Wall:
φ = 5° 35' h = 1048' S.
Vendelinus, Krater C.
  NO.-Wall:
φ = 5° 0' h = 1613' S.
γ, westlich bei Vendelinus, zu W. gemessen:
  mittleres h = 775' S. Schätzung.
φ = 2° 33' h = 888' S. dieselbe
mittlere Höhe, mehr gegen Südost.
φ = 3° 50' h = 1756' S. γ.
    4 37   1926   S. γ.
Mittel: φ = 4° 13' h = 1841' = 11046'.
φ = 3° 50' h = 1551' S. nahe bei γ.
    4 31   1653   S. - -
Mittel: φ = 4° 10' h = 1602' = 9612'.
φ = 3° 7' h = 517' M. Mädler's δ,
zu O. gemessen, ist weder im Texte noch in der
Charte zu finden.
14. Legendre = No. 8.
  O.-Wall innen:
φ = 3° 58' h = 1128' S.
    7 1   1271   M.
Mittel: φ = 5° 29' h = 1199' = 7194'.

Krater b, N. von Legendre.
  W.-Wall innen:
φ = 15° 11' h = 1244' S.
   26 18   2078   S.
   26 27   1490   S.
Mittel: φ = 22° 39' h = 1604' = 9624'.
Krater δ in 79° Lg. — 32° Br.
  O.-Wall:
φ = 4° 43' h = 1418' S.
Krater a.
  W.-Wall:
φ = 8° 34' h = 2489' M.
    8 59   1797   M.
Dieser bei M. weder im Texte noch in der
Charte zu finden.
15. Colombo = No. 14.
  O.-Wall:
φ = 4° 55' h = 1005' S.
    6 8   1257   M.
Mittel: φ = 5° 31' h = 1131' = 6786'.
  SO.-Wall:
φ = 5° 12' h = 1104' M.
    5 52   1109   M.
    5 56   1130   M.
Mittel: φ = 5° 40' h = 1114' = 6684'.
  NW.-Wall aussen:
φ = 5° 0' h = 1096' M.
Berg Ost von Colombo, N. von δ.
φ = 4° 48' h = 953' S.
              175   S. südliche
Kuppe, geschätzt.
Krater a, NO. von Colombo.
φ = 5° 47' h = 1247' S. O.-Wall.
    8 48   1252   S. NW.-Wall.
Berg δ, östlich von Colombo,
φ = 5° 4' h = 1261' S. zu O. gemessen.
    3 1   775   S. - .
16. Magelhaens = No. 14*.
φ = 6° 2' h = 709' S. O.-Wall.
    8 29   729   S. W.-Wall.
Magelhaens a, gegen SW. liegend.
φ = 9° 25' h = 869' S. W.-Wall.
Magelhaens c, gegen WNW. liegend.
φ = 32° 40' h = 2660' S. W.-Wall.
17. Vendelinus x.
  W.-Wall:
φ = 9° 9' h = 1004' S.
   17 38   1419   S.
Mittel: φ = 13° 23' h = 1211' = 7266'.
147 Aufnahmen haben zur Zeichnung der
Section X. gedient.

Neigungswinkel.			Colombo, O.-Wall	m = 20"
Petavius, W.-Wall	M = 44°		- a, O.-Wall	m = 21
- .	m = 27		- C, W.-Wall	m = 23
- W.-Terrassen	μ = 29		- a,	m = 25
- O.-Wall	M = 47		Magelhaens, W.-Wall	M = 39
- .	μ = 43		- .	μ = 26
- Rille, W.	μ = 25		- .	m = 19
- südl. Centralberg, O.	μ = 36		Cook, W.-Wall	M = 39
- . .	M = 42		- .	μ = 28
- . . W.	M = 35		- .	m = 22
Biot, W.-Wall	μ = 45		- d, W.-Wall	m = 27
Santbech, W.-Wall	M = 39		Hase a, Wallgipfel	M = 42
- .	m = 19		- .	m = 29
Vendelinus, W.-Wall	μ = 27		Furnerius, O.-Wall	M = 41
- Ω. -	M = 52		Snellius, O.-Wall	M = 46
- A, Centralberg zu O.	M = 47		Stevinus, W.-Wall	m = 20
- C, W.-Wall	μ = 33		- O.-Wall	M = 40
Colombo, W.-Wall	M = 39		W. Humboldt, W.-Wall	M = 23
- .	μ = 29		Hecataeus, W.-Wall	M = 23
- .	m = 19			

BEMERKUNGEN.

1842 Juni 11, die erste Zeichnung des Petavius und seiner Rille. Die Rille kann an 43maliger Vergrösserung gesehen werden.

- Aug. 21 zeigte sich in W. Humboldt, der an der Phase lag, in der Mitte ein langes Gebirge, S. bis N. erstreckt. In der NW.-Ecke des Petavius ein grosser grauer Fleck.

- Aug. 22. Nahe der Phase erscheint jener Fleck nicht mehr.

- Nov. 7. Am 4füssigen Refractor der Hamburger Sternwarte sah ich in a, dem NO.-Krater des Colombo, einen Centralberg, der bei Mädler und Lohrmann fehlt. Ich selbst habe ihn später nicht wieder gesehen, und so fehlt er in meiner Charte.

1843 Juli 12. Im Petavius NW. und SW., je ein grauer Fleck.

- Juli 13 zeichnete ich den Centralberg in Vendelinus A, der ganz excentrisch gestellt, in NO. gelegen, und mit dem Walle verbunden ist.

- Aug. 12, an der Phase liegend, ist Vendelinus A halb beschattet, aber der Centralberg erschien nicht mehr.

- Sept. 10. Am 6füssigen Refractor zeigt sich in der Mitte der Rille des Petavius eine weniger tiefe Stelle. Deutlich erscheinen N. und S. die beiden grauen Flecken.

1844 Aug. 29. Petavii Centralberg wenigstens fünffach; 3 Krater im SW.-Walle.

1851 Febr. 16. Abnehmende Phase westlich an W. Humboldt. Der nördliche graue Fleck im Petavius sichtbar. In dem Krater x, (NW. bei Vendelinus), der östlich erst geringen Schatten hat, sah ich ein graues Dreieck, dessen Basis am O.-Walle, dessen Spitze am innern W.-Walle lag. Als Febr. 17 der Schatten fast die ganze Tiefe ausfüllte, war die westliche Spitze des grauen Dreiecks noch sichtbar. Auch Magelhaen's C hat in der Tiefe ein auffallendes graues Gebilde. Febr. 18 ward von Fearnley und mir das graue Colorit in noch 5 andern Kratern des Mare foecunditatis gesehen.

- Febr. 17 (Bonn). W. und NW. bei Vendelinus A zeichnete ich eine deutliche Rille, die später vom Athener Refractor in eine Kraterreihe aufgelöst wurde. Petavius, der Phase nahe, zeigt seine grauen Flecken nicht mehr und erscheint hinsichtlich seines Bodens nur wenig heller als das Mare.

- März 12. Bei fast senkrechter Beleuchtung des Kraters Vendelinus x war dieser sehr hell, in der Mitte durch ein dunkles Dreieck in 2 ungleiche Theile geschieden, dessen Basis an dem innern

Ostwalle lag, und dessen Spitze den innern W.-Wall berührte. Man hat den Eindruck, als hätte der Krater während seiner Entstehung einen Theil der grauen Ebene nicht überwinden, umwandeln oder zerstören können, so dass davon in ihm ein Rest übrig blieb. Alle im Innern dunklen Krater liegen im Mare oder an den Grenzen solcher, und Schicard braucht man nicht zu den Ausnahmen zu rechnen.

1851 März 14 war die westliche Spitze des eben erwähnten grauen Dreiecks durch eine lichte Stelle unterbrochen. Ausser in Colombo C sehe ich das dunkle Colorit auch auf dem Boden von Messier, besonders im östlichen von den Beiden, dann in andern Kratern um Piccolomini und im Mare foecunditatis. Endlich ist noch Legendre C, in 69° Lg. und — 32° Br., mit sehr dunklem anomal geformten Flecken in der Tiefe, der den W.-Wall nicht berührt. Es sind auch noch Stevin a und b, sowie Langrenus c im Innern dunkel. In W. Humboldt, in SO. liegt ein langer schwarzgrauer Fleck, und 2 kleinere zeigen sich in ihm u. NO., dunkler als die des Petavius.

- April 9. Vendelinus x mit grauem Dreieck wie früher, ebenso Legendre C, inwendig grau und östlich am dunkelsten. — Im März und April bemerke ich, dass Stevin a und b sehr hell und Ausgangspunkte glänzender Lichtstreifen sind, welche hier ein besonderes Strahlensystem bilden. Es sind auf dieses auch einige Streifen des Tycho gerichtet.

1854 Febr. 4 oder 5. Vendelinus x ist von dem Grau in der nördlichen Hälfte des Innern erfüllt. Die südliche viel hellere Hälfte zeigt nahe dem Südrande einen merklich glänzenden Punkt.

- Oct. 8. Des Petavius innere Fläche ist expandirt, so dass die tiefsten Stellen ringsum am innern Fusse der Terrassen zu sein scheinen.

1855 Aug. 29. In dieser Nacht sah ich, wie Anfangs der Schatten des südlichen Centralberges im Petavius, dann, wie der Schatten der ganzen Mittelgruppe das gegenüberliegende Gebirge des W.-Walles völlig verfinsterte. Selbst das expandirte Terrain des Bodens warf Schatten auf den Fuss der westlichen Terrassen. Die adernförmigen Ausläufer des Centralgebirges sind südlich ansehnlich.

- Dec. 5. Der rillenartige Durchbruch im Walle des grossen Kraters, SO. bei W. Humboldt, ward später zu Athen als Kraterrille erkannt.

1860 Jan. 2. In Vendelinus x liegt anstatt des frühern Dreiecks nun ein dunkles anomales Viereck.

1864 März 11 zählte ich am Centralgebirge des Petavius 35 einzelne Gegenstände. W. Humboldt, grösser als Petavius, hat innen in SO. und O. dunkle Flecken.

- April 13 und 14. Vendelinus x im Ganzen wie früher; April 13 war die dreieckige Figur des grauen Flecken nicht kenntlich, sondern das Grau erfüllte die nördliche Hälfte der Tiefe. April 14 erschien der Fleck als Dreieck, in SW. mit hellem Punkte zur Seite.

1865 Jan. 2 ward nördlich von der Petavius-Rille ein sehr feiner Krater gesehen. (Aufnahme No. 779.)

- April 11. In x Vendelinus erschien der graue Fleck von dreieckiger Form.

- Juli 9. Mare foecunditatis und die dunkle Ebene des Vendelinus sind deutlich grünlich gefärbt. Im Petavius die grauen Flecken sichtbar.

- Nov. 5. Ausserordentlich gross ist die Zahl der gedrängten kleinen Krater und Kraterrillen und Reihen in den Ostwällen des Petavius, des Vendelinus, Langrenus und im dortigen Mare.

1869 Mai 18. Vendelinus x zeigt etwas mehr als die nördliche Hälfte von Grau erfüllt, die südliche Grenze des Grau zieht SO.—NW.; an ihr die Spur einer Centralhöhe.

1872 Jan. 9. Die Fläche des Furnerius ist schwach grau.

1873 Mai 30. In Vendelinus x liegt ein graues Dreieck.

1874 Juni 17. W. Humboldt, Fuss des W.-Walles sehr hell. Phase am O.-Wall des Mare crisium.

- Juni 20. Petavius hat südlich einen dunklen Flecken und ein helles Band, vielleicht ein Streif des Tycho. Phase am Aristoteles.

- Juni 22. Vendelinus x bei senkrechter Beleuchtung mit grauem Dreieck; der Nachbar weniger grau. Petavius in N. und S. graue Flecken und hier Lichtstreif.

- Juli 21. Sehr auffallend ist in x Vendelinus das dunkle Dreieck und die dunkle Farbe des O.-Walles; ähnlich der Nachbar. Auch die dortige Ebene östlich tief dunkel. Im Petavius S. und N. sehr dunkle Flecken.

Anm. Am 25. März 1803 sah v. Wechmar auf dem Centralgebirge des Petavius (bei aufgehender Sonne) einen dunklen kraterähnlichen Flecken, den er auch März 26 und 27 noch erkannte, ebenso Mai 25. (Bode's Jahrbuch für 1806, pag. 265.)

SECTION XI.

	L.	M.	S.
Krater	368	312	1365
Rillen	7	7	10

NAMEN.

1. Condorcet.
2. Azout.
3. Firmicus.
4. Apollonius.
5. Neper.
6. Kästner.
7. Schubert.

8. Maclaurin.
9. Lapeyrouse.
10. Langrenus.
11. Goclenius.
12. Guttemberg.
13. Messier.
14. Taruntius.

II. Mare foecunditatis.
VI. Mare crisium.
VII. Mare tranquillitatis.

Anm. Das Mare Smythii der englischen Selenographen ist nur bei günstiger Libration am Westrande des Mondes sichtbar, westlich vom Mädler'schen „Kästner". Mir scheint aber Schröter das Mare selbst mit Kästner zu bezeichnen.

„Secchi". Den von mir gewählten Ort habe ich aufgegeben und den des Lunar Committee angenommen. Der anomale Krater liegt in 42° westl. Länge und 2°,5 nördl. Breite.

„Coxwell Mts." Die Berge in 48° westl. Länge und 12° nördl. Breite. Zu den No. 492, 493, 494 der englischen Nomenclatur-Charte finde ich im Catalogo keine zugehörigen Namen.

VERGLEICHUNG DER BEZEICHNUNGEN IN LOHRMANN'S UND MÄDLER'S CHARTEN.

bei Lohrmann:	bei Mädler:	bei Lohrmann:	bei Mädler:
6 Lapeyrouse	Lapeyrouse	15	(57° Lg. — 6° Br.)
8	b -	211°	f Langrenus
9	a Langrenus	210° 2 Langrenus	A. B. Langr. Ctbg.
13	h -	10	D Langrenus
11	f -	18	(52° Lg. — 5°,5 Br.)
208°	g -	17 (49°,5 Lg. — 7° Br.)	Krater A
12	bei D	19	Hügel A
44 Kästner	A, Kästner	169° Goclenius	Goclenius
207° 42 Maclaurin	a Maclaurin	22	d Guttemberg
209°	C	28	f -
40	11	24	l -
16	B Langrenus	23	A -

bei Lohrmann:	bei Mädler:	bei Lohrmann:	bei Mädler:
23	c Gutemberg	56. 57	a. b. Azout
214°	b θ	62	ʒ Azout
26	g	61 Condorcet	Condorcet
27	bei h	259°	A. Taruntius
213° Gutemberg	Gutemberg	69	x
33	C	261°	B = Secchi (engl. Beob.)
34	f	260° (Taruntius)	Taruntius
212° Messier	Messier	85	F
39	b	79	e
38	δ z	87	η
45	b Schubert	75	I
251° Schubert	Schubert	74	C
252° Neper	Neper	262°	D
46 (nördlich)	g Apollonius	77	ζ
256° Apollonius	Apollonius	78	τ
255° Firmicus	Firmicus	82	D
47. 48	b. c	83	A
306° Azout	Azout		

HÖHENMESSUNGEN.

1. Langrenus. W.-Wall, zu Ost gemessen:

φ = 5°49' h = 1328' S. mittlerer Wall.
  7 55   1936 M. W. Pic.
 13 32   1907 S. - -
 13 41   1984 S. - -

Mittel für den Pic:
φ = 11°43' h = 1942' = 11652'.

W.-Wall aussen:
φ = 1°31' h = 312' M.
Vertiefung = 1016' = 6096'.

SO.-Wall aussen:
φ = 2°9' h = 472' S.

SO.-Wallgipfel nach innen (zu W. gemessen):
φ = 4°9' h = 1846' S.
  5 5   2411 S.
  5 12   2700 S.
  5 19   2042 S.
  5 23   2005 S.
  5 30   2460 S.
  5 44   2127 S.
  5 50   2195 S.
  6 10   2299 S.
  6 10   2616 S.
  6 27   2066 S.
  6 29   2530 S.
  6 55   2132 S.
Mittel: φ = 5°43' h = 2264' = 13584'.

Langrenus, O.-Wall, nördlich vom Vorigen, zu W. gemessen:
φ = 5°38' h = 2460' S.
  6 13   2442 S.
Mittel: φ = 5°55' h = 2451' = 14706'.

O.-Wall, Mitte:
φ = 3°25' h = 1569' M.
  5 0   1438 M.
  5 30   1695 S.
Mittel: φ = 4°38' h = 1567' = 9402'.

NO.-Wall:
φ = 4°9' h = 1636' S.
  4 50   1910 S.
  4 51   2155 S.
Mittel: φ = 4°37' h = 1900' = 11400'.

Südlicher Centralberg zu West:
φ = 2°38' h = 523' M.
  3 8   756 S.
  3 45   1063 S.
  3 57   898 S.
  4 4   1165 S.
  4 9   1102 S.
  4 12   961 S.
Mittel: φ = 2°53' h = 639'
  4 1   1038

Bei 3° Sonnenhöhe endet der Schatten auf den Terrassen, bei 4° bis 5° aber in der Tiefe.

Nördlicher Centralberg zu West:
φ = 3°8' h = 756' S.
  3 9   855 S.
  3 53   1211 S.
  3 59   865 S.
  4 9   1325 S.
Mittel: φ = 3°8' h = 805'
  4 0   1134 = 6804'.

Krater a, SW. bei Langrenus.
O.-Wall:
φ = 8°4' h = 1735' S.
  8 59   1797 M.
Mittel: φ = 8°31' h = 1766' = 10596'.

Krater a', nördlich vom Vorigen.
W.-Wall:
φ = 17°55' h = 1207' S.
 20 7   1428 S.
 27 50   1591 S.
 30 20   1751 S.
 33 5   1525 S.
Mittel: φ = 25°51' h = 1500' = 9000'.

Krater f, NO. bei Langrenus.
$\varphi = 7°43'$ h = 590'   S.   W.-Wall innen.
     5 56   1051   S.   NO.- - -
     7 16   882   M.   O.- - -
Krater B, nördlich bei f.
$\varphi = 9°29'$ h = 834'   S.   W.-Wall innen.
Krater C, Nord von Langrenus in — 5° Breite.
$\varphi = 24°44'$ h = 1313'   S.   W.-Wall innen.
Krater A, SO. von f im Mare.
$\varphi = 17°50'$ h = 1007'   S.   W.-Wall innen.

2. Goclenius = No. 11.
O.-Wall innen:
$\varphi = 5°9'$ h = 878'   S.
    5 47   886   S.
    6 43   731   M.
    6 17   1481   M. (*)
Mittel ohne M. (*):
$\varphi = 5°53'$ h = 832' = 4992'.

3. Gutemberg = No. 12.
W.-Wall innen:
$\varphi = 3°4'$ h = 867'   S.   W.-Wall.
    5 20   971   S.   Wall in SW.
    5 55   867   S.   W.-Wall.
O.-Wall unter A, nach innen:
$\varphi = 5°21'$ h = 715'   S.
    6 14   1018   S.
Mittel: $\varphi = 5°47'$ h = 866' = 5196'.
SO.-Wall nach aussen:
$\varphi = 4°26'$ h = 1618'   S.
    5 48   2171   S.
    7 23   1863   M.
Mittel: $\varphi = 5°52'$ h = 1884' = 11304'.
O.-Wall nach aussen:
$\varphi = 7°45'$ h = 796'   S.
W.-Wall nach aussen:
$\varphi = 3°7'$ h = 420'   S.

4. Hauptader im Mare:
mittleres h = 180'   M.
Gipfel h = 312   M.

5. Messier, der östliche.
W.-Wall nach innen:
$\varphi = 11°34'$ h = 778'   S.
    33 8   1064   S.
    40 12   1338   S.
Mittel: $\varphi = 28°18'$ h = 1060' = 6360'.
SW.-Wall nach aussen:
$\varphi = 1°36'$ h = 348'   S.
    1 56   306   S.
Mittel: $\varphi = 1°46'$ h = 327' = 1962'.
Messier, der westliche.
O.-Wall nach innen:
$\varphi = 13°3'$ h = 876'   M.

6. Taruntius = No. 14.
W.-Wall aussen:
$\varphi = 2°18'$ h = 365'   S.
Taruntius, O.-Wall nach innen.
O.-Wall:
$\varphi = 4°4'$ h = 828'   S.
    4 43   545   M.
Mittel: $\varphi = 4°23'$ h = 686' = 4116'.
SO.-Wall:
$\varphi = 3°16'$ h = 553'   S.
    3 45   537   S.
Mittel: $\varphi = 3°30'$ h = 545' = 3270'.
Taruntius, O.-Wall nach aussen.
$\varphi = 2°18'$ h = 307'   S. in NO.
Die Vertiefung also gegen 300'.
C im Nordwalle, O.-Rand zu W. gemessen:
$\varphi = 23°5'$ h = 1207'   S.
Berg t zu Ost:
$\varphi = 3°59'$ h = 734'   S.
Krater B, W.-Wall nach aussen:
$\varphi = 3°7'$ h = 898'   S.
7 oder t gegen Osten gemessen:
$\varphi = 4°40'$ h = 770'   S.
Krater G. W.-Wall aussen:
$\varphi = 1°34'$ h = 181'   M.
Berg in 40° Lg. und + 7°8 Br.
$\varphi = 2°22'$ h = 761'   M. zu Ost.

7. Krater p, südlich von Condorcet = No. 1.
O.-Wall innen:
$\varphi = 4°19'$ h = 952'   S.
Azout, Cap A zu Ost gemessen:
$\varphi = 7°15'$ h = 914'   M.
    11 33   918   S.
Mittel: $\varphi = 9°24'$ h = 916' = 5496'.

8. Firmicus = No. 3.
W.-Wall innen:
$\varphi = 3°52'$ h = 773'   M.

9. Apollonius = No. 4.
O.-Wall innen:
$\varphi = 3°53'$ h = 850'   M.

10. Neper = No. 5.
SO.-Wallgipfel nach innen:
$\varphi = 5°58'$ h = 1840'   S.

11. Schubert a.
O.-Wall innen:
$\varphi = 5°0'$ h = 1153'   S.
liegt in 71° Lg. und + 4° Br.

12. Lapeyrouse b, O.-Wall innen:
$\varphi = 4°42'$ h = 1319'   S.
    6 26   1962   M.
Mittel: $\varphi = 5°34'$ h = 1640' = 9840'.

13. Condorcet = No. 1.
$\varphi = 5°23'$ h = 1387'   M.   W.-Wall innen.
    5 21   1263   S.   O.

27*

Neigungswinkel.

					Kleine Krater im Mare	$\mu = 32°$
Langrenus, W.-Wallpic, zu Ost		M = 55°			Gutemberg, W.-Wall innen	M = 39
" " "		m = 37			O.- " "	m = 23
" W.-Terrassen - "		$\mu = 33$			Goclenius, W.-Wall innen	M = 37
" O.-Wall innen		M = 56			" "	m = 21
" SO.-Terrassen innen		M = 48			O.- " "	m = 20
" Centralberg zu Ost		$\mu = 37$			Tarantius, W.-Wall innen	m = 14
Messier, der östliche, W.-Wall innen		m = 22			O.- " "	m = 18
" " " " " "		$\mu = 42$			Apollonius, W.-Wall innen	$\mu = 31$
Biot, W.-Wall innen		m = 45				
Langrenus [x II, W.-Wälle innen		M = 40				

Mit Hülfe von 113 Aufnahmen geschah der Entwurf der XI. Section.

BEMERKUNGEN.

1842 Juni 11. Die früheste zum Theil brauchbare Zeichnung des Mare Crisium.

- Aug. 23. Beide Messier gleich gross.

- Sept. 22. Der westliche Messier X kleiner als der östliche.

1843 April 12, Abds. Tarantius gegenüber im W.-Rande ein langes Randgebirge.

- April 15. Firmicus innere Fläche ist dunkelgrau.

- Mai 6 sah ich einen Randberg westlich von Langrenus.

- Sept. 10 ward ein sehr glänzender Fleck nördlich von Langrenus bemerkt in 63° Lg. und + 1°7 Br.

1848 Sept. 14. Am 8füssigen Heliometer zu Bonn sah ich mit nahe 300facher Vergrösserung den Langrenus. Das ausserordentlich reich gegliederte Gebilde war von bläulichem Lichte überzogen, welches an andern Punkten der Phase fehlte.

1849 Jan. 29. Der östliche Messier scheint merklich grösser als sein westlicher Nachbar.

1851 Jan. 6. Der östliche Messier ansehnlich grösser als der westliche. Er hat neben sich in SO. und NO. zwei kleine Unebenheiten, erstere einem beschatteten eingreifenden Krater einigermaassen ähnlich.

- Jan. 8. Der westliche Messier scheint einen Centralhügel zu haben.

- Jan. 17. Vollmond. Langrenus' innere Fläche hat blaues Licht, jedenfalls eine von der der Umgebung sehr verschiedene Färbung.

- Jan. 18. Tarantius C ist grösser als ihn Mädler darstellt.

- Febr. 6 und 7. Von der Zeit an, wenn am innern W.-Walle des Condorcet der letzte Schatten verschwindet, zeigt sich östlich auf dem Kraterboden eine schmale graue Färbung, so dass der Eindruck einer expandirten Fläche hervorgerufen wird. Allein Tags darauf hatte sich jenes Grau noch mehr ausgedehnt und verdunkelt, so dass es scheint, es sei hier wie an andern Orten die Intensität der grauen Flecken von der Beleuchtung erheblich abhängig. Aehnliches ist am Firmicus und Apollonius zu bemerken, welche Kratertiefen ich vormals für expandirte hielt. Sehr verschieden davon ist die Erscheinung im Fracastor, im Petavius und Mersenius, wo ein directer Schattenwurf die Entscheidung giebt.

- Febr. 5. In Gutemberg d sah ich einen Centralberg, der später bei mir nicht mehr vorkömmt.

- Febr. 17. Graue wolkenförmige Gebilde oder Flecken hatten die Krater: C in 34° Lg. und − 4° Br., beide Messier, Gutemberg A, Colombo e und andere.

- Febr. 16. Bei abnehmender Phase waren die grauen Flächen des Condorcet, Firmicus, Apollonius und Endymion offenbar bläulich, wenn man sie mit dem graugrünen Colorit des Mare verglich.

- Febr. 17. Langrenus, der Phase nahe, zeigt an den Wällen deutlich einen schönen blauen Schimmer.

- März 8. Im Condorcet vermehrt sich das dunkle Grau bei steigender Sonne. Es verbreitet sich von Osten nach Westen. In damaliger Libration erschien Condorcet äusserst schmal.

- März 16. Dunkles Grau liegt in den Tiefen von Messier, besonders im östlichen. Viele glänzende Krater zeigen nichts Aehnliches. Die grauen Flecken bei Maclaurin sind weniger blaugrau als die mehr gegen Norden liegenden. Wegen des blaugrauen Colorits sind besonders auffallend:

Condorcet und Firmicus. Im letzteren ist das Grau gleichmässiger als im Apollonius. Im Condorcet wird es gegen Westen heller.

1851 April 9. Langrenus a ist östlich innerhalb sehr dunkel begrenzt, als ob dort starker Halbschatten läge. Es war aber an der der Sonne zugewendeten Böschung des Walles. Die Tiefe hat auch sonst dunkle Stellen.

1854 März 2. Als die zunehmende Phase im Ostrande des Mare crisium lag, zeigte sich auffallend, dass die Ebene dieses Mare höher liegen müsse als der nördliche Theil des Mare foecunditatis.

- März 5. Der östliche Messier hat den doppelten Durchmesser des westlichen, und bei einer Sonnenhöhe von 33° noch dunklen messbaren Schatten.

- März 8 waren beide Messier nahe gleich gross.

- April 2. Vier Kraterrillen östlich bei Taruntius, die ich späterhin nicht mehr sah.

- Oct. 6. Lapeyrouse's Centralgebirg ist doppelt.

1855 Sept. 26. In Condorcet's glatter Fläche scheint westlich ein schwacher Höhenzug zu liegen.

- Sept. 27. Taruntius C fand ich fast so gross als NW. davon den Krater A, ebenso gross als G in SW., und von gleicher Grösse mit dem westlichen Messier. C ward von Lohrmann und Mädler sehr klein gezeichnet. Der östliche Messier übertrifft den westlichen nur sehr wenig an Grösse.

- Sept. 28. Taruntius C erschien kleiner als die vorerwähnten A, G und Messier West.

1856 Febr. 10. Langrenus hat ein Radialsystem von Hügelreihen wie Atlas, Theophilus, Petavius, Copernicus und Bullialdus.

1860 April 24. Es ward das meiste Detail der Rillen bei Goclenius und Gutemberg gezeichnet; doch Vieles habe ich später nicht wiedergesehen. Bis jetzt sehe ich den Hauptgrund darin, dass Nichts seltener ist, auch zu Athen, als wahrhaft stille, also für feine Beobachtungen brauchbare Luft. Beide Messier waren durch einen Hügelzug verbunden, der östliche wenig grösser als der westliche.

- April 25. Im Mare foecunditatis liegen wenigstens 700 Krater.

- Aug. 22. Langrenus' östliche Ebene etwas expandirt; der östliche Messier ist runder, grösser und tiefer als der westliche Nachbar. Der Letztere ist elliptisch, die grosse Axe O.—W. gerichtet.

1865 Febr. 1. Im SO.-Walle des Mare crisium liegt ein grosser dunkelgrauer Krater, eine Bucht des Mare bildend, ohne deutlichen Nordwall; er ward schon von Schröter gesehen.

- März 31. Der westliche der beiden Messier ist der kleinere, stark von O.—W. verlängert. Ein ungewöhnlich heller Punkt zeigt sich im Lapeyrouse, östlich neben dem Centralberge. Mädler spricht davon nicht und auch Lohrmann hat ihn nicht vermerkt. Er war so hell als der Glanzpunkt im Nordwalle des Mare crisium.

1867 Febr. 9. Der östliche Messier ¼ grösser als der westliche, und viel stärker beschattet.

1869 Febr. 15. Messier Ost ¼ grösser als Messier West.

1871 April 5. Bei Lapeyrouse, ausserhalb am NO.-Walle, ein sehr heller kleiner Krater.

- Oct. 17. Die 2 Krater f, NO. bei Apollonius haben Centralberge.

1872 Jan. 9. Der von O.—W. stark verlängerte westliche Messier hat 0,65 des Durchmessers vom östlichen Nachbarn. Condorcet ist in der östlichen Hälfte am dunkelsten; Firmicus schwach grau. Die Phase hatte den Fracastor schon überschritten.

- Jan. 15. Südlich von Apollonius bei w ein höchst glänzendes kleines Strahlensystem. Messier West 0,65 Messier Ost; ersterer elliptisch von O. nach W. erweitert. Der Ort des erwähnten Strahlensystems ist 62°5 westl. Länge + 2°2 Breite.

- Jan. 20. Beide Messier fast genau gleich gross. Die Phase über Euler und Ramsden. Taruntius hat bei hoher Beleuchtung ein mattes Strahlensystem; in ihm ist das Grau dunkler als im Mare; sehr dunkel ist das Grau am äussern O.-Walle.

- Jan. 26. Beide Messier nahe gleich gross. Die abnehmende Phase am W.-Walle des Mare crisium.

1873 März 12. Das Mare foecunditatis vielfach grünlich. Langrenus hat ein Strahlensystem.

- Mai 30. Der westliche Messier ist von O. nach W. verlängert, merklich kleiner als der östliche Nachbar.

- Juni 30. Der westliche Messier sehr auffallend kleiner als der östliche. Phase am Taquet.

- Oct. 3. Beide Messier gleich gross, oder der westliche fast unmerklich kleiner als der östliche M. Die Phase lag bei Schicard.

1873 Nov. 25. Der östliche Messier auffallend grösser als der westliche, im Verhältnisse von 8 zu 7. Aber sein viel stärkerer Schatten kann auch den Eindruck der Ungleichheit vergrössorn. Phase bei Theophilus.

1874 April 20. Der westliche Messier ist kleiner als der östliche M.

- Juni 17. Phase im O.-Walle des Mare crisium. In Lapeyrouse, am S.-Fusse des Centralberges, ein Krater; aber der glänzende Fleck, östlich von diesem Berge, ist nicht sichtbar. Libration sehr günstig.

- Juni 18. In Lapeyrouse, NO. vom Hauptgipfel des Centralberges, zeigt sich der helle Fleck, der gestern in genauer Beobachtung nicht gesehen ward.

- Juni 20. Phase am Aristoteles. In Lapeyrouse erscheint der weisse Fleck sehr hell; ein anderer heller Fleck zu Nord, nach aussen. W. Humboldt hat helle und dunkle Flecken.

- Juni 22. Lapeyrouse, nahe senkrecht beleuchtet, zeigt die westliche Ebene sehr dunkel, die östliche heller, und dort, scheinbar dem Walle sehr nahe, den glänzenden weissen Punkt.

- Juni 25. 8 Uhr. Phase im O.-Rande des Mare humorum. In Lapeyrouse erscheinen jetzt östlich von der Mitte zwei helle Lichtpunkte.

- Juli 21. Phase am O.-Walle des Ptolemaeus. Lapeyrouse westlich sehr dunkel; östlich von der Mitte der helle Fleck und nahe westlich bei diesem ein schwächerer.

1. Anm. 1843 Mai 8 sah ich westlich dem Langrenus gegenüber ein 12 bis 13 Meilen langes Randgebirge, dessen nördlicher Abhang bedeutende Helligkeit zeigte. Am 9. Mai waren auf diesem Gebirge 2 höhere Gipfel kenntlich. Der ganze dortige Rand bis weit gegen Süden hatte viele doch nur unbedeutende Unebenheiten, die bei bester Luft ein nur 90 Mal vergrösserndes gutes Fernrohr erkennen liess. Am 1. Juli ward dasselbe Gebirge wieder gesehen, und Juli 5 zeigte sich westlich dem Taruntius gegenüber ein hoher Randberg. Oct. 27 ward im südwestlichen Theile der Ebene des Langrenus ein Krater gesehen, als die Phase am Atlas und Capella lag.

2. Anm. 1854 Sept. 27 ward durch Messung gefunden, dass der W.-Gipfel des Langrenus, der W.-Wall u. Langrenus und das Prom. Agarum an ihren Ostseiten mindestens 47°,5 Neigung haben. Da nun diese Stellen am 28. Sept. noch theilweis wirklichen Schatten zeigten, so folgt, dass hier schroffe Bergflächen von 60° und mehr Neigung vorkommen.

3. Anm. Ueber Messier sind Schröter's und Gruithuysen's Beobachtungen zu vergleichen. Letzterer (in Bode's Jahrbuch für 1828, pag. 104) sagt u. a. (1825): „Das westliche Circellchen verändert sich zu verschiedenen Zeiten auf eine ganz unbegreifliche Weise, während das andere neben ihm zu allen Wechselzeiten sich gleich bleibt; so war es zu Schröter's Zeit grösser als das Letztere, zu meiner Zeit ist es entweder gleich gross oder kleiner bis zu ⅓ seines Durchmessers, und bald ganz, bald so, bald anders eingekerbt, ja sogar gegen alle perspektivische Regel von O. nach W. gestreckt." Diese richtige Bemerkung Gruithuysen's passt völlig auch auf die Zeit von 1842 bis 1875.

SECTION XII.

	L.	M.	S.
Krater	213	148	878
Rillen	3	0	13

NAMEN.

1. Condorcet.	12. Bernoulli.	VI. Mare crisium.
2. Hansen.	13. Geminus.	VII. Mare tranquillitatis.
3. Alhazen.	14. Burckhardt.	Palus somnii, bei Proclus.
4. Firmart.	15. Cleomedes.	
5. Oriani.	16. Tralles.	Anm. Von Seiten der englischen Beobachter sind folgende Namen eingeführt worden:
6. Timoleon. (*)	17. Bunsen. (*)	
7. Plutarchus.	18. Macrobius.	Prom. Lavinium, O.-Wall des Mare Crisium bei z.
8. Seneca.	19. Proclus.	Prom. Olivium, daselbst bei y.
9. Hahn.	20. Picard.	Glaisher, womit vielleicht der Krater SW. bei Proclus gemeint ist.
10. Berosus.	21. Prom. Agarum.	Ich selbst habe hinzugefügt:
11. Gauss.	22. Berzelius.	Lyell (*), in 40° westl. Länge, + 14° Breite, vor Jahren schon in Lohrmann's Charte aufgenommen. Doch fehlt in meiner Charte die nachweisende Zahl, die also No. 23 sein müsste.

Timoleon (*), ein Randkrater westlich von Plutarch.

Bunsen (*), in 44° westl. Länge, + 30° Breite.

VERGLEICHUNG DER BEZEICHNUNGEN IN LOHRMANN'S UND MÄDLER'S CHARTEN.

bei Lohrmann:	bei Mädler:		bei Lohrmann:	bei Mädler:
1. Condorcet	Condorcet		307* Picard	Picard
2. Hansen	Hansen		53	β
303*	unbezeichnet		54. 55. 56	bei 23 { P. Lavinium / P. Olivium } e. B.
4	bei A		51. 58	unbezeichnet
3	Alhazen		57	E
305* Prom. Agarum	Prom. Agarum		310*	unbezeichnet
5	unbezeichnet		63	ε
52	α		311* = Lyell (*)	B
308*	unbezeichnet		62. 64	unbezeichnet
50	d			

225

bei Lohrmann:	bei Mädler:	bei Lohrmann:	bei Mädler:
60	a	351*	unbezeichnet
309* Proclus	Proclus	25 Tralles	Tralles
49	D o	26	B
48	e	348* Cleomedes	Cleomedes
41	A	18	B
42	B	19	unbezeichnet
304* β	β	16. 17	unbezeichnet
10	d	20	A
9 Albazen (Sr.)	a (Albazen. Sr.)	15	e
7	b	14	d
302*	unbezeichnet	385* Hahn	Hahn
343* Oriani	Oriani	13	A
345* Eimmart	Eimmart	346*	unbezeichnet
11	unbezeichnet	344* Plutarch	Plutarch
33	F	12 Seneca	Seneca
347* 349*	unbezeichnet	386* Berosus	Berosus
43. 44. 45. 46	unbezeichnet	21	C
31. 32	unbezeichnet	22 Bernoulli	Bernoulli
34	c	390* Geminus	Geminus
37	f	23	e
350* Macrobius	Macrobius	389* Burckhardt	Burckhardt
35. 36	bei E γ	388*	a
39	unbezeichnet	27	a
59	B	28	B
61	unbezeichnet	392* Berzelius	Berzelius
38	a	29	a
40	G	30	a
352*	A	387* Gauss	Gauss

Anm. Die Uebereinstimmung der Lage von Oriani, Plutarch und Seneca ist in den beiden verglichenen Charten nur annähernd. Was Albazen anlangt, so hat Mädler geglaubt, den Schröter'schen Ort des Kraters nicht annehmen zu müssen.

Beobachtungen über Albazen, sowie über eine eigenthümliche Figur im Cleomedes, von Pastorff und Gruithuysen angestellt, findet man in Bode's Jahrbüchern; und zwar wegen Albazen im Bande für 1827 und 1829, wegen Cleomedes im Bande für 1828, pag. 103; die Abbildung aber im Bande für 1829.

Die beiden kleinen Krater im Mare crisium, östlich von Pr. Agarum, wurden zuerst im Winter 1793 von Olbers in Bremen mit einem 5füssigen Refractor gesehen.

HÖHENMESSUNGEN.

1. Picard = No. 20.
W.-Wall innen:
φ = 12° 28' h = 1302' Sr.
12 48   931 S.
14 18   1035 S.
Mittel: φ = 13° 20' h = 1013' = 6258'.
W.-Wall aussen:
φ = 1° 31' h = 270' S.
1 42   366 S.
2 9   428 S.
2 45   478 M.
Mittel: φ = 2° 2' h = 385' = 2310'.
O.-Wall innen:
φ = 8° 24' h = 944' S.
9 19   831 M.
11 20   1120 S.
Mittel: φ = 9° 41' h = 965' = 5790'.
Der Kraterboden liegt 658' unter dem Mare.
Picard A.
W.-Wall innen:
φ = 14° 0' h = 1237' S.
15 9   944 S.
Mittel: φ = 14° 35' h = 1090' = 6540'.
O.-Wall aussen:
φ = 2° 4' h = 364' S.
O.-Wall innen:
φ = 7° 2' h = 943' S.
10 54   1093 M.
Mittel: φ = 8° 58' h = 1018' = 6108'.
W.-Wall aussen:
φ = 2° 1' h = 398' S.
2 1   512 M.
2 2   328 S.
2 40   330 S.
Mittel: φ = 2° 11' h = 392' = 2352'.
Der Kraterboden liegt 698' unter dem Mare.

Picard B.
W.-Wall aussen:
φ = 1° 26' h = 257' S.
2 3   248 S.
2 6   225 S.
Mittel: φ = 1° 51' h = 243' = 1458'.
O.-Wall aussen:
φ = 2° 4' h = 290' S.
Ader südlich bei Picard, zu West gemessen:
φ = 1° 20' h = 210' M.
Krater d, SO. bei Picard.
φ = 36° 16' h = 1108' S. W.-Wall innen.
17 35   1240 S. O.- - -
3 7   294 S. W.- - aussen.
Die Vertiefung beträgt also 814'.
Ader nördlich von d, zu Ost gemessen:
φ = 2° 5' h = 251' S.
Senkung westlich neben Picard.
φ = 1° 33' h = 230' Sr.
2. Prom. Agarum, zu West gemessen:
φ = 6° 26' h = 1453' M.
6 33   1547 S.
8 40   1566 S.
Mittel: φ = 7° 13' h = 1522' = 9132'.
zu Ost gemessen:
φ = 4° 52' h = 1728' M.
7 27   1298 S.
8 13   1473 M.
9 45   1632 M.
13 44   1474 S.
Mittel: φ = 8° 48' h = 1521' = 9126'.
Krater n, Ost bei Pr. Agarum.
O.-Wall aussen:
φ = 3° 13' h = 203' Sr.

28

3. W.-Wall des Mare crisium α,
zu West gemessen:

φ = 3°52' h = 1249' S.
  4 31   1205 M.
  5 3   1254 S. Südgipfel.
  5 7   919   M.
  5 58   1522 S.

Mittel: φ = 4°54' h = 1230' = 7380'.

Hügel A in der westlichen Ebene,
zu West gemessen:

φ = 2°26' h = 947' S.
  3 43   1353 S. wohl ein
anderer Berg.

Berg ι, östlich bei Eimmart No. 4,
zu West gemessen:

φ = 3°49' h = 909' S.

Cap v im NW.-Walle des Mare, Ost von
Eimmart:

φ = 4°29' h = 1367' S. zu West.

NO.-Cap von Eimmart, zu West gemessen:

φ = 4°25' h = 2427' S.
  5 51   2110 M.
  6 38   2176 S.
  7 30   1860 S.

Mittel: φ = 6°6' h = 2143' = 12858'.

4. Ostwall des Mare, südlich beginnend.
Picard a, gegen Westen gemessen:

φ = 3°49' h = 1307' S.
  4 17   1360 S.
  4 26   1082 S.
  4 31   1252 S.
  4 32   1468 S.
  4 46   1173 S.

Mittel: φ = 4°23' h = 1275' = 7650'.

Berg β, gegen Westen gemessen:

φ = 3°24' h = 1461' S.
  3 48   1950 M.
  4 25   2224 M.
  5 0   1863 M.
  5 4   1918 S.
  5 20   1842 S.
  5 41   2655 M.
  6 0   1856 S.
  6 9   1897 S.

Mittel: φ = 4°59' h = 1961' = 11778'.

Berg γ, gegen Westen gemessen:

φ = 3°40' h = 1477' S.
  3 51   1638 S.
  4 7   1777 S.
  4 28   1714 S.
  4 55   1578 S.
  5 38   1695 M.
  6 0   1162 S. (*)

Mittel: φ = 4°26' h = 1646' = 9876'.

S.(*) ist ausgelassen, weil vielleicht ein anderer
Berg in der Nähe bestimmt ward.

Berg k zu Westen:

φ = 4°51' h = 1063' S. Ecke
  5 11   1615 S. Kraterwall
  5 18   1840 S. Südecke
  5 35   1531 S. SW.-Spitze
  6 50   2267 S.
  6 51   2122 S.

Berg λ, zu West gemessen:

φ = 6°58' h = 1777' S.

Berg σ, zu West:

φ = 4°20' h = 1157' S.
  6 33   1364 S.
  8 9   1519 S.

Mittel: φ = 6°21' h = 1346' = 8076'.

Berg σ zu Osten:

φ = 5°11' h = 930' S.
  12 2   1331 S.

Mittel: φ = 8°36' h = 1130' = 6780'.

Berg z zu West:

φ = 6°25' h = 995' S.
  6 41   1489 S.
  8 16   1129 S.

Mittel: φ = 7°7' h = 1204' = 7224'.

Berg z zu Ost:

φ = 10°10' h = 897' S.

Hügel p zu West:

φ = 2°36' h = 627' S. Er liegt im
Mare, und westlich von z.

Krater e, NO. von Picard, westlich von y und
z. Es ist Schröter's Krater l.

W.-Wall aussen:

φ = 2°57' h = 782' S.
  3 35   779   Sr.
  4 16   535   S.

Mittel: φ = 3°36' h = 699' = 4194'.

Berg f im Mare, Nord von e,
zu Westen gemessen:

φ = 2°40' h = 972' S.
  2 51   903   Sr.
  3 9   1238 S.
  3 22   1295 S.
  3 35   1322 S.
  3 37   1238 S.
  3 59   1035 M.
  4 12   1280 S.
  4 14   1187 S.
  4 50   1301 S.
  4 56   1222 S.
  5 2   1162 S.
  5 15   722   M. (*)

$\varphi = 5° 25'$ $h = 1133'$ S.
5 26   1254   S.
5 30   836   M.(°)
5 51   1217   S.
Mittel ohne M.(°):
$\varphi = 4° 15'$ $h = 1194' = 7164'$.
Ist die Luft nicht sehr ruhig, so erkennt man
das feine Ende des Schattens nicht mehr.
Berg D im Mare, Nord von f,
zu West gemessen:
$\varphi = 3° 42'$ $h = 1841'$ S. N. oder Mittelgipfel.
4 28   1779   S. Mittelgipfel.
3 59   1762   S. Nordgipfel.
4 26   1960   S. -
5 24   1453   S. -
6 45   1149   S. -
Wall von C, zu West gemessen:
$\varphi = 3° 26'$ $h = 1537'$ S.
5 0   1863   M.
5 12   1409   S.
5 20   1189   S.
5 38   1695   M.
5 58   1267   S.
6 44   1695   S.
Mittel: $\varphi = 5° 19'$ $h = 1522' = 9132'$.
Senkung N. bei C, südlich von B:
$\varphi = 5° 26'$ $h = 857'$ S.
E. gegen West gemessen:
$\varphi = 5° 23'$ $h = 1509'$ S.
6 35   1618   S.
7 9   1369   S.
Mittel: $\varphi = 6° 22'$ $h = 1499' = 8994'$.
y, gegen West gemessen:
$\varphi = 3° 30'$ $h = 1509'$ S.
6 33   1364   S.
Mittel: $\varphi = 5° 1'$ $h = 1436' = 8616'$.
B, Nordgipfel, gegen West gemessen:
$\varphi = 3° 48'$ $h = 1950'$ M.
4 20   2218   M.
4 26   2551   S.
4 54   2442   S.
5 0   2554   S.
5 29   1784   S.
Mittel: $\varphi = 4° 39'$ $h = 2250' = 13500'$.
Bei $\varphi = 5° 19'$ erreicht der Schatten die
Bergader im Mare.
B, Südgipfel, gegen Westen gemessen:
$\varphi = 4° 55'$ $h = 2172'$ S.
5 19   2185   S.
5 29   1520   S.
5 35   1788   S.
5 55   1727   S.
Mittel: $\varphi = 5° 27'$ $h = 1878' = 11268'$.

A und A', zu West gemessen:
$\varphi = 4° 13'$ $h = 1231'$ S.
5 7   1049   S. A' allein
5 38   1178   S. A und A'.
Cap s, gegen Westen:
$\varphi = 3° 30'$ $h = 1229'$ S.
3 32   990   M.
3 35   1480   S.
3 38   1436   S.
3 38   1399   S.
4 8   1412   S.
4 11   1250   M.
4 21   1329   S.
4 27   1370   S.
4 28   1542   S.
5 0   1314   S.
5 36   1213   S.
6 9   1056   M.
Mittel: $\varphi = 4° 19'$ $h = 1309' = 7854'$.
Berg θ, Nord von s, zu West gemessen:
$\varphi = 2° 57'$ $h = 1056'$ S.
4 3   1233   S.
Mittel: $\varphi = 3° 30'$ $h = 1145' = 6870'$.
Berg η, zwischen s und θ, zu West gemessen:
$\varphi = 4° 14'$ $h = 1784'$ S.
4 52   1635   S.
Mittel: $\varphi = 4° 33'$ $h = 1709' = 10254'$.
5. Cleomedes — No. 15.
SW.-Wall nach innen:
$\varphi = 4° 4'$ $h = 1369'$ S.
7 26   1902   S.
9 59   960   S.
Mittel: $\varphi = 7° 10'$ $h = 1410' = 8460'$.
Diese Unterschiede sind nach dem Terrain
erklärlich.
SW.-Wall aussen:
$\varphi = 4° 8'$ $h = 822'$ S.
Vertiefung = 588' = 3528'.
W.-Wall innen:
$\varphi = 4° 28'$ $h = 1185'$ S.
4 48   1366   M.
6 51   1636   S.
Mittel: $\varphi = 5° 22'$ $h = 1396' = 8376'$.
O.-Wall innen:
$\varphi = 4° 46'$ $h = 1793'$ S. in SO.
6 32   1517   M.
7 57   1918   S. in SO.
Mittel für SO.-Wall:
$\varphi = 6° 21'$ $h = 1855' = 11130'$.
Cleomedes, Centralberg, Westseite.
$\varphi = 3° 33'$ $h = 598'$ S.
29*

6. Gebirg R, SO. von Cleomedes, im NO.-Walle des Mare crisium, wenn die Schatten gegen Osten fallen.

φ = 4°22' h = 2590' S. Hauptgipfel.
   4 23   2590   S.   -
       Mittel:
φ = 4°22' h = 2590' = 15540'.
φ = 13°13' h = 1890' S. Hauptgipfel.
   5 0   1201   S. Südgipfel.
  10 28   1178   S. Mittelgipfel.
   5 1   1091   S. Nordgipfel.

7. Tralles = No. 16. Ostwall innen:
φ = 8°10' h = 1367' M.
   8 45   1521   S.
Mittel: φ = 8°27' h = 1444' = 8664'.
Tralles A, Ostwall innen:
φ = 13°51' h = 1291' S.

8. Burckhardt = No. 14. SW.-Wall innen:
φ = 4°13' h = 469' S.* verfehlt.
   4 49   1306   S.
   5 28   1006   S.
       Mittel ohne S.*:
φ = 5°8' h = 1156' = 6936'.
Burckhardt a, im Ostwalle nach aussen:
φ = 2°29' h = 724' S.
   4 2   790   S.
   4 9   1001   S.
Mittel: φ = 3°33' h = 838' = 5028'.
Burckhardt s nach innen:
φ = 5°28' h = 1779' S.
   6 15   1685   M.
   6 23   1870   S.
   6 41   1930   S.
   7 19   2279   M.
   7 33   2336   S.
   7 48   2410   S.
   8 49   2593   S.
   9 9   2655   S.
  11 50   2789   S.
  12 32   2431   S.
  13 36   2064   S.
Mittel: φ = 6°12' h = 1816'
   7 33   2342
   9 56   2679 = 16074'.
  13 4   2247

9. Bernoulli = No. 12. W.-Wall nach innen:
φ = 7°28' h = 1298' S. in SW.
   8 54   1715   S.
  10 4   1918   S.
  13 35   1116   S.
  20 20   3092   Sr. (?)
       Mittel ohne Sr.:
φ = 8°11' h = 1506' = 9036'
  11 49   1517 = 9102

O.-Wall innen:
φ = 7°33' h = 1422' S.
   7 44   1978   S.
   9 7   1353   S.
Mittel: φ = 8°8' h = 1584' = 9504'.

10. Geminus = No. 13.
SW.-Wall innen:
φ = 6°28' h = 1467' S.
   6 35   2615   M.*
   6 45   1925   S.
   7 3   1575   S.
   7 40   1637   S.
   9 16   1135   S.
Mittel ohne M.* und S.*:
φ = 6°59' h = 1651' = 9906'.
W.-Wall innen:
φ = 5°8' h = 1493' S.
   6 53   1779   M.
   7 2   1794   S.
Mittel: φ = 6°21' h = 1689' = 10134'.
NO.-Wall innen:
φ = 6°8' h = 1975' S.
   6 43   1808   S.
   6 53   1973   S.
   6 54   1934   S.
   7 20   1921   S.
   7 29   2253   S.
   8 7   1986   S.
  11 13   1841   S.
Mittel: φ = 7°36' h = 1961' = 11766'.
O.-Wall innen:
φ = 6°7' h = 1538' S.
   7 26   2080   M.
   8 8   1711   S.
Mittel: φ = 7°14' h = 1776' = 10656'.
O.-Wall aussen:
φ = 2°38' h = 718' S.
Vertiefung = 1058' = 6348'.
SW.-Wall aussen:
φ = 3°20' h = 518' S.
Vertiefung = 1030' = 6180'.
Die mittlere Senkung des Kraterbodens = 1044' = 6264'.

Geminus, Centralberg, Westseite:
φ = 6°54' h = 189' S.
Gebirg 3, Ost von Geminus, zu Ost gemessen:
φ = 2°29' h = 738' S.
  14 15   1648   Sr.

11. Hahn = No. 9.
φ = 3°46' h = 816' S. Centralberg zu West.
   4 52   1712   S. O.-Wall 3, innen.
  10 1   1516   M. W.-   -

12. Berosus = No. 10.
φ = 5° 48' h = 1720' S. NO.-Wall a, innen.
   7 44   2032   S. - - -
   6 1   1787   M. W.-Wall innen.
13. Macrobius = No. 18.
φ = 6° 43' h = 1537' S. W.-Wall innen.
   7 3   1343   S. - -
   7 9   1213   S. - -
   7 43   2176   M.
   7 48   2527   M. SW.-Gipfel innen.
   8 31   1668   S. W.-Wall   -
   9 23   1609   S. - - -
   9 45   1632   M. SW.-Wall   -
  11 33   1884   S. W.-Wall   -
  12 16   1429   S. - - -
O.-Wall innen:
φ = 4° 44' h = 1515' S.
    6 0   1880   S.
    8 13   1679   S.
    9 52   1395   S.
   10 40   1647   M.
O.-Wall aussen:
φ = 2° 56' h = 792' S.
Für diesen Krater können folgende Mittelwerthe gelten:
φ = 6° 58' h = 1364' W.-Wall innen = 8184'
    8 57   1638   -   - = 9828
   11 54   1656   -   - = 9936
    7 45   2401   W.-Gipfel, - = 14406
    7 54   1623   O.-Wall, - = 9738
Vertiefung des Macrobius gegen 830' = 4980'.
Gebirg a, NO. von Macrobius, zu West gem.:
φ = 2° 15' h = 1075' S. zweiter Gipfel von Süd gezählt.
    4 16   953   S. Südgipfel.
    6 22   660   M.
    6 53   900   S.
Krater c, West bei Macrobius. W.-Wall innen:
φ = 8° 36' h = 809' S.
O.-Wall innen:
φ = 8° 46' h = 1470' S.
    7 42   1374   S.
Mittel: φ = 8° 14' h = 1422' = 8532'.
Krater a in SO. von Macrobius.
W.-Wall innen:
φ = 24° 56' h = 1480' S.
   31 18   1564   S.
Mittel: φ = 28° 7' h = 1522' = 9132'.
Desselben Kraters a, O.-Wall innen:
φ = 10° 2' h = 1301' S.
   13 41   1499   S.
   14 53   1697   S.
   15 48   1437   S.
Mittel: φ = 13° 51' h = 1485' = 8910'.

Krater B, Ost von Macrobius.
W.-Wall innen:
φ = 24° 58' h = 1079' S.
   31 18   1173   S.
Mittel: φ = 28° 8' h = 1126' = 6756'.
O.-Wall innen:
φ = 15° 9' h = 1636' S.
Gebirg Nord bei Macrobius,
zu West gemessen:
φ = 2° 43' h = 671' S.
Berg e, südlich von Macrobius,
zu West gemessen:
φ = 6° 23' h = 2292' S.
    7 6   1903   S.
Mittel: φ = 6° 44' h = 2097' = 12582'.
14. Proclus = No. 19. W.-Wall innen:
φ = 9° 11' h = 1725' Sr.
   24 10   1298   S.
Mittel: φ = 19° 10' h = 1440' = 8640'.
O.-Wall innen:
φ = 7° 51' h = 1362' S.
    9 53   1437   S.
   13 17   1202   M.
Mittel: φ = 10° 20' h = 1334' = 8004'.
Die Zeichnung der XII. Section beruht auf 135 verschiedenen Aufnahmen.

Neigungswinkel.

Picard, W.-Wall innen	M = 49°
	m = 29
Mare crisium, W.-Wall innen	33° bis 40°
Picard A, W.-Wall innen	M = 58
	m = 29
„ B, -	M = 58
Bernoulli, SW.-Wall -	M = 38
W.-Wall	M = 35
Centralberg	M = 26
Macrobius, W.-Wall innen	M = 42
Krater a und B	m = 24
Proclus, W.-Wall innen	M = 41
O.- - -	m = 19
Krater n, westlich am Prom.	
Agarum, W.-Wall innen	M = 35
Krater n, westlich am Prom.	
Agarum, W.-Wall innen	μ = 28
Cleomedes, SW.-Wall innen	μ = 35
W.-Wall	M = 32
- -	m = 17
- Centralberg	μ = 32

Burckhardt, W.-Wall innen	$m = 37°$		Hahn A		$m = 43°$
- - -	$\mu = 31$		Eimmart, W.-Wall innen		$M = 45$
- Centralberg	$\mu = 31$		- - -		$\mu = 32$
Berosus, W.-Wall innen	$\mu = 35$		Prom. Agarum zu Osten		$M = 46$
Hahn, - -	$m = 36$		- - -		$\mu = 34$

BEMERKUNGEN.

1841 April 26. Eine Zeichnung am 4füssigen Dollond zu Eutin giebt im Mare crisium 2 Lichtstreifen des Proclus. Einer zieht zwischen A und B Picard hindurch, der andere südlich von Picard A.

- April 27. Die Streifen wie April 26; zwischen ihnen ist das Mare sehr dunkel. Ein schwacher Streif von Proclus gegen Westen, 2 Lichtflecken südlich im Mare, einer im Norden des Prom. Agarum, und 2 verwaschene Flecken im NW. Auch April 1, 6 wurden die Streifen gesehen. April 7. als die Phase schon den W.-Wall des Mare berührte, erschienen die Streifen nicht mehr. In den Phasen-Bildern von 1841 finde ich noch zu bemerken: Mai 25 war der kleine Krater Picard d an 20maliger Vergrösserung des Dollond erkennbar.

- Mai 28, als die Phase am Eratosthenes lag, erschienen im Mare 2 Streifen des Proclus, einer zwischen A und B Picard, der andere südlich von A Picard; ein hellgrauer Fleck nördlich vom Pr. Agarum.

- Dec. 29. Abnehmende Phase im W.-Walle des Mare crisium. Von den 3 Streifen des Proclus zieht einer gegen Picard, der mittlere zwischen Picard und A Picard, der dritte nördlich von A Picard. Es ward an dem 4füssigen Dollond nicht Picard B gesehen, wohl d, und der Krater F im nördlichen Mare.

1842 Febr. 26. Abnehmende Phase im W.-Walle des Mare crisium; 3 Streifen des Proclus sichtbar, der nördliche auf Picard A gerichtet; Krater B ward nicht gesehen, denn der 4füssige Dollond war zu schwach. Ein dunkler Fleck im Norden des Pr. Agarum.

- März 15 bei zunehmendem Monde lag im Norden des Pr. Agarum ein hellerer Fleck. März 26 und 27 wurden 2 Streifen des Proclus im Mare gesehen.

- Juni 11 zu Hamburg, die erste grössere Darstellung des Mare crisium, mit 88maliger Vergrösserung.

- Aug. 22. Die sehr kenntlichen Hügel bei A im westlichen Theile des Mare crisium fehlen bei Schröter.

- Aug. 23 ward die schon von Schröter westlich neben Picard bemerkte Einsenkung des Mare gesehen.

- Nov. 5 zeichnete ich im Berosus einen Centralberg, ebenso im Hahn. Ersterer ist oft nicht sichtbar.

1843 Febr. 13. Von Proclus ziehen 3 Streifen durch das Mare crisium.

- Febr. 15 wird Berosus' Centralberg wieder gezeichnet.

- März 16. Im Berosus ein Centralberg. Im Mare crisium war der Raum zwischen Picard und dem Ost-Gebirge sehr dunkel, ebenso zwischen dem O.-Walle des Mare und den Kratern A und B Picard. Drei graue elliptische Flecken lagen östlich neben den Hügeln A im westlichen Rande des Mare. Der SW.- und NW.-Saum des Mare tief dunkelgrau. Zwei Lichtstreifen des Proclus zeichnete ich so, als ob sie in der östlichen Ebene bei e ihren Ausgang hätten.

- April 15 sah ich im Eimmart den schwachen Centralberg, als der Krater nur noch halb erleuchtet war. Er fehlt bei Lohrmann und Mädler.

- Juni 12. Berosus ward ohne Centralberg gezeichnet. In NW. bei Picard ward an 88maliger Vergrösserung der sehr feine Krater als schwarzer Punkt bemerkt, ausserdem 5 Punkte in der nördlichen Ebene, südlich von F.

- Aug. 12. Bei abnehmender Phase und unruhiger Luft erschien Picard B nur in ⅓ der Grösse von A.

- Sept. 9 sah ich im südlichen Theile des Mare crisium 12 feine Lichtpunkte ausser den 2 kleinen Kratern östlich neben Pr. Agarum. Beobachtet ward am 6füssigen Refractor zu Hamburg, bei ungünstiger Luft.

- Sept. 10. In der westlichen Ader des Mare crisium, etwas nördlich von der Hügelgruppe A, ist n ein hoher, die Ader überragender Hügel. Damals sah ich auch 2 feine Krater im Süden von Picard.

1843 Oct. 27. Die Kratergruppe A nördlich im Cleomedes erschien als heller Fleck, in der Mitte ein kleiner Krater. Im SO.-Walle des Geminus ein feiner Krater.

1844 Jan. 23. Nördlich im Mare crisium liegt der flache graue Krater s; an dessen SW.-Seite giebt meine Zeichnung No. 368 einen kleinen Krater, ähnlich gelegen wie der Nachbar von F, doch unten an s. Aber Sept. 28 fehlt er in der Zeichnung No. 386.

- Juni 21. Im Proclus hat nur die Nordseite grossen Glanz; Phase im Mare serenitatis.
- Juli 1. Bei abnehmender Phase Proclus' ganzer Wall hell; der NO.-Streif sehr glänzend.
- Aug. 29 und Sept. 28 ward der kleine Krater n im Cleomedes gesehen. Unter Burckhardt a gegen Westen liegt ein kleiner Krater.
- Oct. 20. Proclus' N.-Wall hat in einem Punkte 8° Licht, im Uebrigen nur 4°. Ebenso sind Macrobius a und B für gewöhnlich nur an den N.-Wällen sehr hell.

1845 Febr. 11. Schröter's „Alhazen" in dunkler Ebene ähnelt Egede.
- Juni 20. Schröter's „Alhazen" ein Ringgebirge in grauer Ebene; beobachtet zu Bilk.
- Aug. 20. 3 füssiger Refractor der Sternwarte zu Bilk. Der Streif des Proclus, der gegen NO. nach Vitruvius zieht, hatte sicher an 2 Stellen westlichen Schatten, so dass er dort mit Hügeln zusammentraf.

1847 Febr. 18. (Bonn) sah ich im flachen Krater c, SO. bei Picard die Centralhöhe. Eine solche schien auch s (im Osten bei Eimmart) zu haben.

1848 Febr. 9. Proclus, noch tief beschattet, leuchtet nur stark im Nordwall.
- Febr. 10. Bernoulli und dessen nördlicher Nachbar a sind im Innern dunkelgrau. Im S.-Walle des Geminus ein kleiner Krater. Die Gruppe A im Cleomedes besteht aus 3 Kratern.
- Sept. 14. Am 8 füssigen Heliometer zu Bonn sah ich im östlichen Theile des Mare crisium 4 kleine Krater, die bei Mädler fehlen.

1851 Jan. 16, nahe Vollmond. Proclus, a und B Macrobius leuchten meist an den W.-Wällen.
- Jan. 18. Der Bau des Prom. Agarum ist sehr eigenthümlich, und von dem der Berge im Apennin und Caucasus verschieden. Es besteht aus geraden Rippen, getrennt von einander durch Thäler mit kraterförmigen Ausbuchtungen. Picard hat wohl eine schwache Centralhöhe.
- Jan. 20. Oestlich von Pr. Agarum liegen die zwei Olbers'schen Krater; der westliche ist 4 mal grösser als der östliche. Ersterer hatte im Nordrande entweder einen kleinen Krater, oder einen Hügel.
- Febr. 4. Ein Berg östlich von Azout β ist eben und ist kraterähnlich. Geminus hat 2 Centralberge. Die Gegend östlich von Tralles ist bei Mädler nicht glücklich dargestellt. Macrobius, halb erleuchtet, hat an Stelle des Centralberges einen schwarzen Flecken, wie eine Kraterspalte.
- Febr. 7. Bei schon sehr hohem Stande der Sonne hatten die Centralberge im Geminus und Bernoulli noch Schatten.
- Febr. 16. Berosus Tiefe erscheint expandirt. Die Gruppe A im Cleomedes besteht aus einem grössern Krater, in den westlich ein kleinerer eingreift.
- März 8. Die Nordgruppe A im Cleomedes besteht aus 3 Kratern.
- März 16. Cleomedes' Ebene ist bläulich grau, sehr verschieden von dem grüngrauen Colorit des Mare crisium.

1853 Aug. Picard hat einen Centralberg, den schon Kunowsky kannte.

1854 März 2. Zunehmende Phase im O.-Walle des Mare crisium, dessen Ebene höher liegt als der benachbarte Theil des Mare foecunditatis. Es scheint auch die NO.-Seite der ersteren Ebene höher zu liegen, als die Fläche, aus der sich Cleomedes erhebt.
- März 15 ward der sehr feine Krater östlich neben Prom. Agarum gesehen, westlich vom Krater n.
- Sept. 8. 11°6. Ein Gipfel im O.-Walle des Condorcet wirft einen Schatten über den W.-Wall hinaus.
- Oct. 8. Nördlich am Prom. Agarum z feine Krater.

1855 April 20. Am 9 füssigen Refractor der Sternwarte zu Neapel sah ich ausser den grössern noch 6 kleine Krater im Mare crisium, einen davon nördlich von den Hügeln A an der W.-Seite der Ebene. Eimmarts Tiefe ist expandirt. Picard A hat im NO.-Walle eine Anomalie, vielleicht einen kleinen Krater.
- Sept. 26. Cleomedes, fast noch ohne Schatten, zeigte innerhalb der Ebene von N. gegen SW. ziehend, einen helleren Streifen, der weder die Mitte noch n berührte.
- Sept. 27, derselbe Streif im Cleomedes sichtbar. Es war weder ein Höhenzug noch ein Thal. -

1856 April 8. Im Mare crisium östlich, südlich von c, ist ein ansehnliches flaches Ringgebirge b mit flacher Centralhöhe, ähnlich dem südlichen c.

1857 Febr. 26. Der höchste Gipfel des Prom. Agarum liegt auf der Mitte der Bergmasse. Wenn die zunehmende Phase die Mitte des Mare durchzieht, reicht der Schatten des Caps über die mittlere Ader hinaus, aber dann liegt der Schatten des Hauptgipfels nicht mehr im Mare, sondern auf dem breiten Hochplateau.

1858 April 16. Zunehmende Phase am O.-Walle des Mare crisium. In der Ebene sind ausser den grössern bekannten Kratern noch 8 kleinere sichtbar, darunter 2 nahe westlich bei Picard.

1860 April 24. (Athen.) Zwei kleine Krater nördlich von dem Prom. Agarum, und ein solcher südlich bei Picard A; ferner zwei feine Krater westlich bei Picard. Die Zahl aller im Mare sichtbaren Krater = 18.

- April 25 zählte ich in Allem 26 oder 27 Krater im Mare.

1864 Dec. 31. Bei zunehmender Phase ist der O.-Wall von B Picard vom Schatten des W.-Walles überdeckt.

1865 Jan. 2. Im Mare crisium 26 Krater sichtbar. Im Picard A, an der innern SW.-Seite erscheint ein auffallend leicht kenntlicher kleiner Krater. Am NO.-Walle eine Anomalie; in der Mitte eine Art von Centralhöhe. Auch Jan. 4 und Febr. 1 ward es so gesehen.

- Febr. 1. Oestlich von Eimmart zeigt in der Ebene der Berg t bei zunehmender Phase oft so starken runden Schatten, dass man dort einen Krater vermuthen möchte.

- Febr. 12. Von der Nordgruppe A im Cleomedes zieht gegen SW. ein heller Streif bis nördlich vom Krater n. Es wurden ausgezeichnete Rillen im Geminus und Burckhardt gefunden.

- März 31. Im N.-Walle des Mare crisium lag ein äusserst hellstrahlender Gipfel.

- Juli 9. Das Mare crisium ist grünlich grau.

1867 Jan. 11. Der Krater SW. innerhalb Picard A gut sichtbar.

- März 10. Der kleine Krater SW. bei Picard ist von hellerem Nimbus umgeben.

- Juni 6. Ein kraterförmiges Gebilde am äussern NO.-Walle des Picard A.

1868 April 26, der innere SW.-Krater des Picard A sehr deutlich.

- April 27, dieselbe Bemerkung.

- Mai 7. Verschiedene feine seither unbekannte Krater wurden im Mare crisium gesehen.

- Mai 28. Als die Phase schon am Caucasus lag, hatte der Berg t, NW. im Mare crisium, noch fast kraterartigen Schatten; die Sonnenhöhe betrug 55° daselbst. So erschien er auch Juni 26, als die Sonnenhöhe 50° war. Es ist aber kein Krater, sondern ein steiler Abhang des Berges.

- Juni 2. Picard und Picard A sind (in dem grauen Mare) von dunkelgrauem Nimbus umgeben.

1869 Febr. 15. Kleine Krater W. und S. vom Picard A.

- Febr. 16. Der innere SW.-Krater in Picard A leicht sichtbar. Proclus zeigt am innern W.-Walle die unvollkommene Anlage eines ansehnlichen Kraters.

- Febr. 18 ward in 600maliger Vergrösserung dieser innere Krater des Proclus bestätigt.

- Juni 15. Am innern W.-Walle des Proclus liegt eine Kraterfigur, oder doch eine kraterförmige Bildung der Terrassen.

1870. Sept. 29. SW.-Krater innerhalb Picard A sehr deutlich.

- Oct. 6. Das Colorit des Mare crisium ist dem des Mare serenitatis sehr ähnlich.

- Oct. An der W.-Seite des Prom. Agarum sieht man bei günstiger Libration ansehnliche Kraterthäler.

- Nov. 8. Deutlich ward die Wallterrasse in Picard d und der SW.-Krater innerhalb von Picard A erkannt.

1871 Febr. 25. Der SW.-Krater im Picard A gut sichtbar.

- Juli 26. Die mittlere Region des Mare crisium ist grüngrau, die Ränder des Mare sind dunkelgrau.

- Sept. 30. Die Centralhöhen in Picard und A Picard gut sichtbar.

1872 Jan. 9. Picard B 0,4 Picard A. Picard A 0,65 Picard.

- Jan. 15. Picard A 0,65 Picard.

- Jan. 20. Picard A bei nahe senkrechter Beleuchtung ist nicht sichtbar. An seinem Orte entspricht ein feiner Lichtpunkt vielleicht dem innern SW.-Krater.

- Jan. 26. Das Innere des Cleomedes fast so dunkel als der nördliche Theil des Mare crisium bei hoher Beleuchtung.

- März 15. Der Krater in Picard A sehr deutlich; in Picard d wohl eine innere Nordterrasse.

1873 März 6. Bei zunehmender Phase und sehr günstiger Libration sind im Mare 3 Streifen des Proclus sichtbar. Der dunkelste Theil aller grauen Ebenen des Mondes findet sich in der Ecke des Mare tranquillitatis, SW. vom Proclus.

- April 7. Um Picard und Picard A sehr dunkles Colorit. Ein Streifen des Proclus auf Picard gerichtet, der andere zwischen Picard und Picard A, der dritte zwischen A und B Picard. Im N.-Walle des Mare crisium nördlich von F hat das Cap ν ein höchst glänzendes Licht, und es ziehen, als Glieder eines kleinen Strahlensystemes, 2 Streifen südwärts in die dunkle Ebene, und 2 andere nordwärts durch das Gebirge. Westlich vom Picard eine matte wolkenähnliche Stelle im Mare.

1874 Juni 18. Im Eimmart vielleicht eine Centralhöhe. NO. bei F ein sehr glänzendes Cap.

- Juni 20. Im Mare Streifen des Proclus, und glänzendes Cap im NW.-Wall.

- Juni 25. Nord vom Pr. Agatum ein breiter zahnförmiger Lichtfleck. Zwei Caps im N.-Walle des Mare lichtstrahlend, orange, wie glühend. Proclus am N.-Walle sehr hell, die Tiefe grau, ähnlich Juli 21.

29

SECTION XIII.

—

	L.	M.	S.
Krater	64	39	108
Rillen	0	0	1

NAMEN.

1. Messala.
2. Struve.
3. Schumacher.
4. Hook.
5. Mercurius.
6. Berzelius.
7. Gauss.
8. Zeno. (*)

Anm. Die No. 401 einer Nomenclatur-Charte des Lunar Committee ist im Texte der Namen nicht vertreten.

Den Namen Zeno (*) gebe ich dem grossen Ringgebirge am N W.-Rande des Mondes, in 75° Länge und 42°,3 nördl. Breite.

VERGLEICHUNG DER BEZEICHNUNGEN IN LOHRMANN'S UND MÄDLER'S CHARTEN.

bei Lohrmann:	bei Mädler:		bei Lohrmann:	bei Mädler:
387* Gauss	Gauss		10	
416* — Zeno (*)	I'		7* Schumacher	Schumacher
391* Messala	Messala		11 Struve	Struve
1	e		13. 14	a. b
6	a		417* Mercurius	Mercurius
2	f		15	n
3	c		392* Berzelius	Berzelius
5	d		9	a
4	C		12	a
418* Hook	Hook			

Aus 31 Aufnahmen ward die XIII. Section zusammengesetzt.

HÖHENMESSUNGEN.

---

1. Messala = No. 1.

$\varphi = 2^0 30' \quad h = 560^t \quad$ M. O.-Wall innen.

2. Hook = No. 4.

$\varphi = 10^0 2' \quad h = 1022^t \quad$ M. d. W.-Wall innen.

3. Messala a.

$\varphi = 2^0 9' \quad h = 205^t \quad$ S. zu West gemessen.

Mädler's Selenogr. p. 207. Bergzug n zwischen Berosus c und Messala d.

4. Mercurius.

$\varphi = 3^0 18' \quad h = 1142' \quad$ S. O.-Wallgipfel innen.
1200 M. Schätzung.

Neigungswinkel.

Messala, W.-Wall innen	M = 36°
"	m = 23
Mercurius, W.-Wall innen	m = 23

BEMERKUNGEN.

1842 Juli 1. Westlich von Messala ein kleiner schattenerfüllter Krater; am Ostrande desselben eine besonders helle Stelle.

- Aug. 22. Erste Beobachtung des Messala.

SECTION XIV.

	L.	M.	S.
Krater	163	229	833
Rillen	1	1	9

NAMEN.

1. Alexander (engl. Beob.).
2. Eudoxus.
3. Aristoteles.
4. Arnold.
5. Democritus.
6. Gärtner.
7. Thales.
8. Strabo.
9. Epicurus. (*)
10. Endymion.
11. Volta. (*)
12. Atlas.
13. Hercules.
14. Oersted.
15. Cepheus.
16. Franklin.
17. Barth. (*)
18. Mason.
19. Plana.
20. Bürg.
21. Baily.
22. Petermann. (*)
23. Schwabe. (*)
24. Cusanus. (*)

IX. Mare serenitatis.
XVI. Mare frigoris.
XVII. Lacus somniorum.
XIV. Mare Humboldtianum.

Anm. Neue Namen, von englischen Beobachtern gewählt, sind:
Shuckburgh, in 53° westl. Lg. und 43°,5 nördl. Breite.
Mitchell, Miss. Der Krater a, westlich an Aristoteles.
Chevallier, in 52° westl. Länge und 46° nördl. Breite. Da ich aber diesem schon 1836 den Namen Volta (*) ertheilt, und solchen in Lohrmann's Charte eingetragen hatte, so muss der Name Chevallier anderswohin verlegt werden.

Die von mir neu hinzugefügten Namen sind die Folgenden:

Barth (*) in 30° westl. Länge und 40° nördl. Breite, mit der Absicht, sowohl an die Africa-Reisenden zu erinnern, als auch an die drei Männer gleichen Namens, die mit rühmlicher Ausdauer viele Jahre lang sich um die Förderung und Vollendung des Lohrmann'schen Mondwerkes bemüht haben.

Petermann (*) am NNW.-Rande ein grosser Krater in 82° westl. Länge und 75° nördl. Breite.

Schwabe (*) ein Doppelkrater NW. bei Democritus, in 48° westl. Länge und 68° nördl. Breite.

Cusanus (*) gegen S. von Petermann, grosser Krater in 72° nördl. Breite.

Galle. (*) Der Krater in 22°,5 westl. Länge und 56° nördl. Breite, lange vorher von mir für Lohrmann's Charte bestimmt, so dass ich hier an diesem Orte den Namen „Somerville" nicht anwenden kann.

Epicurus. (*) Die grosse Wallebene S. von Thales, in 50° westl. Länge und 58° nördl. Breite.

Volta. (*) Der Krater in 52° westl. Länge und 46° nördl. Breite.

VERGLEICHUNG DER BEZEICHNUNGEN IN LOHRMANN'S UND MÄDLER'S CHARTEN.

bei Lohrmann:	bei Mädler:	bei Lohrmann:	bei Mädler:
1	Franklin f	420° Cepheus	Cepheus
394° Franklin	Franklin	4	B
395	c d	419°	b = Shuckburgh (engl. Beob.)

bei Lohrmann:	bei Mädler:	bei Lohrmann:	bei Mädler:
421° Volta (*)	b	480° Strabo	Strabo
9	A	41 Thales	Thales
14 Oersted	Oersted	42. 43	bei a
10	C	45	A
5. 6	Cepheus 7 a	46	b
7	ε	27	bei B
400° Barth (*)	D	32. 33	A
425° Plana	Plana	39	c
34	C	38	A
28 Mason	Mason	427° Baily	Baily
37	B	55	β
35	B	428°	bei B
426° Bürg	Bürg	58	A
29	ϑ	430° Eudoxus	Eudoxus
423°	β a	429°	A
424° Hercules	Hercules	56	a. Aristoteles = Mitchell (engl. B.)
26	B	432° Aristoteles	Aristoteles
422° Atlas	Atlas	463° = Galle (*)	B
15	bei a	53	C
16	ε	52	e
460°	A	462°	unbezeichnet
23	f	47	A
458° Endymion	Endymion	482° Democritus	Democritus
21	G	48	A
22	c	51	B
459°	bei b	481°	bei g
457° Mare Humboldtianum	ebenso	484° Arnold	Arnold
44 = Epicurius (*)	unbezeichnet	49	a B

92 Aufnahmen liegen dem Entwurfe dieser Section zu Grunde.

HÖHENMESSUNGEN.

1. Hook b (am linken Rande der Tafel).
$\varphi = 2°58'$ h $=$ 512'   M. b. SO.-Wall.

2. Franklin $=$ No. 16.   W.-Wall innen:
$\varphi = 7°18'$ h $=$ 1369'   M.
7 58   1101   S.
Mittel: $\varphi = 7°38'$ h $=$ 1235' $=$ 7410'.

O.-Wall innen:
$\varphi = 6°54'$ h $=$ 1239'   M.
7 18   1193   M.
Mittel: $\varphi = 7°6'$ h $=$ 1216' $=$ 7296'.

3. Cepheus $=$ No. 15.   W.-Wall innen:
$\varphi = 7°21'$ h $=$ 1499'   S.

O.-Wall innen:
$\varphi = 8°35'$ h $=$ 1431'   S.

4. Mare Humboldtianum $=$ No. XIV,
zu West gemessen:
$\varphi = 3°39'$ h $=$ 1120'   S. NW.-Pic.
3 44   1353   S. SW.-Gipfel.

5. Strabo $=$ No. 8.
$\varphi = 5°0'$ h $=$ 1018'   S. O.-Wall innen.
6 34   2743   M. W.-Wall a innen.
6 42   1680   M. } zu West, im Westwalle des Epicurius oder No. 9.

6. Thales $=$ No. 7.
$\varphi = 4°41'$ h $=$ 1015'   M. in 46° Lg. + 60° Br.
eine Schätzung $=$ 913   M. dessen südl. Gipfel.

7. Endymion $=$ No. 10.   W.-Wall innen:
$\varphi = 3°3'$ h $=$ 1182'   M. SW.-Gipfel.
3 11   956   S. W.-Wall.
3 37   1769   S. W.-Gipfel.
4 15   2394   M.
5 33   2775   S.   -
Mittel für den W.-Gipfel:
$\varphi = 4°28'$ h $=$ 2313' $=$ 13878'.

Endymion.   O.-Wall innen:
$\varphi = 4°44'$ h $=$ 1588'   M. O.-Wall.
5 25   1350   S.   -
7 33   1575   S.   -
5 23   1416   M. O.-Wallgipfel.
4 12   1206   S. NO.-Wall.
5 57   1103   S. SO.-Wall.
Mittel für den O.-Wall:
$\varphi = 5°54'$ h $=$ 1504' $=$ 9024'.
NO.-Gipfel nach aussen:
$\varphi = 7°48'$ h $=$ 1641'   M.

8. Atlas $=$ No. 12.   W.-Wall innen:
$\varphi = 3°46'$ h $=$ 775'   S. SW.-Wall.
4 46   1391   M. W.-Wall.
5 17   1276   S.   -
Mittel für den W.-Wall:
$\varphi = 5°1'$ h $=$ 1333' $=$ 7998'.
W.-Wall aussen:
$\varphi = 3°11'$ h $=$ 698'   S. W.-Gipfel.
3 30   746   S. SW.-Gipfel.
O.-Wall innen:
$\varphi = 4°1'$ h $=$ 1551'   S. NO. 3.
4 17   1710   M.   -   -
Mittel:
$\varphi = 4°10'$ h $=$ 1630' $=$ 9780'.
$\varphi = 4°44'$ h $=$ 1500'   M. O.-Wall.
6 5   1122   S. NO.-Wall.
O.-Wall aussen:
$\varphi = 2°21'$ h $=$ 577'   M.
Die mittlere Einsenkung ungefähr 750'.

9. Hercules A, O.-Wall innen:
$\varphi = 6°18'$ h $=$ 891'   S.

10. Baily A $=$ No. 21.
$\varphi = 2°7'$ h $=$ 277'   M. O.-Wall aussen.

240

In Mädler's Selenographie p. 216 steht 278'. Die sonst noch vorkommende Zahl = 337' gehört zu Bürg.

11. Mason = No. 18.

$\varphi = 3° 5'$ $h = 556'$ M. W.-Wall aussen.
  + 39   951 M. O.-Wall innen.
  t 54   333 M. zu W. gemessen;
ein Hügel in 32° Lg. und + 42°2 Br.

12. Bürg = No. 20. W.-Wall innen:

$\varphi = 8° 31'$ $h = 909'$ S.
  12 2   886 S.

Mittel: $\varphi = 10° 16'$ $h = 897' = 538z'$.

W.-Wall aussen:

$\varphi = 3° 10'$ $h = 337'$ M.
Vertiefung = 560' = 3360'.

O.-Wall innen:

$\varphi = 5° 59'$ $h = 1110'$ M.
  7 0   1014 M.

Mittel: $\varphi = 6° 29'$ $h = 1062' = 637z'$.
Bei Mädler pag. 216 ist 1062 für 1064 zu lesen.

O.-Wall aussen:

$\varphi = 4° 24'$ $h = 716'$ M.
Vertiefung = 346' = 2076'.

Im Mittel nach beiden Werthen liegt der Kraterboden 453' unter dem Niveau der Ebene.

13. Democritus = No. 5.

$\varphi = 3° 9'$ $h = 936'$ M. SO.-Gipfel nach aussen.
  tt 27   884 M. W.-Wall innen.

Die Messungen für Eudoxus und Aristoteles folgen in der nächsten Section.

Neigungswinkel.

Aristoteles, W.-Wall	M =	45°
-	μ =	32
-	m =	24
Eudoxus, W.-Wall	M =	49
-	μ =	35
-	m =	25
Bürg, W.-Wall	μ =	35
Franklin, W.-Wall	m =	22
Cepheus, -	m =	16
M. Humboldtianum, W.-Wall	M =	44
-	m =	25
Endymion, W.-Wall	m =	16
Atlas, W.-Wall	M =	46
Hercules, W.-Wall	M =	42

BEMERKUNGEN.

1842 Juli 13. Die erste Darstellung der Umgegend vom Atlas. In ihr hat Atlas dasselbe graue Colorit wie Endymion und M. Humboldtianum; es war bei wachsender Phase.

- Aug. 13. Bei zunehmender Phase war Atlas sehr dunkel, besonders in der SO.-Ecke der Tiefe.

- Oct. 23. Aristoteles a hat im S.-Walle 2 höhere Gipfel.

1843 Febr. 13. Atlas hat in SW. und N. starke dunkle Flecken.

- Mai 6. Am M. Humboldtianum 4 Randberge.

1846 Aug. 12. Eudoxus, an der Phase liegend, zeigt am W.-Walle blaues Licht.

1851 Jan. 17. Einige Stunden nach der Mondfinsterniss fand ich in der grauen Fläche des Endymion einen blauen Schimmer, der dem Plato fehlte.

- Jan. 18. In Hercules' Mitte liegen 2 feine Krater.

- Jan. 20. Wenn Atlas' W.-Wall in der abnehmenden Phase liegt, und günstige Libration stattfindet, sieht man nördlich im Gebiete von f A zwei parallele schwarzgraue Streifen von auffallendem Aussehen, deren Deutung bei schlechter Luft nicht gelingt. Sind alle Umstände günstig, so wird man finden, dass der Gesammteindruck von den Schatten vieler kleiner Hügel herrührt, die in bestimmter Richtung liegen, und solche Erscheinung hervorzurufen vermögen.

- Febr. 7. Bei Bürg A hat Mädler gegen Süden einen ebenso grossen Krater. Ich sah SW. von A einen sehr kleinen Krater; auch Mädler's Baily c sah ich nicht, ebenso nicht am 10. Febr.

- Febr. 17. Bei abnehmender Phase war der südliche Nachbar von Bürg A nicht kenntlich. In der Ringfläche c, nördlich am Atlas, sah ich die Spur eines der Jan. 20 bemerkten Streifen.

- März 8. Der südliche Nachbar von Bürg A nicht sichtbar; es lag dort nur ein kleiner Hügel. Auch Baily c fehlte in der Form, wie ihn Mädler zeichnet. Der kleine südwestliche Nachbar von A Bürg gut sichtbar. Der Ort des nun fehlenden Mädler'schen Kraters, den auch Lohrmann nicht hat, ist 32°8 westl. Länge, + 46°3 Breite.

1851 März 11. Hercules ist innen dunkler grau als Atlas. Aristoteles B hat im N.-Rande einen ansehnlichen eingreifenden Krater, der bei Mädler fehlt, und bei Lohrmann ebenfalls. Die mehr nach N. liegenden Krater C c B scheinen der Grösse nach bei Mädler nicht richtig gezeichnet. Bürg A noch stark beschattet, aber der südliche Nachbar ist nicht vorhanden, sondern es zeigt sich dort nur ein kleiner Hügel. Baily c ist so, wie Mädler ihn zeichnet, nicht zu erkennen.

- März 16. Vollmond. Das Innere des Hercules ungewöhnlich dunkel. Im Norden ist er fast ebenso dunkel als der südliche graue Fleck im Atlas.

1853 Dec. 5. Im Mare Humboldtianum liegt ein grosser handförmiger grauer Fleck in der Erstreckung N.–S.; er verläuft südlich mit 6 Spitzen, und erinnert an das graue Colorit im Schicard.

1856 Febr. 10. Hercules hat rings um sich radiale Hügel, ganz wie Langrenus, Copernicus u. A.; besonders südlich.

1864 März 11. In der grauen Ebene des Endymion liegen sehr feine Hügel.

1865 März 31. Die Rillen im Atlas erkannte ich später als Kraterreihen.

- Juli 9. Endymion, der abnehmenden Phase nahe, erscheint mit violettem Schimmer in der grauen Ebene. Andere graue Flecken erschienen bläulich.

1868 Juni 1 und 2. Atlas innen, zumal in NW. sehr tief dunkel blaugrau.

1869 Febr. 16 ward die krumme Kraterrille in Gärtner gesehen.

1872 Jan. 26. Aristoteles innere N.-Fläche dunkelgrau.

1874 Juli 21. Im Atlas SO. und NW. dunkle Flecken, Berzelius und Cepheus Tiefen sehr dunkel.

SECTION XV.

	L.	M.	S.
Krater	219	187	1235
Rillen	4	5	22

NAMEN.

1. Alexander (engl. Beob.)
2. Eudoxus.
3. Aristoteles.
4. Arnold.
5. Egede.
6. Calippus.
7. Cassini.
8. Theaetetus.
9. Kirch.
10. Pico.
11. Plato.
12. Fontenelle.
13. Philolaus.
14. Anaxagoras.

14ª. Goldschmidt.
15. Epigenes.
15ª. Birmingham (engl. Beob.)
16. Timaeus.
16ª. W. C. Bond (engl. Beob.)
17. Scoresby.
18. Barrow.
19. Meton.
20. Euctemon.
21. Chr. Mayer.
22. Archytas.
23. Protagoras. (*)
24. Kane. (*)
25. Gioja.

IX. Mare serenitatis.
X. Mare imbrium.
XVI. Mare frigoris.
XVIII. Palus putredinis und nebularum.
A. A. Alpen.
B. B. Apenninen.

Anm. Die neueren in England angenommenen Namen sind die folgenden:

Birmingham, die grosse Wallebene 15ª.
Bond, W. C., die grosse Wallebene 16ª.
Goldschmidt, die grosse Wallebene 14ª.
Cassini, J. J., zwischen Philolaus und Anaxagoras, schon von Schröter so benannt, von Mädler übergangen.
Challis = Scoresby b, bei No. 17.
Main = Scoresby c, bei No. 17.
Sheepshanks = Chr. Mayer A, oder A 21 meiner Charte.
Ward = No. 23, welchen Namen ich aber an diesem Orte übergehen muss, da ich schon ebendaselbst vor vielen
  Jahren den Namen Protagoras in Lohrmann's Charte habe anbringen lassen.
Molgno und Peters, Namen, die ich nicht habe identificiren können.
Alexander, die grosse Wallebene südlich bei Eudoxus.
Piton, der isolirte glänzende Berg A, östlich bei Cassini, den Schröter e nannte.
Piazzi Smyth, ein Krater in 3° östl. Länge und + 41,°5 Breite.
Rümker; kann hier nicht stehen bleiben, da Kirch der Name dieses Kraters ist.
J. Gwilt = A, östlich bei Plato.
Teneriffe Mts. östlich bei Plato, in 15° östl. Länge und + 48° Breite.
  Die von mir gewählten Namen sind für diese Tafel „Protagoras" (*) und „Kane".

30

243

VERGLEICHUNG DER BEZEICHNUNGEN IN LOHRMANN'S UND MÄDLER'S CHARTEN.

bei Lohrmann:	bei Mädler:	bei Lohrmann:	bei Mädler:
430* Eudoxus	Eudoxus	38	β
431*	ε — γ Calippus = Alexander (engl. Beob.)	492* Euctemon	Euctemon
402* Calippus	Calippus	495* 40 Scoresby	Scoresby
1	a	41	b = Challis (engl. Beob.)
13 Theaetetus	Theaetetus	42	c = Main (engl. Beob.)
436* Cassini	Cassini	494* Barrow	Barrow
11	A	43	a
10	b	500* Gioja	Gioja
15	ε	496* Anaxagoras	ζ
16	δ	497* Anaxagoras	Anaxagoras
53 = Pr. Agassiz (*)	η	98	a
54 = Pr. Deville (*)	Z	105	Δ — a = J. J. Cassini (engl. Beob.)
439* 55 Montblanc	Nord bei Z	106	B
8	f	498* Philolaus	Philolaus
435*	C	108	b
9	E	109	f
6	β	107	γ
7	a	100	A
4	c D	488* Timaeus	Timaeus
51	bei G	95	ε
433* Egede	Egede	103	β] Birmingham
432 Aristoteles	Aristoteles	101	γ] (engl. Beob.)
19	A	109	μ]
20	b	96 Epigenes	Epigenes
27	Γ	489* Fontenelle	Fontenelle
35	C	110	b
28	E	76	δ
464*	A = Sheepshanks (engl. Beob.)	73	H
22	b	74	π
23 Chr. Mayer	a — β	50	A
485* = Kane	bei f	72	ι
486* 23 Chr. Mayer	Chr. Mayer	71	G
465* Protagoras (*)	A	442* Plato	Plato
466* Archytas	Archytas	75	unbezeichnet
33	bei γ	78	A = J. Gwilt (engl. Beob.)
32	B	80	θ
31	C	469*	B
30	a β	84	D
36	C	87	e
484* Arnold	Arnold	85	δ ε = Teneriffe Mts. (engl. Beob.)
35	d	86	B
487*	unbezeichnet	82	Γ
	W. C. Bond (engl. Beob.)	83	bei δ
34	a	81	ι
493* Meton	Meton	70	nicht bezeichnet
57	α	67	bei K
39	Γ	65	i

bei Lohrmann:	bei Mädler:		bei Lohrmann:	bei Mädler:
69	nicht bezeichnet		88	B
68	e		89	o
443*	— Schröter's „Newton"		90	D
444* Pico	Pico		91	unbezeichnet
64	K		94	unbezeichnet
438* 57	λ		93	d
66	μ		63 Kirch	Kirch
439*	η		59	unbezeichnet
440* Pico A.	A = Piton (engl. Beob.)		60	r
441*	A = Piazzi Smyth (engl. Beob.)			

HOHENMESSUNGEN.

1. **Calippus a, östlich von Calippus = No. 6,** Hochgipfel des Caucasus, dessen Schatten bei aufgehender Sonne in SO. bei Cassini endet. Höhen gegen Osten gemessen:

φ =	4° 38'	h =	2929'	S.
	4 39		2892	S.
	4 40		2966	S.
	4 41		2776	S.
	5 9		2951	S.
	5 11		2920	S.
	5 13		2979	S.
	5 23		3190	M.
	5 23		2752	S.
	5 29		2840	S.
	5 48		2741	M.
	5 59		2845	S.
	6 3		2638	M.
	6 3		2656	S.
	6 4		2633	S.
	6 15		2706	S.
	6 27		2622	Sr.
	6 31		2262	S.
	7 24		1694	S. (*)
	8 14		2657	S.
	8 18		2565	S.
	8 25		2243	S.
	8 26		2255	S.
	8 29		2367	S.
	8 34		2198	S.
	8 36		2301	S.
	9 11		2257	S.
	9 14		2215	S.
	11 4		1721	S.
	11 31		2307	S.
	11 49		2296	S.
	12 41		2666	S.
	12 44		2228	S.
	13 9		2332	S.
	13 23		1615	S.

φ =	14° 33'	h =	2143'	S.
	15 55		2003	S.
	16 8		2208	S.
	21 13		2399	S.
	21 34		2189	S.

Mittelwerthe:

φ =	4° 39',5	h =	2891'	4 Beob.
	5 18,0		2939	6 -
	6 7,5		2639	8 -
	8 12,7		2297	6 -
	8 53,7		2243	4 -
	11 57,8		2284	5 -
	13 41,7		2030	3 -
	16 1,5		2105	2 -
	21 23,5		2294	2 -

Unter allen Bergen des Mondes ist dieser nebst Curtius δ am häufigsten von mir gemessen worden. So lange φ noch unter 5° ist, fällt der Schatten entweder mit der Mondnacht zusammen, oder das Ende desselben liegt auf den südlichen Terrassen des Cassini, die doch selbst eine Höhe von 100' bis 200' haben. Später zieht der Schatten durch ebenes Land, und überschreitet dann eine Ader oder Terrasse, etwa wenn φ = 8°. Die wahre Höhe des Gipfels bezogen auf den tiefsten Theil der östlichen Ebene ist sicher = 3100' oder 18600 p. Fuss. Bei sinkender Sonne fällt der Schatten auf hohes Gebirg, ohne das Mare serenitatis erreichen zu können. Dann ist bei φ = 8° 5' h = 1285', um so viel der Gipfel höher liegt als die Bergmasse um Calippus. Diese Region aber liegt 1500' über dem westlichen Mare, und unser Gipfel also wenigstens auch 2800' höher als das Mare serenitatis.

Calippus a gegen Westen gemessen:

φ =	4° 49'	h =	1687'	S.
	13 21		1431	S.
	14 9		1021	S.

Mittel: φ = 10° 46' h = 1380' = 8280'.

246

Bergcircus O. von Calippus zu Ost gemessen:

φ = 12° 13' h = 1427' S.
14 19   1223   S.
16 5   1778   S.
21 33   2374   S. (*)

Mittel: φ = 13° 12' h = 1476' = 8856'
S. (*) ausgeschlossen.

Der Hochgipfel α überragt also den Circus um 1600'.

Calippus B südlich an π, zu Ost gemessen:

φ = 5° 25' h = 2074' M.
5 43   2014   S.

Mittel: φ = 5° 34' h = 2044' = 12264'.

2. Krater Calippus — No. 6 W.-Wall innen:

φ = 11° 21' h = 1509' S.
12 13   1533   S.
13 26   1086   S.
16 3   1265   S.
16 5   1539   Sr.
16 58   1705   M.

Mittel: φ = 11° 47' h = 1521' = 9126'
15 34   1236

Hier liegt also der Boden des Kraters 200' bis 300' höher als die östliche Ebene.

Nordcap des Caucasus γ, dessen Südgipfel zu Ost gemessen:

φ = 3° 44' h = 1610' S.

zu West gemessen:

φ = 4° 59' h = 1733' S.
5 18   1835   M.
7 29   1684   S.

Mittel: φ = 5° 55' h = 1751' = 10506'.

Nordcap des Caucasus γ, der Nordgipfel, zu Ost gemessen:

φ = 3° 30' h = 1182' S.

zu West gemessen:

φ = 5° 14' h = 1125' S.
11 32   1076   S.

Mittel: φ = 8° 23' h = 1100' = 6600'.

Calippus ε NW. von No. 6, gegen West gemessen:

φ = 2° 44' h = 606' M.

Calippus δ, gegen West gemessen:

φ = 4° 33' h = 1078' M.

3. Eudoxus, W.-Wall innen:

φ = 5° 47' h = 1983' S.
6 54   1533   S.
7 14   1567   S.
7 45   1966   Sr.
8 6   1563   S.
9 4   1922   S.
9 28   1996   S.
10 0   1627   M.
10 18   1798   S.

φ = 11° 25' h = 1673' S.
11 34   1886   S.
12 35   1907   M.

Mittelwerthe:

φ = 6° 38' h = 1694'
8 36   1847   = 11082'.
11 10   1778.

Eudoxus W.-Wallgipfel nach innen:

φ = 6° 10' h = 2359' M.
6 45   2353   S.
7 33   2627   S.
8 28   2472   S.
9 38   2138   S.
10 11   2301   M.

Mittelwerthe:

φ = 6° 27' h = 2356'
8 0   2549   = 15294'
9 55   2219

O.-Wall innen:

φ = 3° 25' h = 935' S.
4 20   1083   S.
5 15   1535   M.
8 49   1414   S.
9 15   1384   S.

Mittelwerthe:

φ = 3° 52' h = 1009'
7 45   1444   = 8664'.

Gebirg α im Osten von Eudoxus, der Nordgipfel, zu Ost gemessen:

φ = 4° 3' h = 789' S.
4 34   797   S.

Mittel: φ = 4° 18' h = 793' = 4758'.

Dasselbe Gebirg, der mittlere Gipfel, zu O. gemessen:

φ = 4° 29' h = 1111' M.
4 48   1323   S.
5 20   1249   S.
6 35   1024   S.
6 47   1193   M.

Mittel: φ = 4° 52' h = 1228' = 7368'.
6 41   1108

Dasselbe Gebirg, der Südgipfel, zu Ost gem.:

φ = 3° 1' h = 961' S.
3 12   1201   S.
3 43   1215   S.
4 14   1379   S.
4 26   1467   S.
5 34   1480   S.
14 36   1020   S.
14 44   1602   Sr.

Mittel: φ = 3° 19' h = 1126'
4 45   1442   = 8652'
14 39   1214

Berg 3, SO. von Calippus, zu Ost gemessen:
In meiner Tafel muss der Buchstabe 3 mehr nach links gerückt werden.

$\varphi = 2°50'$ $h = 751'$ S.
   4 50   846   S.
Mittel: $\varphi = 3°50'$ $h = 798' = 4788'$.
Mädler schätzte diese Höhe $= 600'$.
Gebirg 3, östl. von Eudoxus, zu Ost gemessen:
$\varphi = 3°11'$ $h = 1125'$ S.
   3 18   1160   S.
   4 9   1210   S.
Mittel: $\varphi = 3°33'$ $h = 1165' = 6990'$.
Vielleicht an dieser Stelle maass Sr. bei $\varphi = 3°33'$ $h = 770'$ gegen Westen.

4. Aristoteles. W.-Wall innen:
$\varphi = 5°8'$ $h = 1452'$ S.
   5 15   1489   S.
   5 38   1642   M.
   5 44   1414   S.
   6 8   1538   S.
   7 8   1711   S.
   7 16   2119   S.
   8 8   1435   S.
   9 27   1389   S.
Mittelwerthe:
$\varphi = 5°29'$ $h = 1499'$
   6 51   1789 $= 10734'$
   8 47   1412.
O.-Wall innen:
$\varphi = 4°21'$ $h = 1266'$ S.
   7 38   1349   S.
   8 51   1475   S.
Mittel: $\varphi = 6°57'$ $h = 1363' = 8178'$.
SO.-Wall innen:
$\varphi = 4°43'$ $h = 1672'$ M.
   7 14   1778   S.
Mittel: $\varphi = 5°58'$ $h = 1725' = 10350'$.
NO.-Wall innen:
$\varphi = 7°4'$ $h = 1749'$ S.
O.-Wall aussen:
$\varphi = 2°40'$ $h = 418'$ S.
   3 41   711   M.
Mittel: $\varphi = 3°10'$ $h = 565' = 3390'$.
Die Vertiefung beträgt gegen 800'.

5. Cassini = No. 7.
$\varphi = 4°56'$ $h = 683'$ M. SW.-Wall innen.
   3 29   645 M. NW.-Wallgipfel aussen.
   2 11   454 S. W.-Wall aussen.
   3 31   521 M. - -
   2 45   826 S. O.-Wall m, aussen.
m ist der NO.-Wallkrater des Cassini.
Cassini, O.-Wall.
$\varphi = 2°35'$ $h = 673'$ Sr. SO.-Wall aussen.
   2 10   266 Sr. O.- - -

Cassini, O.-Wall.
$\varphi = 3°52'$ $h = 443'$ Sr. A. O.-Wall aussen.
   17 24   1072 S. A. O.-Wall innen.
   21 26   1242 S. - - -
Der Centralkrater A ist bei $\varphi = 19°25'$ 1157' tief, und der Boden 700' tiefer als Cassini's Fläche.
Berg ε, Nord an Cassini, zu West gemessen:
$\varphi = 2°31'$ $h = 712'$ S.
   5 17   945   M.
   6 51   939   S.
Mittel: $\varphi = 4°53'$ $h = 865' = 5190'$.
Berg ι, zu Ost gemessen:
$\varphi = 5°50'$ $h = 657'$ S.
Berg ζ, Nord bei Cassini, zu Ost gemessen:
$\varphi = 3°26'$ $h = 725'$ S.
   5 33   1194   S.
Mittel: $\varphi = 4°30'$ $h = 959' = 5754'$.

6. Alpen, Südcap η, dessen N.-Gipfel, zu Ost gemessen:
$\varphi = 3°35'$ $h = 1357'$ S.
   3 42   1630   S.
   3 43   1473   S.
   3 49   1550   S.
   3 52   1629   S.
   3 56   1435   S.
   4 4   1481   S.
   4 12   1585   S.
   4 25   1595   S.
   4 29   1273   S.
   4 42   1256   S.
   5 7   1371   S.
   5 32   1406   S.
   6 21   1616   S.
   6 55   1193   M.
   7 18   1107   Sr.
   8 5   1150   S.
Mittelwerthe:
$\varphi = 3°46'$ $h = 1512'$
   4 14   1554 $= 9324'$
   4 46   1300
   5 56   1511
   7 28   1159
Noch ein Gipfel i steht etwas nördlicher; für ihn ist bei:
$\varphi = 3°18'$ $h = 931'$ S.
Nach diesem folgt zu N. die Senkung des Gebirges.
Alpen η, der Südgipfel, zu Ost gemessen:
$\varphi = 3°45'$ $h = 1308'$ S.* Schätzung.
   5 32   1125   S.
   5 47   875   S.
   8 4   534   S.*
Ohne die letzte Beobachtung ist das Mittel:
$\varphi = 5°1'$ $h = 1103' = 6618'$.

Derselbe Gipfel zu Westen gemessen:

$\varphi = 5° 15'$ h = 786' S.

Die Einsattelung nördlich von η, zu Ost gemessen:

$\varphi = 3° 48'$ h = 793' S.

   3 57   560   S.

Mittel: $\varphi = 3° 52'$ h = 676' = 4056'.

Alpen b, der erste Hauptgipfel N. von η, zu Ost gemessen:

$\varphi = 3° 40'$ h = 1551' S.

   4 26   1646 S.

   4 49   1561 S.

   4 49   1453 S.

Mittel: $\varphi = 4° 26'$ h = 1553' = 9318', also bei demselben φ in gleicher Höhe mit η.

Senkung des Kammes N. von b, zu Ost gemessen:

$\varphi = 3° 33'$ h = 822' S.

   4 30   1321 S.

Mittel: $\varphi = 4° 1'$ h = 1071' = 6426'.

Berg c, Nord von b, etwa Mädlers Z, zu West gemessen:

$\varphi = 5° 27'$ h = 1016' S.

Alpen, dasselbe c, zu Ost gemessen:

$\varphi = 3° 34'$ h = 1157' S.

   3 35   1322 S.

   4 44   1378 S.

   4 49   1561 S.

   6 22   1332 M.

   7 37   1157 S.

Mittel: $\varphi = 5° 7'$ h = 1318' = 7908'.

Gipfel d, Nord von c, zu Ost gemessen:

$\varphi = 2° 49'$ h = 1081' S.

   4 2   1025 S.

   6 10   1296 M.

Mittel: $\varphi = 4° 20'$ h = 1134' = 6804'.

Ein Gipfel dieser Gegend zu West gemessen:

$\varphi = 6° 15'$ h = 1499' S.

Drei Berge a b c, westlich vom Südcap η, zu West gemessen:

$\varphi = 4° 1'$ h = 861' S. a.

   4 19   769 S. b.

   4 15   911 S. c.

Ich vermuthe, es sind nicht die a b c meiner Charte, sondern die Berge nördlich von Cassini.

Berg bei K, am NO. Ende des grossen Alpenthales, bei M. mit η bezeichnet, zu West gemessen:

$\varphi = 5° 5'$ h = 2056' S.

   9 4   1676 S.

Mittel: $\varphi = 7° 5'$ h = 1866' = 11196'.

Das Cap l daselbst, zu Ost gemessen:

$\varphi = 4° 43'$ h = 1783' S.

Das Cap m, vermuthlich daselbst wo l, zu Ost gemessen:

$\varphi = 3° 30'$ h = 1670' S.

   6 45   1420 S.

Mittel: $\varphi = 5° 7'$ h = 1545' = 9270'.

Berg e am SO.-Ende des grossen Alpenthales, zu Ost gemessen:

$\varphi = 4° 1'$ h = 746' S.

   4 13   1160 S. Dies ein Berg in der Nähe.

Montblanc Schröter's, im Gebiete von Mädlers λ, zu Ost:

$\varphi = 4° 22'$ h = 2472' S.

   4 22   1924 S.

   4 42   2172 S.

   5 0   2347 Sr.

   5 27   2195 Sr.

   5 35   2125 Sr.

   6 18   2036 Sr.

Mittel: $\varphi = 4° 58',8$ h = 2179' = 13074'.

Berg λ (Mädler) N. vom Vorigen, zu Ost gemessen:

$\varphi = 4° 20'$ h = 1880' M.

   5 7   1969 S.

   5 45   1939 M.

   5 59   1773 M.

   6 33   1855 S.

Mittel: $\varphi = 5° 33'$ h = 1883' = 11298'.

Südgipfel von λ, gegen West gemessen:

$\varphi = 7° 29'$ h = 1357' S.

Berg μ zu Ost gemessen:

$\varphi = 4° 26'$ h = 1411' S.

   5 14   1368 S.

   5 28   1314 S.

   5 33   1404 S.

Mittel: $\varphi = 5° 10'$ h = 1389' = 8334'.

Berg f, östlich von d im Mare, zu Ost gemessen:

$\varphi = 3° 37'$ h = 769' S.

7. Grosser Berg Λ, östlich von Cassini, = Schröter's e.

Der Hauptgipfel desselben gegen Osten:

$\varphi = 2° 51'$ h = 1139' S.

   3 12   1152 S.

   3 13   1116 Sr.

   3 33   1307 S.

   4 15   1275 S.

   4 16   1173 S.

   4 49   1322 S.

   4 50   1407 S.

   4 51   1018 M.

   4 52   1261 S.

   4 58   1156 S.

   5 12   1276 S.

Der Hauptgipfel desselben gegen Osten:

φ =		h =	
5°	15'	1182'	S.
5	30	1196	M.
6	9	1023	S.
6	18	1088	S.
6	47	1110	S.
6	51	1235	S.
7	19	1119	M.
8	12	1285	S.
8	21	1224	S.
8	32	1141	S.
8	32	1268	S.
9	24	1097	Sr.
9	42	1141	S.

Gegen Westen:

φ =		h =	
3°	12'	1178'	Sr.
4	57	1367	M.
5	7	1455	S.
5	28	1498	M.
5	28	1335	S.
5	41	1266	S.
5	54	1361	S.
6	49	1405	S.
6	55	1295	S.
7	16	1438	S.
10	11	1597	S.
11	34	1273	S.

Südgipfel von A zu Osten gemessen:

φ = 3°35' h = 1339' S.

Südgipfel von A zu Westen gemessen:

φ =		h =	
5°	28'	849'	S.
6	48	1000	S.
6	55	1063	S.
7	16	1192	S.
11	25	726	S.

Hiernach hat man folgende Mittelwerthe für A:

Hauptgipfel A gegen Osten:

φ =		h =		
3°	13'	1187'	4 Beob.	
4	42	1230	7 -	= 7380'
5	53	1146	6 -	
7	58	1212	6 -	
9	36	1126	2 -	

Hauptgipfel A gegen Westen:

φ =		h =		
4°	40'	1364'	3 Beob.	
5	38	1365	4 -	
7	0	1379	3 -	
10	52	1435	2 -	= 8610'.

Es liegt also die Ebene im Westen des Berges etwa 200' niedriger als die Ebene im Osten.

Südgipfel von A zu West, ohne die letzte Beob.

φ = 6°37' h = 1026' = 6156'.

Ein Hügel NO. von A, in 2° östl. Lg. und + 42° Br.

φ = 1°24' h = 216' S. zu Ost.
1 41 247 S. zu West.

Berg Γ. SO. von A.

φ = 1° 3' h = 110' M. zu West.
1 55 142 S. zu Ost.

In Mädlers Texte p. 266 heisst es „Kirch Γ"; aber die Höhe von 110' ist im Cataloge = Kirch η = N. 424. — Bei mir ist der Berg zu steil gezeichnet.

Kleiner Krater Süd von A, O.-Wall aussen:

φ = 1°21' h = 157' S.

Krater A, NO. von dem Berge A; — Piazzi Smyth: Ostwall nach aussen gemessen:

φ =		h =	
1°	17'	330'	S.
1	42	363	Sr.
2	31	443	S.
2	49	316	S.
3	28	314	M.

Mittel φ = 2°26' h = 352' = 2112'.

W.-Wall gegen Westen (aussen) gemessen:

φ = 2°26' h = 355' S.

8. Berg Pico. = No. 10 südlich von Plato oder No. 11.

Gegen Osten.

φ =		h =	
3°	5'	1227'	S.
3	5	1278	S.
3	11	1296	S.
3	13	1072	S.
3	20	1123	S.
3	28	1176	S.
3	32	1405	S.
3	43	1332	S.
3	44	1096	S.
3	46	1214	S.
3	48	1340	S.
3	51	1649	S.
3	57	1517	S.
4	4	1102	S.
4	8	1413	S.
4	30	1104	M.
4	35	1239	S.
4	46	1296	S.
4	50	1104	M.
5	47	1478	Sr.
6	3	1065	S.
6	13	1243	S.
6	24	1306	S.
6	32	1180	S.
7	16	1550	Sr.
7	26	1140	S.
7	27	1215	S.
7	31	1405	S.

$\varphi = 7°39'$ h = 1032'   S.
  7 45   1287   S.
  9 45   1168   S.
  12 30   1078   S.

Mittelwerthe:

$\varphi = 3°31\overset{.}{'}7$ h = 1286'   13 Beob.
  4 34,8   1230   7 -
  7 0,8   1226   10 -
  11 7,5   1123   2 -

Gegen Westen:

$\varphi = 2°42'$ h = 972'   S.
  3 15   1352   S.
  3 48   1269   S.*
  4 45   1405   S.
  5 9   1394   S.
  5 24   1193   S.
  5 51   1200   S.
  5 59   1470   Sr.
  6 50   1240   S.
  7 10   1019   M.
  9 51   845   S.

S* ist eine Beob. zu Athen, 1865 Jan. 19 durch Passagen bestimmt.

Mittelwerthe:

$\varphi = 3°37\overset{.}{'}5$ h = 1249'   4 Beob.
  5 32,4   1292   4 -
  7 0,0   1179   2 -
  9 51   845   1 -

Nimmt man ohne Rücksicht auf φ die Mittel, so ist Pico

gegen Osten   1203'
gegen Westen 1175'
im Mittel = 1189' = 7134'.

Indessen zweifle ich nicht, dass der Berg ansehnlich höher sei; aber nur selten wird die feine Schattenspitze deutlich erkannt.

Pico = No. 10, dessen Nordkuppe zu Ost:

$\varphi = 3°5'$ h = 958'   S.*
  6 4   1129   S.
  6 13   928   S.
  7 55   762   S.
  9 27   1051   S.
Mittel: $\varphi = 6°33'$ h = 966' = 5796'.

Berg Pico B, (Insula Ebissus) südl. von Pico.

Gegen Osten:

$\varphi = 2°41'$ h = 616'   M.
  2 53   735   S.
  3 1   748   S.
  3 7   806   S.
Mittel: $\varphi = 2°55'$ h = 741' = 4446'.

Gegen Westen:

$\varphi = 2°37'$ h = 926'   S.
  2 57   1183   S.
  5 8   983   Sr.
  3 13   1414   S.
Mittel: $\varphi = 3°49'$ h = 1147' = 6882'.

Hiernach scheint die östliche Ebene höher als die westliche zu liegen, wenn auch nicht 385', wie die Messungen angeben, denn diesen Unterschied halte ich für zu gross. Der Berg hat 3 Gipfel und nicht immer ward derselbe bestimmt.

Berg a der L. südlich von Pico B, zu Ost gemessen:

$\varphi = 1°22'$ h = 179'   S.
  1 25   172   S.
Mittel: $\varphi = 1°23'$ h = 175' = 1050'.

Ausserdem gehören noch folgende Messungen zu dieser Gegend:

$\varphi = 1$ 8'   h = 177'   Sr. Senkung in der Ebene.
  1 14   208   Sr. Ader m zu Ost gem.
  1 17   124   Sr. φ SO. v. Krater Pico A.
  0 34   44   M. kleiner Krater Pico c,
                       W.-Wall aussen.
  2 44   96   Sr. derselbe.

9. Berg ι, Ost von Plato, südl. von D; zu Ost gemessen:

$\varphi = 3°19'$ h = 1302'   S.
  3 20   1137   S.
  3 27   1327   S.
  3 29   1399   Sr.
  3 55   1227   S.
  3 57   1142   S.
  5 6   1317   S.
  8 23   1289   S.
Mittel: $\varphi = 4°26'$ h = 1259' = 7554'.

Es ist Schröter's n. Mädler hat hier $\varphi = 4°49'$ h = 750'; es wird aber Laplace ι gemeint sein.

Berg δ, SW. von ι, zu Ost gemessen:

$\varphi = 3°30'$ h = 542'   S.
  3 33   486   S.
Mittel: $\varphi = 3°31'$ h = 514' = 3084'.

Krater Pico B, östlich von Pico, O.-Wall aussen:

$\varphi = 1°27'$ h = 230'   Sr.
  1 38   243   S.
  1 39   260   S.
  2 33   323   S.
Mittel: $\varphi = 1°52'$ h = 272' = 1632'.

10. Plato = No. 11. W.-Wall, SW.-Gipfel, zu Ost gemessen:

$\varphi = 3°9'$ h = 1235'   S.
  5 8   1135   M.
  7 13   1177   S.
Mittel: $\varphi = 5°11'$ h = 1182' = 7092'.

31

Plato, NW.-Wall bei ε.

Mädler hat 802', welche Zahl sich im Höhen-cataloge nicht findet.

W.-Wall, Gipfel ξ, zu Ost gemessen:

φ = 3° 39' h = 1090' S.
   3 46   1470   S.
   5 10   996   M.
   5 18   985   M.
   5 47   1372   Sr.
   ———   1097   Sr.
   7 24   999   S.

Mittel: φ = 5° 17' h = 1129' = 6774'.

Mittlere westl. Wallhöhe, zu Ost gemessen:

φ = 3° 38' h = 443' Sr. Maximum.
   3 38   335   Sr. Minimum.

O.-Wall φ, zu West (innen) gemessen:

φ = 3° 38' h = 1506' Sr.
   3 55   1308   M.
   4 4   1513   S.
   4 32   1455   S.
   6 11   1380   S.
   6 48   1287   S.
   8 6   1012   M.

Mittel: φ = 4° 6' h = 1432' = 8622'.
   7 2   1226 = 7356

O.-Wall φ, zu Ost, nach aussen gemessen:

φ = 3° 55' h = 812' S.
   4 21   822   S.

Mittel: φ = 4° 8' h = 817' = 4902'.

Die Ebene des Plato liegt also 620' niedriger als das Mare imbrium gegen Osten.

In dieser Gegend ward ferner beobachtet:

φ = 3° 46' h = 720' M. Berg ι, SO. am Plato, zu West
   5 18   985 M. Berg η   - Ost
   5 32   456 M. Berg ρ   - -
   5 27   1222 M. ι

Im Texte bei Mädler pag. 457 steht ζ anstatt ρ. Mädler's ι ist = ι meiner Charte.

Krater A, NO. an Plato, W.-Wall innen:

φ = 6° 39' h = 1931' M.
   7 36   1650   M.

Mittel: φ = 7° 8' h = 1790' = 10740'.

Krater D, SO. bei Plato. W.-Wall innen:

φ = 4° 29' h = 1539' M.

11. Anaxagoras = No. 14. W.-Wall innen:

φ = 2° 53' h = 1130' S.
   3 19   1071   S.
   6 26   1145   M.
   6 35   1256   S.
   7 21   1068   S.

Mittel: φ = 5° 19' h = 1134' = 6804'.

Anaxagoras. O.-Wall innen:

φ = 5° 15' h = 929' S.
   6 20   1679   M.
   9 1   1302   M.
   9 2   1151   S.

Mittel: φ = 7° 25' h = 1266' = 7596'.

W.-Wall aussen:

φ = 5° 3' h = 1089' M.

Berg γ östl. von Anaxagoras, zu Ost gemessen. Der Schatten liegt stets auf gebirgigem Boden.

φ = 3° 47' h = 973' · S.
   4 13   857   M.
   4 17   965   S. Südgipfel.
   4 25   937   S.
   4 34   1142   S.
   4 50   834   M.
   5 15   1209   S.
   5 48   1326   S.
   6 2   1301   S.
   8 2   981   M.

Als Mittelwerthe lassen sich annehmen:

φ = 4° 10' h = 933'
   5 7   1128
   7 2   1141

Oder das Mittel Aller, φ = 5° 7' h = 1052' = 6312'. Mädler's a, welches in seiner Charte fehlt, h = 1145', rechne ich zum W.-Walle.

Berg γ zu Westen gemessen:

φ = 4° 30' h = 1365' M.

12. Timaeus = No. 16. W.-Wall innen:

φ = 9° 29' h = 792' S.
           700   M. Schätzung.

13. Epigenes = No. 15. W.-Wall innen:

φ = 4° 31' h = 888' S.
   6 37   768   S.

Mittel: φ = 5° 34' h = 828' = 4968'.

14. Philolaus = No. 13. W.-Wall innen:

φ = 5° 19' h = 1369' S.
   6 3   1290   S.
   6 33   1732   M.
   7 0   1463   S.
   7 10   1235   S.

Mittel: φ = 6° 25' h = 1418' = 8508'.

O.-Wall innen:

φ = 9° 9' h = 1934'. M.

Mädler setzt für den Ostwall im Mittel 1833'; aber seine beiden Messungen beziehen sich nicht auf denselben Wall.

15. Fontenelle = No. 12. O.-Wall innen:

φ = 5° 22' h = 849' Sr.
   7 12   1062   M.
   9 26   850   M.

Mittel: φ = 7° 44' h = 935' = 5610'.

Mädler setzt nach seinen Messungen der Mittel 949' statt 956'.

Berg 7 im Norden von Fontenelle:

$\varphi = 5°22'$ h = 521' Sr. zu West gemessen
3 55   416 M. - Ost

Der Ort bleibt zweifelhaft. Mädler giebt hier noch h = 831'; aber es ist 7 Anaxagoras, nach seinem Catalog No. 611.

16. Scoresby = No. 17. W.-Wall innen:

$\varphi = 7°25'$ h = 1862' S.
7 55   1876 S.
8 37   1660 S.
8 51   1671 S.
Mittel: $\varphi = 7°40'$ h = 1869' = 1124'.
8 44   1665

O.-Wall innen:

$\varphi = 4 36'$ h = 1342' M.
10 41   1730 M.

W.-Wall aussen:

$\varphi = 2°5'$ h = 593' S.
2 56   522 S.
Mittel: $\varphi = 2°30'$ h = 557' = 3342'.

Die mittlere Vertiefung beträgt 1312' = 7872'.

17. Berge am Nordpole. Da diese nur bei günstiger Libration kenntlich, auf unserer Tafel nicht dargestellt werden konnten, so genüge es zu sagen, dass nach 7 Beob. Mädler's, und nach 10 Messungen von mir, Berge von 1000' bis 1770' Höhe in jener Region vorkommen.

18. Barrow A = No. 18. Gipfel im O.-Walle.

Gegen Osten gemessen:

$\varphi = 4°24'$ h = 1463' M
5 21   1704 S.
7 5   1519 S.
Mittel: $\varphi = 5°37'$ h = 1562' = 9372'.

Gegen W. gemessen:

$\varphi = 4°6'$ h = 1663' M.
4 37   1571 S.
7 13   1290 M.
Mittel: $\varphi = 5°19'$ h = 1508' = 9048'.

Mädler's Text pag. 213 hat den Mittelwerth 1473'; aber die 3 Beob. beziehen sich auf verschiedenes Niveau.

Barrow, Berg B, gegen Westen gemessen:

$\varphi = 3°38'$ h = 1237' M.

In Mädlers Höhencataloge No. 339 ist unter a sicher der Berg A zu verstehen.

19. Archytas = No. 22. W.-Wall innen:

$\varphi = 8°1'$ h = 1041' Sr.
8 3   845 S.
10 39   1403 M.
13 10   523 S.
Mädler setzt im Texte 845' als Mittel, welches nach seinen Messungen 1124' sein sollte.

Archytas. O.-Wall innen:

$\varphi = 2°36'$ h = 617' M.

Archytas A = No. 23 = Protagoras (*).
W.-Wall innen:

$\varphi = 9°19'$ h = 929' Sr.
15 13   998 S.
Mittel: $\varphi = 13°15'$ h = 975' = 5850'.

20. Chr. Mayer = No. 21.

$\varphi = 6°36'$ h = 651' M. W.-Wall innen.
4 11   618 M. Berg α -

21. Meton = No. 19.

Berg α, zu Ost gemessen:

$\varphi = 3°15'$ h = 795' M.
4 17   1320 M.
6 42   479 M.

Die zweite Messung bezeichnet Mädler als verfehlt. Die in M.'s Texte pag. 211 gegebenen Zahlen 830' und 463' finden sich im Höhencataloge nicht bei Meton, denn 830 gehört zu Theophilus B, welches B wiederum nicht nachweisbar ist. 463 findet sich nirgends. Aber auch die dritte Beobachtung ist nicht identisch mit der ersten. (Mädler, pg. 115, Anm. zu No. 670 des Höhencataloges).

Neigungswinkel.

Aristoteles, O.-Wall innen	μ = 32°
	m = 19
Eudoxus, - -	μ = 36
	m = 22
Calippus, W.-Wall	M = 44
-	μ = 32
östl. Wand a zu Ost	μ = 38
-	M = 55
O.-Wall innen	m = 23
Caucasus-Gipfel, O.-Seite	M = 46
	m = 29
Cassini, W.-Wall innen	M = 27
Centralkrater, W.-Wall innen	M = 37
O.-Wall	m = 31
Krater c,	M = 43
E,	M = 41
gr. Berg A, W.-Seite	μ = 30
-	m = 26
O.-Seite	M = 44
	m = 29
Pico, W.-Seite	M = 36
O.	M = 32
A = No. 10, W.-Seite	μ = 30
O. -	M = 38
D, W.-Wall innen	μ = 29
e,	μ = 30
B,	m = 25
-	M = 36

31*

Pico A, O.-Wall innen	$M = 37°$		Plato, W.-Wall innen	$M = 42°$
- ε (W. v. Pico), W.-Seite	$m = 20$		- " " "	$m = 21$
- " " " O.- "	$\mu = 30$		- " aussen	$\mu = 33$
Alpen, O.-Seite	$M = 41$		- O.-Wall innen	$m = 27$
- "	$m = 28$		Die XV. Section ward mit Benutzung von	
- λ, O.-Seite	$M = 41$		164 Aufnahmen ausgeführt.	

BEMERKUNGEN.

1842 Juni 16. Erste Darstellung der Alpen, des Cassini, Plato, Pico, mit ihren Schatten.

- Juli 15. Als um 9° Pico und Pico A = (No. 10) noch von der Phase getrennt, als helle Licht-inseln erschienen, hatten beide an ihrer Südseite einen deutlichen grauen Anhang, ebenfalls getrennt von der Phase. Es waren Theile des Mare imbrium, gehoben und in geneigte Lage gebracht, als diese Berge emporstiegen. In meiner Zeichnung No. 23 ist es dargestellt.

- Aug. 28. Pico bei abnehmender Phase am 6füssigen Refractor zu Hamburg beobachtet. Der west-liche Abhang war schon beschattet; im Norden eine hohe Kuppe, und gegen Osten eine breite Bergfläche. Der Berg Pico A, östlich neben Cassini (Schröter's e) besteht aus wenigstens 3 Abtheilungen, die sich im Norden vereinigen.

- Sept. 13. Südlich am Plato liegt eine dunkle Ebene, gegen West von einem niedrigen Walle, öst-lich von hellen Bergen, hier aber unvollkommen abgeschlossen. Im südlichen kaum angedeu-teten Walle erhebt sich die lichtstrahlende Masse des Pico. Diese, an der Phase leicht sicht-bare Wallebene, eine unvollkommene Nachbildung des Plato, nannte Schröter = Newton. Eine Bezeichnung, die Mädler ohne genügenden Grund verwarf, indem er den Namen Newton an den Südpol versetzte. Am Orte des Schröter'schen Newton war nach der Richtung wohl die-selbe Kraft thätig, die den Plato bildete, aber sie kam nur als eine Andeutung zur Erscheinung, indem das Mare imbrium einen zu grossen Widerstand leistete. Am Orte des Pico ward ein localer Durchbruch möglich.

1843 März 8. Aus einer Schattenzeichnung der Alpen entnehme ich, dass die spätern Messungen der Berge a b c, westlich von Alpen z, sich wohl auf die 3 Berge im N. des Cassini beziehen lassen.

- März 9. Auf dem W.-Walle des Plato liegen 3 Hauptgipfel, deren mittlerer an seiner Nordseite eine Nebenkuppe hat.

- März 20. 15°. Bei abnehmender Phase, als Plato's innerer O.-Wall erst geringen Schatten zeigte, fand ich in der NO.-Ebene einen auffallend hellgrauen Flecken. Der Berg A Cassini, östlich neben Cassini, an der W.-Seite schon beschattet, eine sonst so helle Masse, erschien merk-würdig dunkelgrau.

- Mai 9 (und im Dec.). In der Ebene zwischen Plato und Pico z nebelartige Lichtflecken kenntlich, und ein schwacher Krater.

- Juli 4. Die grosse Wallfläche 14° = Goldschmidt hat im NO.-Theile der Ebene eine Schattirung, die auf partielle Anschwellungen deutet.

- Juli 5 zeichnete ich einen Centralberg in einem Krater, der sich auf Anaxagoras a beziehen lässt.

- Aug. 17. Abnehmende Phase am Calippus. Von den Alpenbergen hat jetzt nur ein Berg r, südlich von dem grossen Querthale, einen ansehnlichen Schatten an seiner W.-Seite. Das Thal θ ist grau.

1844 April 25. Bei sehr guter Luft beobachtet an 88maliger Vergrösserung des Fernrohrs von Banks. Pico lag in der zunehmenden Phase; östlich und südöstlich an ihm, also in völliger Nacht, zeigte sich ein blaues Licht als nebelartiger Schimmer. Hier konnte es kein erhöhter Theil des Mare imbrium sein. (Original No. 371.)

- Oct. 20. Pico in der Phase, fast noch in der Nachtseite, strahlt mit blauem Lichte, oder genauer, war von graublauem Lichtschimmer umflossen.

1846 Juli 3 ward einer der feinen Krater zwischen Pico und Pico B gesehen.

1846 Aug. 12. Der Centralkrater im Cassini hat einen eingreifenden Krater, oder sonst eine Anomalie im N.-Walle.

1848 Jan. 17. In Plato's Ebene 3 sehr feine helle Punkte.

- Juni 9. Pico und Pico B, in der Phase liegend, ohne blaues Licht.

- Sept. 14. Am 8füssigen Heliometer zu Bonn zeigte Pico 10—12 einzelne Berggipfel. Im Plato 5 helle scharfe Punkte.

1849 Febr. 2. Mädler's Charte giebt östlich vom Pico und südlich neben dem Krater Pico B (14° Lg. + 45°.5 Br.) einen länglichen weissen Flecken an, der jetzt nicht vorhanden ist. Diese Bemerkung ward später noch oft wiederholt. In M. S. pag. 266 spricht Mädler von „einem starken Lichtflecken".

- Febr. 3. Im Plato scheinen 2 der feinen Lichtpunkte Krater zu sein. Der vorerwähnte weisse Fleck fehlt.

- März 4. Die 4 oder 5 Punkte im Plato sind wohl feine Krater, deren scheinbare Durchmesser kaum ⅓ von dem des dritten Jupitermondes (der nahe war) betragen. Sie werden 250 bis 300 Toisen Durchmesser haben.

1850 Dec. 20. Um 19 Uhr lag der hellste Punkt des Pico an der Ostseite.

1851 Jan. 9 sah ich 2 Rillen östlich bei Eudoxus und zeichnete sie als solche, aber später konnte ich die östliche der beiden nur für einen Höhenzug halten.

- Jan. 11. Es ward die Rille westlich bei Plato gesehen. Zwischen Archytas und A Alpen sind 8 kleine gut sichtbare Krater, die bei Mädler fehlen. In der sehr dunklen stahlgrauen Ebene des Plato zeigen sich keine Lichtpunkte, sondern nur matte neblige Gebilde.

- Jan. 17. Nach einer Mondfinsterniss zeigten 4 der dunkelgrauen Ringflächen ein bläuliches Licht, welches dem Plato fehlte. In der Mitte des Plato liegt ein feiner Punkt, und nördlich davon ein sehr mattes nebliges Gebilde.

- Febr. 10. Cassini A hat einen Centralberg.

- Febr. 12. Der weisse Fleck (bei Mädler), östlich neben B Pico fehlt; eine ganz unbedeutende Aufhellung an jener Stelle ist hundertfältig von der Art in allen Maren zu finden. Der Krater B, östlich an Plato, hat einen Centralberg. Da keine Zeichnung darüber vorliegt, so habe ich ihn in meiner Charte nicht berücksichtigt.

- Febr. 21 zeichnete ich die Rille σ, östlich bei Eudoxus der Art, dass sie weit östlich über die dortige Querrille hinauszog, die ich später als Hügelzug erkannte.

- März 12. Bei Mädler fehlt westlich von Pico B ein Krater, dessen Durchmesser = ½ B. Der dortige Lichtfleck Mädler's ist nicht vorhanden.

1853 Mai 16. Am 14füssigen Refractor zu Berlin zeigten sich in Plato's Ebene wenigstens 4 kleine Krater.

1854 März 6 zeichnete ich östlich bei Eudoxus von 1—1 eine Rille, die später nicht wieder gesehen ward.

- Sept. 28. Als die Phase eben den Caucasus gegen Osten überschritten hatte, bildete das westliche Hügelland der Alpen eine auffallende Protuberanz in der Phase.

- Sept. 29. Der Gipfel von A Pico (östlich von Cassini) besteht aus 2 kleinen Kuppen.

- Oct. 2. Der Krater e ward in gleicher Grösse mit D gezeichnet, beide östlich von Plato im Mare liegend. e gehört schon zu Sect. XVI. Scoresby hatte in der Mitte einen Krater, und südlicher 2 Berge. Pico's Hauptgipfel ist der nördliche, wenn man von kleinen Nebenkuppen absieht; ein langer Grat zieht von ihm zu SSW. Der ähnliche grosse Berg A (östlich von Cassini) hat den Hauptgipfel im Westen, und von ihm zieht ein langer Grat gegen Norden. An der Ostseite hat der Berg vielfache Faltung und Gliederung der Abdachung. Etliche feine Krater in NO. bei A schwer sichtbar.

- Oct. 28. Der Hochgipfel Calippus a hat 2 Spitzen.

- Oct. 29 wurden die 2 feinen Krater NO. bei Pico bemerkt. Im W.-Walle des Plato 4 grosse Gipfel; der nördliche hat an seiner S.-Seite eine Nebenkuppe. Der Berg K, SW. bei Plato, ansehnlich hoch.

- Oct. 30. In 19° westl. Länge bei Anaxagoras, 19 Krater.

1860 Jan. 2 (Athen). Plato's Ebene ganz glatt, und ohne die 4 Punkte; Phase schon im Osten.

- April 25. Eine Rille und 3 Kraterrillen O. bei Calippus.

1861 Juni 18 wurden 5 kleine Krater im Plato gesehen; der westliche derselben war der grösste.

1865 April 5. Die Rillen bei Fontenelle entdeckt.

1865 Juli 29. Die graue Ebene des Plato erschien am Rande bläulich gefärbt.

1866 Juli 3. Pico A = Schröter's e, östlich von Cassini, hat einen Gipfelkrater.

1867 Jan. 24. Abnehmende Phase im Mare tranquillitatis; Plato's Ebene braungrau, dunkler als das nahe Mare imbrium.

- Jan. 25. Plato's Ebene blaugrau, wenig dunkler als die nächsten Theile des Mare imbrium. Wo die Rillen bei Calippus das Hochgebirge durchbrechen, zeigt sich braune Farbe, wie früher schon bemerkt ward.

- Febr. 11. Die Darstellung der zahllosen Hügel westlich von den Alpen ist nicht ausführbar.

1869 Febr. 19. Im grossen Alpenthale 0 zeigen sich an 2 Stellen die Spuren von Rillen.

1873 April 10. Oestlich im Plato 2 matte Lichtwolken.

Anm. 1. Schon Gruithuysen kannte die kleinen Krater in der Ebene des Plato. Er sah deren 5 am 21. Mai 1821 mit einem nur 2½füssigen Fernrohre. Am 6. April 1825 erkannte er dort 7 feine Punkte, davon der mittlere ein Krater war. (Bode's Jahrbuch für 1828, pag. 106).

Anm. 2. 1843 Juli 4. Abends 9½ Uhr, sah Gerling zu Marburg in der Phase „einen ausgezeichnet hellen Punkt, welcher „fixsternähnlich leuchtete, doch so, dass noch eine Spur von Form wahrnehmbar war. Er lag am südlichen „Abhange des Alpengebirges und schätzte ich seine Entfernung vom Autolycus gleich der des letzteren Punk-„tes vom Cassini" (Astr. Nachr. No. 526).

  Durch die Ortsangabe Gerling's wird mir die Lage des Punktes erst völlig unverständlich. Lag der Fleck wirklich an den Alpen, so würde sich jede andere Ortsbestimmung als näher liegend und deutlicher dar-geboten haben.

  An demselben Abende, 1843 Juli 4, beobachtete ich den Mond auf Hohenfelde bei Hamburg, ohne die Erscheinung zu bemerken. Es muss zwischen 9½ und 10 Uhr gewesen sein, da ich von 9 bis 9½ Uhr den Mars beobachtete. Die Phase zog über Walter, den W.-Rand des Ptolemaeus und den W.-Wall des Archimedes. Um 10 Uhr reichnete ich die Polargegend und den Cassini. — Wenn anstatt Alpen, Huemas gelesen wird, so trifft man dort einen unvollkommenen Krater im Gebirge, welcher der Ortsangabe Gerling's sehr gut entspricht, und der bei aufgehender Sonne jedesmal grossen Glanz entwickelt.

  Ich finde ferner im Tagebuche: 1848 Jan. 26, nach 15 Uhr, sah ich südlich von Cassini in der Ebene einen hellen Krater; es folgt aber der Zusatz „wenn ich mich nicht geirrt habe, was doch auffallend wäre". Es liegt aber, wie anderweitig bekannt ist, südlich von Cassini und östlich von Theaetetus ein oft heller Lichtfleck, der bei geringer Sonnenhöhe sich als unbedeutende Hügelgruppe darstellt.

SECTION XVI.

	L.	M.	S.
Krater	202	260	1104
Rillen	1	1	1

NAMEN.

1. Anaximenes.
2. Anaximander.
3. Pythagoras.
4. Oenopides.
5. Cleostratus.
6. Xenophanes.
7. Repsold.
8. Condamine.
9. Maupertuis.
10. Laplace.
11. Straight range (engl. Beob.)

12. Bouguer.
13. Bianchini.
14. Harpalus.
15. Sharp.
16. Mairan.
17. Helicon Ost.
18. Helicon West.
19. Heraclides.
20. Horrebow.
21. Louville.

X. Mare imbrium.
XIX. Sinus iridum.
XX. Sinus roris.
XVI. Mare frigoris.

Anm. Die in England neuerdings gewählten Namen sind die Folgenden:

Robinson, die Gegend bei 47° östl. Länge, 57° nördl. Breite, SO. von No. 2.
South, die Wallebene in 48° östl. Länge, 56° nördl. Breite.
Babbage, die Gegend nördlich zwischen Oenopides und Pythagoras, oder der dortige grosse Krater A, 53° Lg. + 57°,5 Br.
Herschel, J. F. W., die grosse Wallebene über No. 2 in 40° Lg. und 62° nördl. Breite.
Foucault = Harpalus A, Krater in 38° Lg. und 48° nördl. Breite.
Straight range, die Bergreihe östlich neben Laplace, in 20° östl. Lg., 48° nördl. Br.

VERGLEICHUNG DER BEZEICHNUNGEN IN LOHRMANN'S UND MÄDLER'S CHARTEN.

bei Lohrmann:	bei Mädler:	bei Lohrmann:	bei Mädler:
445* } Helicon 446* }	A Helicon	447* Laplace	A Laplace
		8	H
2	c	12	θ
3	F	448* Maupertuis	Maupertuis
415	ε = Straight range (engl. Beob.)	470* Condamine	Condamine
		29	a

257

bei Lohrmann:	bei Mädler:	bei Lohrmann:	bei Mädler:
28	a	42	d
21	Sharp A	41	β
474* Bouguer	Bouguer	43	B
27	a	44	C
22	Sharp b	45	f
449* Bianchini	Bianchini	476*	unbezeichnet South (engl.
23	Sharp a		Beob.)
13	γ	46	D
452* Sharp	Sharp	477*	A = Babbage (engl. Beob.)
451*	A = Foucault (engl. Beob.)	51 Oenopides	Oenopides
453* Louville	Louville	49	a Cleostratus
475* Harpalus	Harpalus	50 Cleostratus	A Cleostratus
45	f	52 Xenophanes	Xenophanes
471*	B	478*	A
472*	f	54	Repsold
473* Horrebow	Horrebow	53	unbezeichnet
33	e	479*	fehlt
39	B	47	e
37	C	455	d
35 Anaximenes	Anaximenes	454* Mairan	Mairan
36	A b	18	A Mairan
38	A	19	c
490* Anaximander	Anaximander	17	β
491* Pythagoras	Pythagoras	450* Heraclides	b a Heraclides
18	d	14	ξ Sharp
40	A	16	c

HÖHENMESSUNGEN.

1. Cap Laplace — No. 10.

Gegen Osten:

φ =		h =	
2°	2'	1656'	M.*
2	49	1086	Sr.*
3	6	1312	S.*
3	22	1545	S.*
3	23	1549	S.*
3	27	1618	S.*
3	29	1618	S.
3	37	1730	S.
3	37	1673	S.
3	41	1845	S.*
3	41	1824	S.
3	43	1828	S.
3	46	2003	S.*
3	50	1473	S.*
3	51	1726	S.
3	51	1633	S.
4	1	1653	S.
4	2	2014	S.
4	5	1696	S.
4	7	1606	S.
4	18	1617	S.
4	54	1738	S.
5	17	1676	S.
5	49	1833	S.
6	11	1429	M.
6	42	1693	S.
7	5	1151	Sr.*
7	29	1547	S.
7	45	1762	S.
7	48	1702	S.
7	58	1129	S.*
8	57	1426	M.
10	42	1029	M.
11	27	1256	S.

Gegen Westen:

φ =		h =	
3°	36'	1139'	M.*
4	23	1585	S.
4	46	1656	S.
5	5	1761	S.
5	25	1402	M.
6	24	1249	M.*
6	32	1644	S.

Die sehr feine Schattenspitze ist auf dem dunklen Grunde, und so nahe der Phase, nur selten sicher zu erkennen, daher denn bei schlechter Luft die Höhe oft viel zu klein gefunden wird. Bei $\varphi = 3°5$ ist die Spitze des Schattens noch nicht von der Phase getrennt, und alle Beobachtungen zu solcher Zeit zählen nicht mit. Diesen und andern zweifelhaften gebe ich ein (*).

Mittelwerthe (gegen Osten):

φ =		h =			
3°	41'	1719'	7 Beob.		
4	7	1717	5	"	
5	20	1749	3	—	= 1049½'
7	11	1627	5	"	
10	22	1237	3	"	

Für die Höhe gegen Westen hat man:

$\varphi = 5°14'$ $h = 1610'$ 5 Beob. $= 966o'$.

Der Berg kömmt also dem Aetna an Höhe gleich. — Gegen W. liegt der Schatten stets auf Hügelland.

In Mädler's Text p. 269 wird $\vartheta = 255'$ angegeben; eine im Höhencataloge nicht vorhandene Zahl. Aber No. 1086 setzt Laplace $\delta = 265'$, so dass ϑ anstatt δ zu lesen sein wird. Es ist der Hügel östlich vom Cap Laplace.

Laplace ϑ, östlich vom Cap,

zu Ost gemessen:

φ =		h =		
1°	22'	265'	M.	
1	29	300	S.	

32

259

Laplace θ, östlich vom Cap, zu Ost gem.:
φ = 1°43' h = 317' S.
       1 57   307   S.
Mittel: φ = 1°38' h = 312' = 1872'.
Krater A, SO. von Laplace, O.-Wall aussen:
φ = 1°55' h = 328' Sr.
       2 8   196   S.
Mittel: φ = 2°1' h = 262' = 1572'.
Ader westlich daneben, zu Ost gemessen:
φ = 1°6' h = 159' Sr.
Krater B, Nord von Condamine,
O.-Wall aussen:
φ = 1°43' h = 320' M.
2. Harpalus = No. 14. O.-Wall innen:
φ = 14°21' h = 2479' M.
O.-Wall aussen:
φ = 2°32' h = 482' M.
W.-Wall innen:
φ = 5°47' h = 1021' S.
       9 26   1423   S.
Mittel: φ = 7°36' h = 1222' = 7332'.
Die Vertiefung beträgt gegen 700'.
Harpalus ʒ (südlich).
zu Ost gemessen:
φ = 3°25' h = 450' M.
Krater c, N. von Harpalus,
O.-Wall aussen:
φ = 2°10' h = 396' M.
3. Cap Heraclides = No. 19,
zu West gemessen:
φ = 3°4' h = 777' S.
       3 15   849   S.
       3 31   866   S.
       4 34   546   M.
       5 6   681   M.
Mittel: φ = 3°17' h = 831' = 4986'.
       4 50   613
Hügel südlich am Cap.
          h = 113' S. geschätzt.
Krater c (unbestimmt welcher).
φ = 1°50' h = 212' M. O.-Wall aussen.
Ader in 32° Lg. und 39° Br.
φ = 3°39' h = 218' M. a. d. Westseite.
4. Sinus iridum, grosser Ringwall, gemessen,
als die Schatten gegen W. durch den Sinus zogen.
Berg f.
φ = 5°48' h = 2001' S.
       6 3   1735   S.
       7 36   1934   M.
Mittel: φ = 6°29' h = 1890' = 11340'.
Berg b.
φ = 4°42' h = 1277' S.
       5 8   1401   S.
Mittel: φ = 4°55' h = 1339' = 8034'.

Berg c.
φ = 4°35' h = 666' S.
       5 17   858   S.
Mittel: φ = 4°56' h = 762' = 4572'.
Berg d.
φ = 5°8' h = 842' S.
       5 17   919   S.
Mittel: φ = 5°12' h = 880' = 5280'.
Berg e.
φ = 5°18' h = 1267' S.
       5 33   1340   S.
Mittel: φ = 5°25' h = 1303' = 7818'.
Berg g.
φ = 5°21' h = 2153' S.
       7 41   2337   M.
Mittel: φ = 6°31' h = 2245' = 13470'.
Sattel ef.
φ = 5°31' h = 1132' S.
Sattel ed.
φ = 5°19' h = 723' S.
Sattel dc.
φ = 5°17' h = 496' S.
5. Sharp. W.-Wall innen:
φ = 8°45' h = 1756' S.
       9 17   1549   M.
       11 25   1462   M.
       12 23   1511   S.
Mittel: φ = 9°1' h = 1652' = 9912'.
       11 54   1486
O.-Wall innen:
φ = 9°32' h = 1158' M.
6. Bianchini. W.-Wall innen:
φ = 6°49' h = 806' Sr.
       6 53   965   S.
       7 33   1316   S.
       8 3   1412   S.
       11 26   1179   M.
       13 11   1323   M.
       15 26   1515   Sr.
Mittel: φ = 6°52' h = 912'
       7 48   1364 = 8184'.
       12 56   1304
O.-Wall innen:
φ = 5°24' h = 482' S.*
       10 18   1352   S.
       11 1   1156   M.
Mittel ohne S.*:
φ = 10°39' h = 1254' = 7524'.
7. Mairan. W.-Wall innen:
φ = 6°43' h = 1477' S.*
       7 54   2371   M.*
       11 10   1355   S.
Mittel ohne M.*:
φ = 8°56' h = 1416' = 8496'.

Mairan. O.-Wall innen:
φ = 8° 12' h = 1253' M.
　　　O.-Wall aussen:
φ = 2° 41' h = 538' M.
　6　3　　　815 M.
Mittel: φ = 4° 22' h = 676' = 4056'.

8. Condamine. W.-Wall innen:
φ = 4° 3' h = 415' M.
　　　O.-Wall innen:
φ = 6° 35' h = 666' M.

9. Helicon A, der westliche.
　　　W.-Wall innen:
φ = 10° 32' h = 990' Sr.
　12 31　　961 S.
　13 42　　1070 Sr.
　21 47　　2125 Sr.*
　　　Mittel ohne Sr.*:
φ = 12° 19' h = 995' = 5970'.
Die beiden Doppelmessungen der Wälle geben
die Vertiefung unterhalb der Ebene 767' und 722',
im Mittel 745' = 4470'.

Helicon A. O.-Wall innen:
φ = 11° 58' h = 940' S.
　　　W.-Wall aussen:
φ = 2° 14' h = 259' M.
　2 22　　221 S.
Mittel: φ = 2° 18' h = 240' = 1440'.
　　　O.-Wall aussen:
φ = 1° 53' h = 226' M.
　1 56　　211 S.
Mittel: φ = 1° 54' h = 218' = 1308'.

10. Helicon, der östliche, No. 17.
　　　W.-Wall innen:
φ = 8° 25' h = 805' Sr.
　10 54　　939 S.
　11 42　　919 S.
　19 29　　1869 Sr.*
　　　Mittel ohne Sr.*:
φ = 10° 29' h = 900' = 5400'.

11. Gebirg No. 11. O.-Cap zu Ost gem.:
φ = 2° 38' h = 802' S.
　2 40　　610 S.
　2 42　　714 M.
　2 44　　724 S.
　2 51　　763 S.
　3 32　　372 Sr.*
　3 45　　847 S.
　4 12　　979 S.
　4 14　　644 S.
　　　Mittel ohne Sr.*:
φ = 2° 43' h = 723'
　4 4　　840 = 5040'.

Gebirg No. 11. W.-Cap zu West gemessen:
φ = 2° 39' h = 750' M.
　4 10　　1073 S.
Mittel: φ = 3° 24' h = 911' = 5466'.

12. Anaximenes. W.-Wall innen:
φ = 2° 7' h = 777' S.* Schatten
　　　　　　　　　　auf Bergen.
　3 41　　1004 S.
　3 41　　1195 S.
　3 42　　952 S.
　3 47　　942 S.
　3 52　　1418 S.
　4 24　　1258 S.
　5 46　　1248 M.
Mittel: φ = 3° 45' h = 1102'
　5 5　　1253 = 7518'.

13. Anaximander.
φ = 3° 58' h = 1519' M. SW.-Wall von d, aussen.
　3 11　　1286 M. Südgipfel von C, zu Ost.
　3 27　　815 M. B. zu Ost.
　3 12　　590 M. W.-Wall innen.
　4 19　　1003 M.
Nach dem Texte Mädler's, p. 288, ist aber in
ersterer Beob. der SW.-Wall des Hauptkraters,
nicht d, gemeint.

14. Pythagoras. NW.-Wall innen:
φ = 5° 29' h = 2489' S.
　6 31　　2946 S.
　6 54　　3616 S.*
　　　S.* dürfte verfehlt sein.
　　　Mittel ohne S.*:
φ = 6° 0' h = 2717' = 16302'.
　　　SW.-Wall innen:
φ = 8° 40' h = 2649' M.

Pythagoras. SO.-Gipfel?
φ = 4° 29' h = 920' M.
Zweifel bei Mädler's No. 353.

Pythagoras. Centralberge.
φ = 4° 20' h = 974' Sr. zu Ost.
　3 27　　937 S. östl. u. nördl. Berg, zu Ost.
　4 16　　1349 S. nördl. Berg, zu Ost.

Neigungswinkel.

Sinus iridum, Krater A, O.-Wall innen　M = 40°
Helicon, östlicher, W.-Wall innen　M = 27
Helicon, westlicher, O.-Wall innen　M = 39
Sinus iridum, Kamm zu West　M = 36

Es dienten 65 Aufnahmen zur Darstellung der
Section XVI.

32*

BEMERKUNGEN.

1842 Juli 18. Erste Abbildung des Sinus iridum.

- Aug. 28 zählte ich am 6füssigen Refractor zwischen Plato und Condamine 68 Krater.

1843 März 13. Um Mairan lagen gegen 50 Krater. Am Hochwalle des Sinus iridum, zwischen Bianchini und Heraclides, lagen 18 Schattenspitzen.

1849 März 4 wurden die kleinen Krater an den Südwällen der beiden Helicon gesehen, und 2 kleine Krater südlich bei A.

1851 Febr. 11 sah ich den kleinen Krater im N.-Walle des westlichen Helicon, den ich 1849 schon als hügelartigen Punkt erkannt hatte. Auch bemerkte ich den kleinen Krater östlich von No. 10 oder Laplace.

1862 April 12. Pythagoras gehört der ganzen Anlage nach zur Klasse der grossen Krater Theophilus, Copernicus, Moretus.

1868 Mai 30. Das westliche Cap der Bergreihe No. 11, westlich bei Laplace, hat bei aufgehender Sonne ungewöhnlich starken Glanz.

SECTION XVII.

	L.	M.	S.
Krater	5	20	31
Rillen	0	0	0

NAMEN.

1. Rümker. (*)
2. Dechen. (*)
3. Galvani. (*)
4. Regnault. (*)
5. Gerard.
6. Harding.
7. Lavoisier.

XIII. Oceanus procellarum.
und Theil des Sinus roris.

VERGLEICHUNG DER BEZEICHNUNGEN IN LOHRMANN'S UND MÄDLER'S CHARTEN.

bei Lohrmann:	bei Mädler:	bei Lohrmann:	bei Mädler:
50.7 Lg. + 38° Br.	7	1 Repsold	Repsold
414°	B	3 Gerard	Gerard
4	ohne Bezeichnung	456° Harding	Harding
5 — Rümker (*)	ohne Bezeichnung	Lavoisier	Lavoisier
2 — Dechen (*)	fehlt		

HÖHENMESSUNGEN.

1. Krater No. 2 = Dechen (*), der bei Mädler fehlt.

$\varphi = 1°34'$ h = 236¹ S. O.-Wall aussen.

2. Hügelgruppe No. 1 = Rümker (*), eine beulenförmig aufgetriebene Stelle im Mare.

$\varphi = 1°33'$	h = 278¹	S.	N.-Gipfel zu Ost gem.
2 15	396	S.	S.-Gipfel - - -
2 22	472	S.	- - -

3. Kleiner Hügel 7, SW. von No. 1.

h = 131¹ M.

Für diese kleine Section genügten 6 Aufnahmen.

SECTION XVIII.

	L.	M.	S.
Krater	74	118	310
Rillen	2	1	21

NAMEN.

1. Marius.
2. Herodotus.
3. Aristarchus.
4. Wollaston.
5. Lichtenberg.
6. Ulugh Beigh.
7. Lavoisier.
8. Briggs.

9. Hercynii M.
9¹. O. Struve (engl. Beob.)
B. Naumann. (*)
10. Seleucus.
11. Krafft.
12. Cardanus.
13. Vasco de Gama.
C. Schiaparelli (engl. Beob.)

XIII. Oceanus procellarum.

Anm. Von englischen Beobachtern rühren folgende Namen her:
Harlinger Mts., westlich bei Aristarchus.
Schiaparelli, Krater C in 58° östl. Lg. u. + 22°,5 Br.
O. Struve, Ost von Seleucus in 75° östl. Lg. u. + 22°,5 Br.
Ich habe Naumann (*) angesetzt, den Krater in
61°,5 östl. Lg. und + 35° Br.

VERGLEICHUNG DER BEZEICHNUNGEN IN LOHRMANN'S UND MÄDLER'S CHARTEN.

bei Lohrmann:	bei Mädler:	bei Lohrmann:	bei Mädler:
339° Marius	Marius	48	B
3	δ	52	bei g
1	A	34	D η
2	C	35	x
9	λ	33	ι
338	B	413	c
4	C	31	Wollaston
5	B	376° Wollaston	B
6	A	36	C
7	D	377°—37	ε
43	f	42	D
378° Aristarchus	Aristarchus	39	β
45 Herodotus	Herodotus	40. 41	γ
379.° 46. 51. 47	a. M. ζ	414°	B
53	δε	28 = Naumann (*)	unbezeichnet
54	A	29	a
55	B	415° Lichtenberg	Lichtenberg
50	γ	27	β
49	A	Ulugh-Beigh	Ulugh-Beigh

bei Lohrmann:	bei Mädler:		bei Lohrmann:	bei Mädler:
23	A		18	ß
M. Hercynii	M. Hercynii		342° Krafft	Krafft
381° Briggs	Briggs		10	unbezeichnet
21	b		11	unbezeichnet
20	C		340°	unbezeichnet
58	a		16	bei a
57	unbezeichnet		15	d
380°	C		341° Cardanus	Cardanus
56	A		13	c (f)
382° Seleucus	Seleucus		12	unbezeichnet
19	n		Vasco de Gama	Vasco de Gama
383°—26	bei a			

77 Aufnahmen haben gedient, um die Section XVIII. darzustellen.

HÖHENMESSUNGEN.

1. Marius = No. 1. W.-Wall innen:

$\varphi = 3°41'$ b =   649^t M.
4 3   745   M.
4 7   741   M.
5 9   637   S.
5 37   520   M.*
6 2   730   M.
7 26   1071   Sr.*

M.* ist als unsicher von M. angegeben; Sr.* bestimmt zu gross.

Mittel der 5 Beob.:

$\varphi = 4°36'$ h =   700^t = 4200^f.

Marius. O.-Wall innen:

$\varphi = 7°10'$ h =   674^t M.

Marius A, Krater westlich von Marius. W.-Wall innen.

$\varphi = 10°28'$ h =   957^t S.
15 33   1360   S.

Mittel: $\varphi = 13°0'$ h =   1158^t = 6948^f.

W.-Wall aussen:

$\varphi = 1°46'$ b =   319^t M.
2 50   308   S.

Mittel: $\varphi = 2°18'$ h =   313^t = 1878^f.

O.-Wall aussen:

$\varphi = 1°52'$ b =   301^t S.
2 2   418   S.

Mittel: $\varphi = 1°57'$ h =   359^t = 2154^f.

Demnach die Senkung des Bodens westlich = 845^t = 5070^f.

Krater C in NW. von Marius. O.-Wall aussen:

$\varphi = 1°6'$ h =   127^t S.

Marius ε. Hügel am SO.-Walle (Sect. XIX).

$\varphi = 1°51'$ h =   162^t M.

Ausserdem noch folgende Schätzungen von Mädler:

h = 235^t M.   Krater B. Tiefe.
251   M.   - C. -
251   M.   - d. -

2. Aristarchus = No. 3. W.-Wall aussen

$\varphi = 2°23'$ h =   414^t M.

W.-Wall innen:

$\varphi = 4°5'$ h =   744^t S.
4 7   832   S.
4 28   899   S.
4 35   912   Sr.
5 24   1146   S.
6 0   978   S.
6 32   1129   M.
6 43   840   S.
7 10   1258   M.
7 32   1142   M.
7 45   986   S.
7 55   850   M.
9 14   1130   S.

Mittelwerthe:

$\varphi = 4°17'$ h =   838^t 4 Beob.
6 10   1023   4   -
7 55   1073 = 6438^f.   5 Beob.

Die Vertiefung des Bodens unterhalb der Ebene gegen 600^t.

Berg ζ', südlich von ζ, Höhe zu Ost gemessen:

$\varphi = 2°31'$ h =   583^t M.
2 34   576   S.
2 51   512   S.

Mittel: $\varphi = 2°39'$ h =   557^t = 3342^f.

Berg ζ in NO.; gegen Ost gemessen:

$\varphi = 2°11'$ h =   623^t S.
2 33   698   S.
2 35   859   Sr.*   .
2 42   564   S.
2 48   561   M.
3 42   655   M.
3 47   703   M.*

Mittelwerthe:

$\varphi = 2°56'$ h =   651^t = 3906^f.

Bei Mädler, h = 703^t laut Catalog, zu ζ gehörig.

E am NO.-Walle des Aristarchus,
zu Ost gemessen:

φ = 2° 27' h = 771' S.
    3 4   100t   Sr.
    3 15   956   S.
    3 23   777   S.

Mittel: φ = 3° 2' h = 858' = 5148'.

Krater f, südlich bei Aristarchus.

φ = 2° 10' h = 173' M. W.-Wall aussen.
            63   innen.

M. erklärt genügend diese Zahlen nach der Localität.

3. Herodotus = No. 2.

φ = 2° 42' h = 672' M. W.-Wall bei α und β.
    5 0   698   M.   . . . . .
    1 22   252   M.   β zu Ost, eine Ader.
    1 56   364   M.   γ zu Ost, Berg Ost von Herodotus.

Krater C, Ost von Herodotus = Schiaparelli.

φ = 14 47' h = 1063' S. O.-Wall innen.

Krater C, O.-Wall aussen:

φ = 1° 24' h = 222' S.
    1 40   283   S.
    1 50   297   M.
    2 9   333   Sr.

Mittel: φ = 1° 45' h = 277' = 1662'.
Vertiefung gegen 790' = 4740'.

Mädler pg. 280 giebt für C die Höhe irrig = 178', die im Höhencataloge zu folgendem gehört.

Krater A, SO. bei Herodotus.

φ = 1° 31' h = 178' M. O.-Wall aussen.

Ader t daselbst.

φ = 1° 30' h = 300' Sr.

Kleiner Krater B', südlich vom Krater B, dieser im Osten des Herodot, B' auf einer Ader; Osthöhe.

φ = 2° 6' h = 147' M.

Bei Marius Nord, Hügelzug.

φ = 0° 48' h = 70' Sr.

Krater B, östlich von Herodotus, SW. von C. Dessen O.-Wall aussen:

φ = 1 27' h = 153' S.
    1 51   147   S.

Mittel: φ = 1° 39' h = 150' = 900'.

Grosse Rille bei Herodotus, Tiefe bei E.

φ = 10° 42' h = 260' S.

4. Wollaston B, α, der Nordgipfel.

φ = 1° 45' h = 307' M. zu West gemessen.
    2 5   251   S.   - Ost
    2 11   429   M.   - -

φ = 2° 46' h = 482' S. B, SO.-Wall aussen.
    2 7   417   M. B, O.- -
    2 16   222   S. B, W.- -

Wollaston.

φ = 1° 22' h = 117' M. C. O.-Wall aussen.
    2 39   425   Sr.

Berg β, NW. von Aristarchus, zu West gemessen:

φ = 1° 43' h = 357' S.
            491   M.

Berg ε, nördlich vom Vorigen.

φ = 3° 11' h = 959' S.
            654   M. Nicht im Cataloge.

Andere Berge.

φ = 1 28' h = 228' S. Berg e, Nordgipfel von β.
    2 41   681   S.   - γ.
    2 43   981   M.   - γ.
    2 7   521   S.   - e, Nordgipfel von γ.
    2 21   538   S.   - b, Südgipfel von f,

schon der anstossenden Section angehörig. In Mädler's Texte, pag. 279 steht 982' statt 981' im Cataloge.

5. Krater in SW. von Aristarchus, gegen Bessarion hin.

φ = 0° 50' h = 61' M. D, O.-Wall aussen.
    1 33   105   M. C. -

In Mädler's Texte pag. 276 steht 70' statt 61' im Höhencatalogc.

6. Hercynische Berge, H, oder No. 9.

φ = 3° 15' h = 539' Sr. α zu Ost.

7. Briggs = No. 8.

φ = 0° 44' h = 45' S. Ader S. von Briggs.
    0 55   66   S. A, O.-Wall aussen.
    2 21   482   S. d, NO.-Wall aussen.

Da bei M. kein d existirt, so wird man bei mir wohl b lesen müssen; es ist dann der Krater NO. bei Briggs = No. 8.

8. Seleucus = No. 10. W.-Wall innen:

φ = 3° 34' h = 564' Sr.
    7 27   1331 S.
φ = 0° 34' h = 27' M. Ader 4 Meil. N. v. Sel.
    1 3   79   S. A, O.-Wall aussen.

9. Krafft = No. 11. W.-Wall innen:

φ = 4° 41' h = 637' Sr.

10. Cardanus = No. 12. W.-Wall innen:

φ = 4° 41' h = 637' Sr.

Neigungswinkel.

Aristarchus, O.-Wall innen   M = 55°

33

BEMERKUNGEN.

1842 Juli 19, Aug. 17, Sept. 18. Die ersten Aufnahmen.

- Nov. 13. Der östliche Theil der Herodot-Rille hat eigene Wälle oder erhöhte Ränder.

- Sept. 13, 17, 28, Dec. 14. Die 2 Nordkrater A bei Aristarch gesehen, und einen der Gruppe B.

1843 März 13. Bei guter Luft wurden am 4füssigen Refractor in Nord bei Aristarch A 2 Krater, bei B, SW. von Wollaston 2 Krater gesehen; der östliche erschien später nicht mehr.

1847 Mai 24 ward zu Bonn sehr genau die Gegend westlich von Aristarch gezeichnet, ohne dort Rillen zu sehen. Im B (NW. von Aristarch) ward in dem südlich eingreifenden Krater ein Centralberg bemerkt, und im N.-Walle fand ich Krater, die später nicht mehr gesehen wurden.

1848 Jan. 17. Im NO.-Walle des B (dem Nachbarn von No. 4) ein Krater. In der Gruppe B' nördlich von Aristarch wurden 2 Krater, und bei A 4 Krater gesehen. An der mittlern Bucht oder Ecke der grossen Rille des Herodot zeichnete ich einen Krater, und solchen östlicher, in der Rille selbst.

- Sept. 14. Am 8füssigen Heliometer erschien die innere Fläche des Aristarch aus sehr vielen leuchtenden Punkten gebildet; um sich hat der Krater einen dunkelgrauen, vielleicht bläulichen Nimbus.

1849 März 6. Am 5füssigen Refractor fand ich NW. im Innern des Marius einen sehr deutlichen kleinen Krater.

1851 Jan. 14. Aristarch noch zum Theil beschattet, hat blaues Licht in den grauen Bergen gegen SO., nicht an den hellen Theilen, auch im Innern nicht; bläulich erscheint auch das Plateau zwischen ihm und Herodot, sehr auffallend verschieden von dem braungrauen Hügellande der grossen Rille im Norden. — In der N.-Fläche des Marius ein heller Punkt, bei schlechter Luft nicht zu deuten.

- Jan. 16. Im Marius der Krater sehr deutlich. Am Meridiankreise sah ich blaues Licht am Aristarchus, aber nur auf dem grauen Nimbus.

- Jan. 17 nach einer Finsterniss dieselbe Erscheinung.

- Febr. 13. Im Marius der Centralberg, und mehr in NW. der kleine Krater sehr deutlich. Blaues Licht sehr stark in der dunklen Umgebung des Aristarch, nicht in der hellen Tiefe. Im NNO.-Rande des Herodot ein kleiner Krater.

- Febr. 15 ward Aristarch im Vollmonde gezeichnet. Die weissen radialen Streifen beginnen am Centralberge, und erstrecken sich wie die Speichen eines Rades (ähnlich wie im Plinius) gegen den Kraterwall. Dann ziehen sie weiter durch den grauen Nimbus, und verlieren sich in grossen Entfernungen im dunklen Mare. In der südlichen Ebene des Herodot liegt ein weisser Halbkreis. Der grosse Krater am innern SW.-Walle des Krafft fehlt bei Mädler, der den äussern Krater verzeichnet, sowie Hügel nördlich im Innern. Auch Lohrmann hat ersterwähnten ansehnlichen Krater nicht, der indessen auch nur in günstiger Libration gut gesehen wird.

1854 Sept. 4. Das ganze Gebiet zwischen Aristarch und der grossen Rille ist deutlich braun; nur der erstern Nimbus ist blaugrau; beides sehr verschieden von dem Grüngrau des Oceanus.

1855 Sept. 23. Marius kleiner Krater gut kenntlich. Nachdem 1¼ Tage lang die Phase den Aristarch überschritten hatte, fand ich bei sehr klarer, jedoch nicht stiller Luft, den dunklen Nimbus rings um Aristarchus schön violettfarbig. An dieser Farbe hatte der weisse Wall und der Boden des Kraters gar keinen Antheil.

- Sept. 26. Höchst klare stille Luft. Sehr auffallend war der violett-blaugraue Nimbus um Aristarchus; er zog gegen SO. zu beiden Seiten des bekannten Lichtstreifens am Herodot. Pytheas und Pico, auf dunklem Grunde liegend, zeigten nichts Aehnliches, kaum Tycho, Manilius und Proclus, wohl aber die graue Ebene des Condorcet und Cleomedes, der Boden rings um Ramsden, sowie die Ränder der grossen Streifen Tycho's im Mare nubium.

1862 Mai 10. (Athen). Bei vorzüglich guter Luft und günstiger Libration wurden die ausgezeichneten Rillen bei Aristarchus und nördlich bei Marius entdeckt.

- Juli 8 wurden diese Rillen wiedergesehen.

1865 Jan. 8 und Febr. 12. Marius kleiner innerer NW.-Krater war sehr leicht zu erkennen.

- Nov. 30 ward die geschlängelte Rille N. bei Marius gesehen und gezeichnet.
- Dec. 1 fand ich eine neue Rille S. bei Cardanus.

1866 Nov. 19. Die Kratergruppe B' bei Aristarch NW. sehr deutlich, aber die Rillen nicht sichtbar.

1867 Jan. 17, die Rillen NW. bei Aristarch unsichtbar.

1869 Aug. 8, Oct. 6. Dieselbe Bemerkung.

1871 April 1, Mai 30. Dieselbe Bemerkung.

1872 Mai 23 zeichnete ich eine neue Kraterrille zwischen Cardanus und Kraft.

1873 April 14. Aristarch's dunkler Nimbus lebhaft violett gefärbt.

Anm. 1. Ueber eine auffallende Figur (gekrümmte Parallel-Wälle, NNW. bei Aristarchus, innerhalb der grossen Rille) vergl. man Gruithuysen in Bode's Jahrbuch für 1828, pag. 108. Die Abbildung dazu, im Jahrbuche Bode's für 1829, datirt Jan. 1, 1825, Abds. 5 Uhr.

Anm. 2. Man kennt die Fabeln, die seit William Herschel's Zeit über den „Mondvulkan" Aristarchus verbreitet wurden, auf deren Besprechung ich jedoch nicht eingehen kann. Sie würden Rücksicht verdienen, wenn sie von Kennern, von viel erfahrenen Beobachtern des Mondes, wie Schröter, herrührten. Auch die hellen Flecken nördlich von Aristarchus, gegen den Heraclides hin, deren merkwürdigen Glanz an der Phase Olbers und Lohrmer 1825 bemerkt haben, müssten ihrem Orte nach genauer angegeben sein. Ich kann nur vermuthen, dass, nach einer Notiz von Lohrmer (Bode's Jahrbuch für 1824, pag. 243), eine Stelle nordöstlich bei Delisle gemeint sei.

Anlangend Aristarch's ungewöhnlichen Glanz in der Nachtseite, den Kater 1821 Febr. 4, Olbers am 5. Febr. desselben Jahres beobachtete, ist zu verweisen auf den damals erschienenen Band der Philos. transact. und auf Götting. gel. Anzeigen 1821, pag. 46. Eine wie immer treffliche und sehr besonnene Erwägung von Olbers findet man in Bode's Jahrbuch für 1824, pag. 228. Ueber die 1821 von Browne im Aristarchus gesehenen 2 kleinen Oeffnungen lässt sich ohne Abbildung nicht urtheilen. Meine Charte hat 2 kleine Krater innerhalb der Tiefe, 3 auf dem höchsten Walle, und 9 oder 10 in den äussern Terrassen. Die erste Nachricht über die Herscheln zugeschriebenen Aussagen über Eruptionen auf dem Monde scheint Zach gegeben zu haben in Bode's Jahrbuch für 1788, pag. 144.

SECTION XIX.

	L.	M.	S.
Krater	170	212	782
Rillen	5	3	27

NAMEN.

1. Galilaei.
2. Hermann (engl. Beob.).
3. Melloni (*).
4. Reiner.
5. Marius.
6. Kepler.
7. Encke.
8. Olbers.
9. Cavalerius.
10. Hevelius.
11. Damoiseau.
12. Lohrmann.
13. Riccioli.
14. Grimaldi.
15. Rocca.
16. Flamsteed.
17. Letronne.
18. Hansteen.

XIII. Oceanus procellarum.

Anm. Der Name Hermann, in England gewählt, bezieht sich auf den Krater in 38° Lg. und 1°,5 südl. Br.

Melloni(*) von mir angenommen, gilt dem Krater No. 3, in 54° Lg. und 7°,5 südl. Br. N. von Hansteen.

Wichmann = Euclides a, in 38° Lg. und 7°,7 südl. Br. von Neison benannt.

VERGLEICHUNG DER BEZEICHNUNGEN IN LOHRMANN'S UND MÄDLER'S CHARTEN.

bei Lohrmann:	bei Mädler:	bei Lohrmann:	bei Mädler:
294* Kepler	Kepler	72	B
61	unbezeichnet	73	D
62	z	71	unbezeichnet
60	i	70	J
63	d	339* Marius	Marius
64	E	77	bei A
66	C	296* Reiner	- Reiner
69	d	79	bei γ
67. 69	J	78 Galilaei	Galilaei
56	bei g	80	b
295	unbezeichnet	81	b
293* Encke	Encke	301* Olbers	a. Olbers
57	Jf	84	bei δ
58	i	82	bei γ
59	bei E	299* Cavalerius	Cavalerius

bei Lohrmann:	bei Mädler:	bei Lohrmann:	bei Mädler:
83	b	29. 30	c. b
86	a	32 Rocca	Rocca
85	bei γ Olbers	33	d (?)
74	A	34	c
75	C	18	d
76	e	31	β
297*	d	19	e
298* Hevel	Hevel	16 Hansteen	Hansteen
89	B	17	bei γ
88	a	20 = Melloni (*)	fehlt
90	bei κ	14	δ
87	ε	246*	E
91	c	22	η
92	B	21	bei ζ
300	C	245* Flamsteed	Flamsteed
Lohrmann	Lohrmann	13	C
40	bei γ	5	B
45	A	52	d
47	f = Hermann (engl. Beob.)	55	B
48. 49	bei e	54	A
250* Riccioli	Riccioli	53	f
249* Grimaldi	Grimaldi	10	Γ
35	β	11	B
39. 38	ed	12	e
41	B	7	a = Wichmann (engl. Beob.)
42	A	9	unbezeichnet
43	bei Δ	8	unbezeichnet
247* Damoiseau	Damoiseau	4	A
46	c	6	f
23	bei c	199* Letronne	Letronne
24	a	2	δ
25	D	1	B
26	f	14	δ
248* 27	Be		

A n m. Der ansehnliche Krater 20 (bei Lohrmann), der in meiner Charte mit No. 3 = Melloni bezeichnet ist, fehlt bei Mädler. Er liegt in 54° östl. Länge und in — 7°,5 Breite. Mädler hat an dieser Stelle nur schwache Hügelzüge, sowie er auch den starken Krater am W.-Walle des Damoiseau nicht zeichnet, sondern nur dessen südlichen Nachbarn e. In Mädler's Texte, pag. 315, ist der fragliche Krater sicher nicht erwähnt, auch nicht pag. 336 und 337. Ich will indessen bemerken, dass ich den Krater an der Phase gesehen habe, gegen Norden offen, und nur von Aussehen zweier mässig heller Hügel, die bei solcher Lage und Beleuchtung sich nicht als Kraterwall auffassen lassen.

HÖHENMESSUNGEN.

1. Marius = No. 5, Umgegend.
φ = 1° 45' h = 407' Sr. Ader südlich, ein Gipfel.
1 58   96   Sr.

2. Reiner = No. 4. W.-Wall innen:
φ = 5° 59' h = 601' Sr.
                778 Sr.
9 16   1551 M.
Mädler pg. 276 hat 1550'.
O.-Wall innen:
φ = 11° 45' h = 989' S.
14 52   1156 S.
Mittel: φ = 13° 18' h = 1072' = 6432'.
φ = 1° 35' h = 78' Sr. C, O.-Wall aussen.
1 58   175 Sr. A,
            112 M. Ader südlich bei F
in + 0°5 Breite.

3. Kepler = No. 6. W.-Wall innen:
φ = 5° 28' h = 1104' M.
6 28   946 S.
6 34   952 S.
6 39   672 Sr.
6 48   959 M.
7 6   954 M.
9 42   1122 M.
10 43   1165 S.
10 45   1099 S.
Mittel: φ = 6° 29' h = 983'
10 23   1129 = 6774'.
O.-Wall innen:
φ = 10° 26' h = 1306' S.
13 35   1567 M.
Mittel: φ = 12° 0' h = 1436' = 8616'.
Krater C, O.-Wall aussen:
φ = 1° 15' h = 210' S.
1 45   282 M.
1 48   328 S.

φ = 1° 50' h = 335' S.
2 9   290 S.
2 37   300 M.
Mittel: φ = 1° 54' h = 274' = 1644'.
Berg z, gegen Osten gemessen:
φ = 1° 35' h = 172' M.
1 45   282 S.
Mittel: φ = 1° 40' h = 227' = 1362'.
Berg NW. bei z.
φ = 3° 4' h = 514' M.
Berg J Nordcap, zu West gemessen:
φ = 1° 31' h = 270' S.
Berg 0, zu Osten gemessen:
φ = 2° 43' h = 364' M.

4. Encke = No. 7. Berg i, zu Ost gem.:
φ = 2° 1' h = 519' M.
2 26   539 S.
2 38   605 S.
2 45   460 M.
Mittel: φ = 2° 28' h = 531' = 3186'.
Encke, Berg k, zu Ost gemessen:
φ = 1° 58' h = 315' M.
Berg 3, zu Ost gemessen:
φ = 2° 50' h = 459' M.
3 54   450 M.
Mittel: φ = 3° 22' h = 455' = 2730'.

5. Letronne = No. 17.
φ = 3° 15' h = 521' M. Westg. zu Ost gem.
5 28   1104 M.
2 0   493 M. W.-Cap.
3 28   472 M. W.-Wall-Mitte.
3 46   297 M. NW.-Cap.
2 44   408 S. NWg.
2 37   594 S. SWg.
1 53   331 S. f, bei F.

6. Flamsteed = No. 16.

$\varphi = 10° 37'$ $h = 980'$ M.   W.-Wall innen.
   1 20   221   S.   W.-Wall aussen.
   2 29   220   M. O.- -
        Vertiefung 760'.

Flamsteed E zu Ost, aussen:

$\varphi = 1° 50'$ $h = 466'$ S.
   2   5   561   M.
   2 50   538   M.
   2 53   670   S.
   2 56   535   M.

Mittel: $\varphi = 2° 31'$ $h = 554' = 3324'$.

Berg A, zu Ost gemessen:

$\varphi = 1° 14'$ $h = 179'$ M.

Ader in 45° Lg. und $+ 0,5$ Br.

$\varphi = 1° 13'$ $h = 112'$ M. gegen West gem.

Berg B, zu Osten gemessen:

$\varphi = 1° 34'$ $h = 310'$ M.
   2 28   379   M.

A, O.-Wall aussen:

$\varphi = 2° 53'$ $h = 203'$ M.

B, W.-Wall aussen:

$\varphi = 0° 50'$ $h = 96'$ S.

7. Damoiseau = No. 11.

$\varphi = 2° 47'$ $h = 426'$ M. zu Ost gem.

ein Punkt in 58° Lg. und $- 7,7$ Br.

8. Grimaldi = No. 14. Zu Ost gemessen:

$\varphi = 3° 11'$ $h = 1358'$ M.   SW.-Wall, S. von 3.
   3 24   1413   M.   SW, 3.

Krater B im Grimaldi, O.-Wall innen:

$\varphi = 26° 13'$ $h = 1434'$ S.
   28 31   1745   S.

Mittel: $\varphi = 27° 22'$ $h = 1589' = 9534'$.

9. Lohrmann = No. 12.

$\varphi = 1° 40'$ $h = 371'$ Sr.   SO. aussen, f.
   1 40   194   Sr.   O.   - f.
   0 51   70   Sr.   Ader Nord } an 2
   0 51   17   Sr.   - - Stellen.

10. Hevelius = No. 10.

Der (Schröter'sche) Krater A, O.-Wall innen:

$\varphi = ...$ $h = 1400'$ S. geschätzt.
   27° 38'   1670   S.

11. Cavalerius = No. 9.

$\varphi = 5° 30'$ $h = 1498'$ M.   W.-Wall innen.
   7   5   591   Sr.°
   7 50   1720   S.   NW.-Wall innen.
  10   1   1571   M.   O.-Wall innen.

12. Riccioli = No. 13.

$\varphi = 4° 37'$ $h = 1577'$ S.   W.-Wall, Maximum, zu Ost gemessen.

   7   4   1949   S.   W.-Wall, Maximum.
   2 17   746   S.   SW.-Wall.
   2 27   714   S.   Centralberg.
   3 58   548   S.   - geschätzt

13. Galiläi = No. 1.   O.-Wall aussen:

$\varphi = 1° 38'$ $h = 311'$ S.
   2 11   372   S.

Mittel: $\varphi = 2° 0'$ $h = 341' = 2046'$.

Galiläi, nördl. Nachbar, O.-Wall aussen:

$\varphi = 1° 23'$ $h = 211'$ S.
   1 45   284   S.

Mittel: $\varphi = 1° 34'$ $h = 247' = 1482'$.

Neigungswinkel.

Hevel A. O.-Wall innen   M = 50°

98 Aufnahmen bildeten die Grundlage von Section XIX.

BEMERKUNGEN.

1841 Sept. 12. Morgens, sah ich an nur 20maliger Vergrösserung des 4füssigen Dollond (zu Eutin) deutlich den schwarzen Schröter'schen Krater A im Hevelius.

1842 Jan. 6 und 23 war dieser Krater weniger leicht sichtbar.

- Juni 30. Morgens 7 Uhr. In Grimaldi's W.-Walle 3 helle Punkte.

- Aug. 2. 3. Die ersten grösseren Aufnahmen des Grimaldi. Den stets leicht sichtbaren Hevelius A werde ich in Betreff seiner Sichtbarkeit in der Folge nicht mehr nennen. In der nördlichen Fläche des Riccioli ein dunkler Fleck.

- Sept. 17 ward zu Hamburg am 6füssigen Refractor der Aufgang der Sonne über Grimaldi und Hevel beobachtet, bei guter Luft und günstiger Libration. Grimaldi hat im W.-Walle eine sehr niedrige Stelle; nördlich davon 3 Gipfel. Im Hevel ward zuerst der Centralberg sichtbar, dann der W.-Wall von A, und nachher die centrale Anschwellung des Kraterbodens. Als der Schatten des W.-Walles schon lange die Mitte verlassen hatte, erschien ein grosser Theil der heute erleuchtet, aber östlich vom Meridian der Mitte an war Alles noch tiefe Nacht, mit Ausnahme der hohen Kämme des Ostwalles. (Original No. 107).

1842 Sept. 29, um Mittag, sah ich in Riccioli NO.-Ebene einen schwarzen Kraterpunkt, ähnlich dem in Hevelius.

- Nov. 16. Phase am O.-Walle des Riccioli; nun bilden dieser und 2 grosse Ringgebirge im Norden eine merkwürdige Nachahmung der Gruppe Grimaldi, Hevelius und Cavalerius. Selbst das Analogon von Lohrmann ist vertreten, wenn auch etwas verschoben.

1843 Febr. 13. Im Riccioli liegt der graue Fleck im Norden.

- Oct. 19. Im nördlichsten Theile der Ebene war Riccioli dunkel gefärbt.

1848 Sept. 14. (Bonn). Am 8füssigen Heliometer zeigte bei fast senkrechter Beleuchtung der Lichtfleck östlich bei Reiner die Form eines beträchtlichen Ringwalles, von dem man an der Phase Nichts gewahrt.

- Sept. 17. Westlich vom vorerwähnten Lichtkreise, und mit ihm verbunden, liegt eine kleinere Ringform. So ward es auch Oct. 12 gesehen.

1851 Jan. 14. Der Lichtfleck östlich von Reiner ist nahe der Phase noch als solcher kenntlich, doch ohne Schatten.

- Jan. 16. Bei hoher Beleuchtung ist vom Mairan nur der Ostwall ziemlich gut sichtbar.
- Febr. 14. Im Flamsteed eine schwache Centralhöhe.
- Febr. 15. Spur einer Centralhöhe im Cardanus.

1854 Febr. 11. Ueberraschend erschien die Aehnlichkeit zwischen der Gruppe Grimaldi-Cavalerius, und der östlich benachbarten, Riccioli-Olbers. — Zwischen diesen letzteren liegt eine sehr anomale Wallebene mit ganz zerklüftetem Ringwalle, und in der Mitte höheres Land, mit vielen langen Hügeln.

1865 Jan. 10. Grimaldi O.-Wall in der wachsenden Phase; die innere graue Ebene erschien expandirt, schön violettgrau, wie keine andere Stelle des Mondes, und wie ich es derart auch vormals nie gesehen habe.

- Jan. 19 lag östlich von Reiner und Marius eine lange Kette heller Punkte und Flecken im Mare.
- Febr. 19. Südlich von Cardanus vielleicht eine Rille.
- April 10. Der in der nördlichen Ebene des Riccioli liegende Fleck ist unregelmässig geformt und an seinen Rändern merklich dunkler.
- Juli 6. Bei Aufgang der Sonne war Grimaldi's Ebene mit grünlichem Schimmer überzogen (siehe Jan. 10), mehr als jeder andere graue Fleck des Mondes.
- Juli 9. Grimaldi graugrün, an den Rändern dunkler, und dort bläulich. Der gleichzeitig der Phase nahe Endymion war violett-grau.

1868 Juni 3. Bei Aufgang der Sonne ward Grimaldi's Ebene zuerst durch die Senkung im W.-Walle erleuchtet. Das so erhellte Stück der Ebene war violett-grau.

1870 Sept. 18. Hevelius A ist bei 50° Abstand von der Phase im Innern dunkelgrau; der wirkliche Schatten fehlt.

1873 April 16. Grimaldi blaugrau, als die abnehmende Phase an Römer lag.

Anm. Ein seltsames Gebilde sah Gruithuysen in Grimaldi's nördlicher Ebene 1824 Juli 24, Morgens 3 Uhr. (Bode's Jahrbuch für 1828, pag. 108. Die Abbildung im Jahrbuche für 1829).

SECTION XX.

	L.	M.	S.
Krater	286	248	1454
Rillen	6	5	27

NAMEN.

1. Gassendi.
2. Mersenius.
3. Cavendish.
4. Vieta.
5. Fourier.
6. Piazzi.
7. Lagrange.
8. Byrgius.
9. Eichstädt.
10. Darwin (*).
11. Palmieri (*).
12. de Gasparis (*).
13. Liebig (*).
14. Crüger.
15. Fontana.
16. Sirsal.
17. Billy.
18. Hansteen.
19. Zupus.

V. Mare humorum.
9. 33. Montes Rook.
32. Montes d'Alembert, Ost von Grimaldi.

Anm. Neue von mir gewählte Namen sind die Folgenden:
Darwin (*), gr. Wallebene in 70° östl. Lg. und 20° südl. Br.
Palmieri (*), Krater » 47.5 » » 28.5 » »
de Gasparis (*), Krater » 51 » » 25.5 » »
Liebig (*), gr. Krater » 48 » » 23.7 » »
Die englischen Beobachter nennen Percy Mounts das Gebirg
SO. bei Gassendi.

VERGLEICHUNG DER BEZEICHNUNGEN IN LOHRMANN'S UND MÄDLER'S CHARTEN.

bei Lohrmann:	bei Mädler:	bei Lohrmann:	bei Mädler:
5	C	9	d
6	e — ξ	8	A
7	A	14	b
1. Piazzi	Piazzi	11 = Palmieri (*)	b
2. Lagrange	Lagrange	19	C
104°	bei d	150°	g
4	bei f	21	unbezeichnet
3	b	22	b
17	fehlt	20	F
16	B	24	d
15	A	25	E
154° Vieta	Vieta	23 = Liebig (*)	a
18	δ	28 = de Gasparis (*)	d
103° Fourier	Fourier	31	L
10	a	152° Mersenius	Mersenius
			34

bei Lohrmann:	bei Mädler:	bei Lohrmann:	bei Mädler:
27	unbezeichnet	201* Zupus	Zupus
153* Cavendish	Cavendish	36	bei γ
29	a	33	unbezeichnet
30	unbezeichnet	32	c
75	c	50	β
158*	c	47	unbezeichnet
74	unbezeichnet	46	fehlt
156* Byrgius	Byrgius	42	G
61	A	41	τ,
59	B	37	bei H
155*	c	197* Gassendi	Gassendi
60	B	38	b
35	B	39	A
73	e	45	c
62	bei d	40	b
63	a. b	44	A
157*	bei C	43	unbezeichnet
69	B	198*	bei F
68	bei δc	48	A
77 Eichstädt	Eichstädt	200* Billy	Billy
159*	bei d	49	bei a
76	unbezeichnet	51	a
78	unbezeichnet	53	bei A
79 O.-Wall Darwin (*)	A	52	b
72	b	202* Hansteen	Hansteen
71 Cräger	Cräger	55	a
83	δ	57	c
66	a	205* Sirsal	Sirsal
54 Fontana	Fontana	56	J
65	unbezeichnet	83—82	g. f
58	A	80	unbezeichnet
203*	unbezeichnet	84	bei a

Anm. Zweimal fehlen bei Mädler ansehnliche Krater (No. 27 und No. 46 Lohrmann), die bei Lohrmann und mir vorkommen. Aber jeder Kenner wird zugeben, dass dergleichen sich oft ereignen kann, wenn gewisse Gegenden nicht häufig genug beobachtet wurden, besonders wenn es sich um Berg- oder Hügelland handelt, welches stark unter dem Einflusse der Libration steht.

HÖHENMESSUNGEN.

1. Gassendi = No. 1. W.-Wall innen:
$\varphi = 2° 52'$ h = 794' M.*
    2 53   575   Sr.*
    4 55   895   S.
$\varphi = 4° 30'$ h = 998' S. NW.-Wall innen.
    4 45   567   S. SW.- -
    4 50   1450   S. N.-Gipfel -
    6 24   905   M. -
    7 6   890   M. -
    3 49   1202   M. N.-Gipfel zu W. gem.
Gassendi. O.-Wall innen:
$\varphi = 7° 16'$ h = 1495' M.
    14 0   1114   M.
Mittel: $\varphi = 10° 38'$ h = 1304' = 7824'.
Berg in 36.5 Lg. und — 14.4 Br.
$\varphi = 4° 10'$ h = 554' M. zu Ost gemessen.
Centralberge Gassendi, zu Ost gemessen:
$\varphi = 1° 13'$ h = 203' S.* der nördliche.
    1 20   221   Sr.*
    2 6   506   S. - -
    2 39   622   S. - -
    2 52   583   S. - -
    2 59   626   S. der südliche.
zu West gemessen:
$\varphi = 5° 19'$ h = 551' M.
Mädler's Zahl (pag. 320) h = 626' ist in seinem Höhencataloge nicht zu finden.
Als Mittelwerthe kann man annehmen ohne Sr.* u. S.*:
Gassendi,
W.-Wall innen $\varphi = 3° 53'$ h = 845' = 5070'
O. - -   10 38   1304 = 7824
N. Centralberg   2 29   570 = 3420
Gassendi A, nördl. Krater. W.-Wall innen:
$\varphi = 5° 13'$ h = 584' Sr.*
    8 36   1257   S.
    10 5   1784   S.
Mittel ohne Sr.*:
$\varphi = 9° 20'$ h = 1520' = 9120'.

Sr. Messung ist deshalb vom Mittel ausgeschlossen, weil bei $\varphi = 5°$ der Schatten am Abhange des O.-Walles liegt.
Gassendi A. O.-Wall innen:
$\varphi = 12° 32'$ h = 1654' S.
    12 36   1995   M.
    18 3   1584   S.
Mittel: $\varphi = 13° 24'$ h = 1744' = 10464'.
Krater b, N. von A. W.-Wall innen:
$\varphi = 4° 45'$ h = 395' Sr.
Krater D, NO. bei Mersenius (No. 2).
O.-Wall aussen:
$\varphi = 2° 17'$ h = 360' M.
Berg k, zu Ost gemessen:
$\varphi = 2° 1'$ h = 528' M.
2. Mersenius = No. 2. W.-Wall innen:
$\varphi = 3° 40'$ h = 776' M.
    4 4   1300   M.
    4 17   908   M.
    5 21   1245   M.
    6 13   1161   M.
    7 35   1539   M.
    7 43   1140   S.
Mittel: $\varphi = 4° 0'$ h = 995'
    5 47   1203
    7 39   1339 = 8034'.
O.-Wall aussen:
$\varphi = 3° 3'$ h = 531' S.
    3 53   798   S.
Mittel: $\varphi = 3° 28'$ h = 664' = 3984'.
SW.-Wall innen:
$\varphi = 4° 45'$ h = 1090' S.
    5 15   1223   S.
    5 37   1039   S.
    6 0   1141   S.
Mittel: $\varphi = 5° 24'$ h = 1123' = 6738'.
Mersenius, Beule im Krater, zu Ost gem.
$\varphi = 2° 39'$ h = 240' S.

34*

277

Berg α in NW. von Mersenius.

Zu Ost gemessen:

$\varphi = 2° 34'$ $h = 603^t$ S.
    3   1   834   M.
    3   4   946   M.

Mittel: $\varphi = 2° 49'$ $h = 794^t = 4764'$.

Zu West gemessen:

$\varphi = 7° 38'$ $h = 1542^t$ M.

Krater a = Liebig (*). S. am Mersenius.

W.-Wall innen:

$\varphi = 4° 40'$ $h = 1122^t$ M.
    4 58   1053   S.
    5 13   1288   M.
    6 17   1032   S.
    6 57   1188   M.
    7 10   1057   S.

Mittel: $\varphi = 5° 52'$ $h = 1123^t = 6738'$.

Krater a, W.-Wall aussen, über dem Mare hamorum:

$\varphi = 3° 57'$ $h = 2120^t$ S.
    5 19   2522   Sr.
    5 25   2123   Sr.

Mittel: $\varphi = 4° 30'$ $h = 2221^t = 13326'$.

Also liegt der Boden von a um 1098^t höher als das Mare, eine der Wahrheit sehr nahe Angabe.

Krater a. O.-Wall aussen:

$\varphi = 2° 15'$ $h = 993^t$ S.
    4   8   903   S.
    4 58   1053   S.
    5 31   678   M.*
    6 28   971   S.

Mit Ausschluss von M.* ist das Mittel:

$\varphi = 4° 35'$ $h = 980^t = 5880'$.

Wird der Wall ringsum gleich hoch angenommen, so würde folgen, dass die östliche Ebene 1241^t höher liege als das Mare hamorum, und 143^t höher als der Boden von a.

Krater b, südlich bei a, dessen W.-Wall gegen O. gemessen, wenn er den O.-Wall überschattet:

$\varphi = 3° 46'$ $h = 1682^t$ S.
    4 53   1873   S.
    5 13   1719   S.
    5 23   1703   S.
    5 23   1652   S.
    5 28   1748   S.
    5 44   1704   M.
    6   2   1913   S.
    6 33   1518   M.
    7 25   1629   S.

Mittel: $\varphi = 5° 35'$ $h = 1714^t = 10284'$.

Mädler's Angabe im Höhencataloge No. 276 heisst irrig h anstatt b.

Krater b. O.-Wall nach aussen:

$\varphi = 4° 24'$ $h = 893^t$ S.

Krater b, W.-Wall zu West, über d. Mare gemessen:

$\varphi = 6° 23'$ $h = 1741^t$ S.
    6 27   1922   S.

Mittel: $\varphi = 6° 25'$ $h = 1831^t = 10986'$.

Die östliche Ebene liegt hier also 117^t höher als das Mare, und der O.-Wall ist gegen 700^t niedriger als der W.-Wall.

Gebirg zwischen b und a, zu Ost gemessen:

$\varphi = 3° 57'$ $h = 1647^t$ S.
    4   9   1394   S.
    4 12   1326   S.
    5 37   1326   S.

Mittel: $\varphi = 4° 29'$ $h = 1423^t = 8538'$.

Es wird der westlich liegende Grat gemeint sein.

Krater d, W.-Wall über dem Mare gemessen:

$\varphi = 2° 47'$ $h = 1048^t$ S.

Gebirg zwischen d und a, zu West gemessen:

$\varphi = 2° 24'$ $h = 495^t$ S.

Darunter muss wohl der Zug südlich von d verstanden werden.

Ader westlich von d, zu West gemessen:

$\varphi = 1° 49'$ $h = 289^t$ S.

Berg am SW.-Walle Mersenii, zu West gem.:

$\varphi = 3° 35'$ $h = 833^t$ S.

Berg am W.-Walle Mersenii, zu West gem.:

$\varphi = 3° 29'$ $h = 789^t$ S.

Berg nördlich von e, zu West gemessen:

$\varphi = 3° 15'$ $h = 1140^t$ S.

SO.-Rand des Mare hamorum, ein Berg in 45°,4 Lg. und — 27°,4 Br., zu Ost gemessen: $\varphi = 5° 12'$ $h = 1566^t$ M.

3. Billy. W.-Wall innen. No. 17.

$\varphi = 3° 18'$ $h = 719^t$ S.   SW.-Wall.
    3 35   631   M.   W.-Wall.
    3 51   473   M.   -
    4 23   528   M.   -
    6   3   440   M.   -

Mittel für W.-Wall:

$\varphi = 4° 28'$ $h = 518^t = 3108'$.

Billy. SO. und O.-Wall aussen:

$\varphi = 2° 4'$ $h = 393^t$ S.
    3 24   382   M.

Mittel: $\varphi = 2° 44'$ $h = 387^t = 2322'$.

Mädler sagt im Texte p. 336: h = 349^t anstatt 382^t wie der Catalog der Höhen angiebt.

4. Hansteen = No. 18. W.-Wall innen:

$\varphi = 2° 33'$ $h = 587^t$ M.
    2 41   300   S.

Mittel: $\varphi = 2° 37'$ $h = 443^t = 2658'$.

Haasteen. O.-Wall aussen:
$\varphi =$ 2° 2' h = 469' M. O.-Wall.
2 28 562 S. SO.-
2 31 404 M. O.-
Mittel für O.-Wall:
$\varphi =$ 2° 16' h = 436' = 2616'.

5. Zupus. Berg α.
Gegen Ost gemessen:
$\varphi =$ 1° 26' h = 278' S.
4 16 883 S.
Gegen West gemessen:
$\varphi =$ 3° 32' h = 708' M.
4 21 694 M.
Mittel: $\varphi =$ 3° 56' h = 731' = 4386'.
Zupus, Berg β, zu Ost gemessen:
$\varphi =$ 1° 57' h = 515' M.
3 19 638 S.
Mittel: $\varphi =$ 2° 38' h = 576' = 3456'.
In meiner Charte fehlen die Buchstaben α und
β. α liegt dicht unter der Zahl 19; β ist das grosse
Gebirg links oder westlich davon, Süd von Billy.

6. Sirsal = No. 16. O.-Wall innen:
$\varphi =$ 16° 32' h = 1588' M.
16 48 1613 S.
Mittel: $\varphi =$ 16° 40' h = 1600' = 9600'.

7. Crüger = No. 14.
h = 160' Schätzung.
Crüger a. W.-Seite.
h = 750' M. Schätzung.

8. Byrgius = No. 8.
$\varphi =$ 5° 8' h = 1852' S. W.-Wall innen.
7 34 1086 M. O.-
Berg α, Nord von Byrgius, zu Ost gemessen.
Es ist der hohe Grat in − 21° Breite, der W.-Wall
von Darwin No. 10.
Nordende:
$\varphi =$ 2° 58' h = 1211' S.
3 2 1311 S.
3 28 1024 S.
Mittel: $\varphi =$ 3° 9' h = 1182' = 7092'.
Südlicher:
$\varphi =$ 3° 54' h = 1682' S.
5 29 1964 S.
Mittel: $\varphi =$ 4° 41' h = 1823' = 10938'.
Berg α, im Süden bei b, zu Ost gemessen,
in − 23° Br.
$\varphi =$ 2° 43' h = 1297' S.
4 6 1051 M.
4 9 1768 M.*
4 52 1277 S.
Mittel ohne M.*:
$\varphi =$ 3° 54' h = 1208' = 7248'.

9. Cavendish = No. 3.
$\varphi =$ 5° 35' h = 780' M. W.-Wall innen.
13 48 1173 M. O.-
4 52 1060 M. B. W.-Wall innen.
1 40 337 S. C. O.-Wall aussen.
13 14 1531 S. e. O.-Wall innen.

10. Vieta = No. 4. NW.-Wallgipfel δ, nach
innen:
$\varphi =$ 3° 37' h = 1262' S.
3 49 1448 S.
3 54 1449 S.
3 57 1477 S.
4 36 1760 S.
4 38 1681 S.
4 50 1839 S.
4 53 1932 S.
5 3 2289 M.
5 9 1928 S.
5 12 1857 S.
5 17 2051 S.
5 20 1963 S.
5 54 1880 S.
9 54 1980 S.
10 20 2095 S.
Mittelwerthe:
$\varphi =$ 3° 49' h = 1409' 4 Beob.
4 51 1905 6 -
5 27 1938 4 -
10 7 2037 2 -
Die grösste Erhebung also = 12222'.
SW.-Wall nach innen:
$\varphi =$ 3° 54' h = 1338' S.
4 0 1439 S.
4 46 1132 S.
4 51 1361 S.
5 1 1254 M.
5 7 1623 S.
5 13 1674 M.
5 24 1372 S.
5 57 1499 M.
Mittelwerthe:
$\varphi =$ 4° 30' h = 1305' 5 Beob.
5 25 1542 = 9252' 4 -
Vieta. W.-Wall, Mitte, nach innen:
$\varphi =$ 3° 57' h = 906' S.
4 18 838 S.
Mittel: $\varphi =$ 4° 7' h = 872' = 5232'.

11. Fourier = No. 5. SW.-Wall innen:
$\varphi =$ 5° 22' h = 893' S.
6 50 1375 S.
7 23 780 M.
Mittel: $\varphi =$ 6° 32' h = 1016' = 6096'.

Fourier. W.-Wall innen:

$$\varphi = 7° \; 6' \quad h = 1579' \quad M.$$
$$8 \quad 4 \quad\quad 1269 \quad S.$$
$$9 \quad 37 \quad\quad 1380 \quad M.$$

Mittel: $\varphi = 8° 16' \quad h = 1409' = 8454'.$

Berg γ zu Ost gemessen:

$$\varphi = 4° \; 1' \quad h = 1148' \quad M.$$

Es wurden 164 Aufnahmen zur Ausarbeitung dieser Section XX. benutzt.

Neigungswinkel.

Gassendi, W.-Wall innen   m = 28°
Gassendi A, O.-Wall innen   M = 53

BEMERKUNGEN.

1842 Juli 18. Erste Beobachtung des Mare humorum. Wenn die wachsende Phase durch Doppelmayer und den Ostwall des Gassendi zieht, leuchten schon 8 Gipfel des östlichen Wallraumes des Mare, darunter sehr hohe bei Mersenius.

- Sept. 17. Den kleinen Krater im NW.-Walle von a Mersenius sah ich am 6füssigen Refractor zu Hamburg. Im Mare humorum 16 Krater ausser den bekannten grösseren.

- Sept. 29. Beobachtung am Tage. Mersenius und a sind innen dunkel gefärbt.

- Dec. 14. Um Mersenius g (im SO. des Mare) ist die Ebene sehr dunkel, gegen die Mitte graugrün. Im Mersenius an 3 Stellen innere Terrassen. Im Mersenius a ein schwacher Centralberg.

1843 Febr. 13. Gassendi hat an der innern W.-Seite einen schmalen dunklen Saum.

- März 13. Was mir als Rille erschien, das Gebilde zwischen Mersenius a und Cavendish, ward später anders gesehen. Im Mersenius sind Terrassen.

- Aug. 20. Bei sinkender Sonne und sehr guter Luft sah ich am 6füssigen Refractor die Spur kleiner Hügel auf der Ebene des Mersenius.

1846 Juli 4 wurden einige der Mädler'schen Rillen im Gassendi gezeichnet. Im W.-Walle Gassendi 4 höhere Gipfel; beide Centralberge nahe gleich hoch.

1847 März 27. Am 5füssigen Refractor (zu Bonn) sah ich auf dem expandirten Boden des Mersenius 10 kleine Gegenstände, darunter 2 Krater waren, fast alle in Meridianrichtung liegend. Es waren keineswegs Minima der Sichtbarkeit.

- Mai 27. Mersenius fast schon schattenlos; es zeigten sich auf dem Boden noch 2 kleine Krater. Diese werden von 2 Lichtstreifen getroffen, die von einem Berge des W.-Walles gegen Ost divergiren. Dass schon Schröter diese kleinen Krater kannte, erhellt aus Selen. Fragm., Bd. II, p. 118, § 664, aus der Beobachtung am 25. April 1797 am 27füssigen Reflector, da Schröter im Mersenius 9 Punkte erkannte, darunter 6 Krater. Harding sah dasselbe. Bei Lohrmann und Mädler darf man diese feinen Objecte nicht erwarten.

- Juni 4 ward einer der inneren Krater im Mersenius erkannt.

1848 Jan. 17. Luft unruhig, Libration ungünstig. Als über Mersenius die Sonne aufging, ward zuerst in der südlichen Ebene eine matte Stelle sichtbar, der sich bald andere anschlossen. Um 10,5 sah ich dort 3 kleine Krater und andere Punkte.

- März 17. Im Mersenius sieht man deutliche Spuren der kleinen Krater, in der Richtung N. bis S.

- Aug. 21. 20 Uhr. Oestlich dem Sirsal gegenüber liegt in — 15° Breite ein Randausschnitt zwischen hohen Bergen.

- Sept. 16. Am 8füssigen Heliometer ward an 300maliger Vergrösserung eine Gruppe südlicher Rand-Polarberge gezeichnet. Darunter eine grossartige Kuppelform, die an der Westseite 3 geringe Zacken zeigte.

1849 April 5. Berlin. Bei ungünstiger Luft erkenne ich mit dem 14füssigen Refractor nur undeutliche Spuren der kleinen Krater im Mersenius.

- Juni 3 wurden im Gassendi 6 Rillen gesehen.

1851 Febr. 12 und 13. Im Mersenius 4 kleine Krater. Die östliche Terrasse hat starken Schatten.

- Febr. 13. In Cavendish' Südkrater f steht ein Centralberg. Durch Mersenius a zieht vielleicht eine Rille in NW.—SO.-Richtung, oder ein Lichtstreif.

1851 Im Vollmonde zeigt Billy im südlichen Theile der grauen Ebene 2 symmetrisch liegende Lichtpunkte; O.—W. ist die Verbindungslinie Beider gerichtet. In Zupus und Crüger gleichmässiges Grau; so schon Jan. 17 gesehen.

- Febr. 14. Im Krater C, östlich von Cavendish, nördlich von der Mitte ein deutlicher kleiner Krater. Bei Mädler fehlt der bedeutende eingreifende Krater im SW.-Walle des Fourier (No. 5).

- Febr. 23 um 20°, also am Tage; beide Sirsal, noch schattenlos, sind so grau wie das benachbarte Mare.

- März 14. Unter den kleinen Kratern in der Ebene des Mersenius ist einer im Süden durch Grösse auffallend.

1853 Juli. Am 6füssigen Refractor der Kaiserl. Sternwarte zu Wien sah ich einige der kleinen Krater auf dem expandirten Boden des Mersenius.

1854 Jan. 18. Weit östlich vom Strahlensysteme des Byrgius liegen die schon von Schröter bemerkten grauen Flecken, die ein Mare andeuten.

- Febr. 12 ward das bedeutende Strahlensystem des Byrgius gezeichnet.

- Sept. 16. In Vieta's Ebene 4 kleine Krater sichtbar.

1855 Sept. 23. Am 5füssigen Refractor zu Olmütz sah ich 10 kleine Krater auf dem Boden des Mersenius.

1860 Mai 2. Im Mersenius 6 oder 7 kleine Krater.

- Aug. 13, um 16° abnehmende Phase; im Byrgius bereits Schatten, auch in dessen Wallkratern. Aber der westliche Krater A hatte nur grauen florartigen Schatten, eine seltene merkwürdige Erscheinung. Ich zeichnete den östlichen Wallkrater grösser als A.

1865 Jan. 8. Bei ungünstiger Libration sah ich im Mersenius a den innern zu West gestellten Krater α sehr deutlich; a selbst war schon ohne Schatten. Den feinen Krater östlich an α sah ich Mai 11. Lohrmann hat α schon gesehen. — In Mersenil Fläche lagen 8 kleine Krater.

1871 Jan. 5. Lichtstreifen des Byrgius ziehen durch Cavendish B und C.

1873 April 10. Im NO.-Walle des Mare humorum, westlich von Mersenius, ein umglänzter Punkt.

SECTION XXI.

	L.	M.	S.
Krater	52	24	260
Rillen	0	0	0

NAMEN.

1. Schicard.
2. Inghirami.
3. Lehmann.

Anm. Den Namen „Bouvard" konnte ich in meiner Charte nicht unterbringen, da ich meine wahrscheinlich wenig gelungene Zeichnung des Randes mit der Darstellung bei Lohrmann und Mädler nicht zu identificiren vermochte.

VERGLEICHUNG DER BEZEICHNUNGEN IN LOHRMANN'S UND MÄDLER'S CHARTEN.

bei Lohrmann:	bei Mädler:	bei Lohrmann:	bei Mädler:
69* Inghirami	Inghirami	8. 9.	unbezeichnet
1	bei 7	101* Lehmann	Lehmann
10	unbezeichnet	4	b
2	a	6	c
3	unbezeichnet	7	bei A
5	unbezeichnet	102* Bouvard	Bouvard

HÖHENMESSUNGEN.

1. Inghirami = No. 2.

$\varphi =$	4° 49'	h =	1910⁴	M.	W.-Wall 9 innen.
	11 13		2853	S.	W.-Wall.
	11 15		3187	S.	SW.-Wall?
	17 41		1426	S.	B, O.-Wall.
	23 9		2275	S.	A, -

2. Lehmann = No. 3.

$\varphi = 6° 54'$ h = 2062¹   M.   a zu Ost.

Neigungswinkel sind in dieser Gegend nicht beobachtet; 18 Aufnahmen liegen der Section XXI. zum Grunde.

BEMERKUNGEN.

1842 Sept. 17. Erste Zeichnung von Schicard und Lehmann.
- Nov. 26. Zeichnung des Inghirami.

SECTION XXII.

	L.	M.	S.
Krater	598	577	1900
Rillen	3	3	8

NAMEN.

1. Schicard.
2. Drebbel.
3. Wargentin.
4. Phocylides.
5. Hainzel.
6. Schiller.
7. Bayer.
8. Rost.
9. Weigel.
10. Segner.
11. Zuchius.
12. Bailly.
13. Bettinus.
14. Kircher.
15. Wilson.
16. Scheiner.
17. Longomontanus.
18. Wilhelm v. Hessen.
19. Heinsius.
20. Haidinger. (*)
21. Epimenides. (*)
4*. Nöggerath. (*)

Anm. „Rosse" nennen die engl. Beobachter das Wallgebirge östlich bei Segner (No. 10).
Ich habe folgende 3 Namen gewählt:
Haidinger (*), Krater in 25° östl. Lg. und — 38° Br.
Epimenides (*), - - 30 - - - - 40 -
Nöggerath (*), - - 45 - - - - 47.7 -

VERGLEICHUNG DER BEZEICHNUNGEN IN LOHRMANN'S UND MÄDLER'S CHARTEN.

bei Lohrmann:	bei Mädler:	bei Lohrmann:	bei Mädler:
1	bei A Casatus	73 Segner	Segner
2 Wilson	Wilson	83	unbezeichnet = Rosse
17* Kircher	Kircher		(engl. Beob.)
Dörfel	M. Leibnitz	84	B
19* Bailly	Bailly	74	fehlt
3	a	75	c
20*	a Hausen	76	A
Hausen	Hausen	40* Phocylides	Phocylides
18* Bettinus	Bettinus	71	f
39* Zuchius	Zuchius	72	unbezeichnet
79	b	70	N
80	a	68	C
81	d	67	b
82	e	78	k

35

bei Lohrmann:	bei Mädler:	bei Lohrmann:	bei Mädler:
77	G	33	e
67* — Nöggerath (*)	d	37* Scheiner	Scheiner
54	i	4	A
41	bei β	7	B
86	∂. b	62* Longomontanus	Longomontanus
63 Wargentin	Wargentin	11	b
68* Schicard	Schicard	19	A
66	a	10	d
65	e	9	f
64	a	12	β
55	e. γ	18	f
57	β	63* W. von Hessen	W. von Hessen
60	a	21	A
59 Drebbel	Drebbel	22	b
61	d (?)	23	C
58	f. g	28	f
62	c	29	unbezeichnet
50	unbezeichnet	16	unbezeichnet
66* Hainzel	Hainzel	31	B
38	bei α	17	c
36	e	32	A
37	F	97* Heinsius	Heinsius
53	bei h	24	d
52	bei g	25	c
51	A	26	a
35	bei b	27	b
65* Schiller	Schiller	44	bei g
64* Bayer	Bayer	39 — Epimenides (*)	C
34	a	46	e
6 Weigel	Weigel	45 — Haidinger (*)	f
38*	bei a	44	zweifelhaft
8 Rost	Rost		

HÖHENMESSUNGEN.

1. **Scheiner** = No. 16. W.-Wall innen:
φ = 4° 48' h = 1838¹ S. SW.-Wall.
  5 4   1531 S. W. -
  5 21   1798 S. SW. -
      Mittel für SW.-Wall:
φ = 5° 4' h = 1818¹ = 10908'.
      O.-Wall innen:
φ = 4° 18' h = 1496¹ S. NO.-Wall.
  4 31   1376 S. O. -
  8 54   1461 S. NO. -
      Mittel für NO.-Wall:
φ = 6° 36' h = 1478¹ = 8868'.
      NW.-Wall innen:
φ = 4° 49' h = 2277¹ S.
  5 52   2297
Mittel: φ = 5° 20' h = 2287¹ = 13722'.
      NW.-Wall aussen:
φ = 1° 39' h = 393¹ S.
    Vertiefung = 1894¹ = 11364'.

2. **Wilson** = No. 15. W.-Wall innen:
φ = 6° 17' h = 2159¹ M.

3. **Kircher** = No. 14. SW.-Wall innen:
φ = 5° 23' h = 2265¹ S.
  5 46   2294 S.
  6 0   2305 M.
  9 44   2743 S.
  Mittel ohne die letzte Beob.:
φ = 5° 43' h = 2288¹ = 13728'.
      O.-Wall innen:
φ = 8° 59' h = 1857¹ S.
  NO.-Wallgipfel nach innen:
φ = 8° 31' h = 2334¹ S.[a]
  8 59   2921 S.
  9 0   2935 S.
 10 22   2859 M.

φ = 12° 56' h = 2951¹ S.
 13 36   2652 S.
 14 13   2606 S.
 18 21   2256 S.
 19 3   2731 S.
 19 20   1968 S.
   Mittelwerthe ohne S.*:
φ = 10° 19' h = 2917¹ = 17502'.
 13 54   2629
 18 55   2318

4. **Bettinus** = No. 13. Berg in 38° Lg. und
− 61°,5 Br.
φ = 4° 19' h = 1850¹ M. zu Ost gemessen.
      W.-Wall innen:
φ = 6° 21' h = 1970¹ M.
  7 4   1902 M.
Mittel: φ = 6° 42' h = 1936¹ = 11616'.
      SW.-Wall innen:
φ = 7° 7' h = 2452¹ S.
  7 14   2847 S.
Mittel: φ = 7° 10' h = 2649¹ = 15894'.
      NO.-Wall innen:
φ = 9° 19' h = 1399¹ S.
  9 47   1977
Mittel: φ = 9° 33' h = 1688¹ = 10128'.
  Centralberg zu Ost gemessen:
φ = 6° 16' h = 725¹ S.

5. **Zuchius** = No. 11. O.-Wall innen:
φ = 9° 17' h = 1897¹ S. NO.-Wall.
 11 38   1688 M. O. -
 12 14   1664 S. NO. -
 12 38   2307 S. - -
   Mittel für NO.-Wall:
φ = 11° 23' h = 1956¹ = 11736'.

35*

6. Segner = No. 10.

$\varphi = 5° 54'$ h = 1256' M. W.-Wall innen.
6 5   1283   M.   -
3 59   1001   M.   O.-Wall aussen.
3 12   745   M.   unbezeichnet.
Mittel für den W.-Wall:
$\varphi = 6° 0'$ h = 1269' = 7614'.

7. Rost = No. 8. W.-Wall innen:
$\varphi = 7° 49'$ h = 1131' M.
8 32   1336   M.
Mittel: $\varphi = 8° 10'$ h = 1233' = 7398'.

8. Bayer = No. 7. nördlich des Gebirg α,
zu Ost gemessen:
$\varphi = 5° 12'$ h = 668' M. }
6 36   1123   M. } α
W.-Wall innen:
$\varphi = 8° 23'$ h = 1262' M.

9. Schiller = No. 6. O.-Wall α nach innen:
$\varphi = 4° 49'$ h = 1695' S.
9 0   2015   S.
9 7   1921   M.
Mittel der beiden letzten Messungen:
$\varphi = 9° 3'$ h = 1968' = 11808'.
Schiller, NO.-Wall, β, innen:
$\varphi = 8° 26'$ h = 2031' M.
Schiller, derselbe β nach aussen:
$\varphi = 2° 41'$ h = 707' S.
3 14   937   M.
Mittel: $\varphi = 2° 57'$ h = 822' = 4932'.
Einsenkung des Schiller = 1209' aus β.
Schiller. O.-Wall aussen:
$\varphi = 3° 41'$ h = 1417' M.
W.-Wall innen:
$\varphi = 5° 55'$ h = 1262' M.
In Mädler's Texte, pag. 322, stimmt nicht Alles
mit dem Cataloge der Höhen.

10. Bailly = No. 12. Berg im NO.-Walle.
$\varphi =$ h = 2318' M.
Bailly, Krater A im Südwalle.
$\varphi = 7° 0'$ h = 1265' S. NO.-Wall innen.
10 46   1333   S.   -
13 40   2101   M.   O.-Wall.   -
15 57   2093   M.   -   -
2 48   1070   S.   O.-Wall aussen.

11. Weigel = No. 9.
$\varphi = 3° 0'$ h = 661' M. α zu Ost gem.
3 1   907   M.   -
3 53   650   M.   zu Ost gem.; ein
Berg in 40° Lg. und — 56° Br.

12. Phocylides = No. 4.
$\varphi = 3° 15'$ h = 945' M. W.-Wall?
4 42   1267   M.   W.-Wall aussen.
5 18   833   S.   -

Phocylides. SW.-Wall γ, zu Ost gemessen:
$\varphi = 3° 11'$ h = 958' M.
4 4   1260   S.
5 35   915   M.
Mittel: $\varphi = 4° 17'$ h = 1044' = 6264'.
Phocylides. NW.-Gipfel α, zu Ost gem.:
$\varphi = 3° 27'$ h = 1375' M.
3 53   1278   S.
Mittel: $\varphi = 3° 40'$ h = 1326' = 7956'.

13. Wargentin = No. 3.
$\varphi = 3° 3'$ h = 232' M. O.-Rand aussen.
3 40   350   S.   -
2 5   337   S.   W.-Wall innen,
das ist der NO.-Wall Phocylides über Wargentin's
Ebene.

14. Schicard = No. 1. SW.-Wall innen
bei γ.
$\varphi = 3° 42'$ h = 874' M.
3 43   1647   S.
4 32   1078   M.
6 40   985   M.
Mittel: $\varphi = 4° 39'$ h = 1146' = 6876'.
Schicard. W.-Wall, β, nach innen:
$\varphi = 3° 14'$ h = 1403' S.
3 44   1318   M.
4 17   1280   M.
Mittel: $\varphi = 3° 45'$ h = 1340' = 8040'.
Schicard. W.-Wall α, innen:
$\varphi = 2° 32'$ h = 895' S.
3 12   674   M.
3 23   1207   S.
3 57   1488   S.
4 57   1653   M.
5 14   1323   M.
Mittelwerthe:
$\varphi = 2° 52'$ h = 784'
4 23   1318 = 8508'.
Schicard. W.-Wall, Einsenkung,
zu Ost gemessen:
$\varphi = 2° 58'$ h = 668' S.
3 29   1123   S.*
3 35   822   M.
Mittel ohne S.*:
$\varphi = 3° 16'$ h = 745' = 4470'.
Schicard. W.-Wall aussen (vielleicht a).
$\varphi = 3° 38'$ h = 504' S.
4 6   573   S.
Mittel: $\varphi = 3° 52'$ h = 538' = 3228'.
War hier a gemeint, so läge die westliche
Ebene des Schicard 880' tiefer als das Land im
Westen. War aber die Einsenkung gemessen, so
beträgt die Vertiefung nur 207', und dies ist wahr-
scheinlicher.

15. Drebbel = No. 2. Berg z zu West gemessen:

$\varphi = 4° 18'$ h = 676' S.

Bei Mädler ist die Zahl 674' (im Cataloge = No. 532) zu Schicard a gehörig. Unter No. 537 erscheint sie nochmals bei Marius.

16. Hainzel = No. 5. W.-Wall innen:

$\varphi = 5° 36'$ h = 1227' S.
6 3 1219 S.

Mittel: $\varphi = 5° 49'$ h = 1223' = 7338'.

Hainzel. W.-Wallgipfel a, nach innen:

$\varphi = 6° 2'$ h = 1442' S.
6 6 2029 M.
7 18 2537 M.
9 24 1661 M.
9 57 1739 M.
10 0 1705 M.
10 30 1922 M.

Mittel: $\varphi = 8° 28'$ h = 1862' = 11172'.

NW.-Wall innen:

$\varphi = 5° 1'$ h = 993' S.

SW.-Wall innen:

$\varphi = 4° 32'$ h = 984' S.
6 45 1574 S.
9 0 1843 S.

Mittel der beiden letzten Messungen:

$\varphi = 7° 55'$ h = 1708' = 10248'.

SO.-Wall aussen:

$\varphi = 4° 12'$ h = 1081' S.

W.-Wall aussen, vermuthlich a:

$\varphi = 5° 30'$ h = 1063' M.

O.-Wall innen:

$\varphi = 7° 7'$ h = 2094' S. O.-Wall.
10 12 1418 S. NO.- -

NO.-Wallgipfel aussen:

$\varphi = 4° 16'$ h = 551' S.

Hainzel's Boden mag 500' tiefer als die Ebene liegen.

Gebirg SW. von Hainzel, in 31.5 Lg. und —36°7 Br.

$\varphi = 7° 59'$ h = 1258' S. zu West gemessen.

Pic γ in 37° Lg. und —37.7 Br. zu Ost gemessen:

$\varphi = 3° 6'$ h = 1312' S.
3 20 1507 S.
3 23 1351 S.
3 27 1478 M.
3 57 846 M.
3 58 930 S.
4 46 1150 S.
6 45 1330 S.

Mittel: $\varphi = 4° 5'$ h = 1238' = 7428'.
Bei Mädler erscheint dieser Berg unter a Drebbel.

Pic a zu West gemessen:

$\varphi = 6° 38'$ h = 1162' S.

Berg δ in 32° Lg. und —43° Br.

$\varphi = 3° 48'$ h = 882' M. zu Ost.
4 6 1633 S. - West.

Gebirg bei D in 32° Lg. —45° Br. zu West gemessen:

$\varphi = 3° 57'$ h = 1365' S.

Krater A in 43° Lg. und —37° Br.

$\varphi = 3° 22'$ h = 653' S. W.-Wall aussen.

Berg ζ in 27° Lg. und —44° Br.

$\varphi = 5° 27'$ h = 1010' M. zu Ost.

Berg ε in 37° Lg. und —44° Br.

$\varphi = 2° 50'$ h = 892' S. zu Ost.

Berg Nord von Hainzel in 37° Lg. und —37.5 Br.

$\varphi = 5° 38'$ h = 901' S. zu Ost.

Berg am NO.-Walle in 39.5 Lg. u. —38° Br.

$\varphi = 4° 51'$ h = 1075' S. zu Ost.

17. Heinsius = No. 19. W.-Wall innen:

$\varphi = 8° 36'$ h = 1355' M.
10 27 1676 S.

Mittel: $\varphi = 9° 31'$ h = 1515' = 9090'.

Krater d. O.-Wall innen:

$\varphi = 12° 25'$ h = 1135' S.
14 15 1415 S.

Mittel: $\varphi = 13° 20'$ h = 1275' = 7650'.

Krater d. W.-Wall innen:

$\varphi = 11° 23'$ h = 1526' M.

18. Wilhelm von Hessen = No. 18.
W.-Wall innen:

$\varphi = 4° 19'$ h = 1099' M.
10 11 990 M.

Mittel: $\varphi = 7° 15'$ h = 1045' = 6270'.

O.-Wall innen:

$\varphi = 6° 30'$ h = 1237' S.
6 53 1512 M.
7 48 1951 M.

Mittel: $\varphi = 7° 4'$ h = 1567' = 9402'.

19. Longomontanus = No. 17.
SW.-Wall innen:

$\varphi = 3° 51'$ h = 1674' M.
4 25 2002 S.
4 30 2604 S.*
6 16 1711 S.
6 20 1731 S.
8 6 1758 M.

Mittel: $\varphi = 5° 48'$ h = 1775' = 10650'.
S.* vielleicht ein Gipfel, der im Mittel nicht berücksichtigt ist.

Longomontanus. W.-Wall innen:

$\varphi = 4° 50'$ b = 1682'   S.
    6 26   1060   S.
    6 35   1190   S.
    6 57   1225   S.
    7 50   1214   S.

Mittel: $\varphi = 6° 32'$ h = 1274' = 7644'.

Desselben W.-Wallgipfel, zu Ost, oder nach innen gemessen:

$\varphi = 4° 19'$ b = 2274'   M.
    9 32   1952   M.

Mittel: $\varphi = 6° 55'$ h = 2113' = 12678'.

Centralberg zu West gemessen:

$\varphi = 2° 21'$ h = 435'   S.

Longomontanus. NW.-Wall innen:

$\varphi = 4° 12'$ h = 1697'   M.
    5 58   2050   S.
    6 21   2126   S.
    6 48   2373   S.
    7 30   2150   S.
    7 53   1991   S.
    8 16   2537   S.
   10 5   1621   S.

Mittelwerthe:

$\varphi = 5° 5'$ b = 1873'   2 Beob.
    6 31   2249   2 -   = 13494'
    7 41   2070   2 -
    9 10   2079   2 -

Desselben SO.-Wallgipfel b, zu West gem.:

$\varphi = 3° 39'$ h = 1723'   S.
    6 54   1900   S.

Mittel: $\varphi = 5° 16'$ h = 1811' = 10866'.

Dessen südlicher Nachbar c, zu West gem.:

$\varphi = 4° 2'$ b = 1952'   S.
    7 9   1860   S.

Mittel: $\varphi = 5° 35'$ h = 1906' = 11436'.

Derselbe c nach aussen zu Ost gemessen:

$\varphi = 6° 19'$ h = 963'   S.

NO.-Gipfel g zu West (nach innen) gem.:

$\varphi = 4° 3'$ b = 2126'   S.
    7 55   2442   S.

Mittel: $\varphi = 5° 59'$ h = 2284' = 13704'.

Derselbe g nach aussen, zu Ost gemessen:

$\varphi = 3° 26'$ h = 913'   S.

Sattel zwischen c und b, zu West gemessen:

$\varphi = 3° 46'$ h = 1318'   S.

Sattel zwischen b und a gemessen, zu West:

$\varphi = 3° 58'$ h = 1736'   S.

Sattel zwischen a und g gemessen, zu West:

$\varphi = 4° 4'$ h = 2043'   S.

Der O.-Wallgipfel a, zu West gemessen:

$\varphi = 4° 28'$ b = 2542'   S.
    8 52   2082   M.

Mittel: $\varphi = 6° 40'$ h = 2312' = 13872'.

Der Reihe nach sind also die Höhen, im Süden beginnend:

nach innen:

SO.-Gipfel c	h = 1906'	11436'
Sattel c—b	1318	7908
SO.-Gipfel b	1811	10866
Sattel b—a	1736	10416
O.-Gipfel a	2312	13872
Sattel a—g	2043	12258
NO.-Gipfel g	2284	13704

nach aussen:

SO.-Gipfel c	b = 963'	5778'
NO.-Gipfel g	913	5478

Vertiefung:

SO.-Gipfel c	h = 943'	5658'
NO.-Gipfel g	1371	8226

Die mittlere Senkung der Ebene des Longomontanus = 1157' = 6942'.

Longomontanus A, W.-Wall innen:

$\varphi = 11° 3'$ h = 1578'   S.

Neigungswinkel.

Heinsius A, O.-Wall innen		M =	47°
- b u. c, O.-Wall innen		μ =	36
W. v. Hessen, O.-Wall innen		M =	33
- a. b. c. O.-Wall innen		M =	47
		μ =	37
Longomontanus, O.-Wall innen		M =	46
		μ =	31
A.		M =	43
Schreiner, O.-Wall innen		m =	19
Hainzel, -		M =	21

116 Aufnahmen sind zur Darstellung der XXII. Section benutzt worden.

BEMERKUNGEN.

1842 Aug. 27 bis Sept. 16 die ersten Aufnahmen des Scheiner, Bailly, Schicard, Zuchius, Bettinus.
- Sept. 17. Wenn bei wachsender Phase der Ostwall des Bailly schon ganz beleuchtet ist, liegt der östliche Theil der Ebene noch in Nacht, wegen des Schattens der in der Ebene befindlichen Berge und Hügel. Der Wall von b deckt dann einen Theil des Ostwalles mit seinem Schatten.

Zu dieser Zeit sind die Schatten des W.-Walles unbedeutend. Wargentin, der Phase nahe, hat an der O.-Seite Schatten, doch zeigt sich am 6füssigen Refractor kein eigentlicher O.-Wall.

1842 Dec. 14. Phase zieht mitten durch Phocylides; dann ist der südliche Hauptkrater No. 4 ganz beschattet, der nördliche Nebenkrater b schon erleuchtet, dessen Hauptgipfel im NW.-Walle liegt.

1843 März 13. Phocylides b entweder viel höher liegend als die Tiefe des Phocylides, oder der W.-Wall des Letztern viel höher als der W.-Wall von b.

1847 Jan. 11. 19°. Abnehmende Phase dem Wargentin nahe. Dieser zeigt bei sehr günstiger Libration den südlichen Rand leuchtend, während am N.-Rande kein Wall erscheint. Am innern O.-Rande fehlt jede Schattenspur.

1849 April 5. Am 14füssigen Refractor zu Berlin sah ich bei unruhiger Luft nur 2 Hügelzüge oder Adern in der Fläche des Wargentin.

1851 Febr. 13. Bei zunehmender Phase zeigt Wargentin's SO.-Rand keinen Wall; auch im NO. schien er zu fehlen. In der innern Fläche 2 oder 3 Adern sichtbar.

1853 April 13. Als die Sonne über Wargentin aufging, lagen in seiner Fläche 2 Adern. Der Ostrand wenigstens stellenweis ohne Wall.

- Mai 18. Am 14füssigen Refractor zu Berlin gewahrte ich in 2 Wallkratern des W.-Walles von Longomontanus deutliche Centralberge, die Mädler ebenfalls gesehen hat. Die Mädler'sche Rille im Südwall hatte eigene Wälle; viel später erkannte ich sie als Kraterreihe.

1854 Febr. 8. 11°. In der Fläche des Longomontanus liegen ausser den Centralbergen noch 6 kleine wolkenartige Flecken, wohl hellere Punkte in Streifen des Tycho.

- Febr. 11. Ein grosser Streif des Tycho zieht durch die östliche Ebene des Scheiner, durch den Ostwall des Kircher und trifft Krater südlich von a Bailly.

- Febr. 12. SO. vom S.-Walle des Bailly liegt ein 12 Meilen breiter grosser Krater mit Centralgebirge, etwa der Cabaeus, von dem unsere Charte nur das Randprofil giebt, weil der Krater selbst der andern Seite des Mondes angehört, und nur in günstiger Libration gesehen wird. — NO. am NO.-Walle des Bailly liegt der grosse Krater Hausen mit Centralgebirge, ebenfalls auf der Grenze der gewöhnlichen Sichtbarkeit befindlich.

- Febr. 13. 14. Bei hoher Beleuchtung ist Zuchius von dunkelgrauem Nimbus umgeben, aus dem sich ein vollständiges Strahlensystem entwickelt. Es sind viele feine Lichtlinien, die den grossen auf Kircher gerichteten Streifen Tycho's treffen. In dem dunklen Terrain zwischen Zuchius und Schiller sind sie gut sichtbar. Der Mond muss bei starker Nordbreite zugleich starke SO.-Libration haben, um dies Strahlensystem gut sehen zu können.

- Sept. 4. Des Phocylides Ebene ist sehr expandirt, so dass die Anschwellung des Bodens gegen Osten Schatten warf, ganz so, wie es sich gelegentlich im Mersenius darstellt.

- Sept. 16. In Wargentin's südlicher Ebene 2 kleine Krater.

- Oct. 4. Hainzel, der Phase nahe, zeigt, dass hier 2 verwüstete alte Kraterformen von einer neuen durchbrochen wurden.

- Oct. 16. In der Mitte des Hausen liegen 3 kleine Krater.

- Dec. 11. Heinsius d scheint tiefer und schroffer als Heinsius a, b, c. Mädler zeichnet d ganz flach; Lohrmann hat ihn richtig dargestellt.

1857 Dec. 27. Im Scheiner, westlich von der Mitte, ein graues Band, von Wall zu Wall ziehend; viel später ward es als ein Höhenzug erkannt.

1860 April 12 bei sinkender Sonne zeigt Wargentin an der Ostseite keinen Wall.

1861 Mai 11. Im breitesten Theile der Ebene des Schiller liegt ein kleiner Krater.

1867 Oct. 8. In e Capuanus, 27° östl. Länge und — 37°5 Breite ward eine gekrümmte Rille gesehen.

1869 Mai 21. Die Rille in e Capuanus erschien jetzt als eine Wallterrasse. Zwei Krater im W.-Walle des Longomontanus haben Centralberge.

1871 April 4. Tycho's Streif gegen Kircher bildet eine Tangente am O.-Walle des Tycho.

- April 29. In der SO.-Ebene des Longomontanus stehen 2 deutliche kleine Krater.

1872 April 20. Bei Aufgang der Sonne ist ein Ostwall des Wargentin nicht wahrnehmbar.

1873 März 11. Ein grosser Streif des Tycho zieht über den Ostwall des Scheiner.

- April 9. Ein Streif des Tycho zieht über den innern westlichen Fuss des Longomontanus, trifft den Krater d (in SO.), ohne den Krater A zu berühren.

SECTION XXIII.

	L.	M.	S.
Krater	730	1110	5348
Rillen	2	2	4

NAMEN.

1. Tycho.
1*. Street.
1ᵇ. Pictet.
2. Sasserides.
3. Orontius.
4. Nasireddin.
4*. Leverrier. (*)
5. Huggins.
6. Saussure.
7. Maginus.
7*. Delue.
8. Clavius.
9. Blancanus.
10. Klaproth.
11. Casatus.
12. Gruemberger.
13. Cysatus.
14. Moretus.
14*. Short.

15. Newton.
16. Boguslawski.
17. Demonax. (*)
18. Manzinus.
19. Schomberger.
20. Simpelius.
21. Pentland.
22. Curtius.
23. Zach.
24. Jacobi.
25. Lilius.
26. Heraclitus. (*)
27. Fernelius.
28. Stoeflerus.
29. Licetus.
30. Cuvier.
31. Baco.
32. Clairaut.
33. Maurolycus.

Anm. Vom Lunar Committee ward eingeführt:

Huggins, östlicher Nachbar des Nasireddin.

Miller, nördlicher Nachbar des Nasireddin, den ich aber an dieser Stelle nicht annehmen kann, da ich dieselbe schon 1856 für den Namen Leverrier bestimmt, und solchen in Lohrmann's Charte hatte stechen lassen.

Faraday, für b, den grossen Krater SW. an Stoefler. Auch diesen musste ich hier auslassen, da ich denselben Namen bereits früher für Lohrmann's Charte angewandt hatte.

Terra photographica, das Hügelland zwischen Zach und Clavius. F. Pollek, der anomale Krater NO. bei Zach, in 0°,5 westl. Länge und — 55°,7 Breite.

Die von mir neu gewählten Namen sind die Folgenden:

Leverrier(*), nördlich an Nasireddin, in 1° westl. Länge und — 41° Breite.

Demonax (*) ein grosser Krater in — 80° Br. am Rande der Charte über Boguslawski.

Heraclitus(*), östlich an Cuvier, südlich an Licetus.

Anm. Die der andern Seite des Mondes angehörigen über 4000' hohen Randberge bei Casatus und Kircher haben von Schröter die Namen Leibnitz und Dörfel erhalten.

VERGLEICHUNG DER BEZEICHNUNGEN IN LOHRMANN'S UND MÄDLER'S CHARTEN.

bei Lohrmann:	bei Mädler:	bei Lohrmann:	bei Mädler:
1* Malapert	Malapert	145	a
Cabacus	Cabacus	4* Moretus	Moretus
M. Leibnitz	Leibnitz	146	c. Newton
5* Newton	Newton	149	unbezeichnet
148	b	150 Casatus	Casatus
144 Short	Short	6* Klaproth	Klaproth

bei Lohrmann:	bei Mädler:	bei Lohrmann:	bei Mädler:
6*	b	160	d
152	A	60* Tycho	Tycho
153	b	161	(?)
151	b	92	A
16* Blancanus	Blancanus	93*	unbezeichnet
138	A	94	bei G
36* Clavius	Clavius	90 Sasserides	Sasserides
15*	a	87	a
143	d	84	F. β
128	d	89	C
129	C	91	g
130	I	90	e
137	I	86	unbezeichnet
131	δ	97 Pictet	Pictet
136	x	98	a
133	γ	99	fehlt
132	bei β	101	ι
35*	b	102	x
124. 125	bei a	103	d
14* Gruemberger	Gruemberger	58* Saussure	Saussure
141	A	92* Orontius	Orontius
142	b	84	ι
140 Cysatus	Cysatus	85	B
139	c	88	bei γ
122	f	83	εα = Huggins (engl. Beob.)
123	bei a	Nasireddin	Nasireddin
34* Deluc	Deluc	56* Leverrier (*)	a
119	d	82	a
118	H	95	A
120	m	96	c
116	a	75 (bei Leverrier)	A
117	b	73	unbezeichnet
115	k I	74 Fernelius	Fernelius
59* Maginus	Maginus	55* Stoeflerus	Stoeflerus
59*	G	62	ι
114	c	60	f
121	H	63	n
105	A	66	M
106	A	65	b
108	g	64	c
107	f	59	E
109	h	61	i
113	e	69	a
100 Street	Street	70	L
111	A	71	γ
110	unbezeichnet	72	K
112	d	81	unbezeichnet
157	G	78	d
156	h	52* Maurolycus	Maurolycus
158	unbezeichnet	80	B
155	b	79	
154	c	76	A
61*	unbezeichnet	77	γ

36

bei Lohrmann:	bei Mädler:		bei Lohrmann:	bei Mädler:
40 Clairaut	D. Clairaut		24	B
46. 41	a		23	B
42	a		22	unbezeichnet
43	b		12 * Curtius	Curtius
58	c		20	δ
57	g		16	bei a
54 * Licetus	Licetus		21	unbezeichnet
53 = Heraclitus (*)	b c		15	unbezeichnet
54	d		Pentland	Pentland
33 *	e		34	unbezeichnet
55	f		35	bei C
53 * Cuvier	Cuvier		36	unbezeichnet
47	β		37	a
48	a		11 *	D
50	h		8	b
49	fehlt		9	a
51	D		7	a
45	e		14	e
44	bei Baco a		5 Simpelius	Simpelius
38	D		6. 3. 17	b c b
31 * Jacobi	Jacobi		Schomberger	Schomberger
33	a		19	c
32 * Lilius	Lilius		13	a
31	c		3	d
32 Lilius	b		2 * Boguslawski	Boguslawski
13 * Zach	Zach		2 (östlicher)	C
30	A		4	c
28. 29	b c = Pollock (engl. Beob.)		10 * Manzinus	Manzinus
27	unbezeichnet		1	A
26	unbezeichnet		12	b
25	a			

HÖHENMESSUNGEN.

1. Curtius δ, der Hochgipfel auf dem NO.-Walle von No. 22. — Mädler hat den Berg 2 Mal gemessen. Meine 78 Messungen erhielt ich am 5 füssigen Refractor zu Olmütz, in den Jahren 1854 bis 1858.

a, der Schatten bei sinkender Sonne, im Krater Curtius liegend.

$\varphi = 4° 32'$	$h = 2361'$	S.	Werthe der Curve: $h' = 2510'$
4 57	2655	S.	2715
5 19	2933	S.	2860
5 24	2849	S.	2890
5 24	2927	S.	2890
5 36	2885	S.	2980
5 37	2970	S.	2990
5 39	3016	S.	2995
5 39	3028	S.	2995
5 41	3092	S.	3020
5 48	3190	S.	3070
5 49	3253	S.	3075
6 5	3250	S.	3155
6 28	3272	S.	3300
7 18	3110	S.	3600
7 18	3757	S.	3600
7 19	3831	S.	3600
7 28	3123	S.	3675
7 28	3850	S.	3675
7 29	4021	S.	3680
7 36	3890	S.	3720
7 37	3387	S.	3725
7 38	3774	S.	3730
7 41	3793	S.	3740
7 43	3597	S.	3750
7 45	3967	S.	3760
7 52	4269	S.	3815
7 55	4281	S.	3820
8 0	3888	S.	3820

$\varphi = 8\ 2'$	$h = 3723'$	S.	Werthe der Curve: $h' = 3825'$
8 26	3805	S.	3865
8 37	3837	S.	3870
8 38	3860	S.	3875
8 47	4297	S.	3885
8 54	3849	S.	3990
8 58	3768	S.	3905
9 17	3965	S.	3955
9 24	3473	M.	3980
9 34	3887	S.	4040
9 37	4611	S.	4055
9 40	3858	S.	4080
9 47	4002	S.	4135
9 48	3992	S.	4140
9 49	3902	S.	4140
9 51	3929	S.	4150
10 2	3872	S.	4240
10 2	4337	S.	4240
10 10	4428	S.	4340
10 11	4437	S.	4340
10 25	4298	S.	4500
10 26	4528	S.	4500
10 34	4437	S.	4530
10 49	4112	S.	4540
10 49	4899	S.	4540
10 52	4877	S.	4537
10 56	4726	S.	4535
10 58	3962	S.	4530
11 3	4724	S.	4520
11 10	4711	S.	4470
11 12	4578	S.	4460
11 16	4425	S.	4440
11 18	3751	S.	4430
11 25	4812	S.	4370
11 26	4714	S.	4360
11 30	4028	S.	4330

36*

			Werthe der Curve:
φ = 11°36'	h = 4320'	S.	h' = 4280'
11 47	3312	S.	4100
11 50	4227	S.	4040
11 54	4246	S.	3900
12 1	3271	S.	3750
12 7	3076	S.	3550
12 34	3131	S.	2980
12 43	2946	S.	2820
14 15	1411	S.	2200
17 7	1746	S.	1527
18 9	1851	S.	1440
18 58	1228	S.	1380
20 0	1163	S.	1300
20 12	1412	M.	1280
22 25	1106	S.	1100

Ich habe diese 80 Messungen durch eine ausgleichende und anschliessende Curve dargestellt, deren Werthe h' ich den Messungen gegenüber stellte. Aus den Unterschieden (h'—h) berechnete ich die Summe der Quadrate der restirenden Unterschiede, und ρ, den wahrscheinlichen Fehler der folgenden Mittelwerthe. Dabei sei denn für jene, die nicht selbst Uebung und Erfahrung in diesen schwierigen Messungen haben, doch aber in die Lage kommen, sich näher mit den Messungen von Schröter, Mädler und mir zu beschäftigen, an diesem Orte bemerkt, dass die Bestimmung des Schattens nur selten grosse Fehler zulässt, dass aber, wie in unserm Falle (Curtius δ), die sehr grossen Unterschiede in der Schwierigkeit ihren Grund haben, den Abstand des Berges von der äusserst zerrissenen Phase mit einem nur einigermaassen erträglichen Grade von Sicherheit zu ermitteln. Zieht man die einzelnen Beobachtungen gruppenweis zusammen, und berechnet man die Mittelwerthe nebst den wahrscheinlichen Fehlern ρ, so findet man:

φ = 20°52'	h = 1227'	3 Beob.	ρ = ± 95'
17 7	1559	4 -	459
12 21	3106	4 -	300
11 43	4027	5 -	296
11 16	4531	7 -	268
10 50	4502	6 -	290
10 13	4317	6 -	136
9 44	4026	7 -	218
9 4	3870	5 -	211
8 21	3823	5 -	52
7 43	3870	8 -	213
7 23	3615	6 -	300
6 16	3261	2 -	73
5 41	3061	7 -	70
5 22	2903	3 -	51
4 45	2508	2 -	±125

Die senkrechte von W. bis O. gerichtete Ebene, welche, in der Axe des Schattens liegend, die nördliche Kraterfläche des Curtius schneidet, bestimmt die Curve, welche über die Natur der Krümmung der Böschung entscheidet. Sie ignorirt alle Anomalien jener Kraterfläche, die übrigens keine erheblichen Ungleichheiten zeigt, so dass die von solchen herrührenden Unterschiede wenig oder gar nicht in Betracht kommen, verglichen mit jenen grossen Fehlern, die durch die schwierige Beschaffenheit der Phase bewirkt werden.

Das Maximum der relativen Höhe, oder der grösste Höhenunterschied zwischen dem Gipfel von δ und einem Punkte in der nördlichen Tiefe des Curtius ist also 4531' ± 188', wenn ich den letzteren Werth aus der Summe der Quadrate der restirenden Abweichungen bestimme, indem Σ = 17677. Man kann auch anders verfahren, aber es wäre überflüssige Mühe. Die Grenzen der Höhe sind also wahrscheinlich 4719' und 4343', oder in Pariser Fussen die 3 fraglichen Werthe: 28314'; 27186'; 26058'. Der Berg ist also nicht höher als die grossen Gipfel des Himalaya.

Curtius δ, zu Osten gemessen, wenn der Schatten stets auf höchst gebirgigem Terrain liegt.

φ = 4°37'	h = 2900'	S.
4 38	2913	S.
4 51	3200	S.
5 23	4022	S.
5 25	3993	S.
5 27	4018	S.
5 29	4088	S.
5 30	4130	S.
7 42	2515	S.
8 14	2856	S.
8 25	2418	S.
8 40	3457	S.
9 35	2933	S.
10 26	3011	S.
10 57	2973	S.

Mittelwerthe:

φ = 4°42'	h = 3003'	3 Beob.
5 25	4035	3 -
5 29.5	4109	2 -
8 15	2811	4 -
10 19	2972	3 -

Erst bei φ = 5°29',5 trennt sich die Schattenspitze von der Lichtgrenze. Später durchzieht der Schatten Höhen und Tiefen des Gruemberger. Ueber der Tiefe dieses wird die Höhe = 4100' = 24600' betragen.

Curtius δ, Sattel des O.-Walles, zu West gem.:

φ = 5°13'	h = 1450'	S.
5 43	1440	S.

φ = 5° 57' h = 1502' S.
   6 4   1316   S.
   6 53   1778   M.
   7 23   1319   S.
   7 29   1203   S.
   7 53   1558   S.
   8 1   1820   M.
   8 37   1371   S.
   9 32   1263   S.
   9 35   1559   M.
Mittelwerthe:
φ = 5° 38' h = 1464' = 8784'
   7 12   1349
   9 15   1398

Mädler's erste beiden Angaben beziehen sich wohl auf einen andern Punkt des O.-Walles; ihr Mittel ist:
φ = 7° 27' h = 1799' = 10794'.
Bei φ = 5.5 erreicht der Schatten die Mitte des Kraters.

Curtius, SO.-Wall, zu West gemessen:
φ = 4° 30' h = 1996' S.
   5 27   1995   S.
   6 53   1778   M.
   8 1   1820   M.
   9 48   1780   S.
  10 4   1877   S.
Mittel: φ = 4° 58' h = 1995' = 11970'.
   7 27   1799
   9 36   1828

Hier habe ich die vorigen beiden Messungen Mädler's, wie ich glaube, richtig eingereiht.

Curtius, Wallhöhe südlich neben δ, zu West gemessen:
φ = 6° 23' h = 2572' M.

Curtius, W.Wall Mitte, nach innen.
φ = 3° 28' h = 1462' M.
   4 44   1849   S.
   5 35   1376   S.
Mittel: φ = 4° 36' h = 1562' = 9372'.

Curtius, SW.-Wall innen:
φ = 6° 12' h = 2130' S.

Curtius, NW.-Wall innen:
φ = 3° 47' h = 1580' S.
   6 37   2290   S.
Mittel: φ = 5° 12' h = 1935' = 11610'.

Curtius, Centralberg zu West:
φ = 3° 43' h = 508' S.
   4 14   476   S.
Mittel: φ = 3° 58' h = 492' = 2952'.

Curtius, Krater a, W.-Wall innen:
φ = 3° 57' h = 1865' S.

2. Moretus — No. 14.
W.-Wall innen:
φ = 4° 28' h = 2470' S.
   6 21   1990   S.
   6 34   2049   S.
   6 56   2323   M.
   6 56   2883   S.
   7 2   1964   S.
   7 8   2213   S.
   8 36   2360   S.
   8 39   1947   S.
   8 40   2488   M.
  12 4   2301   M.
O.-Wall innen:
φ = 4° 53' h = 1410' S.
   6 26   1188   S.
   6 45   2038   S.
   7 0   1719   S.
   8 19   1565   S.
   8 25   1846   S.
   8 33   1565   M.
   9 10   1682   S.
   9 30   1442   M.

Wegen der stets sehr schwierigen Gestalt der Phase können die Messungen nicht besser ausfallen. Ich setze als einfache Mittel:
W.-Wall innen:
φ = 7° 35' h = 2281' = 13686' 11 Beob.
O.-Wall innen:
φ = 7° 40' h = 1639' = 9834' 9 -
Moretus. W.-Wall aussen:
φ = 5° 57' h = 1514' S.
Vertiefung gegen 770° = 4620'.
Moretus. Centralberg.

Gegen Osten gemessen:
φ = 2° 43' h = 690' S.
   3 7   697   S.
   4 10   1132   S.
   4 12   1100   S.
   4 13   1110   S.
   4 33   1016   S.
   4 51   1020   S.
   4 56   1105   S.
   4 59   1149   S.
   5 6   1073   M.
   5 6   1135   S.
   5 23   1401   S.
   5 59   745   S.
   6 18   1086   S.
   6 43   1110   S.
   6 43   1207   S.
Gegen Westen gemessen:
φ = 3° 7' h = 942' S.
   3 29   1078   S.

φ = 3° 51' h = 1283' S.
 3 53   1221   S.
 4 7   1293   S.
 4 25   1468   S.
 4 57   1484   S.
 4 58   1522   S.
 5 49   1691   S.
 5 54   1601   S.
 6 46   1637   S.
 7 43   1619   S.

Bei zunehmendem Monde ist die Lichtgrenze schwieriger als bei abnehmendem.

Mittelwerthe,
zu Ost:

φ = 2° 55' h = 693'   2 Beob.
 4 33   1090   7 -
 5 23   1088   4 -
 6 35   1134   3 -

zu West:

φ = 3° 18' h = 1010' 2 Beob.
 3 57   1266   3 -
 4 47   1491   3 -
 6 33   1638   4 -

Hiernach liegt die westliche Ebene des Moretus gegen 504' niedriger als die östliche, und der Ostwall hat, ein sehr seltener Fall, mit dem Centralberg dieselbe Höhe, während dieser vom Westwalle um 642' überragt wird. Bei φ = 2° bis 3° sieht man bei steigender Sonne die Spitze des Schattens vom Centralberge hoch am Kamme des Ostwalles sich entwickeln. Am 11. Nov. 1854 zeigte der Schatten des Centralberges 2 wellenförmige Krümmungen, als er gegen Westen gerichtet war.

3. Short = 14°. O.-Wall innen:

φ = 7° 30' h = 2138' S.
 7 34   2110   M.
 8 38   2316   M.
 9 5   2459   S.
 9 15   2226   S.
Mittel: φ = 7° 32' h = 2123' = 12744'
 8 39   2334   = 14004

Short NO.-Wallgipfel innen:

φ = 7° 16' h = 2708' S.
 7 19   3016   S.
 8 12   2983   S.
 8 29   2922   M.
10 17   3182   S.
10 35   3134   S.
10 37   3461   S.
10 38   3272   S.

Mittelwerthe:

φ = 7° 17' h = 2862'
 8 21   2952
10 32   3262   = 19572'.

Die letzte Angabe beruht auf 4 Messungen an 4 verschiedenen Tagen, so dass sie als sehr sicher anzusehen ist. Bei φ = 10° 30' erreicht der Schatten des Hochgipfels die Mitte des Kraters, und es wird der Höhenunterschied nahe gleich der Seehöhe des Chimborazo, in unserem Beispiele = 19572'.

4. Cysatus = No. 13.
W.-Wall innen.

φ = 9° 0' h = 2054' M.
 9 51   1864   S.
Mittel: φ = 9° 25' h = 1959' = 11754'.

O.-Wall innen:

φ = 6° 27' h = 1597' M.
11 57   1913   S.
20 20   1734   M.
Mittel: φ = 12° 55' h = 1748' = 10488'.

5. Gruemberger = No. 12.
SW.-Wall innen:

φ = 4° 58' h = 2049' S.
 5 59   2673   S.
 6 28   2950   S.
 7 52   2171   M.
 8 10   2167   S.
Mittel: φ = 4° 58' h = 2049' = 16866'
 6 13   2811
 8 1   2169

O.-Wall innen:

φ = 6° 19' h = 2478' S.
 7 18   2106   S.
 7 38   2345   S.
 8 3   2212   S.
 9 1   2189   S.
Mittel: φ = 7° 40' h = 2266' = 13596'.

SO.-Wall innen:

φ = 8° 32' h = 1800' S.
11 1   1791   S.
Mittel: φ = 9° 46' h = 1800' = 10800'.

6. Newton = No. 15. W.-Wall innen:

φ = 7° 4' h = 1565' S. im SW.-Walle.
 7 42   1862   S. - W. -
 7 17   3352   S. W.-Gipfel.
 9 44   3727   M. - -

Die Mittelwerthe sind demnach für den mittleren Grat des W.-Walles:

φ = 7° 23' h = 1713'.

für den Hochgipfel:

φ = 8° 30' h = 3539' = 21234'.

Newton α, gegen Süden, dessen O.-Wall innen:

φ = 5° 53' h = 1486' S.
 7 17   1417   S.
Mittel: φ = 6° 35' h = 1451' = 8706'.

Newton b, gegen Süden; dessen O.-Wall innen:
φ = 6° 2'   h = 1884' S.
      8 26   2092   S.
      10 55   2645   S.
Mittel: φ = 8° 28' h = 2207' = 13242'.
Newton c, gegen Norden, dessen O.-Wall innen:
φ = 3° 17' h = 978'   S.
      3 35   1209
Mittel: φ = 3° 26' h = 1093' = 6558'.
Newton, O.-Wall innen:
φ = 9° 31' h = 1986' M.
      9 48   1909   M.
Mittel: φ = 9° 39' h = 1947' = 11682'.
7. Casatus = No. 11.
SW.-Wallgipfel, innen gemessen:
φ = 5° 11' h = 2216' S.
      5 19   2561   S.
      5 39   2678   S.
      5 42   2353   S.
      5 48   2401   S.
      6 47   2526   M.
      7 3   2870   M.
      8 11   2476   S.
      9 32   2335   S.
Mittel: φ = 6° 35' h = 2494' = 14964'.
W.-Wall innen:
φ = 4° 38' h = 1778' S.
      5 38   1812   S.
      5 43   1436   S.
      6 6   1641   M.
      9 55   1969   M.
Mittel: φ = 6° 24' h = 1727' = 10362'.
W.-Wallgipfel innen:
φ = 4° 46' h = 3073' S.
      7 19   3569   M.
      10 58   3318   M.
Mittel: φ = 7° 41' h = 3320' = 19920'.
NW.-Wall innen:
φ = 5° 40' h = 2357' S.
W.-Wall aussen:
φ = 3° 10' h = 1210' S.
Vertiefung gegen 517' = 3102'.
O.-Wall innen:
φ = 8° 22' h = 1985' S.
O.-Wall aussen:
φ = 2° 46' h = 1018' S.
Vertiefung gegen 967' = 5802'.
Wegen der höchst unebenen Umgegend genügt es, die Vertiefung zu 750' anzunehmen.
Pic α in SW. am Casatus, zu Ost gemessen:
φ = 4° 16' h = 1635' S.
      4 38   1842   S.
Mittel: φ = 4° 27' h = 1738' = 10428'.

Pic α zu West gemessen:
φ = 5° 10' h = 1431' S.
      8 35   1562   S.
      8 45   1746   S.
      12 13   2345   S.
Mittel: φ = 8° 41' h = 1771' = 10626'.
8. Grosse Randberge bei Casatus und Cabaeus, deren Schatten bei sehr günstiger Libration (wie 1854 Nov. 11) gemessen werden können; doch bleibt dann jedes Mal die Lage der Phase sehr zweifelhaft.
Berg I. Schatten zu West gerichtet:
φ = 5° 44' h = 2721' S.
      8 13   2276   S.
      9 14   3352   S.
      9 19   2971   S.
      9 46   2718   S.
      10 31   2689   S.
      10 35   2372   S.
Mittel: φ = 9° 3' h = 2728' = 16368'.
Berg I, Schatten zu Ost. (Vielleicht ein anderer Berg.)
φ = 5° 48' h = 4244' = 25464'. S.
Ein Berg SO. bei Casatus.
φ = 10° 9' h = 2798' S.
      10 15   2851   S.
      14 0   2883   S.
Mittel: φ = 11° 28' h = 2844' = 17064'.
9. Klaproth = No. 10. W.-Wall innen:
φ = 5° 14' h = 1561' M.
      5 20   1201   M.
Mittel: φ = 5° 17' h = 1381' = 8286'.
10. Clavius = No. 8.
SW.-Wallgipfel nach innen:
φ = 4° 22' h = 1861' S.
      4 56   1998   S.
      5 9   2038   S.
      5 55   2127   S.
      6 3   2179   M.
      6 9   2372   M.
      6 16   2345   M.
      6 22   2276   S.
      6 29   2866   M.
      6 37   2765   S.
      6 47   2137   S.
      6 50   2457   S.
      7 42   2784   S.
      7 56   1770   S.
      8 13   1672   Sr.
Mittelwerthe:
φ = 4° 39' h = 1929'
      5 54   2272
      6 37   2500 = 15000'
      7 54   2156

Clavius, derselbe SW.-Gipfel nach aussen gemessen:

φ =	3° 56'	h =	1689¹	S.* (verschlte Beob.)
	3 38		905	S.
	5 50		972	S.
	6 0		766	S.
	7 49		796	S.

Mittel:

φ = 5° 49' h = 860¹ = 5160'.

Die südwestliche Ebene des Clavius liegt also gegen 1412¹ niedriger als das äussere westliche Hügelland.

Clavius, W.-Wall innen, auf ihm 2 kleine Kuppen.

φ =	4° 20'	h =	1803¹	S. Wall.
	5 0		2164	S. -
	5 0		2527	S. -
	5 27		2056	S. -
	5 34		2165	S. -
	5 38		2420	S. -
	5 41		2013	S. -
	6 19		1972	M. -
	6 54		2391	S. -
	7 6		2750	S. (Gipfel).
	7 18		2564	S. Wall.
	7 49		2447	S. -
	8 8		2448	S. -
	9 26		1909	M. -

Mittelwerthe:

φ =	5° 14'	h =	2164¹	
	7 5		2425	= 14550'
	8 47		2208	

Clavius, NW.-Wall innen:

φ =	3° 57'	h =	1691¹	S.
	4 50		1843	S.
	5 26		1964	S.
	8 7		1597	S.
	9 56		1655	S.
	10 3		1861	S.
	11 29		1791	S.

Mittelwerthe:

Mittel: φ =	4° 44'	h =	1833¹	= 10998'.
	9 54		1726	

Clavius, NW.-Wallgipfel nach innen gem.:

φ =	4° 13'	h =	2188¹	S.
	5 39		2193	S.
	5 40		2568	S.
	6 41		2557	S.
	6 43		2361	S.
	7 38		2622	S.
	8 13		2684	Sr.
	8 56		2551	S.
	11 6		2137	S.
	12 20		2516	S.

Mittelwerthe:

φ =	5° 11'	h =	2316'	
	7 1		2513	= 15078'
	10 25		2412	

Clavius, O.-Wall innen:

φ =	4° 21'	h =	2117¹	S.
	7 1		2969	M.
	7 33		2632	M.

Mittel: φ = 6° 18' h = 2573¹ = 15438'.

Clavius, innere untere Terrasse, zu West gemessen:

φ = 8° 18' h = 1018¹ S.

Diese wird also vom Ostwalle um 1555¹ überragt.

Clavius, Krater b, W.-Wall innen:

φ =	11° 16'	h =	1845¹	S.
	11 44		2254	S.
	11 56		1983	S.
	12 11		1970	S.
	12 12		2448	S.
	12 23		2134	S.
	13 10		1814	S.
	13 18		1834	M.
	13 40		1907	S.
	14 49		2019	S.
	15 10		2238	S.
	19 25		1028	M.

Mittelwerthe:

φ =	11° 39'	h =	2027¹	
	12 15		2184	
	13 23		1852	
	15 0		2228	= 13368'.

Das Mittel Aller, ohne die letzte Angabe, ist:

φ = 12° 54' h = 2059¹ = 12354'.

Clavius, Krater b, O.-Wall aussen:

φ =	4° 56'	h =	1336¹	S.
	7 10		1168	Sr.

Mittel: φ = 6° 3' h = 1252¹ = 7512'.

Wäre der Wall ringsum gleich hoch, so würde der Kraterboden 807¹ tiefer liegen als das umgebende Gebiet.

Clavius, Krater a, W.-Wall innen:

φ =	6° 54'	h =	1177¹	Sr.
	9 37		2152	S.
	10 54		1307	M.

Clavius, Krater d, W.-Wall innen:

φ =	10° 41'	h =	1077¹	S.
	11 11		1464	M.
	12 8		2004	S.
	15 49		1412	S.

Mittel: φ = 12° 27' h = 1489¹ = 8934'.

Clavius, Krater d, O.-Wall innen:
φ = 10° 20' b = 1707' S.
  12 57   1336 S.
  12 58   1514 S.
  14 54   1396 S.
Mittel: φ = 12° 47' h = 1488' = 8928'.

Clavius, Krater d, W.-Wall innen:
φ = 1° 17' b = 245' S.
  4 38   598 S.
  5 36   624 S.
Mittel: φ = 3° 50' h = 489' = 2934'.

Clavius, Krater d, O.-Wall aussen:
φ = 2° 15' h = 341' S.
  2 49   733 S.
  3 25   455 M.
Mittel: φ = 2° 50' h = 510' = 3060'.

Für diesen Krater d findet man also, dass die Einsenkung seines Bodens in die Ebene des Clavius nach 2 Angaben 1000' und 979', im Mittel also 980' beträgt; sie liegt also 3500' = 21000' unter den Hochgipfeln des Westwalles.

Clavius, Krater i, östlich in der Ebene.

O.-Wall aussen:
φ = 1° 21' h = 186' Sr.

Clavius, Wallgebirg e, NO. bei b, im N.-Walle Clavii.

W.-Wall innen:
φ = 7° 26' h = 1168' Sr.

11. Blancanus = No. 9.

W. und SW.-Wall innen:
φ = 5° 10' h = 2999' S.
  5 33   2214 S.
  6 18   2043 M.
  6 36   1677 S.
  6 38   1590 S.
  7 5   2151 M.
  7 44   1983 S.
  7 50   1920 S.
  11 40   2143 M.
Mittelwerthe:
φ = 5° 21' h = 2606' = 15636'
  6 31   1770
  8 35   2050

Blancanus, O.- und NO.-Wall innen:
φ = 5° 7' h = 2465' S.
  7 17   2338 S.
  8 17   2816 M.
  10 4   2386 S.
  11 35   2258 S.
  12 37   2093 S.
Mittelwerthe:
φ = 6° 12' h = 2401'
  9 10   2601 = 15606'
  12 6   2175

12. Maginus = No. 7. SW.-Wall innen:
φ = 4° 29' h = 2734' S.
  4 47   2411 S.
  4 58   1937 S.
  5 19   2251 M.
  5 36   2231 S.
  5 52   2261 M.
Mittelwerthe:
Mittel: φ = 4° 45' h = 2354' = 14124'
  5 36   2248

Maginus, W.-Wall innen:
φ = 4° 12' h = 1045' S.

Maginus, NO.-Wall, oder W.-Wall von f, aussen:
φ = 4° 23' h = 1838' S.
  4 30   2034 M.
Mittel: φ = 4° 26' h = 1936' = 11616'.

Maginus, Centralberg zu Ost gemessen:
φ = 2° 30' h = 306' Sr.

13. Deluc = No. 7°. W.-Wall von H, dem nördlichen Nachbarn des Deluc.
φ = 18° 29' h = 1487' S.

14. Pictet = No. 1°. W.-Wall innen:
φ = 7° 5' h = 1522' S.
  9 4   1551 S.
  12 28   1460 S.
Mittel: φ = 9° 32' h = 1511' = 9066'.

Pictet a (südlich von No. 1°).
W.-Wall innen:
φ = 12° 37' h = 889' M.

15. Street = No. 1°, nördlich von Tycho.
φ = 6° 38' h = 1245' S. O.-Wall aussen.
  10 27   698 M. W.-Wall innen.

16. Tycho = No. 1. SW.-Wall innen:
φ = 5° 49' h = 2301' S.
  6 11   2162 S.
  6 48   2155 S.
  6 59   2385 S.
  7 8   2060 S.
  14 12   1787 S.
Mittel ohne die letzte Beob.:
φ = 6° 35' h = 2213' = 13278'.

W.-Wall innen:
φ = 6° 21' h = 2765' M.
  6 47   2475 M.
  6 53   2069 S.
  7 34   2414 S.
  8 3   2385 S.
  8 29   1307 Sr.*
  8 41   2253 S.
  9 13   2709 M.
  10 11   1889 S.
  10 15   2466 S.
  10 23   2269 S.

37

$\varphi = 11°5'$ h = 1928'   M.
11 22   2424   S.
11 49   1994   M.
14 22   2046   S.
14 26   2109   S.
15 49   1802   S.
Mittelwerthe ohne Sr.*:
$\varphi = 6°51'$ h = 2431'   4 Beob.
8 39   2449   3 -
10 51   2162   6 -
14 52   1986   3 -
Das Maximum beträgt 14694'.

Tycho, NW.-Wall innen:
$\varphi = 5°34'$ h = 2424'   S.
5 43   2117   S.
5 57   2261   S.
6 10   2279   S.
6 50   3159   M.
6 51   2492   S.*
7 8   3076   S.
7 19   3182   S.
S.* nehme ich hier nicht zum Mittel, da er wohl zum W.-Wall gehört.
Mittel: $\varphi = 5°45'$ h = 2267'   3 Beob.
6 30   2719   2 -
7 13   3129   2 -
Das Maximum = 18834'.

Tycho, NO.-Wall innen:
$\varphi = 8°10'$ h = 2750'   S.
9 33   2509   M.
Mittel: $\varphi = 8°51'$ h = 2629' = 15774'.

Tycho, O.-Wall innen:
$\varphi = 7°10'$ h = 1619'   Sr.
7 57   2060   S.
8 15   2258   S.
8 17   1939   S.
8 21   2062   S.
8 22   2024   S.
10 21   1945   S.
12 14   1801   S.
13 3   1772   S.
13 28   1848   S.
Mittelwerthe:
$\varphi = 8°8'$ h = 2028'   6 Beob.
12 47   1841   4 -

Tycho, O.-Wall aussen:
$\varphi = 2°45'$ h = 1000'   S.
2 48   988   S.
3 20   1299   S.
3 53   1357   S.
4 38   1690   Sr.*
Mittel ohne Sr.*:
$\varphi = 2°46'$ h = 994'
3 36   1328   = 7968'.

Im Osten des Tycho ist aber der Boden derart zerrissen, dass von einem dortigen mittleren Niveau kaum die Rede sein darf. Im Mittel liegt der Boden des Tycho 900' tiefer als diese Region.

Tycho, Centralberg gegen Ost gemessen:
$\varphi = 4°10'$ h = 710'   S.
4 33   739   S.
4 47   661   S.
4 54   849   S.
5 18   737   S.
5 22   727   S.
5 26   780   M.
5 29   858   S.
5 41   864   S.
5 50   876   S.
6 31   920   S.
7 7   902   S.
7 18   575   Sr.*
8 46   959   S.
8 51   644   S.
Mittelwerthe ohne Sr.*:
$\varphi = 4°36'$ h = 740'   4 Beob.
5 31   807   6 -
7 28   927   3 - = 5562'.

Tycho, Centralberg gegen West gemessen:
$\varphi = 5°47'$ h = 1272'   S.
6 47   1264   S.
6 58   1358   S.
7 4   1257   S.
7 5   1373   S.
9 8   1197   S.
Mittel: $\varphi = 7°8'$ h = 1287' = 7722'.

Die westliche Ebene des Tycho liegt also 360' = 2160' niedriger als die östliche, ähnlich wie im Moretus.

Krater A, nördlich von Tycho.
$\varphi = 10°26'$ h = 835'   M.   W.-Wall innen.

Krater M, südöstlich von Tycho.
$\varphi = 3°46'$ h = 610'   S.   W.-Wall innen.

Krater D, W.-Wall innen:
$\varphi = 7°57'$ h = 817'   M.
Dieser Krater D Mädler's entspricht wahrscheinlich dem d meiner Charte. Auch Mädler hat in seiner Charte nur d, nicht D.

17. Sasserides = No. 2.
W.-Wall innen:
$\varphi = 3°9'$ h = 1235'   M.
9 9   1111   M.
Mittel: $\varphi = 6°9'$ h = 1173' = 7038'.
O.-Wall β innen:
$\varphi = 11°3'$ h = 1470'   S.

18. **Simpelius** — No. 20. O.-Wall innen:

φ = 4° 50' h = 1855' S.
6 26   2101   S.
6 55   1642   S.
7 10   2263   M.
7 31   1608   M.
8 57   1937   S.
11 9   1691   S.

Mittel: φ = 7° 34' h = 1871' = 11226'.

Simpelius, W.-Wall a, aussen:

φ = 3° 49' h = 1761' S.
6 59   2059   S.
7 17   2017   S.

Mittel: φ = 6° 2' h = 1946' = 11676'.

Mit der folgenden Messung der westlichen Kratertiefe verglichen, liegt also diese gegen 800' niedriger als das Land im Westen des Simpelius.

Simpelius, W.-Wall α, innen:

φ = 4° 14' h = 1717' S.
4 54   1915   S.
5 40   2380   S.
6 46   2674   S.
7 54   2875   S.
8 17   2543   S.
8 29   3148   S.
8 58   2558   S.
10 23   2534   S.
11 12   2666   S.
11 21   2134   S.
11 51   2617   S.
12 47   1806   S.

Mittelwerthe: φ = 4° 56' h = 2003' S.
8 5   2700 = 16560'
11 31   2363

Krater a, Simpelius, O.-Wall innen:

φ = 5° 23' h = 1037' M.
6 25   2124   S.
10 1   1856   S.

Mittel ohne die erste Beobachtung:
φ = 8° 13' h = 1990' = 11940'.

Krater a, Simpelius, W.-Wall innen:
φ = 6° 47' h = 1120' S.

Krater d, Simpelius, W.-Wall innen:
φ = 7° 22' h = 1473' S.

Krater c, Simpelius, O.-Wall aussen:
φ = 7° 6' h = 2670' S.

19. **Schomberger** = No. 19. W.-Wall innen:

φ = 5° 25' h = 2468' S.
5 46   2274   S.
6 25   1842   S.
6 40   1964   S.
8 25   2152   S.
8 32   2068   S.
9 26   1763   S.

φ = 9° 36' h = 1951' S.
9 39   1876   S.

Mittelwerthe:

φ = 5° 35' h = 2371' = 14226'
6 32   1903
8 28   2110
9 34   1863

W.-Wall aussen:

φ = 3° 53' h = 2057' S.

Der Kraterboden liegt westlich wenigstens 400' tiefer als die westliche Ebene.

O.-Wall innen:

φ = 5° 35' h = 2153' S.
6 25   2626   S.
7 50   1920   S.

Mittel: φ = 6° 37' h = 2233' = 13398'.

20. **Demonax** (*) — No. 17. Grosser Krater am Rande, bei Boguslawski, dessen W.-Wall nach innen gemessen:

φ = 7° 19' h = 2670' S.
9 40   2333   S.

Mittel: φ = 8° 29' h = 2511' = 15066'.

Demonax (*). O.-Wall aussen:

φ = 3° 25' h = 1583' S.
3 47   1450   S.
5 4   2151   S.
6 34   2571   S.
7 5   2329   S.
7 16   2962   S.
8 50   2243   S.
9 27   3357   S.

Mittelwerthe:

φ = 3° 36' h = 1766'
5 49   2512
8 9   2723 = 16338'

21. **Boguslawski** — No. 16. W.-Wall innen:

φ = 4° 7' h = 1834' S.
7 15   1778   S.
7 32   1643   S.

Mittel: φ = 6° 18' h = 1768' = 10608'.

22. **Manzinus** = No. 18. W.-Wall innen:

φ = 5° 29' h = 1392' S.
6 11   2264   S.
6 49   2142   S.
9 43   1706   S.

Mittel: φ = 7° 3' h = 1876' = 11256'.

NW.-Wall innen:

φ = 6° 54' h = 2693' S.
6 54   2846   S.
7 5   2982   S.
7 9   2501   S.
7 27   2106   S.
8 8   2250   S.

Mittel: φ = 7° 16' h = 2563' = 15378'.

37*

Manziaus, SO.-Wall innen:
φ = 5° 1' h = 1392' S.
   5 34   1625 M.
   7 5   1212 S.
   8 8   1979 S.
Mittel: φ = 6°27' h = 1552' = 9312'.
O.-Wall innen:
φ = 4°55' h = 2275' M.
   7 2   1868 M.
   7 15   1732 M.
   8 17   1435 M.
   8 50   1761 S.
   9 7   1928 S.
   10 1   1693 S.
Mittel: φ = 7°55' h = 1813' = 10878'.
O.-Wall aussen:
φ = 2°58' h = 302' S.
Hiernach läge der Boden des Manzinus gegen 1500' tiefer als die östliche Ebene.

23. Pentland = No. 21.
φ = 9°44' h = 2242' S. W.-Wall innen.
   8 41   2216 S. O.- - -
24. Zach = No. 23. W.-Wall innen:
φ = 5°20' h = 1277' S.
   7 30   1664 S.
   7 35   2261 S.
   8 13   1816 S.
   8 18   1689 S.
   10 6   1756 S.
Mittel: φ = 7°50' h = 1744' = 10464'.
O.-Wall innen:
φ = 5°14' h = 1848' S.
   6 23   1654 S.
   6 30   1997 M.
   6 32   2100 M.
   8 8   1610 M.
   8 26   1634 S.
   8 45   1587 S.
   8 57   1832 S.
   9 7   1522 S.
   9 37   1562 S.
Mittel: φ = 7°46' h = 1735' = 10410'.
Krater a Zach, O.-Wall innen:
φ = 8°9' h = 1703' S.
25. Jacobi = No. 24. W.-Wall innen:
φ = 5°15' h = 1778' S.
   5 18   1679 S.
   5 22   1397 S.
   5 39   1874 S.
   6 41   1415 M.
   6 54   1453 S.
   6 59   1268 S.
   8 18   1537 S.

φ = 8°31' h = 1425' S.
   11 44   1717 S.
   12 24   1411 S.
Mittel:
φ = 6°2' h = 1552' 7 Beob.
   10 14   1522 4 -
Mittel beider = 1537' = 9222'.
W.-Wall aussen:
φ = 3°3' h = 492' S.
   4 43   654 S.
Mittel: φ = 3°38' h = 573' = 3438'.
Es liegt also der Boden des Jacobi 964' unter der westlichen Ebene.
Jacobi. O.-Wall innen:
φ = 5°7' h = 1664' S.
   6 9   2185 S.
   6 25   1626 S.
   6 28   1823 S.
   7 1   1565 S.
   7 9   1517 S.
   9 37   1614 M.
   10 5   1563 S.
   10 5   1947 S.
Mittel: φ = 7°34' h = 1723' = 10338'.
26. Lilius = No. 25. W.-Wall innen:
φ = 6°6' h = 1282' S.
   6 11   1133 M.
   9 4   1774 S.
   9 29   1457 S.
   10 4   1619 S.
Mittel: φ = 6°8' h = 1207'
   9 32   1617 = 9702'.
O.-Wall innen:
φ = 6°0' h = 1548' M.
   8 8   1235 S.
   9 29   1537 S.
Mittel: φ = 7°52' h = 1440' = 8640'.
Krater a Lilius. W.-Wall innen:
φ = 6°8' h = 1438' S.
   10 8   1685 S.
Mittel: φ = 8°8' h = 1561' = 9366'.
Lilius Centralberg, zu Ost gemessen:
φ = 5°1' h = 604' S.
   5 8   584 S.
   8 35   717 S.
Mittel: φ = 6°15' h = 635' = 3810'.
Lilius Centralberg, zu West gemessen:
φ = 4°18' h = 696' S.
27. Cuvier = No. 30. W.-Wall aussen:
φ = 3°13' h = 548' S.
Nimmt man aus den folgenden Messungen des Westwalles das Mittel = 1415', so würde folgen, dass die Tiefe des Cuvier = 867' unter dem westlichen Lande liege.

Cuvier. W.-Wall innen:

φ = 5° 15' h = 1433' S.
5 19   1651 S.
5 23   1616 S.
5 42   1392 S.
5 44   1435 S.
5 48   1335 S.
6 33   1204 S.
7 5   1312 S.
7 16   1487 M.
7 25   1468 S.
7 39   1431 S.
8 5   1121 S.
8 8   1760 S.
8 13   1330 S.
8 40   1362 M.
8 50   1337 S.
8 56   1310 S.

O.-Wall innen:

φ = 5° 46' b = 2014' S.
5 58   1943 S.
6 5   2038 M.
6 13   2135 M.
6 26   1774 S.
6 55   1662 S.
7 30   1700 M.
8 16   1511 S.
8 29   1838 S.
8 32   1768 S.
8 38   1903 S.
8 39   2297 S.
9 2   1715 S.
9 19   1695 S.
10 58   1402 S.
12 10   1325 S.

Mittelwerthe.
W.-Wall:

φ = 5° 32' h = 1477' 6 Beob.
7 12   1398   5 -
8 29   1370   6 -

O.-Wall:

φ = 6° 14' h = 1928' 6 Beob.
8 21   1836   6 -
10 22   1534   4 -

Bei derselben Sonnenhöhe ist also der Ostwall um 466' höher als der Westwall. — Mädler pg. 381 citirt h = 2574', welche Zahl im Cataloge fehlt, denn dort lautet No. 404 = 2135'.

28. Licetus = No. 29. W.-Wall innen:

φ = 5° 32' h = 1748' S.
6 32   1885 S.
6 43   1771 S.
6 44   1705 M.

φ = 7° 8' h = 1430' S.
7 29   1472 S.
7 42   1505 S.

Mittelwerthe:

φ = 6° 23' h = 1777' = 10662'
7 26   1469

Licetus. O.-Wall innen:

φ = 5° 33' h = 1604' S.
6 53   2138 M.
8 4   1846 M.
8 23   1677 S.
9 28   1491 S.
9 33   1792 M.
10 40   1439 S.
10 55   2021 S.
11 2   1731 S.
11 48   1459 S.

Mittelwerthe:

φ = 6° 13' h = 1866' = 11196'
8 13   1761
9 30   1641
10 47   1730
11 25   1595

Licetus. W.-Wall aussen:

φ = 3° 0' h = 386' S.

Licetus. O.-Wall aussen:

φ = 3° 27' h = 1239' S.

Die mittlere Einsenkung des Licetus gegen 860' = 5160'.

Licetus, d, der Südkrater von No. 26, Heraclitus.

φ = 5° 25' h = 817' S. W.-Wall innen.

Heraclitus (?) = No. 26.
W.-Wall h nach innen:

φ = 7° 1' h = 953' S.

29. Clairaut = No. 32. W.-Wall innen:

φ = 6° 40' h = 1407' S.
8 28   1350 S.
12 40   1390 S.

Mittel: φ = 9° 16' h = 1382' = 8292'.

Clairaut, Krater a, W.-Wall innen:

φ = 8° 22' h = 1129' S.
12 1   963 S.

Mittel: φ = 10° 11' h = 1046' = 6276'.

Clairaut, Krater b (Ost an Baco),
W.-Wall innen:

φ = 10° 13' h = 1245' S.
12 38   1466 S.

Mittel: φ = 11° 25' h = 1355' = 8130'.

Clairaut, Krater b, O.-Wall innen:

φ = 9° 16' h = 1535' S.

30. Nasireddin = No. 4. W.-Wall innen:
φ = 8° 19'   h = 2060'   S.
    8 32   1718   M.
    9 2   1980   S.
    9 11   2131   S.
Mittel: φ = 8° 46' h = 1972' = 11832'.
Leverrier = a, Nord an No. 30,
W.-Wall innen:
φ = 9° 21'   h = 1671'   S.
    10 7   1875   S.
Mittel: φ = 9° 44' h = 1773' = 10638'.
Leverrier, O.-Wall innen:
φ = 13° 44'   h = 1637'   M.
Leverrier, Centralberg, zu Ost gemessen:
φ = 8° 12' h = 302' S. eine Schätzung.
31. Maurolycus = No. 33.
SO.-Wall innen:
φ = 7° 13'   h = 2837'   S.
    7 17   1964   S.
    7 28   2235   S.
    7 35   1886   S.
    7 49   1965   S.
Mittel: φ = 7° 28' h = 2177' = 13062'.
O.-Wall innen:
φ = 5° 31'   h = 1903'   S.
    5 38   2479   S.
    6 2   2551   S.
    7 8   2430   S.
    7 33   2165   S.
    7 46   2162   M.
    7 51   2235   M.
    7 55   2036   S.
    9 49   2205   S.
    10 2   1989   M.
    11 49   2260   S.
Mittelwerthe:
φ = 5° 44'   h = 2311'   3 Beob.
    7 39   2206   5 -
    10 33   2151   3 -
Das Maximum = 13866'.
Maurolycus, Centralberg.
φ = 2° 54' h = 522' S. zu Ost gemessen.
    2 43   700   S. - West -
Maurolycus, südlich bei φ, O.-Wall aussen:
φ = 1° 56' h = 386' S.
32. Stoeflerus. W.-Wall innen:
φ = 4° 5'   h = 2180'   S.
    4 28   1884   S.
    4 36   2159   S.
    4 42   1683   S.
Mittel: φ = 4° 28' h = 1977' = 11862'.
Stoeflerus, O.-Wallg. innen:
φ = 5° 1'   h = 1915'   M.
    5 7   2362   S.

φ = 5° 54'   h = 1735'   M.
    6 19   2144   S.
Mittel: φ = 5° 35' h = 2039' = 12234'.
Stoeflerus. SO.-Wall innen:
φ = 4° 0'   h = 1629'   S.
    6 23   1527   S.
Mittel: φ = 5° 11' h = 1578' = 9468'.
Stoeflerus, Gebirg β, zu Ost gemessen:
φ = 3° 8'   h = 765'   S.
    3 19   823   S.
    4 8   691   M.
Mittel: φ = 3° 32' h = 760' = 4560'.
Stoeflerus, Krater b, W.-Wall innen:
φ = 5° 36'   h = 2028'   S.
    5 38   1767   S.
    6 32   1771   S.
    7 1   2318   M.
    7 23   1999   S.
Mittel: φ = 6° 26' h = 1977' = 11862'.
Stoeflerus, Krater b, O.-Wall aussen, also
über St. Ebene.
φ = 3° 15'   h = 896'   S.
Unter Annahme einer ringsum gleich hohen
Erhebung des Walles von b würde folgen, dass
der Boden von b gegen 1100' tiefer liege als die
Ebene des Stoeflerus.
Stoeflerus, NO.-Wallkrater k, W.-Wall innen:
φ = 3° 54'   h = 1650'   M.
33. Fernelius = No. 27. W.-Wall innen:
φ = 3° 14'   h = 973'   M.
    5 56   946   M.
Mittel: φ = 4° 35' h = 959' = 5754'.
Fernelius, SW.-Wall innen:
φ = 7° 3'   h = 812'   M.
34. Orontius = No. 3. SW.-Wall zwischen
Saussure und dem nördlichen grossen Krater a,
aussen zu O. gemessen.
φ = 3° 44'   h = 934'   S.
Orontius, derselbe O.-Wall innen:
φ = 5° 11'   h = 1785'   S.
    6 56   1379   S.
Mittel: φ = 6° 18' h = 1582' = 9492'.
35. Saussure = No. 6.
φ = 4° 30' h = 954' S. O.-Wall innen.
    5 39   980   S. SW.-Wall innen.

Neigungswinkel.

Tycho, W.-Wall innen	M =	45°
- - -	m =	30
- O.-Wall -	M =	45
- - -	μ =	34
- - aussen	μ =	26
- Centralberg zu West	μ =	32

Maurolycus, W.-Wall innen	M = 35		Moretus, O.-Wall innen	m = 13°
. SW.- -	M = 30		Orontius, O.-Wall innen	M = 37
. O.- -	M = 39		Nasireddin, W.-Wall innen	m = 24
. O.- -	m = 25		. O.- -	M = 36
Stoeflerus, O.-Wall innen	µ = 30		Leverrier, O.-Wall innen	M = 36
. . .	m = 24		Blancanus, O.-Wall innen	M = 33
Baco u. Nachbar, O.-Wall	m = 17		Short, O.-Wall innen	M = 20
. . - W.-Wall innen	µ = 26		Cysatus, O.-Wall innen	m = 30
Maginus, W.-Wall innen	µ = 18		Curtius ð zu West	m = 20
. - S.-Krater II, O.-Wall	M = 34		Curtius, W.-Wall innen	m = 14
. - Krater in II, O.-Wall	M = 45		Manzinus, W.-Wall innen	m = 17
Clavius, W.-Wall innen	M = 35		Clairaut, W.-Wall innen	µ = 27
. . .	m = 23		Cuvier, W.-Wall innen	µ = 22
. O.- .	M = 35		Licetus, W.-Wall innen	M = 32
. . -	m = 22			
Pictet, O.-Wall innen	M = 40			
Saussure, W.-Wall innen	m = 21			
. . .	M = 37			

Für die Herstellung der XXIII. Section konnten 148 Aufnahmen benutzt werden.

BEMERKUNGEN.

1842 Juni 15. 17 die ersten Aufnahmen von Maurolycus, Stoeflerus und Clavius; dieser hat 2 Gipfel auf dem Westwalle.

- Juli 16 ward der Aufgang der Sonne über der Ebene des Clavius beobachtet. Der Abfall des Lichtes zu Osten ist so stark, dass die Enden der langen Schatten der inneren Krater darin unkenntlich verlaufen. Der W.-Wall hat 2 Erhebungen.

- Aug. 27. Am 6füssigen Refractor sah ich im Clavius 28 Krater. Bei sinkender Sonne berührt der Schatten der mittleren Berge um c die innere W.-Terrasse, wenn die Schatten der 3 Ostwallgipfel noch nicht die Mitte des Clavius erreicht haben. In Tycho's Nord-Ebene ein feiner Krater. In Clavius d ward die innere W.-Terrasse gesehen.

- Sept. 25 ward der Centralberg in Clavius d bemerkt.

1843 Aug. 17. In Clavius Ebene zählte ich 23 Krater.

- Sept. 16 um 14ʰ ward die Schattenlandschaft „Clavius-Tycho" gezeichnet, welche meinem Buche „der Mond" beigegeben ist. Wenn bei sinkender Sonne der Schatten des Ostwalles von Tycho die Mitte des Kraters berührt, erreicht der Schatten des Centralberges die westlichen inneren Terrassen. Im Maginus sind es östlich die Höhen bei M, welche die grössten Schatten werfen. Im Clavius waren 23 Krater sichtbar. Beobachtet ward am 6füssigen Refractor der Hamburger Sternwarte. Mit Bestimmtheit sah ich in mehrstündiger Beobachtung, dass die in der Nachtseite westlich von Maginus leuchtenden Hochgipfel ein schönes blaues Licht hatten. Solches Licht fehlte den Höhen des Clavius durchaus. Es ward auch an 4 Gipfeln gesehen, die westlich von Tycho aus der Mondnacht aufragten. Sonst zeigte kein anderer Punkt der Phase dieselbe Erscheinung.

1844 Oct. 20 sah ich am Passagefernrohr der Hamburger Sternwarte am äusseren südlichen Walle von Clavius b 2 Krater. Die westlichen Schatten waren noch stark. In der Ebene des Clavius 20 Krater.

1846 Aug. 12 erkannte ich blaues Licht am Westwalle des Maurolycus, der in der abnehmenden Phase lag, am 5 füssigen Refractor zu Bonn.

1851 Jan. 11. Blaues Licht zeigte sich an Tycho's NO.-Wall ausserhalb, der schon weit von der Phase lag; es dauerte 5 Stunden lang.

- Jan. 13. Blaues Licht war auf dem Kraterboden, nicht am Walle des Tycho sichtbar, der nur noch wenig Schatten zeigte. Sonst zeigte das bläuliche Colorit nur noch die Ebene des Copernicus.

- Jan. 17. Unter den Südpolarbergen hatte nur einer die Kegelform; er lag in der Richtung des durch Clavius ziehenden Tychonischen Streifens. Die andern waren 6 bis 20 Meilen lange Rücken von sehr einförmigem Charakter, an den Enden steil abfallend und gegen 2000ʹ hoch. Im Tycho war jetzt, wie auch Jan. 18 (Vollmond) bläuliches Licht, aber nicht im grauen Nimbus, wie bei Aristarchus der Fall war.

1851 Febr. 11. In Clavius südlicher Ebene 15 kleine Krater sichtbar.

- März 16. Moretus Centralberg hat an seinem Nordfusse ein so eigenthümliches Licht, dass ich dort einen nicht tiefen kleinen Krater vermuthete.

1853 Mai 17 beobachtete ich am 14füssigen Refractor zu Berlin. In Clavius Ebene zählte ich nun 78 Krater; am Tage darauf 66 Krater. Es war aber nie stille Luft und ich konnte kein starkes Ocular anwenden. Verschiedene kleine Krater lagen in der Ebene des Stoeflerus, nebst Spuren von Streifen des Tycho. Mit diesem grossen Instrumente betrachtet, ist der Sonnenaufgang über Clavius und Tycho höchst prachtvoll. In den Tiefen des Klaproth und Casatus liegen Krater.

1854 Febr. 11. Bei starker südlicher Libration finde ich, dass Mädler's Cabaeus ein anderer ist als der, den ich (auch später) dafür hielt, nämlich den grossen Krater SO. bei Bailly. Tycho's Streif durch Clavius geht über die W.-Wälle von Klaproth und Casatus, wenig ausserhalb, 3 andere durch Newton.

- März 12. Viele Grade östlich von Casatus, über die hohen Berge hinaus, geht von einem mittelgrossen Krater eine Rille aus, die nur bei extremer Libration erkannt werden kann. Cabaeus (Mädler) entspricht dem Casatus Schröter's.

- März 14. Von Tycho zieht ein Streif durch die westliche Ebene des Casatus; ein anderer ausserhalb des W.-Walles von Casatus. Ersterer trifft den Krater b im SW.-Walle des Klaproth. Durch Newton a und durch dessen südlichen kleinen Krater ziehen starke Streifen des Tycho.

- April 8. Casatus der Phase nahe; der Schatten des grossen SW.-Gipfel hat eine Lage, als wenn der Berg gegen Süden überhänge; 2 Gipfel stehen nördlicher. Der Ostwall des Blancanus erschien sechsfach, die Terrassenwälle mitgezählt.

- Nov. 11. Südlich von Newton zieht eine mächtige Kraterrille. Der gegen West fallende Schatten des Centralberges im Moretus hat 2 wellenförmige Einbiegungen, welche später, Dec. 10 um 16,5 Uhr, unter denselben äusseren Umständen, nicht vorhanden waren.

- Dec. 7. 19 Uhr ward die Lage des Hochgipfels Curtius ϑ genau erkannt. Im NO.-Walle des Curtius liegt sehr hoch ein kleiner Krater. An diesem, unmittelbar nördlich, erhebt sich ϑ, der einen Theil des Hauptwalles bildet.

- Dec. 10. 19,7 Uhr. Der Schatten des O.-Walles, in der Mitte von Zach liegend, war faserig, verwaschen am Rande, und dort braun gefärbt.

1855 Oct. 18. Sehr deutlich erscheint der kleine Krater nahe bei Curtius ϑ, auf dem Walle.

- Oct. 19. 5,5. Tycho, der Phase sehr nahe, zeigt blaues Licht auf kleinem Raume ausserhalb am N.-Walle, wo sich 3 oder 4 kleine Kuppen erheben; ebenso Dec. 17 um 8 Uhr unter denselben Umständen.

- Oct. 30. Der O.-Wall des Cuvier ist dachförmig, wie bei sinkender Sonne bei erst kleinem Schatten die Beleuchtung deutlich erkennen lässt.

- Nov. 27. Wegen der Lage von ϑ Curtius kam ich zu demselben Resultate wie 1854 Dec. 7.

- Nov. 28. Bei abnehmender Phase zeigt der Schatten, dass der O. und NO.-Wall des Pentland dieselbe Anlage wie Curtius in den entsprechenden Theilen habe.

1856 Mai 13. Der mittlere Gipfel auf dem W.-Walle des Clavius besteht aus einer Doppelkuppe.

1860 Oct. 22. In der glatten Ebene des Stoefler liegen 8 oder 9 kleine Krater.

1861 Juni 27 um 17 Uhr. In Blancanus und dessen Walle zählte ich 15 Krater. Der Raum SW. bei Moretus ist mit kleinen Kratern ganz besäct.

1862 Mai 7 ward das graue Colorit auf dem Kraterboden des Cuvier gesehen und gezeichnet.

1866 Aug. 21. In den grossen Wallkratern des Clavius liegen unvollkommene Kraterrillen.

1867 Mai 14 ward die grosse Kraterrille südlich von Newton gezeichnet.

1869 Febr. 20. Tycho's Wälle sind ähnlich wie die des Arzachel gebildet.

- April 21. Im Clavius zählte ich 50 Krater.

- Juli 19 und 20. Am innern S.-Walle des Moretus lag ein grosses beulenförmiges Gebilde, die dortigen Terrassen unterbrechend.

1870 Juli 7. Oestlich am Centralberge des Moretus lag ein kleiner Krater.

1871 April 29. In Clavius Ebene zählte ich 66 Krater.

1873 April 9. Im N.-Walle von Clavius d liegt ein Krater; auf d und c treffen Lichtstreifen des Tycho.

Anm. An der Stelle, wo Mädler die montes Leibnitii ansetzt, die zuerst Schröter untersuchte, liegen ungefähr auch die montes Dörfelii, und zwar östlich von Kircher. Schröter's Ausdruck „westlich von Kircher" ist irrig.

SECTION XXIV.

	L.	M.	S.
Krater	660	850	3082
Rillen	2	1	5

NAMEN.

1. Reimarus. (*)
2. Mallet. (*)
3. Young. (*)
4. Fabricius.
5. Metius.
6. Rheita.
7. Steinheil.
8. Watt. (*)
9. Argelander. (*)
10. Biela.
11. Pontécoulant.
11*. Hanno.
12. Hagecius.
13. Helmholtz. (*)
14. Boussingault. (*)
15. Neumayer. (*)
16. Boguslawski.
17. Janssen. (*)
18. Mutus.

19. Nearchus.
20. Rosenberger.
21. Vlacq.
22. Hommel.
23. Pitiscus.
24. Dove. (*)
25. Lockyer (engl. Beob.)
26. Nicolai.
27. Riccius.
28. Spallanzani. (*)
29. Ideler. (*)
30. Asclepi. (*)
31. Baco.
32. Barocius.
33. Maurolycus.
34. Buch.
35. Büsching.
36. Wöhler. (*)

31* = Breislak. (*)
20d = Peters. (*)

Anm. Die in England neuerdings gewählten Namen sind diese:
Janssen, die grosse Wallebene östlich von Steinheil. Diese hat aber von mir schon 1854 den Namen „Argelander" erhalten, und ist so in Lohrmann's Charte bezeichnet. Ich verlege also Janssen nach No. 17.
Lockyer in 34° westl. Länge und — 45° Br. N. von Pitiscus.
Ich habe folgende Namen eingeführt:

Reimarus(*), in 63° westl. Länge u. — 48° Br. Am SW.-Rande.
Mallet(*), · 55 · · — 46 · · · ·
Young(*), · 52,5 · · — 42,5 · ·
Watt(*), · 49 · · — 50 · W.-Nachbar von Steinheil.

Argelander(*), · 42,5 · · — 43 · S. bei Fabricius.
Helmholts(*), · 70 · · — 67,5 · N. bei Boussingault.
Neumayer(*), · 67 · · — 71 · W. ·
Janssen(*), · 45 · · — 67 · N. ·
Dove(*), · 33 · · — 47 · N. bei Pitiscus.
Spallanzani(*), · 26,5 · · — 46,5 · NO. bei Pitiscus.
Ideler(*), · 22,5 · · — 48,5 · S. bei Pitiscus.
Asclepi(*), · 26,5 · · — 55 · O. bei Hommel.
Wöhler(*), · 32,5 · · — 38 · W. bei Riccius.
Breislak(*), · 18 · · — 47,5 · N. bei Baco.
Peters(*), · 43 · · — 57,5 · S. bei Rosenberger.

Die englischen Beobachter hatten ebenfalls den Namen Peters gewählt, den ich aber nicht identificiren konnte. Ich setze ihn dort an, wo ich ihn seit 1860 bestimmt hatte.

VERGLEICHUNG DER BEZEICHNUNGEN IN LOHRMANN'S UND MÄDLER'S CHARTEN.

bei Lohrmann:	bei Mädler:	bei Lohrmann:	bei Mädler:
53 Boguslawski	Boguslawski	44	bei A
46	b	45	E
45	e	34	e
8* 45	b = Janssen (engl. Beob.)	50	bei h
8* Boussingault	Boussingault	42	K
47 Neumayer (*)	г	40	b
49 Helmholtz (*)	unbezeichnet	41	c
48	d	23* Hagecius	Hagecius

38

bei Lohrmann:	bei Mädler:	bei Lohrmann:	bei Mädler:
43	unbezeichnet	50* Spallanzani (*)	E
27* (55)	b	27	c
54	c	83	f
9* Mutus	Mutus	84 = Dove (*)	B
52	e	18* = Lockyer (*)	H
51	c	85	D
71	B	86	f
73	bei D	6	C
72	bei C	5	unbezeichnet
29* Asclepi (*)	c	4	bei *
74	g	47* Argelander (*)	unbezeichnet
67	d	22	K
56	a	21	a
26* Nearch	Nearch	20	B
28* Hommel	Hommel	23	bei G. H
57	e	26	unbezeichnet
58 = Peters (*)	d	27	e
59	a	18—28 = Mallet (*)	F
35	b	19	d
22* Biela	Biela	15. 16. 17 = Young (*)	ʊ ϑ λ
32	d	14	bei η
38	b	13	H
31	g	12	A
21* Pontécoulant	Pontécoulant	46* Fabricius	Fabricius
Hanno	Hanno	45* Metius	Metius
33	unbezeichnet	11	fehlt
25	d	10	bei λ
24	c	8	i
44* = Watt (*)	a Steinheil	9	bei x
L. Steinheil	Steinheil	7	bei H
30	A	82	c
32	B	99. 96	bei d
36	a	95	E
24* Rosenberger	Rosenberger	51* Nicolai	Nicolai
25* Vlacq	Vlacq	87	A
61	C	89	g
62	a	Barocius	Barocius
63	b	80	b
59	g	81	c
60	h	52* Maurolycus	Maurolycus
68	unbezeichnet	90	A
61	a	91	unbezeichnet
65	h	92 Buch	Buch
66	c	82* Büsching	Büsching
49* Pitiscus	Pitiscus	93	bei d
69	β	94	B
70	a	Riccius	Riccius
30* Baco	Baco	97	b
75 Breislak (*)	a	96	f d
76 = Idaler (*)	b	22* Wöhler (*)	H
79	c	100	bei A
78	bei d	71* Rheita	Rheita

HÖHENMESSUNGEN.

L. Boussingault f, zu West gemessen:

$\varphi = 2° 35'$ h = 903' S.
  2 36   867 S.
Mittel: $\varphi = 2° 35'$ h = 885' = 5310'.
f ein Krater in 62° westl. Lg. und — 63° Br.
Boussingault = No. 11, der grössere äussere Hauptwall.

$\varphi = 5° 9'$ h = 2786' S. SO.-Gipfel zu West gem.
  5 16   1565 S. S.-Wall
  7 27   2804 S. Krater C, NW.-Wall.
Boussingault, der innere tiefe Krater, NW.-Wall innen:

$\varphi = 7° 11'$ h = 1450' S.
Desselben SW.-Wallgipfel a nach aussen:

$\varphi = 3° 50'$ h = 854' S.

2. Mutus = No. 18. SO.-Wall innen:

$\varphi = 5° 18'$ h = 1819' M.
  6 38   1499 S.
  6 53   2856 M.
  7 11   2023 M.
  7 19   2414 S.
  8 2   1457 S.
  8 7   1384 S.
  8 10   2415 S.
  8 21   1046 M.
  10 35   1656 S.

Kaum in irgend einem andern Falle zeigen sich so grosse Unterschiede der Messungen als am Mutus. Das Mittel hat wenig Werth:

$\varphi = 7° 47'$ h = 1857' = 11142'.

3. Maurolycus = No. 33. W.-Wall innen:

$\varphi = 4° 37'$ h = 1855' S.
  6 3   2179 S.
  6 58   2279 S.
  7 21   2101 S.
  7 29   2280 S.

$\varphi = 7° 35'$ h = 1941' S.
  8 15   1982 S.
  9 37   2154 S.
Mittel: $\varphi = 7° 15'$ h = 2096' = 12576'.
Die Messungen an der Ostseite findet man bei Section XXIII.
Maurolycus, SW.-Wall innen, oder zu Ost gemessen:

$\varphi = 4° 23'$ h = 2229' S.
  4 28   2202 S.
  4 32   2170 S.
  5 12   2546 S.
  5 23   2474 S.
  5 26   2462 S.
  5 26   2595 S.
  5 44   2952 S.
  6 35   3213 S.
  6 37   2904 S.
  6 45   2716 S.
  6 53   2988 S.
  7 22   2798 S.
  7 22   3283 S.
  7 31   2976 S.
  7 19   2861 S.
  8 44   2753 S.
  9 2   2583 S.
  9 2   2603 S.
  9 17   2813 S.
  9 25   2483 S.
  9 33   2535 S.
  9 55   2589 S.
  9 52   2392 S.
  11 26   2586 S.
  11 46   2208 S.
  12 52   2041 S.
  13 19   1802 S.

38*

Mittelwerthe:

$\varphi = 4° 28'$ h = 2200' 3 Beob.
   5 26   2606   5 -
   6 42   2963   4 -
   7 28   2979   3 -
   9 3   2688   4 -
   9 43   2500   1 -
  11 36   2397   2 -
  13 15   1921   2 -

Bei $\varphi = 4°$ liegt der Schatten an den Höhen des Ostwalles, bei $7°$ passirt er die Mitte, und bei $\varphi = 13°$ endet er auf den innern westlichen Terrassen. Die grösste Erhebung beträgt wenigstens 17874'.

Maurolycus, W.-Wall aussen:
$\varphi = 5° 32'$ h = 793' S.
   6 1   1046   S.

Bei $\varphi = 6'$ ist das Ende des Schattens im westlichen Krater c. Die Fläche des Maurolycus ist wenigstens 1200' tiefer als das westliche Land.

Maurolycus, NW.-Wall innen:
$\varphi = 5° 42'$ h = 2300' S.

4. Barocius = No. 12. W.-Wall innen:
$\varphi = 5° 48'$ h = 1551' M.
   6 31   1618   S.
   7 0   1516   S.
   8 59   1882   S.

Mittel: $\varphi = 7° 4'$ h = 1642' = 9852'.

Die dritte Beob. giebt die Höhe mehr im NW. des Walles.

Barocius, O.-Wallgipfel nach innen:
$\varphi = 4° 54'$ h = 1696' S.
   5 0   2819   S.
   5 17   1891   S.
   7 7   1750   S.
  10 22   2175   S.

Die zweite Messung vielleicht verfehlt, wird zum Mittel nicht hinzugezogen.

Mittel: $\varphi = 7° 2'$ h = 1878' = 11268'.

Barocius, O.-Wall innen:
$\varphi = 4° 55'$ h = 1907' M.
   5 13   2018   S.
   5 31   1720   S.
   7 50   1767   S.
   7 52   1758   M.

Mittel: $\varphi = 6° 12'$ h = 1834' = 11004'.

Ich vermuthe, den Hochgipfel nur einmal wirklich getroffen, und stets den Wall gemessen zu haben.

Barocius b, Westwall innen:
$\varphi = 7° 20'$ h = 956' S. der NW.-Wall.
   6 54   1180   S. -   W.-
   9 13   1354   S. -   W.-

5. Baco, W.-Wall innen:
$\varphi = 4° 32'$ h = 1052' S.
   4 47   1287   S.
   5 31   1206   M. Gipfel.
   5 57   1678   S.
   7 1   1241   S.
   7 5   1160   S. Gipfel.
   7 32   1501   M.
   7 44   1403   S.
   7 57   1190   S.
   8 16   1437   S.
   9 26   1673   S. Gipfel.

Die Mittel sind für den Wall und den Gipfel:
W.-Wall:
$\varphi = 6° 44'$ h = 1351' = 8106'
W.-Wallgipfel:
$\varphi = 7° 22'$ h = 1346' = 8076'.

Diese Angaben zeigen, dass man sich auf das einfache Mittel für den Westwall beschränken müsse; es ist
$\varphi = 6° 51'$ h = 1350' = 8100',

Baco, SW. und NW.-Wall nach innen:
$\varphi = 4° 22'$ h = 1317' S. SW.-Wall.
   4 31   1477   S. NW.- -

Baco, O.-Wall innen:
$\varphi = 7° 7'$ h = 2116' M.
   8 15   1821   S.
  10 48   1756   M.

Mittel: $\varphi = 8° 51'$ h = 1898' = 11388'.

Baco, O.-Wall, Sattel.
$\varphi = 7° 49'$ h = 1518' S.

Baco, SO.-Wall, Gipfel.
$\varphi = 7° 41'$ h = 2104' S.

Baco a.
$\varphi = 13° 58'$ h = 1323' S. W.-Wall innen.
   4 51   757   S. -   aussen.

Vertiefung des Kraters = 566' = 3396'.

Baco a, O.-Wall innen:
$\varphi = 8° 49'$ h = 1255' S.
   9 25   1371   M.

Mittel: $\varphi = 9° 2'$ h = 1313' = 7878'.

Baco B (gegen Süden gelegen),
W.-Wall innen:
$\varphi = 9° 23'$ h = 1283' S.

6. Ideler(*) = No. 29 = Baco d.
O.-Wall innen:
$\varphi = 8° 18'$ h = 734' M.

7. Buch = No. 31. W.-Wall innen:
$\varphi = 4° 44'$ h = 542' S.

8. Büsching = No. 35. W.-Wall innen:
$\varphi = 4° 54'$ h = 703' M.

9. Nicolai = No. 26. O.-Wall innen:
$\varphi = 7° 19'$ h = 979' M.

10. Pitiscus — No. 23. W.-Wall innen:
φ = 5° 39' h = 1472' S.
   6 36   2603 S.
   7 17   1651 M.
   7 27   1919 S.
   7 16   1825 S.
   8 22   1408 S.
  10 11   1789 S.
  11 30   1797 S.
  11 33   1503 M.
  14 12   2036 S.
  16 20   1369 S.

Mittelwerthe:
φ = 6° 7' h = 2037' 2 Beob.
   7 49   1701 3 -
  12 52 1699 5 -
Das Maximum — 12222'.

Pitiscus, NW.-Wall innen:
φ = 8° 11' h = 1871' S.
  11 21   2172 S.
Mittel: φ = 9° 46' h = 2021' = 12120'.

Pitiscus, O.-Wall innen:
φ = 6° 4' h = 1033' M.
   6 28   1008 M.
   6 58   946   S.
   8 20   1333 S.
Mittel: φ = 6° 58' h = 1080' = 6480'.

Pitiscus, O.-Wallgipfel nach innen:
φ = 6° 28' h = 1532' S.

Pitiscus, Centralberg:
φ = 3° 42' h = 702' S. zu West gemessen.
   5 22   693 S. - Ost -

Pitiscus, Berg β, zu Ost gemessen:
φ = 2° 52' h = 1028' S.
Dieser Berg liegt östlich am Pitiscus; durch seinen Schatten leicht kenntlich.

11. Vlacq — No. 21. W.-Wall innen:
φ = 5° 22' h = 1576' S.
  10 31   1946 S.
  12 31   1342 M.
Mittel: φ = 9° 28' h = 1631' = 9726'.

Vlacq, NW.-Wall innen:
φ = 7° 50' h = 1305' S.
  12 54   1804 S.
Mittel: φ = 10° 22' h = 1554' = 9324'.

Vlacq, O.-Wall innen:
φ = 4° 17' h = 1627' M.
   4 53   1803 M.
   5 14   1162 M.
   5 54   1784 S.
   6 31   1343 M.
   6 31   1252 S.

Mittelwerthe:
φ = 4° 35' h = 1715' = 10290'.
   5 34   1473
   6 31   1297
Vlacq, SO.-Wall innen:
φ = 5° 51' h = 2568' S.
   6 43   2083 S.
   8 18   1896 S.
Mittel: φ = 6° 59' h = 2182' = 13092'.
Vlacq, Centralberg:
φ = 4° 24' h = 884' S. zu West.
   5 20   196 S. -
   4 7   689 S. - Ost.
          159 M. eine Schätzung.
Hier lässt sich kein Mittel nehmen.
Vlacq c, W.-Wall innen:
φ = 12° 6' h = 1580' S.
12. Hommel — No. 22, Krater C.
φ = 6° 25' h = 1239' S. NO.-Wall innen.
   7 54   1825 S. O.- -
  10 13   1647 S. O.- -
  10 41   971 S. SO.- -
   8 1   2076 S. O.-Wallg. -
Für den O.-Wall hat man das Mittel:
φ = 9° 3' h = 1736' = 10416' 2 Beob.
Hommel, Krater a, W.-Wall innen:
φ = 9° 17' h = 2706' S.
  11 29   1530 S.
Hommel, Krater B.
O.-Wall aussen, über Hommel:
φ = 8° 25' h = 2191' S.
W.-Wall innen:
φ = 9° 17' h = 1031' S.
13. Rosenberger — No. 20.
φ = 4° 1' h = 1002' S. NW.-Wall innen.
   5 5   1198 S. W.- -
14. Nearchus — No. 19. W.-Wall innen:
φ = 9° 19' h = 1827' S.
Nearchus, SO.-Wall innen:
φ = 5° 10' h = 1524' S.
   5 19   1855 S.
   6 11   1560 S.
Mittel: φ = 5° 51' h = 1646' = 9876'.
15. Hagecius — No. 11.
φ = 5° 27' h = 1398' S. SO.-Wall innen.
   6 35   2146 S. NW.- -
16. Biela — No. 10.
φ = 4° 1' h = 1344' S. NW.-Wall, aussen bei C.
   5 15   1434 S. SO.-Wall innen.
   8 52   1752 S. O.- -
17. Steinheil — No. 7. W.-Wall innen:
φ = 6° 13' h = 1841' M.
   8 6   1746 S.
Mittel: φ = 7° 9' h = 1793' = 10758'.

Steinheil, NW.-Wall innen:
φ = 5° 56' h = 1615' S.
    7 39   1872 S.
    9 41   1646 S.
   10 27   1732 S.
Mittel: φ = 8° 26' h = 1716' = 10296'.
O.-Wall innen:
φ = 7° 17' h = 1700' M.
    8 22   2004 M.
   10 15   1875 M.
Mittel: φ = 8° 38' h = 1860' = 11160'.
SO.-Wall innen:
φ = 6° 45' h = 2439' S.
    7 21   2251 S.
    8 51   2233 S.
    9 46   2223 S.
Mittel: φ = 8° 11' h = 2286' = 13716'.

18. Watt (*) = No. 8. Nachbar von Steinheil; W.-Wall innen:
φ = 6° 52' h = 927' S.
Watt, SO.-Wall innen:
φ = 5° 49' h = 2206' S.
    6 28   2361 S.
    7 11   2148
Mittel: φ = 6° 37' h = 2238' = 13428'.
Watt, O.-Wall innen:
φ = 7° 19' h = 1803' M.

19. Metius = No. 5. W.-Wall innen:
φ = 5° 49' h = 2062' M.
Metius, NW.-Wall innen:
φ = 5° 27' h = 1384' S.
    7 6   2095 S.*
    7 12   1504 S.
    7 20   1413 S.
    9 56   1452 S.
Mittelwerth ohne S.*
φ = 7° 29' h = 1438' = 8628'.
Metius, W.-Wallgipfel a nach aussen:
φ = 6° 4' h = 924' M.
Demnach die Einsenkung des Metius = 514'
= 3084'.
Metius, O.-Wall innen:
φ = 6° 5' h = 1541' M.
   10 9   1756 S.
Mittel: φ = 8° 7' h = 1648' = 9888'.
Indessen gehört die letzte Beobachtung vielleicht zu Fabricius.
Metius, SO.-Wall innen:
φ = 4° 44' h = 1877' S.
    6 41   1932 S.
Mittel: φ = 5° 42' h = 1904' = 11424'.

Metius A, (Ost an Metius). O.-Wall innen:
φ = 6° 27' h = 1244' S.
    8 31   1384 S.
Mittel: φ = 7° 29' h = 1314' = 7884'.
20. Fabricius = No. 4. W.-Wall innen:
φ = 4° 55' h = 1203' M.
    5 54   1443 S.
    7 19   1721 S.
    8 1   1770 S.
    9 40   1910 S.
Mittel: φ = 5° 21' h = 1323'
    8 21   * 1800 = 10800'.
NW.-Wall innen:
φ = 5° 35' h = 1873' S.
O.-Wall innen:
φ = 4° 3' h = 1304' M.
    5 12   1312 S.
Mittel: φ = 4° 37' h = 1308' = 7848'.
SO.-Wall innen:
φ = 4° 58' h = 649' S.
Fabricius, Centralberg zu West:
φ = 5° 22' h = 704' M.
21. Argelander = No. 9. W.-Wall innen,
nördlich bei β (Mädler).
φ = 4° 26' h = 2638' S.
    4 39   1775 S.
    4 56   1744 M.
Mittel der beiden letzten Messungen:
φ = 4° 47' h = 1759' = 10554'.
Argelander, NW.-Wall oder der SO.-Wall
von Fabricius a, zu Ost gemessen:
φ = 6° 56' h = 2191' S.
    6 57   2147 S.
Mittel: φ = 6° 56' h = 2169' = 13014'.
Argelander, S.-Wall, Krater C, ein Pic südlich von diesem.
φ = 3° 26' h = 1593' S. zu West gem.
Argelander, O.-Wall bei D, nach innen:
φ = 3° 59' h = 1597' S.
Argelander C (südlich), O.-Wall innen:
φ = 4° 11' h = 1433' S.
    7 15   1514 S.
   10 9   1756 S.
Mittel: φ = 7° 16' h = 1568' = 9408'.
Desselbigen Kraters C W.-Wall aussen:
φ = 6° 27' h = 917' S.
Tiefe östlich bei Metius.
φ = 3° 45' h = 899' S. zu Ost gemessen.
    4 0   1682 S. - West -
22. Pontécoulant = No. 11.
O.-Wall innen:
φ = 4° 10' h = 1673' S.

23. Rheita — No. 6. NO.-Wall innen:
φ = 6° 30′ h = 2244′ M.
      6 16   2372 S.
Mittel: φ = 6° 33′ h = 2308′ = 13848′.
Rheita. SO.-Wall innen:
φ = 6° 32′ h = 1569′ M.
      6 57   1759 S.
      8 16   1527 S.
Mittel: φ = 7° 22′ h = 1618′ = 9708′.
Rheita, NW.-Wall innen:
φ = 10° 53′ h = 1569′ S.
24. Young — No. 3. O.-Wall innen:
φ = 7° 15′ h = 1478′ M.
      8 27   1811 S.
Mittel: φ = 7° 51′ h = 1644′ = 9864′.

Neigungswinkel.

Maurolycus, SW.-Wall innen	μ =	30°
- W.- - -	M =	35
- - - -	m =	25
Barocius, O.-Wall	m =	21
Bacon, W.-Wall	μ =	26
- O.-Wall	μ =	17
Mutus, W.-Wall	μ =	23
Pitiscus, W.-Wall	μ =	31
Vlacq, W.-Wall	μ =	31
Hommel C, W.-Wall	μ =	29

108 Aufnahmen liegen vor, nach denen die Section XXIV gearbeitet ward.

BEMERKUNGEN.

1842 Aug. 21. Erste Zeichnung der Gegenden: Argelander, Fabricius, Metius und Hommel.
- Nov. 9. Barocius b ist viel tiefer als c.
1843 März 6. Im Steinheil ward die Spur eines Centralberges, in Argelander die grosse Rille gesehen.
- März 7. Nearclus ist in der inneren Fläche vielleicht expandirt.
- Sept. 10. Im Janssen (No. 17) im westlichen Krater g zeigt sich ein Centralberg.
1851 Jan. 20 ward die grosse Rille in der Mitte der Wallebene Argelander ganz gesehen.
1853 Sept. 20. Dieselbe Rille ward wieder beobachtet.
1855 März 15 zeigte sich wieder ein Centralberg in g dem Westkrater von Janssen — No. 17.
1856 März 11 ward der feine Krater im Centralgebirge des Fabricius gesehen. Der Krater η in Argelander ward nicht bemerkt. In Hageclus E erschien ein Centralberg.
- April 10. In der südlichen Ebene von Watt — No. 8 zeigte sich ein kleiner Krater.
1860 Dec. 18. In Hommel C, im östlichen Theile des Kraters, stehen einige beträchtliche Hügel.

SECTION XXV.

	L.	M.	S.
Krater	117	104	304
Rillen	o	o	o

NAMEN.

1. Furnerius.
2. Fraunhofer.
3. Vega.
4. Oken.
5. Marinus.
6. NW.-Nachbar von Rheita.
7. Peirescius (*).
8. Brisbane (*).

1. Mare australe.

Anm. Ich habe angenommen:
Peirescius in 65°.5 westl. Lg. und — 46° Br.
Brisbane in 68 · · · — 49 ·
In Lohrmann's Charte steht der Name Vega zu
weit nach Westen.

VERGLEICHUNG DER BEZEICHNUNGEN IN LOHRMANN'S UND MÄDLER'S CHARTEN.

bei Lohrmann:	bei Mädler:	bei Lohrmann:	bei Mädler:
7	A. Rheita	42°	β7
72° Furnerius	Furnerius	6	C
t	g	8	e
Marinus	Marinus	43° Vega	f. Vega
3	a	9	unbezeichnet
Oken	Oken	10	c
4	b	12	d
Fraunhofer	Fraunhofer	11	β
2	a		

HÖHENMESSUNG.

Fraunhofer — No. 2. O.-Wall innen, bei ζ.
φ = 4° 39' h = 1322' S.
Zu dieser Section gehören 37 Aufnahmen.

Druck von W. Pormetter in Berlin.